Wolf, Rud

Biographien zur Kulturgeschichte der Schweiz

Wolf, Rudolf

Biographien zur Kulturgeschichte der Schweiz

Inktank publishing, 2018

www.inktank-publishing.com

ISBN/EAN: 9783747790854

Biographien

zur

Kulturgeschichte der Schweiz.

Von

Dr. Rudolf Wolf,

Professor der Astronomie in Zürich.

Vierter Cyclus.

Mit dem Bildniss von Horace-Benedict de Saussure.

Zürich,

Druck und Verlag von Orell, Füßli & Comp.

1862.

Biographien

zur

Kulturgeschichte der Schweiz.

Von

Dr. Rudolf Wolf,

Professor der Astronomie in Zürich.

Vierter Cyclus.

Mit dem Bildniss von Horace-Benedict de Saussure.

Zürich,

Druck und Verlag von Orell, Füßli & Comp.

1862.

Der

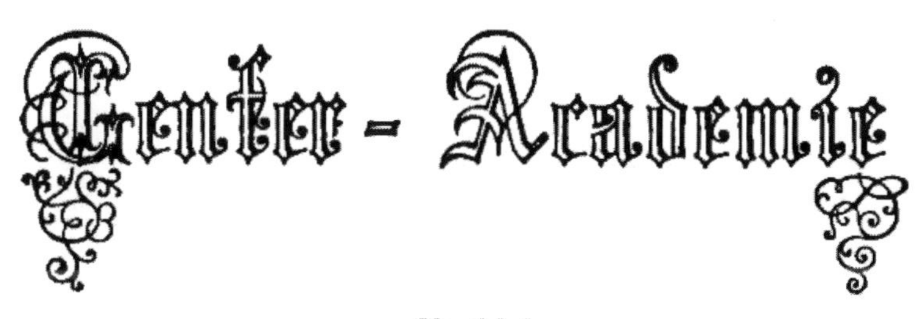

zur Nachfeier

ihres dritten Secular-Jubileums

am 5. Juni 1859

gewidmet

von dem Verfasser.

Vorwort.

Indem ich den vierten und letzten Band meiner Biographien der Oeffentlichkeit übergebe, bitte ich meine Leser, auch ihm die freundliche Aufnahme und nachsichtige Beurtheilung angedeihen zu lassen, welche den frühern Bänden zu meiner großen Freude zu Theil wurde. Diese Bitte ist um so dringlicher, als es mir schwer wurde, den überreichen Stoff, der mir noch vorlag, möglichst vollständig aufzunehmen, und dennoch etwas Lesbares zu liefern. Ob die Form, unter welcher ich namentlich in den Biographien von Wepfer, Perronet, Deluc, Berthoud, Schellenberg, Piazzi, Girtanner, Escher, DeCandolle und Sturm für die einzelnen Gebiete der mathematischen und Natur-Wissenschaften eine Abrundung und Vervollständigung zu erzielen suchte, eine vollkommen gelungene ist, wage ich nicht zu entscheiden.

Wenn mir erlaubt ist, zum Schlusse noch einen Rückblick auf mein ganzes Werk zu werfen, so glaube ich aussprechen zu dürfen, daß, wenn auch meine Darstellung aus den in der Vorrede zum ersten Bande angeführten Gründen bisweilen mangelhaft geblieben sein mag, dasselbe dennoch durch das darin niedergelegte große und zum guten Theil bisdahin unbekannte Material einen bleibenden Werth behalten, und oft ausgebeutet werden wird. Ich führe als Belege die eine Thatsache an, daß in meinen vier Bänden außer den 80

Felix Plater von Basel.

1536—1614.

Felix Plater wurde im Oktober 1536 zu Basel dem daselbst eingebürgerten Buchdrucker Thomas Plater von seiner Frau, Anna Dietschi von Wipkingen bei Zürich, geboren [1]). — Vater Thomas, 1499 zu Grenchen oder Grächen im Wallis geboren und frühe Waise geworden, hatte als kleiner Knabe bei Fremden als Geißbub dienen müssen, war dabei oft in Lebensgefahr gerathen [2]), und auch sonst in keiner Weise verwöhnt worden. „Das weiß ich woll", schrieb er, „das ich selten gantz zehen gehebt han, sunder bletz drab gestoßen, groß schrunden, offt übell gfallen, on schu der merteill im summer oder holtzschu. Großen durst, das ich manch mall mier selbs in dhand brintzlet han und das für den durst getrunken; spyß was am morgen vor tag ein bappen von roggin mäll; käß und rogginbrott gibt man eim in eim körblin mit zu tragen am ruggen, znacht aber erwelte käßmilch, doch dessen alles zimlich gnug; im summer im höw ligen, im winter uff eim strowsack voll wentellen und oft lüsen." Noch fast übler war es ihm gegangen, als er sich an seinen Vetter Paulus Summermatter und andere fahrende Schüler

---

1) Ich benutze für Plater zunächst „Thomas Plater und Felix Plater zwei Autobiographien. Herausg. von D. A. Fechter, Basel 1840 in 8.", und „Die medizinische Fakultät in Basel und ihr Aufschwung unter Plater und Bauhin mit dem Lebensbilde von Felix Plater. Zur 4ten Säcularfeier der Universität Basel, verfaßt von Fr. Miescher. Basel 1860 in 4." Andere Quellen werden gelegentlich citirt werden.

2) Vergl die Note 1 citirte Autobiographie und das Neujahrstück der Chorherren auf 1812.

angeschlossen, und mit ihnen einen großen Theil von Deutschland durchwandert hatte [3]); was er durch Bettel zusammenbrachte, „fraß“ sein Bachant größtentheils, und er litt oft so Hunger, daß er „den hunden bein uff der gassen abgejagt“. Dabei hatte er so wenig gelernt, daß, als er in seinem 18ten Jahr zu Johannes Sapidus nach Schlettstadt kam, er noch kaum lesen konnte, und erst von 1523 hinweg zu Zürich durch Myconius [4])

---

3) Ich gebe nur drei charakteristische, aber nicht einmal zu den ärgsten zählende Müsterchen: „Einer von Löug uß Walles, mit namen Carle, kam ein mall zu mier, dan wir waren in eim huß zherbrig; sprach zu mier, ich solt mier ein streich uff blossen ars lassen gen, er wolt mier ein zürichsechser gen. Ich ließ mich bereden; do fasset er mich gar woll, leit mich über ein stull und streich mich gar übell. Wie mich das verschmurzt, bittet er mich, ich sölle im den sechser wider lichen, er welte mit der frowen znacht essen und manglete im an der irti; gab im den sechser, ist mir nie wider worden.“ — „Wenn ich nit woll mocht zu gan, ging min vetter Paulus nach mier mit der rutten oder stäcklin, zwikt mich umb die blossen bein, denn ich hatt kein hosen an und böse schülin.“ — „Die schuler und Bachanten zu Präßlen (Breslau), jo ouch zu zytten der gmein man sind so voll lüsen, das nit glaubar ist. Bin offtermall, bsunder im summer ußhi an die Ader (Oder) gangen, min hembdlin gwäschen, an ein studen gehenkt, getröcht, darzwischend den rok geluset, ein gruben gemacht, ein huffen lüß drin geworffen, zugedekt mit hert und ein krüz druff gestekt.“

4) Vergl. I. 2. Hier mag angeführt werden, daß Myconius auch mit Joachim von Watt oder Vadian, dem nachmaligen Reformator und Bürgermeister von St. Gallen (1484 XII 30 bis 1551 IV. 6) sehr befreundet war, von ihm während seinem Aufenthalte in Luzern besucht wurde, und mit ihm nach eingeholter Erlaubniß des Rathes den Pilatus bestieg, was damals noch als ein großes Wagniß angesehen wurde. Vadian hatte in Wien studirt, war dort zum Professor der freien Künste ernannt, von Kaiser Maximilian als Dichter gekrönt worden, und stand bei den Gelehrten durch verschiedene Werke, von denen hier sein „Comment. in Pomponii Melae de orbis situ libri tres, Vind. 1518, Basil. 1522, Paris 1530 in fol.“ citirt werden mögen, in bedeutendem Ansehen. Neben den freien Künsten hatte er sich in Wien auch auf Jurisprudenz und Medizin gelegt, sich in letzterer 1517 die Doktorwürde erworben, und später seiner Vaterstadt als Stadtarzt gute Dienste geleistet. Seiner freundlichen Beziehungen zu Paracelsus ist in III. 28 und 37 gedacht worden; es hätte dort auch die gemeinschaftliche Beobachtung des Cometen von 1531 (s. Schweiz. Museum 1784, II. 335) erwähnt werden können, — ebenso III. 96, daß nicht nur Vadian und der vortreffliche Heinrich Bullinger (1504—1575; vergl. für ihn die Neujahrstücke der Chorherren auf 1781, 1790, 1800 und 1806, ganz besonders aber die kürzlich von Karl Pestalozzi herausgegebene sehr einläßliche und werthvolle Biographie desselben) mit Stumpf, sondern auch unter sich sehr enge befreundet waren. In seiner Vaterstadt stiftete sich Vadian durch sein Vermächtniß an die seither nach ihm benannte Bürgerbibliothek ein bleibendes Denkmal.

mit den Anfangsgründen der lateinischen Grammatik bekannt gemacht wurde. Von Myconius war er später zu seinem Custos erwählt worden, in welcher Eigenschaft er unter Anderm einzufeuern hatte. „Eins morgens hatt ich kein holtz", schrieb er, „und wolt Zwinglin zum frowen minster prädigen vor tag, und als man zpredig lutt, gedacht ich, du hast kein holtz und sind so vill götzen in der kilchen! und die will noch niemantz do was, gieng ich in kilchen zum nechsten altar, erwutst ein Johannes und mit in die schull in den ofen und sprach zu im: jögli nun buck dich, du must in den offen. Als er anfieng brinnen, gab er wiest groß blattren, namlich die öllfarben. Ich dacht nun: halt styll! rierstu dich, das du aber nit dun wirst, so will ich das ofentürlin zu thun; er muß heruß nit, der tüfel trag in den heruß. Wen es uß weri kummen, so heite es mich dozmall min läben kostet." Durch eine Predigt von Zwingli für den Protestantismus gewonnen und dadurch seinem frühern Plane „ein pfaff" zu werden entfremdet, hatte er dann als Privatlehrer seinen Unterhalt zu erwerben gesucht, später bei Rudolf Collin [5]) das Seilerhandwerk erlernt, in Basel in Arbeit gestanden und gleichzeitig die Elemente der hebräischen Sprache vorgetragen, in Zürich auf Anrathen des Myconius 1529 „sein Anni, die jungfrowen" zum Weibe genommen, mit ihr einige Zeit in der Heimath als Seiler und Schulmeister gelebt, nachher in Basel als Provisor Oporins, und etwas später beim Dr. Epiphanius zu Pruntrut ein Unterkommen gefunden. Nachdem er dann noch einige Zeit zu Basel am Pädagogium die griechische Sprache

---

5) Rudolf Am Bühl oder Collin von Guntteliugen im Kanton Luzern (1499—1578) faßte seine Lebensgeschichte selbst in den Worten zusammen: „In Gunttelingen ward ich geboren; dann ward ich Student; dann Schullehrer; dann Chorherr; dann Seiler; dann Soldat und wieder Seiler; dann Bürger zu Zürich; dann Professor; und mag nun mein Schicksal in der Folge seyn wie es will, so steht es immer in deinen Händen, gütigster Gott!" Vergl. für ihn die Neujahrstücke der Chorherren auf 1792 und 1797, — sowie für seinen Lehrjungen Plater dasjenige auf 1780. — Mit Rudolf Am Bühl ist der ebenfalls dem 16ten Jahrh. angehörige Apotheker Kaspar Am Büel von Sitten, der Freund und Mitarbeiter der Geßner und Simmler, nicht zu verwechseln, über den man leider keine genauern Nachrichten besitzt.

gelehrt, und nebenbei dem Buchdrucker Herwagen als Korrektor gedient, hatte er gemeinsam mit Oporin eine eigene Buchdruckerei eingerichtet, und sich zu Basel eingebürgert, wohin nun auch sein väterlicher Freund Myconius, nicht ohne sein Verdienst, als Nachfolger Oecolampad's berufen worden war.

Thomas Plater hatte große Freude, als ihm bald darauf ein Sohn geboren wurde, und er gab ihm auf Anrathen des Myconius den Namen Felix, während ihm der hochgelehrte Simon Grynäus[6]) als Taufpathe die Liebe zu den Wissenschaften einband. An der nöthigen Vorbereitung auf ihr Studium ließ es der Vater, der unterdessen auf allgemeines Verlangen die Schule auf der Burg übernommen und so seinen Felix auch öffentlich zu unterrichten hatte, nicht fehlen, — ja seine übertriebene Strenge hätte einmal bald üble Folgen gehabt. „Er fragt mich einest, was das griechische α purum wer", erzählt Felix, „und alß ichs nit kont sagen, schlacht er mit einer nüwen ruten ab der catheder über mich, vermeinendt über den rucken zu schlachen. Alß ich in dem obsich sich, drift er mich in das angesicht, das es voller schnatten wardt und giengen ettlich strich über die augen, daß wenig gefelt, ich were an augen verletz worden. Ich geschwal im angesicht und blutet an ettlichen orten, das man mich nit über die gassen loßen kont, bis unter dem imäß[7]) furt man mich verhüllet heim. Mein muter erschrack seer, that gar läts über mein vatter, welchem es auch leidt war, also daß er hernach gar milt gegen mir was, auch die ruten nit mer an mir gebrucht." Neben der Schule lernte er „luten schlachen" und auf dem „Clavencordi" spielen[8]), und zeigte zur Freude seines Vaters, der ihn gerne zum ärztlichen Berufe bestimmen wollte, viel Interesse an Pflanzen und Thieren. „Ich laß vil in kreuterbiecher und begert kreuter kennen ze leren", erzählt Felix, „macht mir auch ein register, dorin ich, waß ich hort oder laß

6) Vergl. II. 40.

7) Imbiß oder Mittagszeit.

8) Er behielt die Liebhaberei für Musik bis ins höchste Alter, und hinterließ bei seinem Tode eine Sammlung von nicht weniger als 42 musikalischen Instrumenten.

zu den kranckheiten dienen, inverzeichnete. Ich sach gern die thier metzgen alein dorumb, daß ich daß hertz und andre inwendige glider sechen mocht; do ich dick gedocht, so ich die thier noch lebendig ansach: was wunder dregst du in dir und wirt der metzger finden! Deßhalb ich mich seer doruf gefreute, so man schwein gemetzget hatt, und allzit hoch gebetten um ein urlub, domit ich dem metzger flißig mechte zu sechen, so er die inere glider zertheilet und mit umgieng. Weiß auch wol und ist meiner lengsten dencken eins, daß ich klettenbletter zerschnitten und, alß ob es thier weren, ufgehenckt und die oderen dorin herfirgesucht. Item daß ich ein vögellin gefangen und besichtiget, ob eß auch bluteberlin, und alß ich an der dicke deß schenckelin ein großes funden, wellen sechen, ob man ihm loßen[9]) kent, und mit eim schribmesserlin ufgestochen, dorab es aber wider mein verhoffen gestorben, welches mich seer und lang hernach bekümert hatt."

Nach einem Aufenthalte in Röteln, wohin ihn der Vater vorsorglich gesandt hatte, als im Frühjahr 1551 Basel durch die Pest heimgesucht wurde, bezog Felix im Herbst 1551 das Pädagogium und im Sommer 1552 die Hochschule, wo er bei Huber[10]) seine erste medizinische Vorlesung hörte. Schon im Herbst aber fand man es förderlicher, wenn Felix sofort die damals hochberühmte medizinische Schule in Montpellier beziehe, und der Vater kaufte ihm alsbald „ein rößlin um siben cronen" für die Reise, auf der er „Thomas Schöpfius, schulmeister zu S. Peter" zum Gefährten haben sollte. „Am suntag den 9ten Octobris", erzählt Felix, „bandt mir mein vatter zwei hembt und etwas fatzenetlin in ein gwegßt tuch[11]) mit mir zenemmen, gab mir auf die reiß 4 cronen in goldt, die neigt er mir in das wammist und by 3 cronen in müntz, mit vermelden, er hette das gelt entlendt,

9) Zur Ader lassen.

10) Siehe III. 32. — Bei Anlaß der Pest von 1551 auf 1552, die auch Seb. Münster hinraffte, mag zu einiger Ergänzung von dessen Biographie in II. 1—26 beigefügt werden, daß eine zu Gunsten der Papisten gedruckte lateinische Ausgabe der Cosmographie von 1572 existiren soll, in welcher «Dom. Calvinus» durch «Diabolus Calvinus» ersetzt wurde.

11) Ein Wachstuch.

wie auch daß, so er um das roß geben, schanckt mir zur letze ein Wallisthaler Mathie Schiners Cardinalis; den bracht ich nach jaren wider heim. Mein muter gab mir ein cronen, und sprach mir mein vatter ernstlich zu, ich solte mich nit doruf verlassen, das ich einzig; er wer vil schuldig; doch sig wol das wert do. Solte redlich studiren, mich mit meiner kunst auszebringen und flißig, das ich ein duschs bekomme, by dem Catalano anhalten[12]); welle mich sunst nit loßen." Nachdem am Abend noch ein kleines Abschiedsmal statt gehabt, wobei, wie Felix erzählt, „die muter uns ein broten kingelin firgestalt und ein wachtlen, die ich lang erzogen", wurde am folgenden Morgen die Reise angetreten. Thomas begleitete seinen Sohn noch bis Liestal, und dieser erzählt über den Abschied: „Do er mir die handt bott, und gnoden wolt und sagen: Felix vale! kont er das vale nit aussprechen, sagt va.. und gieng also drurig hinweg, welches mir mein hertz seer beweget, also daß ich hernoch druriger die reis vollbracht, deren ich mich zevor gefreuwet hatt." Letztere ging über Genf, wo ihn ein Schreiben seines Vaters bei Calvin einführte, und Avignon, und dauerte 20 Tage. In Montpellier quartirte er sich bei Apotheker Catalan ein[13]), und wurde sowol bei ihm als in der Stadt bald heimisch, gewöhnte sich auch bald an die ihm ungewohnte Lebensweise. „Im meins herren haus lebte man gar ring", erzählt er, „uf spanischs und wie die Marranen, welche die speis, so die Juden miden, nit essen pflegen. Im fleischstag zu mittag ißt man ein suppen, daruf Nauraux oder kraut, von hammelfleisch, selten von ochsen, findt gut; wenig brien doran, ißt man mit den henden iedes aus seiner schüßlen. Darnoch daß gsotten fleischs. Item wein vol uf, der gar rot, wirt gewessert

12) Felix erhielt nämlich theils von seinem Vater, theils von Dr. Wolf (muthmaßlich Kaspar Wolf von Zürich, s. I. 43—56) Empfehlungsbriefe an den Apotheker Lorenz Catalan in Montpellier, bei dem letzterer als „präceptor seiner süne" gestanden, und es sollte Catalan dahin bestimmt werden, Felix in Tausch gegen einen seiner Söhne bei sich frei aufzunehmen. Wirklich verstand sich Catalan dazu, seinen Sohn Gilbert, der bis dahin in Straßburg gewesen, bei Thomas Plater in solchem Tausch gegen Felix unterzubringen.

13) Vergl. Note 12.

wost drancken, welches waßer die magt eim bringt, mag einer vil oder wenig ausschütten, alsdan wein drüber gießen laßen. Was einer nit ausdrinckt, schüt die magt aus; dan der wein nit über die jor zu bhalten, wirt baldt zu eßig." — Dabei studirte Plater fleißig, theils aus eigenem Drange, theils um den Ermahnungen nachzukommen, die in keinem Briefe seines guten Vaters fehlten. „Ach Gott, ich han nit mer dan dich, min sun!" fügte er einer derselben bei: „drumb fürcht ich dinen, ich weiß sunst kein freid mer uff erden. Du wirst mich, wie ich hoff, mins leibs miner andern kinder ergetzen[14]) und auch min gschlecht helffen erhalten." Und auch die große Lehre fehlte nicht: „Dracht nach der fromkeit, sunst wolt ich dier für war nit ein nestell umb dine studia gen." — Montpellier zeichnete sich damals vor den meisten andern medizinischen Schulen dadurch aus, daß dort alljährlich zwei bis drei menschliche Leichen öffentlich secirt wurden, und man kann sich nach dem oben[15]) mitgetheilten denken, mit welchem Interesse Plater nicht nur diesen Uebungen beiwohnte, sondern auch eigenhändig an Hunden, Katzen und dergleichen, entsprechende Zergliederungen versuchte, — ja so weit kommen konnte, trotz seiner etwas zaghaften Natur, mit Lebensgefahr an einem Leichendiebstahle Theil zu nehmen, der in der Nacht vom 11. auf den 12. Dez. 1554 auf einem Kirchhof vor der Stadt vor sich ging. „Wir zogen nach mitnacht in aller stille uf den kilchhof", erzählt er. „Do scharreten wir ein corpus herus nur mit den henden, dan der grundt noch lugk was. Alß wir uf das corpus kamen, legten wir ein seil doran und zarten eß mit gwalt herus, schlugen unser röck darumb und trugens uf zweien benglen bis an das statthor; war um dry uren in der nacht. Do thaten wir die corpora an ein ort, und klopften am kleinen thürlin, dardurch man etwan in und außloßt. Es kam ein alter portner herfir im hembdt, that uns das thürlin auf. Wir batten in, er wolt

14) Thomas hatte vor Felix von seiner Frau drei Töchter erhalten, von denen zwei ganz jung starben, die dritte schon ziemlich erwachsen ein Opfer der im Texte erwähnten Pest geworden war.

15) Siehe Pag. 5.

uns ein drunck geben, wir sturben vor durst. Wil er den wein holt, zogen iren dry die corpora hinin und drugens obsich in des Gallotus hauß[16]), daß nit fern vom thor, das also der thorwechter nit gwar wardt..“ — Doch versäumte Plater ob solchen anatomischen Uebungen nicht, die Vorträge zu besuchen, welche die weit berühmten Aerzte Saporta und Rondelet hielten, — studirte nebenbei fleißig die Schriften Galens, — war seinem Hausherrn bei Darstellung von Präparaten behülflich, wobei er namentlich die Zusammensetzung der damals gebräuchlichen Theriaken kennen lernte, — sammelte bei andern Studirenden und Doctoren allerlei Arzneivorschriften, — und verwendete einst eine ganze Nacht dazu, ein Receptbuch von Rondelet abzuschreiben. Auch für naturhistorische Excursionen fand er Zeit, und mehrere Sendungen von Früchten, Sämereien, Meermuscheln, Krebsen, 2c., welche er von Montpellier aus an seinen Vater abgehen ließ, bildeten die Grundlage seiner spätern weltberühmten Naturaliensammlung, von der wir unten noch sprechen werden. Und dennoch schloß sich Plater von seinen Studiengenossen nicht ab, sondern nahm an ihren Vergnügungen Theil, so weit es ihm sein natürliches feines Gefühl für Anstand und Sitte erlaubte, — ja besuchte sogar oft Gesellschaften in Bürgerhäusern, wo er um seines ganzen Wesens willen, und ganz besonders wegen seines trefflichen Lautenspiels, das ihm den Namen «l'allemand du lut» zuzog, sehr gerne gesehen wurde. Diese geselligen Vorzüge waren bei ihm so ebenmäßig mit wissenschaftlicher Tüchtigkeit verbunden, daß ihn auch seine Lehrer auszeichneten, und ihn nicht selten zu ihren Kranken mitnahmen, was für ihn um so wichtiger war, als damals noch kein öffentlicher klinischer Unterricht ertheilt wurde. Diese Tüchtigkeit bewährte sich ebenfalls bei mehreren öffentlichen Disputationen, an denen er Theil nahm, während sich sonst die deutschen Studenten derselben enthielten, und als Plater im Frühjahr 1556 sich stark genug fühlte, das Baccalaureatsexamen zu versuchen, bestund

16) Gallotus war ein bereits verheiratheter, reicher, mit ihnen verbündeter Mann, in dessen Wohnung die gestohlenen Leichen secirt wurden.

er es ebenfalls mit Lob, und wurde am 28. Mai nach dreistündiger Disputation zum Zeichen seiner neu erlangten Würde mit dem rothen Mantel bekleidet.

„By uns ist grosser mangel an Chirurgis, sind schier all kind, nüt gwandlet, unerfaren", schrieb Thomas Plater seinem Sohn. „Wen inen ein schwerer handel für kumpt, so zittrend sy, wie ein naß kalb, kratzend heimlich im kopff, under ougen promittunt salutem [17]). Drumb werden vil lütt erlempt oder sterbent gar. Es stodt gar woll, wen den ein medicus kan ratten und helffen, so selber das messer in die hand nen und lonet woll. Min sun, ich wolt geren ein finen, nützlichen erenman uß dier dim vatterland machen. Es werdent grusam vil medici zu Basell uff stan; kan dan einer nit etwas für die anderen uß, so muß er halb betlen oder ein Aulicus werden oder ein fremden dienst suchen. Nun wolt ich dich aber geren in dim vatterland behalten. Welcher der best ist, der wird brut heim fieren." Und Felix hatte wirklich das ernste Streben das ihm vom Vater vorgesteckte Ziel zu erreichen, verdoppelte seinen

---

17) Diese Schilderung dürfte schon gegenüber dem sofort zu erwähnenden Jeckelmann etwas stark erscheinen, — sehr auffallend aber, wenn man an den ausgezeichneten, 1576 verstorbenen Basler-Wundarzt Felix Würtz denkt, der zwar Leu, Holzhalb, ꝛc. ebenfalls unbekannt geblieben zu sein scheint, dagegen in der Geschichte der Chirurgie einen sehr ehrenvollen Platz einnimmt: Seine „Practica der Wundartzney, Basel 1563 in 8.", die später noch sehr oft und auch in franz. Ausgabe erschien, behandelt nach Häser's Geschichte der Medizin, „zwar nur die Lehren der sog. niedern Chirurgie, vorzüglich die über die Wunden, erhält aber durch den kritischen Sinn und das gereifte Urtheil ihres Verfassers einen bleibenden Werth. Den Auctoritäten der Alten legt Würtz nicht das mindeste, der eignen Beobachtung das größte Gewicht bei. Was gehets mich an, sagt er, ob diß oder ein anders Galeni, Avicennä, ꝛc. meynung sey. In der Wundartzney ist viel mehr gelegen an den Handgriffen und Erfahrung, als an langem Geschwätze. Im Besondern greift er das überflüssige Heften, die übermäßige Reinigung der Wunden, den schrecklichen Mißbrauch der Artzneimittel und des Glüheisens zur Stillung von Blutungen, die unsinnige Anwendung der Umschläge, Salben und Pflaster ꝛc. an. Bei Fracturen dient ihm statt der entsetzlichen Streckwerkzeuge seiner Vorgänger ein einfacher Schienenverband. Von vorzüglichstem Interesse ist die Abhandlung über die verborgenen Fracturen oder Kleckbrüche." Sprengel sagt von Letzterer, sie sei „einzig in ihrer Art." — Ich bedaure, bis jetzt keine nähern biographischen Angaben über Würtz gefunden zu haben.

Fleiß, ja dachte bereits daran, sich zum Abschlusse seines Aufenthaltes in Montpellier noch die höchste Würde in der Medizin zu erwerben, und dann sein Glück in der Heimath zu versuchen. Als ihm jedoch der Vater schrieb, „es werde ihm gros lob sein, so er zu Basel doctor werde, welches der oberkeit und burgeren baß gefallen wert, dan so er anderswo doctorirt, wie die andre, so man sagt nit so geschickt sein, das sy in unser hohenschul den gradum annemmendt", und zugleich verlauten ließ, daß eine unserm Felix gar nicht gleichgültige Person, eine gewisse Magdalena Jeckelmann, gar sehr wünsche, ihn bald heimkommen zu sehen, entschloß er sich zur Heimreise, trat dieselbe Ende Februar 1557 wirklich über Paris an, und genoß bald darauf die Freude des Wiedersehens. — Sobald Plater sich zu Haus wieder ein wenig eingerichtet und von der Reise erholt hatte, meldete er sich zur Promotion, bestand die manigfaltigen Proben auf das Beste, und wurde schließlich am 26. September unter den üblichen Ceremonien zum Doctor ausgerufen. Bald folgte dann die Verlobung mit der bereits genannten Magdalena Jeckelmann, einer Tochter des angesehenen Chirurgen Franz Jeckelmann von Basel, und schon am 22. October hatte die Hochzeit statt, welche die beiden Liebenden für 56 Jahre mit einander verband. Leider blieb die Ehe kinderlos; aber nichts desto weniger erlosch der Stamm der Plater nicht, — denn als Frau Anna [18]) am 20. Februar 1572 gestorben war, vermählte sich der immer noch rüstige Thomas schon am 24. April desselben Jahres neuerdings mit Ester Großmann [19]), und zeugte mit ihr noch 5 Töchter, und einen Sohn. Letzterer, der, wie sein Vater, Thomas hieß, war bei dessen Tode, der am 26. Januar 1582 erfolgte,

---

18) Die Mutter unsers Felix.

19) Miescher nennt die zweite Frau Ester Großmann, — während sie in den Athenae Rauricae und von Fechter als Ester Groß aufgeführt wird. Da aber letzterer beifügt, sie sei eine „Tochter Nicolai Megandri, des Prädicanten zu Lützelflu im Bernerbiet" gewesen, so dürfte doch Miescher Recht behalten, — denn nach Leu führten nicht die Groß von Bern, sondern die Großmann von Zürich, von denen Kaspar zur Zeit der Reformation nach Bern berufen wurde, den Namen Megander.

erst 8 Jahre alt, und wurde dann von Felix wie ein Sohn erzogen; er folgte seinem Pflegevater in Beruf und Würden [20]), und vererbte die Lust am Studium der Medizin wenigstens noch in soweit auf spätere Geschlechter, daß sein Sohn Felix, und noch dessen Söhne Felix und Franciscus (mit deren letzterm, einem sehr tüchtigen practischen Arzte, 1711 der männliche Stamm zu Grabe getragen wurde) in derselben promovirten.

Bald nach seiner Promotion wurde Felix Plater in das Consilium medicum aufgenommen, und begann auch seine medizinische Praxis. „Ich hatt vor dem nüwen jar, wie auch hernoch im frieling noch nit vil zeschaffen", erzählt er über letztere, „that mich doch redlich herfür etwan in molzeiten, etwan auch sunst, wo gelegenheit von kranckheiten und wie denen zehelfen, zereden, also daß ich etwan, so ichs doheimen that in byseins meines schwechers, wan er by uns aß, der ein guter Chirurgus und auch vil erfaren, von im etwas angeredt und angetastet wardt, ich werde noch vil erfaren miessen, es habe by uns ein ander thun, daß ich alß ein iunger nit fast gern hatt und etwan widerpart hult, mußt mich doch, wil ich noch kein practic, themietigen. Doch fieng die practic glich mir an zehanden kommen und zunemmen. Ich fieng an kundtschaft by burgeren und denen vom adel zemachen, die mich sunderlich probierten mit überschickung des harns, darus ich wißagen mußt, dorin ich mich also wußt zehalten, daß sich ettlich verwunderten und mich anfiengen bruchen. Von tag zu tag bekame ich je lenger je mer practic, so woll in der stat by den inwohnern, als auch von frembden, welche theils zu mir kamen und sich ein zeitlang aufhielten, meine mittel zu gebrauchen, theils auch gleich widerumb fortreiseten und die mittel sampt meinen rathschlägen mitnamen; theils frembde forderten mich in ire hüser

---

20) Thomas Plater von Basel (1574—1628) wurde 1614 Professor der Anatomie und Botanik, 1625 Professor der practischen Medizin. Er scheint nichts geschrieben zu haben, während sein Sohn Felix (1605—1671), der erst Professor der Logik, dann von 1633—1656 Professor der Physik war, eine Reihe von Dissertationen herausgab, von denen z. B. die von 1640 «de stellis in genere», die von 1644 «de influxu astrorum», etc. handelte.

und schlösser, dohin ich eilte und mich nit lang by inen ufhielt, sondern baldt widerumb nachher huß ilete, damit ich vielen zehuß und in der frembde dienen kente." Wie die Praxis sich mehrte, stiegen auch die Einkünfte; die anfänglichen Schulden konnten abbezahlt, — die etwas drückenden Verhältnisse, in denen Plater mit seiner jungen Frau im elterlichen Hause wohnte, beseitigt, und eine selbstständige Haushaltung eingerichtet werden, — ja bald trat ein gewisser Wohlstand ein, so daß sich Plater entschließen durfte, im Sommer 1562 mit Frau, Vater und Schwiegervater eine Reise ins Wallis zu unternehmen, — die drei Männer zu Pferd, die Frau auf einem Maulesel. Sie ritten über Burgdorf und durch das Simmenthal nach Sitten, wo sie vom Bischoff und den „Thumbherren" sehr zuvorkommend aufgenommen wurden. Dann gings ins „Leuggerbadt", wo sich Frau Plater und ihr Vater „am wirt jegliches dry cronen für 4 wuchen firs gemach und das badt verdingten", während die beiden Plater ihre Reise weiter fortsetzten. „Mein vater wolt mich in sein heimat fieren", erzählt Felix, „ließen sy beide recht baden und gingen wider fürhin gon Leugg. Ich war hüpsch rot bekleidet, hatt ein rot attlassen wammist, rote hosen und sammeten hutt von ungeschorenem sammet. Wir zugen am Rodan das landt uf, und kamen gon Visp, ist ein hüpscher flecken. Wir blieben doselbst übernacht und kamen ettlich Platter, so im flecken wonten, zu uns in die herberg, leisteten uns geselschaft. Am morgen frien zugen wir hinderen in das thal, do das wasser visp heruß fleußet. Von dannen kamen wir gon Saßen, ist ein sunder thal, wir aber schlugen zur rechten handt das ander thal hinin, war ein schmaler weg, daß ich der merteil mit der einen handt mich am berg hulte, uf der andern seiten in ein grimme diefe hinabsach. Do zeigt mir mein vatter das ort, an welchem er sein großvatter, den alten Hans Summermatter gefrogt hatt, ob er nit begere zesterben und geantwurtet: jo, wenn ich wißte, daß mir dort kochet were. Do fieng der weg an gar gech werden durch lärchenbeum hinuf gegen den grimmenberg am Grenchen. Wir kamen uf eine ebne hüpsche matten, do grusame pinwäldt sind, und vil bären dorin wonen.

Wir drafen gleich vor einem huß ein alten hundertjährigen blinden man an, der hatt kinder, die fast all dub grauw waren. Das hauß war aus zusammengelegten lärchenbeumen, wie ein holderschlag gemacht. Meins vatters baß, ein Platterin, kochet uns ein milchsuppen, hatt keine zöpff, sunder nur offen har. Nach dem kamen wir in des Hansen in der Bünde hauß, dessen böß wib zu im sagt: bringest du mir aber gäst? woll inhin, ins teuffels namen! Sy ristet uns etwas von milch, dorin Pfeffer geworffen, und tranken guten Augsttalerwein. Nach dem essen streuwet man uns in die stuben und lagen wir doruf. Do sagt mein vatter: siehst du, Felix, wie man mich so woll allhie empfanget! Am morgen kamen wir in das hauß, do mein vatter erboren war. War gleich neben einem hochen Felsen oder platten, davon die unseren die Platter sindt genant worden, und die wonung das huß an der platten, welches von niemand mer bewont war. Nach dem imbiß, by welchem uns vil geselschaft leisteten und starck trancken, thaten wir einen trunck uf der platten, und gab ein cronen, daß man mein wapen solt in die platten huwen sampt dem namen. Nach dem obendtrunck ileten wir widerumb ab dem berg, dan wir kein lust hatten lenger do zu verharren."

„In den Jahren 1563 und 1564, während des sogenannten großen sterbendts, wo die wahre orientalische Beulenpest den Rhein herauf bis Basel vorgedrungen war, und da in Jahresfrist mehr als die Hälfte der Einwohner ergriff, und einen Drittheil derselben, ungefähr 4000 nach Platers Schätzung, hinraffte, — in dieser Zeit des allgemeinsten Elends und der tiefsten Trauer, leistete Felix Plater", erzählt Miescher, „seiner Vaterstadt die größten Dienste. Während andere Aerzte sich möglichst zurückhielten, und Adam von Bodenstein [21]), ein Schüler und

21) Adam von Bodenstein (1528—1577), ein Sohn des von seinem Geburtsorte Carlstadt in Franken Carolostadius genannten Theologen Andreas Rudolf Bodenstein, der als Professor der Theologie in Wittenberg Ao. 1512 Luther zum Doctor promovirte, später aber in einzelnen Lehren von ihm abwich, darum Deutschland meiden mußte, einige Zeit Diacon am Prediger zu Zürich war, und endlich 1541 als Professor der Theologie in Basel an der Pest starb. Adam war

Anhänger von Paracelsus, sich nach Frankfurt flüchtete, war Plater überall zu helfen bereit, wo er darum angesprochen wurde; unermüdlich in der Ausübung seines Berufes, bewies er in diesen Bedrängnissen eine Treue und Selbstaufopferung, die ihm auf immer Zutrauen, Liebe und Dankbarkeit seiner Mitbürger erwarb. Obgleich die Seuche in sein eigenes Haus drang und seine Magd, sowie einen Walliser-Knaben, den er bei sich hatte, ergriff, später auch seine beiden Eltern und alle ihre Dienstboten auf das Krankenlager warf, so blieb doch unser Felix standhaft mitten in der allgemeinen Gefahr, ohne Scheu sich selbst täglich der Ansteckung aussetzend; seine Gewissenhaftigkeit und Pflichttreue waren mächtiger, als die Zaghaftigkeit, welche sonst seiner Natur eigen war, und ein unbegrenztes Gottvertrauen hielt seinen Muth aufrecht. In diesem Sterbend wie noch in vier andern, welche er während seiner praktischen Wirksamkeit in den Jahren 1576, 1582, 1593 und 1609 erlebte, blieb er, sowie seine Frau, von der Krankheit verschont; ein einziges Mal, im Sommer 1564, hatte er sich durch unvorsichtiges Berühren eines Pestkranken, den er während des Todeskampfes bei der Hand hielt, eine Ansteckung zugezogen, in Folge deren sich auf seiner Hand eine Pestblase erzeugte; das Uebel blieb jedoch rein örtlich, woraus er richtig schloß, daß selbst diese ansteckendste aller Krankheiten es nicht für alle und nicht unter allen und jeden Umständen ist, sondern einen für die Aufnahme und Entwicklung des specifischen Giftes prädisponirten Organismus verlangt. — Im Jahre 1571 wurde er in Anerkennung seiner Tüchtigkeit und vielfachen Verdienste an die Stelle des Dr. Joh. Huber zum Professor der praktischen Medizin, und zugleich vom Rath durch einmüthigen Beschluß zum Stadtarzt oder Archiater ernannt, und ihm hiemit die öffentliche Krankenpflege, sowie die Aufsicht über das große Spital in der Stadt und das Siechenhaus in St. Jakob anvertraut, welches Amt er bis zum Ende

als leidenschaftlicher Anhänger von Paracelsus in Basel nicht gern gesehen, und Viele frohlockten, als er 1577 durch die Pest weggerafft wurde, — nachdem er noch im Jahre zuvor in einem gewissen Theriak ein unfehlbares Mittel gegen diese mörderische Krankheit erfunden zu haben glaubte.

seines Lebens mit Treue und Ehre verwaltete. — Auch nach außen verbreitete sich sein Ruhm immer mehr und allgemeiner: Aus allen Gegenden, weit und nah, strömten Kranke nach Basel, um bei dem berühmten Felix Hülfe für ihre Leiden zu suchen; die ersten Aerzte seiner Zeit und selbst gelehrte Korporationen wandten sich schriftlich an ihn, um in schwierigen Fällen seinen Rath einzuholen; die Markgrafen von Baden und Brandenburg, die Herzoge von Lothringen und Sachsen schenkten ihm ihr Zutrauen, und beriefen ihn zu sich in wichtigen Krankheiten; vorzügliche Gunst genoß er bei Katharina, Schwester des Königs Heinrich IV. von Frankreich, und bei dem Hause Würtemberg, welches während mehr als 40 Jahren und durch mehrere Generationen hindurch ihm ohne Unterbrechung zugethan blieb, und seine ärztlichen Dienste in allen schweren Krankheiten in Anspruch nahm. Die Herzoge von Würtemberg, sowie Katharina, machten ihm wiederholt die glänzendsten Anerbietungen, um ihn als Leibarzt beständig an sich zu fesseln, allein vergebens. So empfänglich Plater auch sonst für äußere Ehre und für den Genuß einer feinen vornehmen Gesellschaft war, so scheint ihm doch das Hofleben auf die Dauer nicht zugesagt zu haben. Als er im Jahr 1598 den Markgrafen Georg Friedrich von Baden nach Hechingen auf die Hochzeit des Grafen von Zollern begleitete, hinterließ er, übersättigt von allen den Festlichkeiten und Gelagen an der Wand seines Gemaches folgenden Spruch:

> Hofflebens wirt man auch z'letzt satt,
> Ist dem gutleben wers gern hatt.

Er zog den bescheidenern, aber in seinem innern Gehalt unendlich reicheren heimischen Wirkungskreis dem ihm angebotenen äußeren Glanze vor, wie ihn denn überhaupt die treuste Anhänglichkeit an seine Vaterstadt bis an seines Lebens Ende begleitete. — Plater war ein glücklicher Arzt, und wodurch er es ward, erkennen wir, zum Theil wenigstens, aus seinen praktisch-medizinischen Schriften[22]. Was diese am meisten auszeichnet,

---

22) Plater's «Praxeos medicae opus, Basil. 1602—1608, 3 Vol. in 4.», das noch im Jahre 1736 zum 5ten Mal aufgelegt wurde, und fast noch mehr seine an 700 vorzügliche Krankengeschichten enthaltenden drei Bücher «Observationum

ist die einfache und schlichte, aber bestimmte Beschreibung der Krankheiten, ihrer Erscheinungen und ihres Verlaufes, also die Aufstellung klarer und wahrer Krankheitsbilder, in welchen sich ungekünstelt die Symptome zu einem Ganzen vereinigen. Zuweilen überraschen uns Sonderungen und Unterscheidungen nach oft ziemlich unscheinbaren Merkmalen, die jedoch seinem Blicke nicht entgingen und deren Wichtigkeit er erkannte, ohne nach dem damaligen Standpunkt der Wissenschaften sich davon Rechnung geben zu können. Wir dürfen daraus schließen, daß Plater ein guter Diagnostiker war, daß er einen von Natur feinen und durch Uebung geschärften Blick besaß für die Erkenntniß der Krankheit, und einen hellen Verstand zur richtigen Beurtheilung derselben, — Eigenschaften, welche den wichtigsten Bestandtheil eines guten Arztes ausmachen."

---

in hominis affectibus plerisque, Basil. 1614 in 8.», die 1680 in dritter Auflage erschienen, haben seinen Ruhm weit und nachhaltig verbreitet. Ueber ersteres Werk sagt Sprengel in dem 3ten Bande seiner Geschichte: „Es enthält den ersten Versuch die Krankheiten zu klassificiren, statt daß man bis dahin die Theile des Körpers nach der Reihe durchging, und also ganz heterogene Krankheiten unter Einer Rubrik abhandelte. Ein Schweizer war es also, der sich dieß große Verdienst erwarb, welches man bis jetzt, so viel ich weiß, noch nicht gehörig auseinander gesetzt hat. Plater geht auf analytische Art zu Werke, und gibt die Krankheiten als eine Menge von Symptomen an, ohne den innern Zustand dabey in Betrachtung zu ziehen. Er handelt zuerst die verletzten Functionen, dann die sinnlichen Fehler des Körpers (vitia), und endlich die Ausleerungen und Zurückhaltungen ab." In Beziehung auf die Beobachtungen sagt Sprengel: „Man erstaunt über die Menge eigener Erfahrungen, die dieser einzelne, vortreffliche Arzt gesammelt hat, wünscht aber freilich, daß er hie und da eine bessere Auswahl getroffen hätte. Plater scheint seine Aufmerksamkeit vorzüglich auf die Folgen und Wirkungen der Leidenschaften gerichtet zu haben: wenigstens entsinne ich mich nicht, in irgend einem ältern Werke eine größere Anzahl belehrender Erfahrungen über diesen Gegenstand angetroffen zu haben. Merkwürdig ist sein Vorschlag, in Nervenzufällen den Rückgrath mit reizenden Oelen einzureiben." — Auch Häser spricht sich sehr anerkennend über Plater aus, und hebt (wie dieß übrigens auch Miescher thut) hervor, daß sich Plater auf das bestimmteste für die psychische Behandlung der Irren, und gegen Zwangsmaßregeln, Einsperrung, ꝛc. ausgesprochen habe, wie sie damals sonst in unbeschränktem Maaße gebräuchlich gewesen seien. — Miescher hebt noch besonders hervor, daß manche der Krankengeschichten Platers mit einer kurzen Angabe über den Leichenbefund schließen, und daß somit hier schon ein erster Keim der später für die Krankheitslehre so fruchtbar gewordenen pathologischen Anatomie gefunden werde.

Plater's Verdienste als Lehrer dürften nicht geringer anzuschlagen sein, als diejenigen, welche er sich durch Ausübung des ärztlichen Berufes erwarb, — und sie begannen schon 1559, also lange Jahre, ehe er auf den Lehrstuhl berufen wurde, durch eine öffentliche Zergliederung. „Es drug sich zu im Aprellen, daß man ein Gefangenen wegen diebstals richten solt", erzählt Felix, „welches als ich vernam, mein schwecher, wil er des raths, ansprach, mir um das corpus zu helfen; als er aber vermeint, ich werde nüt, das corpus würde dann von der Universität begert, ußrichten, auch villicht vermeint, ich wurde etwan im Anatomiren nit beston, bribe ich in nit witer, sunder zog selbs zum Bürgermeister Franz Oberieth, dem ich mein begeren eröfnet und um das corpus, so er gericht solt werden, bat; der sich verwundert, daß ich allein solches underston wollte, erbot sich alles guts, wel es mornbes fir roth bringen. Man stalt den übeltheter fir mitwuchen den 5. Aprilis, der wart zum schwert verurtheilt; glich alß der roth uß war, kompt mein schwecher, zeigt an, man habe mir das corpus bewilligt, und werde es zu St. Elsbethen in die kirchen, nachdem er gericht, fieren, do solt ichs anatomieren, aber solches den Doctoren und Wundärzten anzeigen lassen, daß sy auch wenn sie wolten darbey erschinen, wie auch beschach, samt vil volck, das zusach. Das mir ein großen rum bracht, wil lange Jahr von den unseren allein einest von Dr. Vesalio[23]) ein Anatomy zu Basel gehalten. Ich gieng dry tag mit um, darnach sott ich die abgesäuberte bein, und satzt sy zusammen, macht ein sceleton daraus, daß ich noch jetz über die fünfzig und dry Jar by hand, dan ich ein schön kensterlin darzu hab bereiten lassen, darin es stundt in meiner stuben." Auf diese erste öffentliche Anatomie folgte eine zweite im Jahre 1563, und in dem Jahre 1571, wo er

23) Der berühmte Andrés Vésal war 1542 nach Basel gekommen, um den Druck seines großen anatomischen Werkes zu besorgen, hatte sich immatriculiren lassen, einige anatomische Vorlesungen gehalten, und eine öffentliche Zergliederung in Basel vorgenommen, wodurch dem schon 1535 von Sebastian Sinkeler in seinem Gutachten «De medica facultate restauranda» ausgesprochenen Wunsche „daß man von Jar zu Jar, oder je in zweyen Jaren einist ein Anathomey halte", zum ersten Mal Folge gegeben wurde.

und 1609 auf 31. Ein noch sprechenderes Zeugniß für den wachsenden Ruf gibt die zunehmende Zahl der vorgenommenen Doctorpromotionen; während in dem Zeitraum von der Restauration der Universität im Jahre 1532 bis zum Jahre 1560 nur 9 Doctores Medicinae creirt worden waren, stieg die Zahl derselben in den nachfolgenden 25 Jahren auf 114, und erreichte in der darauf folgenden Periode von 1586 bis 1610 die Summe von 454. Es galt für eine Auszeichnung den medizinischen Doctorgrad in Basel erworben zu haben; aus allen Theilen Deutschlands, aus Belgien, Holland, Ungarn, Polen, Italien, Frankreich, England und Schottland strömten die Jünger Aesculaps nach Basel, um dieser Ehre theilhaftig zu werden." Die für die Basler Hochschule so wichtig gewordene Errichtung eines eigenen Lehrstuhles der Botanik und Anatomie für Kaspar Bauhin[29]) und die damit zusammenhängende Einrichtung eines botanischen Gartens und eines anatomischen Theaters, sind großentheils das Werk Plater's, dem überhaupt Bauhin viel verdankte.

„Felix Platers Liebe zu den Wissenschaften blieb nicht auf die engeren Grenzen der Medizin allein beschränkt", erzählt Miescher im weiteren; „sie dehnte sich auch auf andere Zweige des menschlichen Wissens aus, insbesondere auf die Naturwissenschaften. Damit verband er einen regen Sinn für Kunst, und wie er ein großer Freund der Musik war und dieselbe sogar mit Erfolg selbst übte, so liebte er auch die Malerei und fand überhaupt Geschmack an jeder menschlichen Kunstfertigkeit. Er selbst besaß ein natürliches Geschick in Allem, was er zur Hand nahm, auch in mechanischen Arbeiten, und man rühmt von ihm, daß er ein geübter Drechsler gewesen sei. Dabei hatte er eine große Liebhaberei für lebende Thiere[30]) und Pflanzen; seinen Garten

29) Vergl. III. 66.

30) Nach einer Notiz im 9ten Bande des Conservateur Suisse hatte Plater von dem berüchtigten Leonhard Thurneisser (s. III. 32—33) auch ein Elennthier erhalten, jedoch sich desselben nicht lange zu erfreuen gehabt: «Les superstitieux jetèrent des soupçons sur ce pauvre quadrupède; on le regarda de mauvais oeil comme venant d'un magicien et tenant sans doute à la sorcellerie, et une vieille Bâloise lui donna, pour le faire périr, une pomme remplie d'aiguilles.»

schmückte er mit allerlei seltenen Gewächsen, welche er selbst pflegte; besonders glücklich war er in der Kultur von Orangen- und Limonenbäumen. Auf schöne Tauben verwendete er Vieles und er war der Erste, welcher in Basel Canarienvögel lebend zog. Auch wollen wir hier nicht unerwähnt lassen, daß er schon im Jahre 1595 Versuche zur Seidenzucht in Basel angestellt hat [31]). In solchen verschiedenartigen Beschäftigungen suchte Felix Plater Abspannung von seinen wissenschaftlichen Arbeiten und von den Mühseligkeiten seines Berufes; ihnen war seine Ruhe gewidmet, in ihnen suchte und fand er die Freuden seines Lebens. Als eine Frucht dieser Stunden der Muße entstand die Plater'sche Kunst- und Naturaliensammlung, welche zu den berühmtesten dieser Zeit gehörte und von keinem Fremden, der nach Basel kam, unbesucht blieb [32]). Wie wir aus einem noch vorhandenen Catalog über einen Theil dieser Sammlung ersehen, sowie aus dem Hausbuch des jüngern Thomas, seines Bruders, auf welchen dieselbe später überging, enthielt sie nebst allerlei Kuriositäten, Kunststücken, goldenen und silbernen Schaugefäßen, xc., 81 Gemälde, eine große Anzahl von Bildnissen berühmter Männer; ferner eine nicht unbeträchtliche Collection von Münzen, sowohl von alten römischen und griechischen, als von neuern aus allen Ländern Europas. Am wichtigsten und bedeutendsten war die naturhistorische Abtheilung der Sammlung, welche über alle drei Reiche sich ausdehnte, und noch dadurch ein besonderes Interesse gewann, daß die Sammlungen des für die Naturgeschichte so viel

---

31) Nach einer von Fechter mitgetheilten Hausrechnung Platers im Jahre 1612 erwarb derselbe:

Durch seine Praxis, Schriftstellerei, Professur, xc.	Pfd. 62,587
Durch seinen Feldbau	„ 42,669
Durch Erbschaften, Zinsen, Zeigen seines Kabinets und Gartens, xc.	„ 43,411
	Pfd. 148,667

und unter der Rubrik des durch Feldbau Erworbenen kommen folgende Posten vor:

Aus Pomeranzen und Limonenbäumen. . .	Pfd. 1256
Aus Rosmarin	„ 265
Aus syden von würmen A. 95	„ 90 xc.

32) Vergl. Pag. 8.

verdienten Konrad Geßner[33]) nach dessen Tode dazu kamen." — Dem Vorstehenden mag noch beigefügt werden, daß nach Markus Lutz[34]) der Pariser Parlaments-Präsident Jacques-Auguste de Thou Plater im Jahre 1579 besuchte, und über diesen Besuch in seiner Selbstbiographie Folgendes anmerkte: «Il visita Felix Plater, Docteur en Médicine, logé dans une grande et agréable maison, où il le reçut fort civilement. Plater lui fit voir dans son écurie une espèce d'âne sauvage de la grandeur des mulets de Toscane ou d'Auvergne. Cet animal avoit le corps court et de longues jambes, la corne du pied fendue comme celle d'une biche, quoique plus grosse, le poil hérissé et d'une couleur brune et jaunâtre. Il lui montra encore un rat de montagne, de la grandeur d'un chat, qu'ils appellent une marmotte. Il étoit enfermé dans une caissette, et comme il avoit passé l'hiver sans manger, il étoit tout engourdi. Plater avoit aussi l'étui des fossiles de Conrad Gessner, on l'avoit apporté de Zuric, tel

---

33) Für diesen von mir I. 15—42 behandelten großen Naturforscher vergl. noch Kurt Sprengels Geschichte der Botanik, wo Geßners Freundestreue hervorgehoben, und I. 276—281 ein „systematisches Verzeichniß der von ihm zuerst entdeckten Pflanzen" gegeben wird. — In seiner Geschichte der Medizin sagt Sprengel, daß Geßner (Sanitatis tuendae praecepta, Tig. 1562 in 8.) gegen den Unfug der Zeichen des Aderlassens und Purgirens im Kalender, rc., geschrieben habe. — Vergl. für Geßner auch Ernst Meyer's Geschichte der Botanik IV. 322—334. Er führt unter Anderm an, daß schon Geßner Gattungen und Arten, und hinwieder Arten und Varietäten unterschieden habe, — daß wenn Geßner sein botanisches Werk noch selbst hätte herausgeben können, er auch als Entdecker mancher Pflanzen glänzen würde, welche nun den Clusius, Bauhin, rc. zugeschrieben werden, — daß Geßner zuerst den sinnigen Gedanken gehabt habe, verdiente Botaniker dadurch zu ehren, daß man Pflanzengattungen nach ihnen benenne, rc.

34) „Geschichte der Universität Basel, Aarau 1826 in 8." — Bei Erwähnung des verdienten Markus Lutz, dessen biographische Publicationen für dieses Werk von mir so oft benutzt worden sind, kann ich nach gütiger Mittheilung von Herrn Wahrmund Heß in Basel beifügen, daß er am 9. Juli 1772 dem Schuhmacher Emanuel Lutz von und zu Basel geboren wurde, in seiner Vaterstadt Theologie studirte, einige Zeit als Oberlehrer zu Büren im Kanton Bern stand, und 1789 die Pfarrei Läufelfingen erhielt, auf der er am 19. October 1835 starb. Hätte Lutz auch keine andere Leistung aufzuweisen, als seine jetzt noch beste „Beschreibung des Schweizerlandes, Aarau 1827—1835, 5 Bde. in 8.", so wäre er schon den verdienten Schweizern beizuzählen, — vielleicht eher als Mancher, der hochmüthig auf seinen Sammlerfleiß herabgesehen, oder ihn um einiger Unrichtigkeiten willen verdammt hat.

qu'il est écrit et dessiné dans un de ses livres. Cet étui renfermoit bien des raretés différentes, entr'autres quantité d'insectes particuliers, qui semblent autant de jeux de la nature. De Thoux les examina à loisir et avec une grande curiosité, aidé d'Amerbach, qui s'y connoissoit fort bien.» — Nach derselben Quelle erzählt Michel de Montagne in seinem Reiseberichte: „Wir besahen das Haus eines berühmten Arztes in Basel, mit Namen Felix Platerus. Es war à la française, mit vortrefflichen und reizenden Schildereien verziert, und seine Bauart fiel beinahe ins übertrieben-prächtige. Unter andern verfertigte er ein Buch von medizinischen Pflanzen, worin er schon sehr vorwärts gekommen ist. Andere lassen die Kräuter mit ihren Farben abmalen. Er hat aber die Kunst erfunden, sie ganz natürlich auf Papier anzukleben. Das kann er mit so ungewöhnlicher Geschicklichkeit machen, daß man alle Blätter, ja sogar die kleinsten Fibern und Aeste in denselben sehen kann. Er durchblätterte sein Herbarium und zeigte uns Kräuter, die schon vor mehr als 20 Jahren befestiget worden wären." Lutz fügt bei, daß die Familie Plater's diese Sammlungen „gleich einem Heiligthum" aufbewahrt habe, daß sie dagegen nach ihrem Erlöschen zerstreut worden, und durch Ankauf an verschiedene einheimische und auswärtige Liebhaber gekommen seien, — und zwar das Herbarium an Joh. Geßner in Zürich, die Versteinerungen nach Rußland. Nach den bekannten Briefen von Andreä war dagegen in den 60ger Jahren des vorigen Jahrhunderts das Herbarium im Besitze von Dr. Passavant in Basel, der es nur momentan an Joh. Geßner geliehen hatte, — ein Theil der Versteinerungen allerdings nach Schweden verkauft, dagegen muthmaßlich die merkwürdigsten Stücke in der Hand des Droguisten Jakob Bavier in Basel, und aus dieses letztern Sammlung mögen diejenigen Stücke von Geßner und Plater herstammen, welche noch gegenwärtig im Museum zu Basel zu sehen sind.

„Am 28. Juli des Jahres 1614", so schließen wir mit Miescher, „starb Felix Plater, ein fast 78jähriger Greis, mit derselben Ruhe und Klarheit, welche sein ganzes Leben bezeichnet hatten. Bis zu der Krankheit, welche nach vierzehntägigem Leiden durch Wassersucht seine ruhmvolle Laufbahn beschloß, hatte er sich einer ungewöhnlichen Frische und Kräftigkeit des Geistes und Körpers zu erfreuen gehabt. Nur zwei Mal war sein Leben durch schwere Krankheiten bedroht worden, im Jahr 1568 durch ein Nervenfieber und im Jahr 1586 durch ein langwieriges Wechselfieber; beide hatte er sich in der Ausübung seines ärztlichen Berufes zugezogen. Siebenundfünfzig Jahre hat er mit Treue und Hingebung die Pflichten eines Arztes erfüllt, dreiundvierzig Jahre das Amt eines Archiaters und den Lehrstuhl der praktischen Medizin bekleidet und während dieser Zeit dreizehn Mal das Dekanat der medizinischen Fakultät und sechs Mal das Rectorat der Universität verwaltet. Seine Frau, mit welcher er 56 Jahre in glücklicher Ehe gelebt hatte, war ihm nicht ganz ein Jahr vorausgegangen, nachdem sie mit ihm gemeinschaftlich durch reichliche Legate für die ärztliche Verpflegung der armen Kranken zu Stadt und Land gesorgt hatte. Seine Sammlungen haben sich zerstreut und sind wohl größtentheils zu Grunde gegangen; sein Geschlecht ist erloschen, nachdem es drei Generationen vorzügliche Aerzte hervorgebracht hat; der Name Plater ist verschwunden aus den Registern Basels; aber die Wissenschaft wird dankbar sein Andenken bewahren, und die medizinische Facultät Basels nicht aufhören, ihn als ihren größten Stern zu verehren."

Johannes Ardüser von Davos.

1584 — 1665.

Johannes Ardüser wurde muthmaßlich 1584, dem von Davos gebürtigen Zoller Johannes Ardüser zu Lenz geboren [1]) Letzterer, der sonderbarer Weise bis jetzt mit seinem Sohne häufig identificirt worden ist, erzählt in seiner „Wahrhaften und Kurzvergriffenen Beschreibung etlicher Herrlicher und Hochvernambter Personen in alter Freyer Rhetia“ [2]), welche er „Lenz den 20 Tag Merzen A. 1598“ dem Bürgermeister, den Landrichtern, ꝛc. widmete: „Es ist auch im Jahr 1580 am 16 Tag Augsten Hanß Ardüser mein ehrender lieber Vatter selig, seines Alters im 59sten Jahr mit Tod abgangen, welcher gewesen ist Chetichter, Baumeister, Landschreiber, Landvogt zu Mayenfeld, Landammann auf Davoß, ꝛc.“, — woraus allein schon mit Sicherheit hervorgeht, daß er **vor** 1584 geboren wurde. Er erzählt aber ferner, der aus dem Bergell gebürtige Johannes Pontisella habe zu Chur

---

1) Ich benutze für Ardüser außer seinen Schriften und den ziemlich dürftigen Notizen bei Leu und Dürsteler, hauptsächlich das Material, welches mir Herr Staatsarchivar Hotz in Zürich gefälligst anvertraute. — Die Bestimmung des Geburtsjahres 1584 beruht auf einem noch bei Lebzeiten Ardüsers erschienenen Porträte von ihm, unter dem man liest: „Hauptmann Joh. Ardüser des loblichen Standts Zürich bestelter Ingenieur. Aetat. 70 Ao. 1654.“ — Die für Heirath und Tod mitbenutzten Auszüge aus den Kirchenbüchern verdanke ich den Herren Antistes Brunner und Kirchenrath Heß. — Ich glaubte früher nach andern Angaben annehmen zu müssen, Ardüser sei von Parpan gebürtig gewesen; die mir damals unbekannten Manuscripte lassen aber wohl keinen Zweifel, daß Davos sein ursprünglicher Heimathsort war.

2) „A. 1598 (XV und 120) in 4.“, ohne Angabe des Druckortes, — der nach einigen Lindau gewesen sein soll.

„die Jugend ob 30 Jahren in griechischer und latinischer Sprach underwisen: Er hielt die Jugend mit Vorleuchtung eines mäßigen Lebens, hoher Gedult, Demut, Zucht und Frommkeit, in strenger Disciplin und guter Ordnung. Er hat eine große Freud ab dem schön glänzenden neuen Stern, so Ao. 1572 neun Monat lang in aller Höhe am himmlischen Firmament erschienen ist[3]). Er starb Ao. 1574." Und da er beifügt: „Ich bin drey Jahr sein Discipel und Tischgänger gewesen", — so darf wohl geschlossen werden, er sei sogar 1584 alt genug gewesen, um einen Sohn zu zeugen.

Ueber die Jugendzeit unsers Johannes Ardüser, und über die Weise, wie er sich in den mathematischen und Ingenieur-Wissenschaften ausbildete, ist leider, außer einer unten mitgetheilten Andeutung in der Dedication seiner Feldmeßkunst, nicht das Mindeste bekannt. Zwar führt Haller rühmlich eine in zwei Blättern erschienene Karte «Vallistellina cum vicinis Regionib. Bormio, Clavenna et partibus Rhaetiae a Johanne Ardeisero in gratiam Nob. Johannis Guleri fidelissime delineatae et nunc formis aeneis a Johanne Henrico Glasero excusa. Basileae 1625», an, so daß hierin eine frühere Arbeit unsers Ardüser zu Tage treten dürfte; aber die erste sichere Nachricht ist, daß er im Jahre 1620, wo er bereits als Kenner der Militärarchitektur einen bedeutenden Ruf besessen haben muß, um desselben willen von der Stadt Zürich „zum Burger und Ingenieur" angenommen wurde, und ein „treffenlich wartgellt und bstallung" erhielt. Die Ursache dieser Anstellung war die „schon damalen vorgehabte Fortification", welche der nur nothdürftig mit einer Ringmauer und einigen Vorwerken geschützten Stadt bei den

3) Auch Pontisellas Zeitgenosse, der längere Zeit als Pfarrer zu Chur lebende und nach Mohr's Angabe 1582 als Pfarrer zu Schleins verstorbene Ulrich Campell von Süß im Engadin, der sich durch seine in drei Folianten niedergelegte Historia Rhaetica den Ehrenamen des Vaters der Graubündnerischen Geschichte erworben hat, ließ die Erscheinungen am Himmel nicht unbeachtet, wie uns ein 7 Quartseiten haltendes Schriftchen „Ein gar wunderlich und seltsam Wunderzeichen und Veränderung der Sonnen" über ein von ihm am 2. und 3. Januar 1572 zu Chur beobachtetes Nebensonnenphänomen zeigt. Vergl. für ihn Mohr's Archiv der Geschichte Graubündens.

kriegerischen Zeitläufen größern Schutz gewähren sollte, — über deren Ausdehnung jedoch so verschiedene Ansichten walteten, daß das ganze Geschäft bald wieder in Stocken gerieth. Erst als Ardüser im October 1624, kurz nachdem er sich mit Elisabetha Ziegler von Zürich[4]) verheirathet hatte, ein die Behörden ermuthigendes „Gutachten über das Fortificiren hiesiger Statt" eingegeben, beschlossen Räth und Burger neuerdings die Befestigung, und setzten eine Kommission zur nähern Prüfung nieder. Auf Ardüsers Wunsch, daß für die Anlage der kostbaren, von ihm auf etwa 300,000 fl. veranschlagten Werke, auch fremde Ingenieure berathen werden möchten, wandte man sich wirklich an den Arzt Nathan d'Aubigné in Genf[5]) und den Lohnherr Theodor Falkeisen in Basel[6]), — später an den schwedischen Generalmajor Schaselizki, den Ingenieur François de Treytorrens in Genf[7]), rc., konnte sich aber, muthmaßlich wegen

4) Nach Dürsteler war sie eine verwittwete Holzhalb, und lebte von 1597 bis 1654. — Bei diesem Anlaß mag über den schon so oft citirten Dürsteler folgende kurze Notiz folgen: Erhard Dürsteler von Zürich (1678—1766) wurde 1706 Pfarrer zu Erlenbach, 1724 Pfarrer zu Horgen, und benutzte seine Muße mit erstaunenswürdigem Fleiße um ein „Zürcherisches Geschlechterbuch", eine Sammlung genealogischer Tafeln über die meisten Zürcher- und einige andere Schweizerische Geschlechter, und eine ganze Menge ähnlicher Sammelwerke anzulegen, welche für die vaterländische Geschichte vom höchsten Werthe, und darum auch eine Zierde der sie besitzenden Stadtbibliothek in Zürich sind.

5) Nathan d'Aubigné von Genf (1601—167.), ein Sohn des I. 230 erwähnten Théodore-Agrippa d'Aubigné. Er gab nach Senebier eine «Bibliotheca chemica contracta, Genevae 1654 in 8.» heraus. Sein Gutachten ist von 1628 datirt.

6) Theodor Falkeisen von Basel (15..—1654), Lohn- oder Bauherr in Basel, Vater des II. 40 erwähnten Professor Peter Falkeisen. Sein Gutachten ist von 1628 datirt. Unter den Nachfolgern Falkeisens im Amte eines Lohnherrn erscheinen Jakob Meyer (1614—1678) und sein Sohn Georg Friedrich Meyer (163.—1693), welche von 1657—1694 in Basel 5 Bändchen: Deutsches Rechenbüchlein, Rechenkunst der zehenden Zahl, Handgriff des Circuls und Lineals, Messung der Triangeln, und Visirkunst in 16. herausgaben. Wenn Scheibels Angabe, daß das deutsche Rechenbüchlein schon 1616 zum ersten Male erschienen sei, richtig wäre, so müßte wohl schon ein älterer Jakob, etwa der Vater unsers Jakobs als ursprünglicher Verfasser betrachtet werden. Beide Meyer machten sich auch um die Topographie von Basel verdient (s. Haller I.), und Georg Friedrich, der später Mitglied des Kleinen Rathes wurde, wird nachgerühmt, daß er die Schanze bei St. Jakob angelegt, und auch im Auslande als militärischer Ingenieur Geltung und Verwendung gefunden habe.

7) François de Treytorrens von Yverdon (1590—1660) trat jung in das dän-

der großen Kosten, troß der im Ganzen ermunternden Gutachten nie entschließen, die Sache wirklich in Angriff zu nehmen. Da legte einerseits Antistes Jakob Breitinger[8]) dem Rathe ein „Bedenken" vor, in welchem er mit den lebhaftesten Farben die Gefahren schilderte, denen die so nahe an der Grenze liegende Stadt ausgesetzt sei, zumal zu einer Zeit, wo die Eidgenossenschaft auf allen Seiten von Kriegsschaaren umgeben, und wo so viele Zeichen von Frankreichs Treulosigkeit vorliegen, forderte auch den Rath dringend auf, nicht länger mit den nöthigen Schutzarbeiten zu zögern, — und anderseits hatte der junge Ingenieur Joh. Georg Werdmüller[9]) ein „neuw Modell über das Fortificationsgeschäfft" vollendet, welches sehr wohl gefiel, und als Grundlage der neuen Berathungen gewählt wurde. Ardüser hatte zwar Verschiedenes an Letzterm auszusetzen, doch sprach er sich des Bestimmtesten aus, daß etwas Gründliches gemacht werden müsse. „Wolte man dan wider unvolkommen Flickwerkh anfachen, wie deren schon etlich vorhanden, so kan ich darzu in keinen weg rathen", sagte er, und stellte auf ein „Realwerkh" ab. „Die Realwerkh aber", erklärte er, „seyn die, so man ein Statt, oder ort, nach rechter Regel der Realbefestigung befestnet welches fürnemmlich in dreyen Hauptpuncten bestehet, 1. Alß in einem gutten dieffen graben, 2. In einem vesten und starken waal, 3. und den in gutten Strichrohren, damit kein theil unbestrichen bleibe, umb den ganzen ort herumb." Die Befestigung der großen Stadt, welche nach ihm 600 Mann in 72 Wochen vollenden könnten, veranschlagte er auf 197,760 fl.[10]), und rieth alles wohl zu überlegen, „damit der Unkosten wolgelegt, und nicht nach volendetem werkh es ein Rüwen verursache, und dem

---

sche Genie, stieg rasch bis zum Generallieutenant, ging dann in die Dienste Gustav Adolfs von Schweden über, und diente ihm noch während der unglücklichen Schlacht bei Lützen. Dann zog er sich nach Genf zurück, und leitete die Befestigung dieser Stadt. Sein Gutachten ist von 1638 datirt.

8) Siehe I. 83.

9) Joh. Georg Werdmüller von Zürich (1616—1678), später Rathsherr, Landvogt zu Wädenschweil und Feldzeugmeister. In den Jahren 1666 bis 1668 erbaute er das noch bestehende Pumpwerk auf dem Lindenhofe.

10) Werdmüller hatte 175,000 fl. angenommen.

Angeber ein schand." Das schließliche Resultat war, daß man mit wenigen Modifikationen an dem Werdmüller'schen Projecte festzuhalten beschloß, und auch Ardüser versprach, sich nicht mehr gegen dasselbe auszusprechen, „doch mit der Condition, wann daß werkh nach Hrn. Werdmüllers meinung gemacht, villicht nit gerathen sölte, daß dann die schuld Ihme kheinswegs zugemessen werde." — Von der feierlichen Eröffnung der Arbeiten zu Ende April 1642 geben die Acten folgende Beschreibung: „Sambstags den 30sten und letsten tag deß Monats Apprellens deß fließenden 1642sten Jahrs ward am Morgen umb 7 uhren, die Bevestigung der mehreren Statt Zürich, Im Nammen deß Allerhöchsten Gottes angefangen mit folgender Solennität: Erstlich versammletend sich umb 6 uhren vor dem Cronenthor der von mynen Gn. Hrn. verordnete Directions-Rath, nammlich Hr. Statthalter Rahn [11]), Hr. Seckelmeister Müller, Hr. Hußschryber Löuw, Hr. Zunftmeister Heidegger, Hr. Rathsherr Landolt, Hr. Buwherr Berger, Hr. Pannerherr Bräm, Hr Landtvogt Ziegler, Junkher Obristlütenant Grebel, Hr. Zügherr Heß, Hr. Amtman Hanß Jakob Lavater, Hr. Haubtman Bürkli, Hr. Haubtman Gwaltherr, Hr. Lütenant Tomman, Hr. Wagmeister Ulrich und Hr. Fenndrich Werdmüller [12]). Deßglychen Hr. Haubtman Ardüser, Hr. Hanß Conrad Gyger [13]) und Hr. Hanß Ulrich Bachoffen [14]).

---

11) Der nachmalige Bürgermeister Joh. Rudolf Rahn (1594—1655), dessen Neffen die zweitfolgende Biographie behandeln wird.

12) Joh. Georg Werdmüller, vergl. Note 9. Er war 1635 als Fähndrich in französische Dienste getreten.

13) Vergl. II. 47—56.

14) Joh. Ulrich Bachofen von Zürich (16..—1668), Tischmacher und Ingenieur, gab eine „Beschreibung eines neuen Instruments, durch welches man allerley Sonnenuhren sammt den 12 himmlischen Zeichen aufreissen kann, Zürich 1627 in 4." heraus. Nach Dürsteler wurde ihm 1652 „im Geißthurmjamer (s. I. 94) der rechte schenkel zermürset"; im gleichen Jahre wurde er Großkeller der Stift, kam später aber wegen übelm Haushalt wieder um diese gesuchte Beamtung: „Sein stolz und heilloß verthüig weib war schuld an seinem unfall." — Bei Anlaß der gnomonischen Schrift Bachofens mag nachgetragen werden, daß auch der II. 26 als Topograph erwähnte Johannes Maurer (1557—1642) sich mit Glasmalerei und ihrer Anwendung auf Gnomonik beschäftigte, obschon er eigentlich Geistlicher war, und seine Wahl zum Dekan zweier Kapitel, in denen er successive als Pfarrer stand, dafür zeugt, daß er diesen Beruf nicht vernachläßigte. Ich besitze eine solche, ganz hübsche

Sampt noch vil anderen von Hrn. Klein und Großen Rethen, auch anderen Burgeren, Geist- und weltlichen Standts. Die giengend all mit Herren Hanß Jakob Ulrichen, Pfahrer zu den Predigeren allhie, den Graben hinab vor Hrn. Amptmann Edlibachen im Stampfenbach sin gut. Daselbsten staltend sich erzellte Herren all ein anderen nach in der ordnung und ließent die gedingten Werchlüth, durch den Trummbenschlag versammlet und inn der Ordnung mit ihren Bicklen, Schufflen und Schiebkarlinen daher gezogen, für sich hinüber paßieren, und ein wenig inn der nidere zenechst sich inn ein Ring stellen. Demnach that myn Herr Statthalter Rahn zu dem zugegenweßenden Volk, sonderlich aber zu den Werchlüthen ein zwaren kurze, doch treff- und vast zierliche red. Dann that Herr Pfahrer Ulrich ein predig über Psalm 127: 1, 2. Nach vollendetem Gebett unnd Segenspruch sind die Herren Verordneten all hinab gegen der tieffe gegangen, Ihre Menntel von sich gegeben, von Hrn. Fenndrich Werdmüller jeder ein Bickel empfangen, unnd hat Herr Statthalter Rahn im Nammen Gottes den ersten Streich gethan, da Ihme die übrige Hrn. Directores alsobald auch nachgefahren, unnd jeder derselben auch etlich underschiedliche streich gethan. Als sy aber ihren werchzüg widerum von sich geben, wolte von übrigen byweßenden Herren und Burgeren Hoch- unnd Niderstanndts, Jungen und alten, Jeder der erste syn unnd auch durch etliche streich, daß ihnen dis werkh wol gefallen thüyge, bewyßen. Die Werchlüth aber giengend innzwüschend auch all an die Arbeit: Darzu der gnedige Gott synen heiligen Sägen verlyhen wolle. Amen." — Es arbeiteten nun regelmäßig 500 und mehr Mann unter der Aufsicht von Bachofen und Gyger. Ein Exspektant las ihnen jeden Morgen und jeden Abend ein Gebet vor, welches Breitinger zu diesem Zwecke entworfen hatte, und das „auch den Papisten keineswegs ergerlich" war. Ardüser hatte zunächst das Abmessen und Verdingen der Arbeit zu besorgen, während Werdmüller mit der eigentlichen Oberauf-

---

Sonnenuhr, welche die Aufschrift „Johannes Murer, Pfarrer zu Rickenbach" zeigt, also von ihm zwischen 1612 und 1622 verfertigt wurde.

sicht über den Bau beauftragt war, „doch dergestalten daß ermelte beide Herren Ingenieurs vor und ehe etwas nüws fürgenommen wird, sich wie und uff was formm sy es angryffen und machen wollind fründtlich mit einanderen underredind und berathschlagind, unnd wann dann je zu zythen etwas mißverstenndtnuß sich zwüschent ihnen erheben möchte, sy sich ein wenig besytz machind, und jre meinungen einanderen inn geheim und fründtlichkeit eröffnind mit ynführung der habenden gründen, und wovehr sy sich nit vereinen könntend, sy ein solches den jederwylen zugegenwesenden Herren Verordneten anzeigind, welche dann sy die Hrn. Ingenieurs wo möglich verglychen, oder die sach zum entscheid für das gesampt Directorium bringen werdent." Trotz dieser vorsorglichen Anordnung gab es aber dennoch wiederholt Streit zwischen Ardüser und Werdmüller: Ersterer war mit Recht etwas ungehalten, daß ihm, dem erfahrnen und von Anfang an mit der Fortification betrauten Ingenieur, der sich das Symbolum „Witz und Haar kompt nit vor Jahr" gewählt hatte, nun schließlich ein Jüngerer über den Kopf wachsen sollte, nicht etwa zunächst um der größern Befähigung, sondern fast mehr um seiner Familie willen, die damals in Zürich das große Wort führte, und er klagte, daß Werdmüller „inn allen sachen hinder ihme durchgange". Letzterem, einem etwas stolzen und herrischen Manne, war es dagegen unbequem, in seinen Anordnungen nicht ganz freie Hand zu haben, ja dieselben bisweilen criticirt zu sehen, und er klagte, daß Ardüser „Ihme immer in dem widerspil lige und in allen sachen zanke." Werdmüller versuchte sogar mehrmals, Ardüser zu sprengen; aber das höchste, was er mit Hülfe seiner Freunde vom Rathe erreichen konnte, war denn doch nur, daß Ardüser das Versprechen abgenommen wurde, in der Folge seinen Kollegen „dißes Werks halber weder heimlich noch öffentlich zu tadeln", und bis zur Vollendung der Befestigung der großen Stadt im Jahre 1646 blieben die beiden Ingenieure unausgesetzt neben einander thätig, mit einziger Ausnahme des Monat August 1645, wo Ardüser für eine Badekur „zu Erhaltung syner Lybsgesundheit" Urlaub, und die Erlaubniß erhielt, sich während seiner Abwesenheit durch Schützenmeister

Joh. Heinrich Rahn [15]) und einen Joh. Rudolf Müller [16]) vertreten zu lassen. Bei den darauf folgenden Befestigungsarbeiten in der kleinen Stadt scheint sich Werdmüller nicht mehr ernstlich bethätigt zu haben; in den Acten ist bis 1661 fast ausschließlich von Ardüser die Rede, und erst zu dieser Zeit, wo Ardüser bereits 77 Jahre zählte, erscheint neben ihm als Gehülfe der Hauptmann Göldlin [17]), der ihn später dann ganz ersetzte. Uebrigens wurde dieser zweite Theil der Arbeit nicht mit der frühern Energie betrieben, weil das nöthige Geld schwierig aufzutreiben war, ja von 1662 bis 1672 gerieth er ganz in Stocken, und erst gegen Ende des 17ten Jahrhunderts konnten die Zürcher-Schanzen, auf welche man bei einer Million Gulden verwendet hatte, als vollendet betrachtet werden.

Neben seiner Thätigkeit als praktischer Ingenieur erwarb sich unser Ardüser auch als Schriftsteller Verdienste; denn seine «Geometriae Theoricae et Practicae XII Bücher, inn welchen die geometrischen Fundament Euclidis, unnd derselben gebrauch, auff das kürtzest und leichtest, als in einem Handbuch beschrieben werden" [18]), müssen, wenn sie auch nicht gerade die Wissenschaft wesentlich gefördert haben dürften, doch zum mindesten als eine für die Zeit ihres Erscheinens ganz werthvolle Arbeit bezeichnet werden, und hatten auch so viel Erfolg, daß sie später, um 2 Bücher vermehrt, nochmals aufgelegt wurden [19]). In der vom 1. August 1627 datirten Dedication an „Burgermeister und Raht der loblichen Statt Zürich" hebt er den Nutzen der Mathematik und ihre fleißige Bearbeitung durch die Alten hervor, „von

---

15) Muthmaßlich der in der zweitfolgenden Biographie Behandelte.

16) Joh. Rudolf Müller von Zürich (1621—1701), später Ober-Ingenieur über die Festungswerke von Zürich, oder also, wie man sich nachmals ausdrückte, Schanzenherr.

17) Beat Rudolf Gölblin (1624—1677), der letzte Sprößling der Zürcherischen Linie dieses Geschlechts, und nachmals (wie später sein Luzernischer Namensvetter, der am 1. März 1861 zu allgemeinem Bedauern im 67sten Jahre seines Alters verstorbene, auch in Mathematicis sehr bewanderte Oberst Renward Göldlin) Zeugherr.

18) Zürich 1627 in 4. (XII. und 358.)

19) Geometriae Theoricae et Practicae oder Von dem Feldmessen 14 Bücher. Zürich 1646 in 4. (X. und 666).

welchen sie", sagte er, „dann biß auff uns kommen, und durch den fleiß viler berümbten männeren mächtig vermehrt und verbessert worden, wie jre schrifften gnugsam bezeugen. Welche als sie auch mir zu lesen an die hand gewachssen, ich mich mit möglichstem fleiß bemüher, die Fundament derselbigen recht zu erlernen, neben durchreisung frömbder Nationen und Lenderen, da ich mich dann sonderlich hab auf die practic gewendt, neben unnd under andern Kriegsobristen, unnd Baw verstendigen allermeist under dem weyland Durchleuchtigen Fürsten von Avellino, zur selben zeit General über die Neapolitanisch Reuterey. — Weil ich aber von E. H. E. W. mit dem Burgrecht begabet worden bin, unnd mit einem ehrlichen Wartgelt gnedig und günstig underhalten wird: Als hat sich mir deßwegen gebüren wöllen, die rüwige zeit so uns von Gott dem Allmächtigen und Ewer Fürsichtigen Regierung verliehen, nicht gantz unnutzlich anzuwenden, und hinzubringen: Sondern damit E. H. E. W. Ihren Burgern unnd Burgerskindern ich ein zeichen meines danckbaren gmühts möchte zu erkennen geben, Und hiemit allen kunstliebenden zu dienen, hab ich mir mit der hilff Gottes fürgenommen, mit glegner zeit die Architectur zu beschreiben [20]), und auf dißmahl mit der Geometria den Anfang zu machen, und dise E. H. E. W. als meiner gnedigen und gebietenden Oberkeit in aller underthenigkeit zu Dediciren." In der Vorrede sagt er, daß er viele gute Bücher in deutscher Sprache kenne, welche von der Arithmetik handeln, während ihm dagegen über Geometria „keines zu handen kommen, daß so wol von der Theoria als practica tractiere." Er sei dadurch veranlaßt worden, alle Autoren, welche ihm „von diser Materie zu handen kommen mit fleiß zu durchgehen und gegenwertiges werck auff das kürtzest und einfaltigest zu beschreiben." Unter der großen Anzahl benutzter Autoren, welche er namentlich aufführt, erscheinen sonderbarer Weise nur zwei Schweizer, die Zürcher Eberhard und Zubler [21]);

---

20) Siehe unten.

21) Von den beiden Zürchern Philipp Eberhard (1563—1627) und Leonhard Zubler (1563—1609 X. 9) habe ich keine nähern Lebensumstände auffinden können. Die Geburtsjahre beruhen bei beiden auf Porträten, unter deren ersten man liest

warum er keine der andern ältern schweizerischen Mathematiker nannte, zum wenigsten den mit den beiden Genannten eng verbundenen Waser[22]), — warum er nicht in der zweiten Ausgabe

---

1623 aet. 60, und unter dem zweiten 1608 aet. 43; das Todesjahr Eberhards wurde auf 1627 gesetzt, weil 1627 ein „Philipp Eberhard, der Stadtdachdecker" starb, und keine Spur existirt, daß es zwei Philipp Eberhard gegeben habe, — das Todesdatum Zublers findet sich bei Dürsteler, der überdieß angibt, Zubler sei 1592 Zwölfer bei der Meise geworden. — Eberhard und Zubler gaben gemeinschaftlich ein Schriftchen unter dem Titel „Kurzer Bericht von dem neuen geometrischen Instrument" heraus, das Zürich 1602 und 1603, und Basel 1614 und 1625 in deutscher, — ferner Basel 1607, 1614 und 1625 durch Waser (s. Note 22) in lateinischer Sprache erschienen sein soll, und eine Art Triangularinstrument beschreibt. Von Beiden wird ferner ein Tractat «De triangulo» angeführt, der Tig. 1602, 1604, Bas. 1605 (deutsch), 1606 erschienen wäre. Von Eberhard allein eine „Erklärung dreyer fürnehmer Mathematischer Kunststücken, Zürich 1616 in 4.", für die Kästners Geschichte III. 386 zu vergleichen. Von Zubler allein «Fabrica et usus Instrumenti Chorographici. Germanice descripta a Leonh. Zublero et Latio donata a Casp. Wasero, Bas. 1607 in 4.», eine Art Meßtisch, analog dem nach Ardüser im Text beschriebenen, — ferner «Novum Instrumentum Sciotericum, das ist, Kurtzer und Grundtlicher Bericht, wie nicht allein allerhand Sonnenuhren, sampt den XII Himmlischen Zeichen, mit grossem vortheil auffzureissen: sonder auch so wol der nacht, als deß tags stunden, sampt regierung der Winden gewüßlich zu erfahren. Zürych 1609 in 4., auch Basel 1614", — ferner „Neue Geometrische Büchsen-Meisterey, Zürich 1608 und 1614 in 4.", — 2c. Zubler führte nach einer Schlußbemerkung in seinem «Novum Instrumentum Geometricum» die empfohlenen Instrumente selbst zum Verkaufe aus.

22) Johann Kaspar Waser von Zürich (1565—1625). Sein Vater Johannes, ein geschickter Wundarzt, ließ ihn erst in Zürich studiren, von 1584 an aber in Altorf und Heidelberg. 1586 wurde er Informator eines Augsburg. Patriziers Peter Heinzel, hielt sich mit diesem in Genf, Neuenburg, Basel und Leyden auf, bereiste mit ihm England und Italien, und kehrte erst 1593 wieder nach Zürich zurück. 1596 wurde er Diacon am Großmünster und Professor des Hebräischen, 1607 Chorherr und Professor des Griechischen, 1611 Professor der Theologie. Aus seiner Ehe mit einer Tochter Josias Simmlers erhielt er mehrere Söhne, von denen Joh. Heinrich sich besonders auszeichnete und Bürgermeister wurde. Joost von Kuosen gab eine «Oratio de vita et obitu Joh. Casp. Waseri, Tig. et Bas. 1626 in 4.» heraus. — Neben zahlreichen theologischen Schriften setzte Waser Stumpfs Chronik von 1586—1606 fort, übersetzte, wie obgemeldt, mehrere Schriften L. Zublers ins Lateinische, 2c., — und gab auch heraus: «Institutio brevis et facilis Arithmeticae, Tig. 1603 in 8.» — «Tractatus de quadrato geometrico, Tig. 1603 in 8.» — etc. — Anhangsweise mag erwähnt werden, daß der 1629 zu Padua in seinen besten Jahren verstorbene Mathematik-Professor Bartholomée Souvey oder Soverus, aus dessen Nachlaß ein «Tractatus de recti et curvi proportione» publicirt worden sein soll, von Crisie im Freiburgischen gebürtig war, und sich in Rom bei den Jesuiten zum Mathematiker ausgebildet hatte, — daß der 1692 als Pfarrer zu Goßau verstorbene Joh. Rudolf Eßlinger von Zürich „Wege zu der gemeinen Rechenkunst, Zürich 1671 in 8." herausgab, — 2c.

wenigstens Guldin[23]) nachtrug, wüßte ich nicht zu sagen. Was Ardüsers Geometrie selbst betrifft, so bringt die erste Ausgabe eine Euklidische Planimetrie, viele Konstructionen, eine artige Anleitung zur Trigonometrie, die Beschreibung des Proportionalzirkels, Winkelkreuzes, Compasses und eines Quadranten, sowie deren Anwendung auf das Messen von Höhen, unzugänglichen Distanzen, Coordinaten, rc. Bemerkenswerth ist, daß schon Ardüser[24]) die Hauptoperationen mit dem gewöhnlich Prätorius zugeschriebenen Meßtischchen lehrt, das bei ihm aus einem mit Papier überzogenen, auf einem Stuhl „nach dem Horizont" gelegten Brette besteht, — daß er ferner einen deutlichen Begriff von einer Triangulation und ihrer Berechnung gibt, rc. Den Schluß bilden folgende Verse:

„Frommer Leser, diß mein arbeit,
Gflißne und trew, so ich angleit,
Günstig laß dir befohlen seyn,
Urtheils nit nach dem eußren schein,
Sonder lises, betrachts mit weil,
Und dich so bald nit uber eyl,
Mit vorurtheilen unbedacht
Erwig vor wol, was dir fürbracht,
Wend das verstehst, mir zweiflet nit
Werdist dann nit nach der Welt sitt
Tadlen das gut nur aus Ehrgeit,
Neid als vergunst, die vil Leuth treibt,
Zschelten was sie doch nicht verstand
Noch jemals was besser gmacht hand,
Sonder nach der wahr Christen ard,
d'Liebe hierinn brauch ungespart,
Verbesseren was ze bessren ist,
Wo ein fehl gschen. der d'etwann lißt,
Im ubersetzen, Corrigier,
Mir denselben nit Imputier,
Dann ich zu end, die ich kondt finden
Hab lassen aufzeichnen da hinden,
Möchten doch etlich seyn belieben,
Die da nit werind angeschriben.
So ich nun gspür, daß mein arbeit
Dir angnem lieb, so ich angleidt,
Sol mit Gotts hilff, und sein gedeyen
(Darzu er wöll sein gnad verleyhen)
Folgen die Stereometrey,
Die Bawkunst, und was mehrs dabey.
Der höchste Gott, bewahr uns gsund,
Von dem all Kunst und Weißheit kumpt,
Deß ghört jhm zu, billich all Ehr,
Den jnnre Frid uns allen bschehr, Amen."

---

23) Paul Guldin, am 12. Juni 1577 dem Glasmaler Melchior Guldi zu St. Gallen geboren, trug ursprünglich den Namen Habakuk, und erlernte die Goldschmidprofession. Später trat er gegen den Willen seiner Eltern zum Katholicismus über, hieß sich Paul, ging 1597 zu den Jesuiten, und gab 1606 sein Bürgerrecht in St. Gallen auf, um sein Erbe aushin bekommen zu können. Er legte sich nun auf das Studium der Mathematik, erhielt nach längerm Aufenthalte in Rom die Professur der Mathematik an der Universität Wien, dann die zu Graz, und starb an letzterm Orte am 3. Nov. 1643. Am bekanntesten ist er durch die, zwar schon bei Pappus vorkommende, aber nach ihm benannte Regel zur Berechnung von Rotationsflächen, welche er in seinem Werke «Centrobaryca seu de centro gravitatis libri IV., Viennae 1635—1641 in fol.» entwickelte.

24) Sogar schon Zubler in dem «Instrumentum Chorographicum» s. Note 21.

Den in diesen Versen ausgedrückten Vorsatz, seiner Geometrie noch andere Werke folgen zu lassen, führte Ardüser nur in soweit aus, als er der zweiten Auflage eine kurze Stereometrie und Visirkunst beigab; dagegen blieb seine „Baukunst", ein auf der Stadtbibliothek in Zürich aufbewahrter Folioband, in welchem einem kurzen Texte bei 180 fleißig ausgeführte, zum Theil geometrische, zum Theil perspectivische Zeichnungen von „Saullen", Gebäuden aller Art, Brücken, Brunnen, Wasserwerken, 2c. folgen, ungedruckt, — und ebenso sein ähnlich behandelter und ungefähr eben so starker „Vestungs Bau" [25]). Beide Manuscripte, welche für die Geschichte der bürgerlichen und militärischen Baukunst noch jetzt nicht ohne Werth sein dürften, geben uns ein sprechendes Zeugniß von dem Fleiße und der Tüchtigkeit ihres Verfassers, der am 26. März 1665 starb, und am 28. auf dem Kirchhofe zu St. Peter beigesetzt wurde. Ardüsers Grabstein ist längst verschwunden, und von den Schanzen, die er uns baute, existiren nur noch wenige Spuren, — darum möge aber nur um so eher dieses papierne Denkmal seinen Namen kommenden Geschlechtern aufbewahren.

---

25) Die Zürcher-Stadtbibliothek besitzt außer den im Texte erwähnten zwei Manuscripten Ardüsers noch einen Folioband, der «Geometria» überschrieben ist, und verschiedene Entwürfe einzelner Abschnitte der Arithmetik, Geometrie und praktischen Geometrie enthält, die er großentheils für das gedruckte Werk benutzte, — ferner ein Folioheft militärischen Inhalts. Außerdem hat mir Hr. Oberbibliothekar Dr. Horner 4 Bändchen in Queroctav gegeben, die sehr wahrscheinlich ebenfalls von Ardüsers Hand sind; das eine ist arithmetischen, das zweite geometrischen, das dritte architektonischen, das vierte militärischen Inhalts, — leider fehlen aber die erläuternden Figuren. — Leu führt von Ardüser ein gedrucktes Werk „Vom Vestung bauen, Zürich 1657 in 4." an, und Scheibel eine „Architectura von Vestungen, Zürich 1651 in 4." Ich kann nicht entscheiden, ob die eine oder andere Angabe richtig, und in welchem Verhältnisse das allfällig gedruckte Werk zu dem erwähnten druckbereiten Manuscripte stehen mag, da ich es nicht gesehen habe.

Johann Jakob Wepfer von Schaffhausen.

1620 — 1695.

Johann Jakob Wepfer wurde am 23. Dezember 1620 zu Schaffhausen dem Rathsherr Georg Michael Wepfer von seiner Frau, einer Stockar von Schaffhausen, geboren[1]). Schon auf dem Lyceum seiner Vaterstadt, an dessen Spitze damals der aus der Pfalz gebürtige Johannes Fabricius, ein vortrefflicher Schulmann, stand, erregte er durch seinen Fleiß und seine seltenen Anlagen große Hoffnungen, und zeichnete sich schon damals durch die Gabe aus, Alles was er sagen wollte, auf das Kürzeste und Treffendste auszudrücken. Aus angebornem Triebe wandte er sich der Medizin zu, und machte in kurzer Zeit in ihrem Studium solche Fortschritte, daß er, wie sein Biograph sich ausdrückt, „bald unter den Uebrigen hervorragte, wie die Cypressen unter kurzem Weidengebüsch". Nichts desto weniger verwandte er bei 10 Jahre auf weitere Ausbildung im Auslande, besuchte zuerst Straßburg, — dann auf längere Zeit Basel, wo er sich des Umgangs der jüngern Bauhin, Stupan und Plater erfreute, — schließlich einen großen Theil Italiens, wo er mit den Veslingius, Zwölfer, Marchetti, ꝛc. Bekanntschaft machte, die er später durch Briefwechsel unterhielt. Auf diesen Reisen und durch den Umgang mit diesen Männern gewann er eine reiche Fülle von Kenntnissen und Erfahrungen, „im Gegensatze zu der Sitte und

---

1) Ich benutze für Wepfer zunächst die durch Joh. Konrad Brunner den Ephem. Acad. Nat. Curios. vom Jahre 1696 beigegebene «Memoria Wepferiana», welche auch sein Bild und eine Abhandlung über den Leichenbefund enthält; dann die Werke von Leu, Holzhalb, Sprengel, Häser, ꝛc. — Holzhalb setzt den Geburtstag auf den 23. November 1620. Ich glaubte jedoch Brunner folgen zu sollen.

dem Geist der Zeit, nach welcher die Doctorelli, wie Hunde aus dem Nil, gleich Pilzen emporschießen", wie sich sein Biograph ausdrückt, — und konnte so, nach seiner Rückkehr auf Basel, gerechte Ansprüche auf die höchste Würde in der Medizin machen, die er dann auch am 31. Juli 1647 unter dem Präsidium des Professors von Brunn[2]) unter den gebräuchlichen Ceremonien erhielt. Er kehrte sodann in seine Vaterstadt zurück, wurde schon am 10. November desselben Jahres vom Rathe zum Stadtarzt ernannt, und begann nun seine ärztliche Wirksamkeit, welche er während beinahe einem halben Jahrhundert mit dem größten Erfolge fortsetzte.

Es sind von mir in den bisherigen Biographien schon sehr viele berühmte schweizerische Aerzte geschildert worden, — ich erinnere an den Aargauer Erastus, die Basler Bauhin, Copus, Harder, Huber[3]), Plater, Würtz und Zwinger, die Berner Brunfels, Fabrizius Hildanus, Gagnebin und Haller, die Graubündner Amstein[4]), die Luzerner Cappeler und Lang, die Neuenburger Garcin und d'Ivernois, den Schaffhauser Peyer[5]), den Schwyzer Paracelsus, die Zürcher

2) Joh. Jakob v. Brunn von Basel (1591 IX. 30 bis 1660 I. 20), Prof. der pract. Medizin, ein Enkel des berühmten Theologen Joh. Jakob Grynäus.

3) Joh. Jakob Huber, für den I. 144 und Börner zu vergleichen, hatte schon 1731 und 1732 Haller von Bern aus auf seinen Excursionen begleitet. Nach Wunsch desselben machte er 1738 von Göttingen aus eine große botanische Schweizerreise, und nachher waren schon alle Vorrichtungen zu einer solchen nach den Antillen getroffen, als sich die Sache wieder zerschlug. Durch seine Untersuchungen und Abbildungen des Rückenmarkes und der ersten menschlichen Wohnung soll er alle seine Vorgänger übertroffen, — auch Haller werthvolle Beiträge zu seinem großen anatomischen Werke gegeben haben.

4) Nach mehreren Angaben war auch Michael Schütz oder Toxites (s. III. 2—3), der längere Zeit als Lehrer in Straßburg stand, später Stadtarzt in Hagenau wurde, und von Häser als einer der nüchternsten Paracelsisten bezeichnet wird, ein Graubündner. Da er sich jedoch auf seinen Schriften nur schlechtweg als «Rhaeticus» bezeichnet, und von Zedler als „ein Graubünder von Geburt aus der Stadt Storzingen" angeführt wird, so dürfte er eher ein von Sterzing gebürtiger Tyroler gewesen sein, wie der vorzugsweise Rheticus genannte Georg Joachim (s. I. 46) bekanntlich von Feldkirch gebürtig war, und ebenfalls fälschlich zuweilen als Graubündner citirt wurde.

5) Joh. Konrad Peyer (s. I. 265), der muthmaßlich auch mit dem I. 135 erwähnten Schüler Jakob Bernoullis identisch ist, und ohne Zweifel ebenfalls Schüler unsers Wepfers war, wird auch wegen der Schrift «Joh. Conr. Peyer,

Geßner, Hirzel, Klauser, Scheuchzer, Wagner, Wolf und Ziegler, den Zuger Stadlin, ꝛc.; aber eine eben so große Anzahl hochverdienter Aerzte habe ich nicht behandeln können, ohne die Grenzen dieses Werkes zu sehr auszudehnen, — ich erinnere an Konrad Heingartner von Zürich[6]), der im Anfange des 16ten Jahrhunderts Leibarzt Karl VIII. von Frankreich war, — an Augustin Schürpf von St. Gallen[7]), der Professor der Medizin zu Wittenberg war, und nach Haller unter die Wiederhersteller der Zergliederungskunst zu zählen ist, — an den Wundarzt Jakob Rueff von Zürich[8]), der sich namentlich als Geburtshelfer auszeichnete, und von Manchen als Erfinder der Geburtszange angesehen wird, — an die Stadtärzte Benedict und Johannes

---

Exercitatio anatomico-medica de glandulis intestinorum earumque usu et adfectionibus, Scaph. 1677 in 8.» in der Geschichte der Medizin rühmlich erwähnt, und Sprengel sagt überdieß: „Unter den Deutschen Aerzten war J. C. Peyer beynahe der erste, der die China anwandte, und er bemerkte sehr richtig, daß, um Rückfälle zu verhüten, acht Tage nach dem Aufhören des Fiebers dieselbe Portion erneuert werden müsse.“

6) Heingartner soll eine «Defensio Astronomiae» in Schrift hinterlassen haben. Sonst habe ich nichts Näheres über ihn aufgezeichnet gefunden.

7) Augustin Schürpf von St. Gallen, 1548 als Professor der Medizin zu Wittenberg gestorben, war ein jüngerer Bruder von Hieronymus Schürpf (1480—1554), der eben daselbst als Professor der Jurisprudenz lebte. Beide Brüder waren mit Melanchthon und Luther sehr befreundet, wie man unter Anderm aus der (von Bernet, St. Gallen 1826 in 8. herausgegeben) Lebensbeschreibung des Johannes Keßler oder Ahenarius von St. Gallen (1502—1574) sieht. Keßler besuchte Wittenberg 1522, — ging nachher, weil er nicht Meßpriester werden wollte, bei dem Sattler Hans Noll in die Lehre, und übernahm nachträglich dessen Werkstätte, nebenbei seine Mitbürger über das Evangelium belehrend, — wurde später Lehrer der alten Sprachen und Prediger, — schrieb die unter dem Namen Sabbatha geschätzte Reformationsgeschichte, — beobachtete mit Vadian den Cometen von 1531, — construirte über der Hauptthüre von St. Laurenz eine Sonnenuhr, und hinterließ auch in Handschrift eine gnomonische Abhandlung.

8) Rueff (auch Ruff und Ruoff) war aus dem Rheinthal gebürtig, aber seit 1532 in Zürich eingebürgert, wo man ihn als geschickten Wundarzt und ausgezeichneten Steinschneider gern aufnahm. Seine Schrift „Ein schön lustig Trostbüchli von den empfangknussen und geburten der menschen, Zürich 1554 und 1569 in 4.“, erhielt verschiedene lateinische und holländische Ausgaben, und handelt nach Sprengel „die Ursachen des Zurückbleibens der Nachgeburt recht gut ab.“ Seine „Pronosticationen“ und „Laaßbüchlin sampt der Pratic“ auf 1544 und andere Jahre wollen nicht viel heißen; dagegen wurden verschiedene geistliche Komödien von ihm in Zürich durch die Bürger mit Beifall aufgeführt, und zum Theil gedruckt. Rueff starb 1558.

Burgauer von Schaffhausen[9]), die während vielen Generationen fast ununterbrochen ihrer Vaterstadt dienten, — an den Wundarzt Joh. Jakob Baumann von Horgen[10]), der um seiner seltenen Geschicklichkeit willen das Zürcher-Bürgerrecht erhielt, — an den Gascogner Joseph Du Chesne oder Quercetanus[11]), der erst Leibarzt Heinrich IV. von Frankreich war, sich später in Genf einbürgerte, und zu den eifrigsten Verfechtern der Lehren des Paracelsus gezählt wird, — an den Epidemiographen und Mathematiker Thaddäus Dunus von Locarno[12]), der nach Uebertritt zur reformirten Kirche sich zu Zürich einbürgerte, und dort noch über ein halbes Jahrhundert practicirte, — an Théophile Bonet von Genf[13]),

---

9) Benedict Burgauer (15..—1589) war ein Sohn des von Marbach im Rheinthal gebürtigen, aus der Geschichte der Reformation bekannten Pfarrer Benedict Burgauer zu Schaffhausen (1494—1576), wurde 1558 Bürger von Schaffhausen, und 1561 Stadtarzt daselbst; als Lieblingswissenschaft soll er die Astronomie betrieben haben. Sein Sohn Johannes (1573—1611), dessen, durch das Erdbeben von 1601 IX. 8 veranlaßter „Christlicher Unterricht vom Erdbidem" erst 1651 zu Zürich gedruckt wurde, und dessen Sohn und Enkel gleichen Namens waren ebenfalls Stadtärzte in Schaffhausen, — ja nach Holzhalb gab es noch gegen Ende des 18ten Jahrhunderts in Schaffhausen einen Stadtarzt Johannes Burgauer.

10) Baumann (1520—1586) hielt sich längere Zeit in Nürnberg auf, wo er einen „Auszug aus der Anatomie des Vesalii mit Figuren" in Druck gegeben haben soll; 1559 erhielt er das Zürcher-Bürgerrecht.

11) Du Chesne (1521—1609), der zu Basel promovirt und dort mit den Paracelsischen Lehren Bekanntschaft gemacht haben soll, wurde 1584 zu Genf eingebürgert. Zu Paris hatte er trotz seiner hohen Stellung als Vertheidiger des von Parlament und Facultät verbotenen chemisch-medizinischen Systemes viel Verdruß. Von seinen zahlreichen, zum Theil poetischen Schriften, wurden die medizinischen 1648 zu Frankfurt unter dem Titel «Quercetanus redivivus» in drei Quartbänden gesammelt herausgegeben.

12) Dunus (1523—1613) studirte zu Basel, wo er «Arithmeticae practicae methodus, 1546 in 8.» herausgab, — dann zu Padua, — ging nach seiner Rückkehr in die Heimath zur reformirten Kirche über, mußte deßhalb 1555 auswandern, und ließ sich nun zu Zürich als practischer Arzt nieder. Durch seine «Epistolae medicinales, Tig. 1555 und 1592 in 8.», sein Buch «De respiratione, Tig. 1588 in 8., ꝛc. erwarb er sich auch als Schriftsteller Ruhm.

13) Bonet (1620—1689), aus einem von Bonnet wohl zu unterscheidenden Genfer-Geschlecht, das schon vor ihm mehrere berühmte Aerzte hervorbrachte, war nicht nur ein sehr beschäftigter, längere Zeit dem damaligen Fürsten von Neuenburg, Herzog von Longueville, attachirter Arzt, sondern auch ein bedeutender Schriftsteller. Sein «Sepulchretum, seu Anatomia practica, Gen. 1679, und später, 2 Bde. in fol." wird für das erste Werk über pathologische Anatomie gehalten; auch s. «Pharos Medicorum, Genev. 1668 in 12.», s. «Medicina septentr. collatitia, Genev. 1684, 2 Vol. in fol.», etc. werden sehr geschätzt.

der als einer der Gründer der pathologischen Anatomie angesehen wird, und als Besorger einer lateinischen Ausgabe von Rohaults Physik unter den eifrigen Cartesianern Platz nimmt, — an den Genfer Dominique Beddevole[14]), der als Arzt in Englischen Kriegsdiensten stand, sich um die Anatomie bedeutende Verdienste erwarb, und namentlich auch das chemiatrische System ausbilden half, — an den Chorherr Johannes v. Muralt in Zürich[15]), der als langjähriger Lehrer der Physik, als Stadtarzt, und namentlich als anatomischer und chirurgischer Schriftsteller sehr Bedeu-

14) Beddevole (16.. — 1692) ist namentlich durch s. «Essais d'anatomie, Leyde 1686 in 8., Paris 1722 in 12.», die auch ins Italienische übertragen wurden, bekannt; aber er war überhaupt sehr gebildet und vorurtheilsfrei, so daß er z. B. 1686 die damals fast ketzerische Lehre, der Mond habe auf Pflanzen und Thiere keinen Einfluß, öffentlich zu vertheidigen wagte.

15) Muralt (1645 II. 18 — 1733 I. 12) studirte erst in Basel, — besuchte nachher verschiedene Universitäten in Holland, England und Frankreich, um sich in Anatomie und Chirurgie auszubilden, — promovirte 1671 zu Basel, — wurde 1688 Stadtarzt zu Zürich, und 1691 überdieß Professor der Physik und Chorherr. Er hat das Verdienst, das erste anatomische Kollegium in Zürich gegeben zu haben, das sich auch auf Chirurgie und Botanik ausdehnte, und machte viele Sectionen. Als Schriftsteller war er sehr fruchtbar, wie uns sein, die erwähnten Vorlesungen enthaltendes „Anatomisches Collegium, Nürnberg 1687 in 8", seine „Chirurgischen Schriften, Basel 1691 und 1711 in 8.", sein „Eydgnössischer Stadt- Land- und Hauß-Arzt, Basel 1692 und 1716 in 8.", sein „Eydgnössischer Lust-Garten, Zürich 1715 in 8.", rc. beweisen, denen zahlreiche andere geschätzte Schriften und Abhandlungen beigefügt werden könnten, für welche auf das auch hier meistens benutzte Neujahrstück der Chorherren auf 1833 verwiesen werden mag. — Für ihn und seine Zeit charakteristisch sind die Ankündigungen, mit welchen er je seine anatomischen Vorlesungen schloß. So heißt es z. B: „Ueber acht Tage, geliebt es Gott, werden wir den Unterbauch mit Consideration desselben Gebeiner und Mäuse beschließen, zu welchem Ende wir dann einen magern Hund bedürffen." Und wieder: „Ueber acht Tag am Morgen um neun Uhr, so es Gott will, werden wir bei schönem Wetter in die Nachbarschaft außer die Stadt spatziren gehn, uns in der Kräuterkunst zu exerciren und dann einem jeden um seine Urten und Bezahlung ein Abendessen halten." — Es ist Muralt vorgeworfen worden, daß er später zu den Pietisten übergegangen und etwas abergläubisch geworden sei. Was das Erstere betrifft, so zeigen seine anerkannt ächten Schriften nur, daß er wahrhaft fromm war, und vom Arzte die Einsicht verlangte, daß er ohne Gottes Beistand nichts vermöge, und „daß alles sein Wissen, alle seine Kunst und Geschicklichkeit, wenn er gleich ein zweiter Aesculapius und Hermes wäre, nur lauter Stuckwerk seye." Dagegen mag der zweite Vorwurf besser gegründet sein, da ihm Ao. 1700 „eine oberkeitliche Erkanntnuß zugestellt wurde, in den künftigen Kalendern die Superstitiose Aderlaß-Tafel, samt dem sogenannten Juden-Kalender wegzulassen, und an dessen statt etwas bessers zu setzen."

tendes leistete, — an Daniel Leclerc von Genf[16]), einen Bruder des bekannten remonstrantischen Theologen Johannes Clericus, der sich durch seine Geschichte der Medizin ein dauerhaftes Denkmal errichtete, — an den Bürgermeister und Bundespräsidenten Johannes Bawier von Chur[17]), der sich um die Balneographie seines engern Vaterlandes große Verdienste erwarb, — an Johann Konrad Ammann von Schaffhausen[18]), der als Taubstummenarzt in Leyden lebte, theils durch eigene Versuche, theils durch ein betreffendes Werk zuerst diesen Zweig aufs Grüne brachte, und auch als Botaniker nicht unbedeutendes leistete, — an Johann Konrad Freytag von Höngg[19]), der sich durch viele glückliche

16) Leclerc (1652 II. — 1728 VI. 8), studirte zu Paris und Montpellier, promovirte 1670 zu Valence, practicirte mit Erfolg zu Genf, und leistete auch als Staatsrath gute Dienste. Seine «Bibliotheca anatomica, Genevae 1685—1689, 2 Vol. in fol.», seine «Chirurgie complète, Paris 1695 in 12.», etc., vor Allem aber seine, leider nur bis auf Galen reichende «Histoire de la Médecine, Genève 1696 in 8.», welche 1723 bereits in 4ter und zu einem Quartbande vermehrter Auflage erschien, und 1699 auch Englisch aufgelegt wurde, wird seinen Namen erhalten.

17) Nach vorläufigen Studien in Zürich und Basel erwarb sich Bawier 1684 zu Padua die philos. und mediz. Doctorwürde, stieg von 1685 bis 1720 vom Stadtschreiber bis zum Bundespräsidenten, und starb 1721. Seine „Beschreibung des Sauerbronnen und Bades zu Fideris, Bonaduz 1707 in 16." ist sehr verdienstlich: auch die Quellen von Alveneu, Tiefenkasten, &c. untersuchte er.

18) Ammann (1669—1724), ein Sohn des Stadtarzt Johannes Ammann in Schaffhausen (1640—1702), promovirte zu Basel, und ging dann nach Holland, wo er sich hauptsächlich mit dem Taubstummen-Unterrichte abgab, und mehrere betreffende Werke schrieb, von denen besonders sein 1692 zu Amsterdam erschienener «Surdus loquens» großes Aufsehen erregte, und in vielen Ausgaben und Sprachen erschien. «Ces livres sont devenus très-rares», liest man im 9ten Bande des Conservateur Suisse, «mais ils n'ont point été inconnus à ceux qui, dans la suite, ont pratiqué et perfectionné le même art; ils y ont même beaucoup puisé et n'ont eu garde d'indiquer leurs sources.»

19) Johann Conrad Freytag (16 . — 1738) war aus einer eigentlich in Zürich verbürgerten, aber in Höngg angesessenen Familie gebürtig, die von jeher gute „Schärer" geliefert hatte. Sein Vater Heinrich, der das Bürgerrecht nicht unterhalten hatte, und „trommen-negeli" genannt wurde, war Schornsteinfeger und Gassenwächter, und wurde 1719 bei Erbauung der Saffran von einem Stein erschlagen. Ueber die Studien unsers Freytags weiß man nichts; sondern er tritt plötzlich als geschickter Operateur auf. Mehrere seiner Operationen sind von Muralt (der ihn ausschließlich Johannes heißt) 1711 in die 2te Aufl. seiner Schriften von der Wundarznei aufgenommen worden, — darunter mehrere der Augenoperationen, durch welche sein Name der Geschichte anheimgefallen ist; gerade die erste Opera-

Operationen das Bürgerrecht von Zürich und die Stelle eines Stadtwundarztes erwarb, und namentlich als der Erste genannt wird, der in neuerer Zeit die Extraction des grauen (trockenhülsigen) Staar's mit Erfolg versuchte, — an den originellen Bündner-Arzt Johann Anton Graß von Purtein[20]), der den Aufenthalt in seinem kleinen Heimathsdorfe den glänzenden Stellungen vorzog, welche ihm an verschiedenen Höfen angeboten waren, — an den als Arzt überhaupt und namentlich als Geburtshelfer außerordentlich beliebten Balthasar Pfister von Schaffhausen[21]),

---

tion von 1694 ist eine solche, wo „eine sonderbare Stahr-Nadel, welche ein subtiles Häcklein hatte" zum Ausziehen des „Stahren aus dem Aug" verwendet wurde. Ueber diese Staaroperationen handelt auch der Sohn Joh. Heinrich Freytag, der ebenfalls sehr geschickt war, aber schon 1725 starb, in seiner Inauguraldissertation «De Cataracta, Argent. 1721 in 4.». Fries erzählt vom Jahre 1699: „Mr. Conrad Freytag, ein berühmter Bruchschneider und Wundarzt, so von nahen und fernen vil Zulauff hat, auch in der statt vil Curen gethan, und anjez nächst vor der Statt zu Hottingen sich aufhielt, warb heimlich und in der Stille um das Burgrecht; erhielte auch so vil, daß Mitwochens den 20 tag Christmonat selbiger, in betrachtung, daß dessen Äny auch Burger gewesen, und so vil namhafte an Vilen von anderen Ärzten verlassenen personen glükliche curen verrichtet, von U. G. G. dem Kleinen Raht mit dem Burgrecht beschenkt, und einer Erkantnus an die Zunft der Schmiden und die Gesellschaft zum Schwarzengarten, daß sie ihn in ihr Gemeinschaft aufnehmen, hingewisen worden. Einiche vom großen Raht murreten hierwider, und sagten, der gewalt Burger anzunehmen, gehöre für den grossen Raht der CC." — Freytag wurde 1708 zum Stadtarzt gewählt, blieb bis zu seinem Tod in hohen Ehren, und leitete jüngere Männer mit Erfolg zu seiner Kunst an, — so z. B. den nachmaligen Stadtarzt Joh. Conrad Meyer von Zürich (1715—1788), dem er am 18. Merz 1735 auf einem Stammbuchblättchen die Lehre gab

„Sey frisch zu treten an die Thatt,
Verzug gar oft gschadet hatt."

wobei er sich unterschrieb: „Johann Conradt Fritag Chirurgus und Operatör auch von Einer hochloblichen Canton Zürich bestelter Stattarzt." Die Kenntniß dieses Blättchens und eines Bildnisses von Freytag, die beide der reichen Sammlung des Herrn Dr. Meyer-Hofmeister angehören, verdanke ich Herrn Dr. Friedrich Horner.

20) Graß wurde 1684 zu Thusis, wo sein Vater Otto Graß Pfarrer war, geboren, — studirte in Venedig, Basel, Oxford, Leyden und Paris, — setzte sich etwa 1718 zu Purtein und starb daselbst 1770. Er scheint nichts für den Druck geschrieben, dagegen mit vielen Gelehrten des In- und Auslandes in Korrespondenz gestanden zu haben. Das Liebste war dem originellen Manne, an schönen Tagen im Gebüsche zu liegen, und er sagte oft: „Unter den Heinzenberger-Stauden habe ich mehr gelernt als auf den Universitäten." Vergl. für ihn Mai 1858 des Bündn. Monatsbl.

21) Er lebte von 1695 bis 1763, — promovirte 1715 zu Tübingen mit einer

der später seiner Vaterstadt auch als Staatsdiener Großes leistete, und zuletzt das Amt des Bürgermeisters bekleidete, — an den von Biglen gebürtigen „Wunderdoctor" Michael Schüppach zu Langnau [22]), zu dem viele Tausende aus aller Herren Ländern

---

Dissertation «Circa generationem hominis et animalium», — studirte nachher noch in Paris, London und Leyden. Zur Ausarbeitung seiner Beobachtungen ließen ihm Praxis und Staatsdienst keine Zeit übrig.

22) Schüppach, der von 1707 bis 1781 lebte, und, obschon er durchaus keine Studien gemacht, sondern bloß von einem Bauer einige oberflächliche Kenntnisse in Medizin und Chirurgie erhalten hatte, sich zu einem der glücklichsten und berühmtesten Empiriker emporschwang, ist zu bekannt, als daß es hier am Platze wäre, sein Leben weitläufig zu schildern oder alle die landläufigen Anecdoten über ihn nachzuerzählen; es mag hiefür z. B. auf die Biographie hingewiesen werden, welche Neithard seinem schweizerischen Volkskalender auf 1852 einverleibte, und dagegen hier lieber einiges aus Briefen seiner Zeitgenossen über ihn mitgetheilt werden. So schrieb Jeanneret am 19. Nov. 1773 aus Yverdon an seinen Freund Jetzler in Schaffhausen: «Je vais vous dire ce que j'ai fait depuis la reception de votre lettre, et qui a retardé ma réponse. Le lendemain de son arrivée je partis pour Langnau qui est un village 6 lieues en de là de Berne; qui alliez Vous faire demanderiez Vous sans doute? eh bien je vais Vous le dire, car il ne serait guère intéressant d'apprendre que j'ai été d'ici là. Vous saurez qu'il y a à ce Langnau un Esculape, qui attire à lui bien des malades tant de corps que d'esprit; je ne sais dans quelle classe Vous me mettrez. Mais quoiqu'il en soit, Vous saurez encore que cet Esculape voit au moien d'un verre dans lequel on a pissé toutes vos maladies, c'est ainsi que je le consultai en lui présentant ma bouteille, et je ne fus pas peu étonné de lui entendre dire après cela les maladies auxquels je suis sujet savoir à la sciatique ou au Rhumatisme et à trembler; et je ne sais que trop par les cruelles douleurs que j'ai supportées que j'en ai une bonne dose, et Vous pouvez voir vous-même par mon écriture que je n'ai pas la main ferme. J'ai été là avec mon frère Jonas et sa femme à qui il a aussi dit ce qu'ils avaient au moien de la bouteille, enfin chacun en revient tout surpris, il nous a donné à tous des remèdes dont la plus part consistent en simples, mais je n'ai pas eu le tems de les prendre à cause des vendanges qui ont suivi mon retour, et qui demandaient que je fusse à la vigne. Je vous dirai s'ils me font du bien, car ce n'est pas le tout de connaitre les maladies il faut aussi les savoir guérir: mais en voilà assez sur les malades et les maladies je crains que Vous ne le deveniez en vous en parlant plus au long.» — Der berühmte Bonnet schrieb am 12. Juli 1774 aus Genthod an Haller nach Bern: «Chaque jour on me raconte des choses étonnantes de l'empirique de Langnau. J'ai des parens et des amis qui ont été le consulter et qui m'en disent des merveilles. On me vante surtout ses d é v i n a t i o n s par les urines, et plus on me les vante, plus on accroit mes défiances. Et le moyen de ne pas se défier d'un médecin qui ne dévine pas seulement par l'inspection des urines la maladie actuelle; mais qui dévine encore des maladies

und allen Ständen wallfahrteten um sich Gesundheit zu holen, und zu dessen Ruhme nichts mehr fehlte, als daß der größte Theoretiker seiner Zeit sich wirklich entschlossen hätte ihn zu consultiren[23]), — an den ausgezeichneten Genfer-Arzt Théodore Tronchin[24]), einen Lieblingsschüler von Boerhaave, der zuerst

---

passées et guéries depuis 2 à 3 ans: mêmes des fausses couches! Il est très fin et il a de l'esprit: il sait apparemment faire causer ses malades ou ceux qui les accompagnent; et ce qu'il paraît découvrir dans la phiole, lui est parvenu par d'autres voies. On veut cependant qu'il ait beaucoup analysé les urines et qu'il ait acquis ainsi une sorte de vue, qui lui fait démêler dans cette liqueur des choses qui échappent à tous les médecins. On cite Mr. le docteur Exchaquet d'Aubonne comme un des admirateurs de cet empirique devenu si fameux. Je sais que ce docteur est très habile; mais je soupçonne à bon droit qu'on le fait plus admirer qu'il n'admire. Il faut pourtant convenir qu'il est des malades assez invétérés, que Micheli a guéris ou au moins fort soulagés et qui protestent n'avoir éprouvés aucun soulagement des secours des plus grands médecins de l'Europe. Peut-être que ces cures ont dépendu en grande partie au bon air de Langnau et des légers fondans qu'il n'entend pas mal à administrer. On assure même qu'il a inventé un purgatif qui produit de grands effets sans déranger le moins du monde l'estomac. Un de nos jeunes docteurs est actuellement à Langnau pour tirer au clair cet Esculape. Je suis curieux du jugement qu'il en portera. Très surement il ne s'en laissera pas imposer. Ce sera toujours une chose très équivoque que la réputation dans l'art de guérir; parce que les médecins seront toujours jugés par des tribunaux incompétents, et que l'amour du merveilleux et bien des petites passions influeront toujours sur l'opinion.» — Joh. Georg Zimmermann (s. Note 27) endlich schrieb am 12. Juni 1775 aus Hannover vor seiner Abreise nach der Schweiz an Haller, erzählte ihm von mehreren fürstlichen Personen, welche kürzlich Schüppach besucht, und fügte bei: «Je n'oserai point retourner en Allemagne sans avoir été aussi, — et je crois qu'il vaut réellement la peine de regarder un peu cette scène de démence.» Ob Zimmermann wirklich Langnau besuchte, und wie er nachher auf Schüppach zu sprechen war, weiß ich nicht.

23) Hirzel schrieb am 2. Nov. 1773 aus Zürich an J. S. Wyttenbach: „Auch die Beschreibung von Michael Schüppach gefällt mir gut; für einen glücklichen, spitzbübischen Empiricus habe ich ihn immer angesehen. Ich danke Gott, wenn Haller sich überwinden kann, nicht zu diesem Mann zu gehen, — die Feinde seiner medizinischen Theorie würden sich halb zu Tod lachen, und mit einigem Recht."

24) Tronchin (1709—1781 I. 30) studirte zuerst in England, ging aber bald nach Leyden, um Boerhaave zu hören. «Tronchin était dans sa jeunesse», wird im 12ten Bande des Conservateur suisse erzählt, «un des plus beaux et des plus élégans Genevois: il se faisait surtout remarquer par sa superbe chevelure, dont il prenait le plus grand soin. Venu à Leyde pour faire ses études, sous l'illustre Boerhaave, et assistant pour la première fois à ses leçons, l'esculape hollandais le regarda et dit à haute voix: voilà un

lange in Holland practicirte, dann eine für ihn speciell creirte Professur der Medizin in seiner Vaterstadt bekleidete, endlich nach langem Drängen sich bewegen ließ, als Leibarzt der Orleans nach Paris zu übersiedeln, und wohl der einzige Schweizerarzt ist, der um seiner practischen Leistungen willen die höchste wissenschaftliche Ehre, die Stelle eines der acht auswärtigen Mitglieder der Pariser-Academie erhielt[25]), — an Joh. Friedrich Herrenschwand von Murten[26]), der Leibarzt des Königs von Polen war, später mit dem Berner-Bürgerrecht beschenkt, sich in Bern niederließ, und sich theils durch sein Spezifikum gegen den Bandwurm, theils durch eine Krankheitslehre großen Ruf erwarb, — an Joh. Georg Zimmermann von Brugg[27]), eben so

étudiant qui a des cheveux trop longs et trop frisés pour devenir jamais un grand médecin. Le lendemain Tronchin fit le sacrifice de sa belle chevelure et revint à la leçon. Boerhaave, dès ce moment, le prit en amitié, et il ne tarda pas à devenir un de ces disciples favoris.» Nach dem Wunsche von Boerhaave setzte sich Tronchin als Arzt in Amsterdam, sollte später Leibarzt des Prinzen von Oranien werden, zog aber vor 1754 in seine Vaterstadt zurückzukehren. Als Schriftsteller bethätigte sich Tronchin nur in sehr untergeordneter Weise; er lebte fast ganz der Praxis, und ganz besonders der Inoculation. Für letztere hatte er solchen Ruf, daß ihn der Herzog von Orleans für seine Kinder nach Paris kommen ließ, und ihn nach glücklichem Erfolge mit 50,000 Livres beschenkte; der Herzog wurde damals so für Tronchin eingenommen, daß er ihm keine Ruhe ließ, bis er 1766 die Stelle eines Leibarztes bei ihm annahm. — Sein Eloge findet sich in den Mém. de Paris von 1781.

25) Vergl. I. 144.

26) Herrenschwand (1715—1798) studirte zu Straßburg, Jena und Halle, — practicirte zu London, Paris und in verschiedenen deutschen Städten mit großem Erfolge, — wurde 1779, als er in Polen war, zu einer Consultation nach Bern berufen, — setzte sich allda, und erhielt 1793 das Bürgerrecht. Sein «Traité des principales maladies, Berne 1788 in 4.» wurde sehr geschätzt.

27) Zimmermann (1728 XII. 8 — 1795 X. 7) besuchte die Schulen in Bern, ging dann nach Göttingen, wo er bei Haller wohnte, und 1751 bei Gelegenheit seiner Promotion durch s. «Diss. de irritabilitate, Gott. 1751 in 4.» s. Namen mit dem seines Lehrers für alle Zeiten verband, — etablirte sich 1752 in Bern, — wurde 1754 Stadtarzt in Brugg, — schlug 1760 einen Ruf nach Göttingen aus, — nahm dagegen 1768 einen durch Haller und Tissot veranlaßten Ruf als Leibarzt nach Hannover an, und blieb daselbst bis zu seinem Tode. Sein Ruf als praktischer Arzt war ungemein groß, so daß er die wiederholtesten Anerbietungen erhielt als Leibarzt in diese oder jene Dienste zu treten, und seine betreffenden Abhandlungen und Schriften, von denen ich beispielsweise die wiederholt aufgelegten und übersetzten Werke „Von der Ruhr unter dem Volke, Zürich 1767 in 8.", und „Von der Erfahrung in der Arzneikunst, Zürich 1763—1764, 2 Bde. in 8." erwähne, zeigen, daß er jenen Ruf verdiente, und daß Mörikofer in s. sonst schätzbaren und

bekannt durch seine medizinischen Abhandlungen, sein Werk über die Erfahrung in der Arzneiwissenschaft, und seine praktische

---

für Haller, Sulzer, etc. nicht zu übersehenden Werke „Die Schweizerische Literatur des achtzehnten Jahrhunderts, Leipzig 1861 in 8." ihn besonders auch in dieser Beziehung zu tief stellte. Namentlich enthält das leider unvollendete Werk „Von der Erfahrung", so schroffe und unrichtige Urtheile auch zuweilen in demselben vorkommen (s. z. B. III. 30–31.), vortreffliche Lehren; so liest man z. B. darin: „Gute Beobachtungen müssen nicht mit Vernunftschlüssen untermengt seyn. Man soll die Erscheinungen in der Natur beschreiben wie man sie sieht, und nicht wie man sie beurtheilt. Wir müssen gelassen anhören was die Natur sagt, der Reihe nach alles betrachten was sie sagt, die Begebenheiten uns merken, welche Grundsätze unserer Vernunftschlüsse werden können, aber uns wohl hüten, ein Urtheil zu sprechen, ehe die Natur wohl verhört ist. Anstatt die Natur unserem Verstande zu unterwerfen, unterwerfen wir unsern Verstand der Natur; wir erzählen was wir gesehen, und überlassen andern den Ausspruch. Der Leser kann durch uns sehen, so lange wir ihm schlechterdings sagen was wir gesehen haben; durch unsere Urtheile sieht er falsch." — Zimmermanns später zu einem größern Werke ausgedehnten „Betrachtungen über die Einsamkeit, Zürich 1756 in 8.", und seine Schrift „Von dem Nationalstolze, Zürich 1758 in 8.", haben ebenfalls zur Zeit großes Aufsehen gemacht, wie die vielen Auflagen und Uebersetzungen beweisen. Weniger glücklich war er mit seinem „Leben des Herrn von Haller, Zürich 1755 in 8.", und mit demselben begann zugleich eine ziemlich lange andauernde Verstimmung zwischen Haller und Zimmermann, die letzterer wohl fühlte, so daß er am 3. Januar 1767 aus Brugg an Haller schrieb: «Les années s'en vont, leur nombre commence à me presser, mes enfants grandissent, je suis toujours à Brugg, et je n'espère rien au-delà; mais un grand bonheur pour moi dépend uniquement de vous, ce serait le renouvellement de votre bienveillance, qui, à la date de votre dernière lettre, semblait toucher à sa fin.» Die in diesem Briefe zu Tage tretende gedrückte Stimmung Zimmermann's nahm mit den Jahren durch Familienunglück und körperliche Uebel immer mehr überhand und steigerte sich zuweilen zu der tiefsten Melancholie und der größten Bitterkeit. Zu den schönsten Episoden in seinem spätern Leben gehörte es, als er 1771, nachdem er in Berlin eine schmerzhafte Operation überstanden hatte, eine Audienz bei Friedrich dem Großen erhielt, und als er 1786 von ihm zur Konsultation berufen wurde; es mag jedoch hiefür auf die betreffenden Schriften Zimmermann's verwiesen, und hier nur eine Anecdote aufgenommen werden, welche im 10ten Bande des Conservateur Suisse erzählt wird: «Le célèbre Zimmermann avait été appelé à Berlin par le Grand Frédéric, dans sa dernière maladie: un jour qu'il s'entretenait avec ce Monarque déjà au bord de la tombe, le Roi lui adressa gravement cette question: *Dites-moi, s'il vous plait, Docteur! combien avez-vous tué de gens depuis que vous pratiquez? — Sire!* répondit le Médecin Suisse, *pas autant que votre Majesté et avec bien moins de gloire.* Frédéric sourit et dit, *n'en parlons plus.*» — Vergl. die von Zimmermanns langjährigem Freunde und Korrespondenten Tissot herausgegebene «Vie de Zimmermann, Lausanne 1797 in 8.», die im gleichen Jahre zu Hannover auch deutsch aufgelegt wurde, — die von Albr. Rengger (Aarau 1830) veröffentlichten Briefe Zimmermanns, — die von mir in den Bern. Mitth. 1846–1848 gegebenen Auszüge aus einer Korrespondenz mit Haller, — etc.

Wirksamkeit, als durch seine in die verschiedensten Sprachen übergegangenen Schriften über den Nationalstolz und die Einsamkeit, — an den Waadtländer-Arzt Auguste Tissot von Grancy[28]), der sowohl durch wissenschaftliche und populäre Schriften, als durch praktische Tüchtigkeit zu den bedeutendsten Medizinern seiner Zeit zählte, — an den ausgezeichneten praktischen Arzt Johannes Hotz von und in Richtenschwyl[29]), den vertrauten Freund Pestalozzi's und Lavaters, und den Bruder des österreichischen General Joh. Konrad Hotze, — an David-Henri Gallandat von Yvonand „in der Waadt[30]), der als Holländischer Schiffsarzt große Seereisen nach Guinea, Surinam, rc. machte, und später als Arzt und Schriftsteller in Flessingen lebte, — an den be-

28) Tissot (1728—1797) studirte zu Genf und Montpellier, und lebte, mit Ausnahme der Jahre 1781 bis 1783, in denen er eine Professur in Pavia bekleidete, in Lausanne als praktischer Arzt und Honorar-Professor der Medizin, zahllosen Kranken aller Nationen, welche sein Ruf nach Lausanne zog, beistehend, aber spätere Berufungen als Leibarzt oder Professor ablehnend. Seine zahlreichen Schriften, von denen beispielsweise sein «Avis au peuple sur la santé, Lausanne 1761 in 8.», sein den Baldrian empfehlender «Traité de l'épilepsie, Lausanne 1770 in 12.», seine erschöpfende Schrift «L'inoculation justifiée, Paris 1773 in 12.» angeführt werden mögen, erlebten zahlreiche Auflagen und Uebersetzungen. Vergl. «Ch. Eynard, Essai sur la vie de Tissot, Lausanne 1839 in 8.»

29) Hotz (1739—1801), ein Sohn des 1776 verstorbenen Feldscherer Joh. Hotz, und ein Enkel des 1734 verstorbenen beliebten Arztes Jakob Hotz, promovirte 1758 zu Tübingen, und wurde nach seiner Rückkehr in die Heimath bald einer der berühmtesten praktischen Aerzte der Schweiz. „Mitten unter allem, was die Schweiz in der größten Manigfaltigkeit Erhabenes, Anmuthiges und Reizendes hat", sagt Zimmermann in seinem Buche über die Einsamkeit, „wohnt im Dorfe Richterswyl, einige Stunden von Zürich, ein großer Arzt. Erhaben und sanft, wie die Natur, die ihn umgibt, ist seine Seele. Sein Haus ist ein Tempel der Gesundheit, der Freundschaft und jeder milden Tugend." Im Jahre 1795 etwas in die Stäfner-Unruhen verwickelt, zog er sich zu einem Tochtermanne nach Frankfurt zurück, und das gastliche Haus, in dem Lavater seine Physiognomik bearbeitet und so mancher Kranke seine Genesung gefunden hatte, wurde verwaist.

30) Gallandat (1731 VI. 8 — 1781 VIII. 12) wurde von seinem mütterlichen Oheim, dem Chirurgen Jean-Henri de Bruaz zu Flessingen, erzogen und so weit gebildet, daß er 1751 das Schiffsarzt-Examen bestehen konnte. Nach s. Rückkehr von den im Texte erwähnten Reisen, setzte er seine Studien in Paris fort, und ließ sich 1760 in Flessingen nieder, wo er seinem Namen durch ausgebreitete Praxis, öffentliche Vorträge, schriftstellerische Thätigkeit, Gründung eines Naturaliencabinettes, rc. einen guten Klang zu verschaffen wußte. Vergl. für ihn Bd. 11 des Conserv. suisse.

rühmten Geburtshelfer und Orthopäden Jean-André Venel von Morges [31]), — an Joh. Melchior Aepli von Diessenhofen [32]), der sich als praktischer Arzt, Schriftsteller und Beförderer der korrespondirenden Gesellschaft schweizerischer Aerzte große Verdienste erwarb, — an Johann Ulrich Bilger von Chur [33]), der als Chirurg den siebenjährigen Krieg mitmachte, und dann nach und nach bis zum Generalchirurgen der preußischen Armee emporstieg, — an den beliebten Berner-Arzt Andreas Dennler von Langenthal [34]), in dessen satyrischen Schriften „treffender Witz mit handgreiflichem Unsinn, halbwahre Phantasien mit bengelhaften Grobheiten"

---

31) Venel (1740 V. 28 — 1791 III. 9) studirte in Genf bei Tronchin und dem von Nyon gebürtigen berühmten Chirurgen François-David Cabanis, — promovirte 1764 in Montpellier, wurde dann zu Orbe als Stadtarzt angestellt, und zugleich mit dem Bürgerrecht beschenkt. Später machte er noch zwei längere Aufenthalte in Paris und Montpellier, richtete 1778 eine Hebammenschule zu Yverdon ein, und endlich 1780 eine orthopädische Anstalt zu Orbe, der er nun bis zu seinem Tode lebte. Als Schriftsteller erwarb er sich durch s. «Précis d'instruction pour les sages-femmes», s. «Description de plusieurs nouveaux moyens mécaniques, propres à prévenir, borner et même corriger les courbures latérales et la torsion de l'épine du dos», etc. nicht unbedeutenden Ruf. Vergl. «J. de Laharpe, Jean-André Venel d'Orbe, Lausanne 1840 in 8.»

32) Er lebte von 1744 bis 1813, war ein sehr beliebter praktischer Arzt, verfaßte viele nützliche Schriften und Beiträge für die Sammlungen von Rahn, Hufeland, 2c., und leistete auch beim Uebergange des Thurgaus in einen selbstständigen Kanton in verschiedenen Beamtungen große Dienste.

33) Am 1. Mai 1720 zu Chur geboren, studirte Bilger in Basel, Straßburg und Paris, — wurde dann Militärarzt, — promovirte 1761 zu Halle, bei welcher Gelegenheit er die classische Dissertation «De amputatio rarissima administranda, aut quasi abroganda» schrieb, deren später noch mehrere chirurgische Werke folgten, — wurde Mitglied der Göttinger-Academie, 2c., — und starb 1796 zu Berlin. Für Bilger sind unter Anderm Billroth's „Historische Studien über die Behandlung der Schußwunden, Berlin 1859 in 8." zu vergleichen, wo auch über Würtz und Fabricius Hildanus Manches zu finden ist.

34) Dennler lebte von 1756 bis 1819, und wäre bei etwas ausgebildeterem Geschmack ein zweiter Jean Paul geworden. Von seinen selten gewordenen Schriften mag beispielsweise die unter dem Titel „Die ganze Natur, Himmel und Hölle in einer Nuß" angeführt werden. Zu seiner Charakteristik dient folgende Erzählung, welche Markus Lutz in seinen Modernen Biographien gibt: „Ungefähr vier Wochen vor seinem Tode, als er an seiner Wiedergenesung verzweifelte, bestellte er seinen Sarg, der von da an seinem Sterbebette beständig gegenüber stehen mußte, und verordnete: er wolle nicht in gute Leinwand gehüllt sein als unnützen Prunk; sondern man solle seinen Leichnam in altes Packtuch wickeln, dann im Sarge jeden Raum mit zerbrochenem Glase ausfüllen. Den Titel von Hallers

wechseln, — an Jean-François-Xavier Pugnet von Lyon[35]), der als Arzt die französische Armee nach Egypten begleitete, später Direktor des Militärspitals zu Dünkirchen wurde, zuletzt sich in Biel, dem Heimathsorte seiner Gattin, niederließ, und dort das Ehrenbürgerrecht erhielt, — und noch an viele Andere, von denen nur einiger weniger im Folgenden noch beiläufig gedacht werden kann. Wenn ich allen diesen Männern Joh. Jakob Wepfer vorgezogen habe, um mit ihm die Reihe der speziell behandelten Aerzte abzuschließen, so geschah es, weil Wepfer das Meiste in hohem Grade in sich vereinigte, was den genannten Namen Ruhm gebracht hat; denn Wepfer war, wie ich im Folgenden zeigen werde, ein glücklicher und gesuchter Arzt, ein vorzüglicher Beförderer seiner Wissenschaft, und ein vortrefflicher Lehrer.

Wepfer's Ruf als Arzt breitete sich rasch über die Grenzen seiner Vaterstadt und seines Heimathkantons aus, — verschiedene geistliche und weltliche Fürsten, wie der Churfürst von der Pfalz, der Markgraf von Durlach, der Herzog von Würtemberg, 2c. suchten bei ihm Hülfe und ernannten ihn zu ihrem Leibarzte, — aus allen Theilen der Schweiz und des Auslandes ging eine Unzahl von Briefen Hülfsbedürftiger ein, „welche", nach dem Ausdrucke seines Biographen, „kaum ein Lastwagen fassen könnte, und von denen er keinen unbeantwortet ließ", — reiche und arme Kranke wurden von ihm mit derselben Freundlichkeit und Sorgfalt behandelt, — und sein einziges Streben war, möglichst viele Leidende zu heilen oder wenigstens zu erleichtern. Dieses Streben wurde durch eine seltene Beobachtungsgabe unterstützt, deren Früchte er nie unterließ sorgfältig aufzuzeichnen, und so eine reiche Sammlung von Erfahrungen anzulegen, welche nicht nur für ihn selbst die Grundlage späterer Lehren und Arbeiten bildete, — nicht nur seinen Freunden und Schülern, denen er dieselbe auf das Zuvorkommenste zu benutzen erlaubte, die

Restauration des Staatsrechts solle man so in den Sarg legen, daß er mit einem Theile des Körpers darauf zu liegen komme, den man nicht gerne nennt."

35) Pugnet lebte von 1765 bis 1846, war vorwiegend Praktiker und publicirte „Beobachtungen und Erfahrungen aus dem Gebiete der praktischen Heilkunst, Biel 1837, 2 Bde. in 8."

werthvollsten Aufschlüsse gab, — sondern noch für seine Söhne und Enkel [36]) von großer Bedeutung war, bis sie 1774 nebst seinen übrigen Manuscripten und seiner großen Bibliothek an die Universität Leyden verkauft wurde. Wepfer beobachtete nicht nur am Krankenbette, sondern holte auch vom Rathe die Erlaubniß ein, Todte zu seciren, und wenn ihm menschliche Leichen fehlten, so nahm er Thiere vor, deren er sich manche seltene, wenn er zu fürstlichen Personen auf Consultation reisen mußte, von ihren Jägern zu verschaffen wußte.

„An der Spitze der Experimentatoren der letzten Jahrhunderte", sagt Sprengel, „steht Wepfer, das würdigste Muster aller spätern Forscher, dessen unsterbliches Werk vom Wasser-Schirling [37]) zu den nachfolgenden Versuchen über die Wirkungsart der Arzneyen und Gifte die Bahn brach, und eine solche Menge der glücklichsten Experimente enthält, daß man nicht weiß, ob man mehr den Fleiß oder das Glück dieses Experimentators bewundern soll. In Brunners [38]) und Harders [39]) Gesellschaft prüfte er die Wirkungen mehrerer Gifte an zahllosen Thieren, die er lebendig

36) Wepfer erhielt von seiner Frau, einer Ring von Wildenberg, 9 Kinder, von denen ihn zwei Söhne und drei Töchter überlebten. Ein Sohn, Joh. Konrad (1657—1711), wurde ebenfalls Stadtarzt in Schaffhausen, Leibarzt mehrerer Fürsten, ꝛc., und hatte drei Söhne, die sich der Medizin widmeten: Karl Konrad (1680—1709), Bernhardin (1684—17..), und Georg Michael (1692—1774). Eine der Töchter heirathete Joh. Konrad Brunner, s. Note 38.

37) Historia cicutae aquaticae, Basil. 1679 und 1716 in 4.

38) Joh. Konrad Brunner von Dießenhofen (1653—1727), promovirte 1672 zu Straßburg, — besuchte dann noch Frankreich, England und Holland, — wurde 1685 als Professor der Medizin nach Heidelberg berufen, und in die Acad. Nat. curios. aufgenommen, in deren Miscellaneen er Vieles einrückte. Als Arzt erlangte er den ausgedehntesten Ruf, so daß ihn nicht nur der Churfürst von der Pfalz zu seinem Leibarzt ernannte, und unter dem Namen „Brunn von Hammerstein" in den Adelstand erhob, sondern auch der Deutsche Kaiser, der Landgraf von Hessen, der Herzog von Würtemberg, die Könige von Schweden und Dänemark, ꝛc. seines Rathes pflegten, und der König von England sogar seinen Leibarzt zu ihm sandte, um seine Methode zu studiren. Als Schriftsteller machte er sich durch seine «Experimenta nova circa pancreas, Amst. 1683 in 4., Lugd. Bat. 1722 in 8.», und seine «Disput. de glandulis in duodeno intestino detectis, Heidelb. 1687 in 4., Schwabach 1688 in 4.», einen bedeutenden Namen, und sowohl Sprengel als Häser erwähnen seine Arbeiten mit großem Lob. Eine ausführliche Biographie von ihm soll Aeppli 1788 in Rahn's Archiv gegeben haben.

39) Siehe III. 122.

zergliederte, um die bewirkten Veränderungen von Stufe zu Stufe zu beobachten, und zu bemerken, wie die Erscheinungen nach dem Tode von den Wirkungen im lebenden Zustande sich unterscheiden. Nicht bloß der Wasser-, sondern auch der gewöhnliche Schirling, der Eisenhut, die Krähenaugen, die bittern Mandeln, der Arsenik rc. wurden Gegenstände seiner Untersuchung, durch welche auch die vergleichende Anatomie gewann: denn man findet in diesem Werke die genausten Zergliederungen mancher Thiere, die bis dahin noch nicht zergliedert waren, z. B. des Wolfs, des Adlers, rc. — Diese Untersuchungen lehrten, daß das Blut bloß Gelegenheits-Ursache, nicht nächste Ursache der Bewegung des Herzens sei, und daß diese also in der eigenthümlichen Organisation und davon abhangenden Lebenskraft dieses Organs gesucht werden müsse: Das Blut der mit Giften getödteten Thiere zeigte nicht die mindeste Verderbniß, aber die Muskelfasern des Herzens waren welk, und ihre Organisation also verändert. Wie wichtig war diese Bemerkung, und wie viele nützliche Folgen hätten die Zeitverwandten Wepfers aus derselben ziehen können, wenn sie nicht durch Schul-Systeme verblendet gewesen wären! Nach hundert Jahren erst kamen Fontana und Andere durch viele Umwege zur Entdeckung der Wahrheit, die so klar schon in Wepfers unsterblichem Werke vorgetragen ist. Auch zeigte er, daß das ganz blutlose Herz, einige Zeit nach dem Tode, dennoch wieder zu Bewegungen gereizt werden könne. — Durch Wepfers Untersuchungen über den Sitz des Schlagflusses gewann die Kenntniß der Gefäße und einzelner Theile des Gehirns nicht wenig. Statt des wunderbaren Netzes, welches die Alten in der Carotis angenommen hatten, beschrieb Wepfer die Biegungen sehr genau, welche dieselbe im Pyramiden-Canal des Schläfenbeins macht[40]), widerlegte sowol das Daseyn eines solchen wunderbaren Netzes, als auch die Erzeugung der thierischen Geister in den Hirnhöhlen. Er zeigt, daß das Gehirn sehr gefäßreich und voller Venen sei, daß selbst die Blutleiter mehr venöser Natur seyen, beschrieb schon die Ge-

40) Siehe seine «Observationes anatomicae de Apoplexia, Scafh. 1658 und 1675 in 8.» Auch Häser sagt, daß in dieser Schrift „die gediegensten Untersuchungen über den Bau des Gehirnes“ enthalten seien.

flüsse, welche aus dem Innern des Kopfes durch die Näthe und Oeffnungen der Hirnschale hervorkommen, um sich in die Bedeckungen des Kopfes zu verbreiten, und bewies mit einleuchtenden Gründen, daß sich weder in den Hirnhöhlen eine auszuleerende Flüssigkeit ansammle, noch daß diese beim Schnupfen durch den Trichter, das Sieb- und Flügelbein abfließe." — Das Vorstehende dürfte genügen, um die wissenschaftliche Bedeutung Wepfer's zu zeigen, und es möchte unnöthig sein, noch speziell anderer Werke [41]) und der Abhandlungen zu gedenken, mit welchen er die Schriften der Academia Naturae Curiosorum, die ihn 1685 als Machaon III. aufnahm, zierte.

Noch bleibt der Lehrthätigkeit unsers Wepfer's zu gedenken, die sehr bedeutend war, obschon Schaffhausen ihm keinen Lehrstuhl für Medizin zu bieten hatte, und überhaupt hier nicht an academische Vorträge, sondern an eine ganz freie Belehrung im persönlichen Umgange zu denken ist: Sein Ruf zog eine Menge Studirender und junger Aerzte für längere Zeit nach Schaffhausen, um zu den Füßen des eben so hochbegabten, als von jeder Geheimnißkrämerei fernen Meisters zu sitzen, auf dessen belehrende Winke zu lauschen, seinen reichen Schatz von Erfahrungen kennen zu lernen, und an den verschiedenartigen Beobachtungen desselben Theil zu nehmen, — ja es dürfte während mehreren Dezennien diese freie medizinische Schule in Schaffhausen an Besuch und Leistung manche betreffende Fakultät in den Schatten gestellt haben. Außer Theodor Zwinger [42]), und den oben genannten Brunner, Harder und Joh. Konrad Wepfer, mögen noch Ott [43]) und Vorster [44]) als Zöglinge der Schaffhauser-Schule genannt werden.

---

41) Wepfers erste Druckschrift war eine «Disputatio de palpitatione cordis, Basil. 1647 in 4.», seine letzte die «Observationes medicae practicae de affectibus capitis internis et externis, Scafh. 1726 und Tig. 1745.»

42) Siehe III. 122.

43) Johannes Ott (1639 III. 7 — 1717 XI. 16) setzte seine Studien zu Heidelberg fort, promovirte 1671 zu Basel, und stieg in verschiedenen Staatsämtern bis zum Zunftmeister. Seine «Cogitationes Physico-Mechanicae de natura visionis, Heidelb. 1670 in 4.» machten zur Zeit einiges Aufsehen.

44) Franz Sebastian Vorster von Diessenhofen (1666—1738) wurde Professor der Medizin zu Freiburg, Leibarzt verschiedener Fürsten ꝛc. Seine Praxis nahm ihn so in Anspruch, daß er nur einige Dissertationen drucken ließ.

Wepfer war ungemein arbeitsam und einfach. „Er ging", erzählt uns sein Biograph, „selten vor eilf Uhr zu Bett, — noch seltener stand er nach vier Uhr auf. Die erste Stunde des Tages widmete er dem Gebet, die übrigen den Kranken und den Studien, — müßig war er nie. Im Essen war er ungemein mäßig, und Wein trank er nur mit Wasser vermischt; doch konnte auch diese strenge Diät die Leiden nicht von ihm fern halten: In seiner Jugend war er pestkrank, später litt er einmal an Dyssenterie, zweimal an acutem Fieber." Die Krankheit, die seinem Leben ein Ende machen sollte, begann, als er im August 1691 von Herzog Karl Friedrich nach Würtemberg gerufen wurde: Ein heftiges Fieber war in dessen Lager ausgebrochen, und hatte den Feldherrn selbst ergriffen. Da gab es mehr Arbeit, als dem 71jährigen Mann zuträglich war. Zwar gelang es ihm noch die gestellte Aufgabe zu lösen; aber von da an litt er beständig an Athmungsbeschwerden, die sich oft bis zum Paroxismus steigerten, und in denen einzig Ruhe etwas Erleichterung verschaffte. Mit den Jahren nahm die Krankheit immer mehr zu, ja gegen Ende des Jahres 1694 konnte er fast keine Nahrung mehr zu sich nehmen, und nur noch aufgerichtet Athem holen; doch dauerte es noch bis zum 28. Januar 1695, ehe seine Erlösungsstunde schlug. Nach der von Wepfer getroffenen Verordnung wurde seine Leiche geöffnet, und es zeigte sich als Grund der Krankheit eine Verknöcherung der Aorta, entsprechend der von ihm selbst wiederholt geäußerten Ansicht. So hatte sich also der große Arzt noch im Tode bewährt.

Joh. Heinrich Rahn von Zürich.

1622—1676.

Joh. Heinrich Rahn wurde am 10. Merz 1622 dem damaligen Amtmann zu Töß und nachmaligen Bürgermeister Joh. Heinrich Rahn von seiner Frau, Ursula Escher, geboren[1]). Seine Familie, an deren Spitze bis 1627 der Großvater, der ältere Bürgermeister Joh. Rudolf Rahn, dann bis 1655 der Oheim, der jüngere Bürgermeister Joh. Rudolf Rahn, stand, gehörte damals zu den angesehensten von Zürich, und es wurde nichts versäumt, um den talentvollen und fleißigen Knaben „durch gelehrte Leuth in allen einem könftigen Staatsmann nöthigen künsten und wüssenschaften grundlich underrichten zu lassen", wobei er „sonderlich zu den Mathematischen Wüssenschaften große lust bezeuget". Auch für die weitere Ausbildung im Auslande wurde vom Vater bestens gesorgt, und Joh. Heinrich erinnerte sich mit Recht noch später dankbar an die ihm zu Theil gewordene treffliche Erziehung. „Wann ich beherzige", sagt er in der Zuschrift seiner unten zu besprechenden Algebra an den Vater Bürgermeister, „wie E. E. Wht. von meiner kindheit an einiche[2]) mühe, sorg und kosten gesparet haben, zu hauß und an der frömde, zu erlehrung guter Künsten und Spraachen, die gaaben der Natur in

---

1) Ich benutze für Rahn, außer seinen Schriften, die betreffenden Artikel in Leu, Dürsteler, rc., die Neujahrstücke der Feuerwerkergesellschaft auf 1852 und 1855, rc. — Der Vater Rahn (1593—1669) wurde nach dem Tode seines Bruders Rudolf (1594—1655) dessen Nachfolger als Bürgermeister. Der Großvater Rahn (1560—1627) ging 1624 wegen den Bündner-Unruhen als Gesandter zu Louis XIII.

2) Einiche steht hier und an einigen andern Stellen offenbar für keine.

mir aufzuwekken, dafehrn derselbigen nur einige weren vorhanden gewesen, alß ligt mir hochpflichtig ob, mich äußerst zu befleissen, durch hinwidrige bestmöglichste kindliche gehorsamme, ehrerbietung und guttähtigkeit gegen einem so gar lieben und gutmühtigen Vatter meine schuldige dankbarkeit zu bezeugen."

Schon im Jahre 1642 wurde Joh. Heinrich Rahn in den großen Rath gewählt, und im gleichen Jahre verheirathete er sich auch mit der noch um 4 Jahre jüngern Elisabetha Holzhalb, einer Enkelin des Collegen seines Großvaters, des Bürgermeisters Leonhard Holzhalb [3]). Aus dieser glücklichen Ehe gingen 15 Kinder hervor, von denen 12 den Vater überlebten, und theils selbst, theils in ihrer zahlreichen Nachkommenschaft dem Geschlechte Ehre machten, — ich erinnere an seinen Sohn Joh. Heinrich [4]), der als Bibliothekar, Stadtschreiber, Seckelmeister, ꝛc. seinem engern Vaterlande wichtige Dienste leistete, ganz besonders aber durch seine in 4 Foliobänden der Stadtbibliothek in Zürich geschenkte „Eydgenössische Geschichts-Beschreibung", seinen auch von mir für gegenwärtiges Werk oft benutzten Katalog der Zürcherischen Schriftsteller, und zahlreiche andere historische Sammlungen, sich alle spätern Forscher zinspflichtig machte, — an seinen Enkel

---

3) Bürgermeister Leonhard Holzhalb (1553—1617) hatte viele Kinder und Enkel. Außer der im Texte erwähnten Enkelin Elisabetha (1626—1708) mag noch ein Enkel Konrad (1598—16..), ein Sohn des Landvogt Konrad Holzhalb zu Grüningen (1574—1623), erwähnt werden, der 1617 auf 8 Quartseiten „Herrn Joh. Faulhabers Continuatio seiner neuen Wunderkünste" herausgab. Nach Kästner's Geschichte (III. 125—126) erzählt Holzhalb in der Zuschrift an seinen Vater, daß er früher in Genf und andern Orten studirt habe, dann aber mit noch zwei Brüdern auf die deutsche Rechenschule nach Ulm zu Faulhaber gegangen sei, bei dem er viel gelernt habe. Bei Leu, Dürsteler, ꝛc. habe ich leider keine weitern Nachrichten von diesem Konrad finden können.

4) Joh. Heinrich Rahn (1646—1708) ist auch als ein Vorläufer des verdienten Bürgermeister Joh. Jakob Leu von Zürich (1659—1768) zu betrachten, der neben s. „Eydgenössischen Stadt- und Landrecht, Zürich 1726—1746, 4 Bde. in 4.", das von mir unsäglich oft benutzte „Schweizerische Lexikon, Zürich 1746—1766, 20 Bde. in 4." herausgab, seiner ungeheuern Sammlung vaterländisch-historischer Manuscr. hier nicht einmal weiter zu gedenken. Zu dem Lexikon lieferte von 1786—1795 Apotheker Johann Jakob Holzhalb (1720—1807) 6 Supplementbände, und es ist sehr zu bedauern, daß die vielen Materialien, welche dieser fleißige Mann bereits für eine neue Fortsetzung gesammelt hatte, nach seinem Tode spurlos verschwunden zu sein scheinen.

Joh. Heinrich[5]), einen Sohn des Pfarrer Joh. Konrad Rahn zu Wigoldingen und Ottenbach, der, von J. J. Scheuchzer vorbereitet, seine medizinischen Studien zu Halle und Berlin fortsetzte, 1733 zu Leyden promovirte, dann in Zürich als Rathsherr und beliebter Arzt lebte, einer der Stifter und Beförderer der naturforschenden Gesellschaft war, in ihren Schriften verschiedene werthvolle Abhandlungen niederlegte, ihre Sammlungen durch bedeutende Geschenke an Büchern und Instrumenten bereicherte, und der Stammvater einer ganzen Reihe von Aerzten, der „Rahn bei der Schelle", wurde, — vor Allen aber an seinen Urenkel Joh. Heinrich[6]), einen Sohn des Chorherrn Joh. Rudolf und Enkel des Pfarrer Joh. Rudolf Rahn zu Rickenbach, der, durch Johannes Geßner vorgebildet, in Göttingen Medizin studirte, dort 1771 promovirte, nach seiner Rückkehr sich in wenigen Jahren zum beliebtesten praktischen Arzte Zürichs aufschwang, 1782 einen Ruf nach Göttingen ausschlug und dagegen der Hauptgründer, ja die Seele des medizinisch-chirurgischen Institutes wurde, sich in Anerkennung seiner Lehrthätigkeit an demselben durch den Kurfürsten Karl Theodor mit der Würde und den Rechten eines Pfalzgrafen belehnt sah, „damit er die geschicktesten und verdientesten seiner Zöglinge zur Aufmunterung

---

5) Rathsherr Joh. Heinrich Rahn (1709—1786) beschäftigte sich auch mit Balneographie und Statistik. Sein Sohn Joh. Konrad (1737—1787) gehörte zu den Gründern des medizinisch-chirurgischen Institutes, und trug an demselben die Materia medica und die Physiologie vor. Für dessen Sohn, den Archiater David Rahn (1769—1848), vergl. die Biographie, welche sein Sohn Dr. Joh. Konrad Rahn-Escher (geb. 1802) im Neujahrsblatt des Waisenhauses für 1856 gegeben hat.

6) Für Chorherr Joh. Heinrich Rahn (1749 X. 13 — 1812 VIII. 10), und dessen zahlreiche Schriften, unter welchen namentlich seine verschiedenen Magazine und Archive hervorzuheben sind, vergl. das Neujahrstück der Chorherrengesellschaft auf 1836, — für seinen wackern Sohn, den ebenfalls außerordentlich beliebten Arzt Dr. Joh. Rudolf Rahn (1776 VI. 1 — 1835 XII. 19), dasjenige auf 1837, — für die sämmtlichen Aerzte Rahn und den jüngern Seckelmeister Joh. Heinrich Rahn (s. Note 4) die „Denkschrift der medizinisch-chirurgischen Gesellschaft des Kantons Zürich zur Feier des fünfzigsten Stiftungstages den 7. Mai 1860, Zürich 1860 in 4.", namentlich die in derselben enthaltene „Geschichte des medizinischen Unterrichtes in Zürich von Dr Meyer-Ahrens", wo sich auch viele interessante Mittheilungen über Wolf, Muralt, Hirzel, Burkhard, Meyer, ꝛc. finden.

der übrigen mit dem Doctordiplome belohnen könne"[7]), 1784 Geßner's Vicar und nach dessen Tode sein Nachfolger in Canonicat und Professur wurde, 1788 die Helvetische Gesellschaft korrespondirender Aerzte und Wundärzte gründete, 1798 durch das Zutrauen seiner Mitbürger in den Helvetischen Senat abgeordnet wurde, 1803 seinem Freunde Hirzel als Präsident der Naturforschenden Gesellschaft in Zürich folgte, auch als Schriftsteller eine bedeutende Thätigkeit entwickelte, und in allen Beziehungen die „Rahn beim Löwenstein" in erste Linie zu stellen wußte.

Kehren wir nach dieser Abschweifung zu unserm Joh. Heinrich Rahn zurück, so finden wir ihn bis 1651, wo er bald nach einander zum Censor und Zeugherr ernannt wurde, ziemlich frei von öffentlichen Geschäften, und daher ganz im Falle seiner Liebhaberei für mathematische Studien folgen zu können. Nachher nahmen ihn dagegen jene Beamtungen ziemlich in Anspruch; gaben ihm aber dafür allerdings Gelegenheit, seine Geschäftstüchtigkeit zu zeigen, von der er auch namentlich beim Ankaufe der sog. Benfelder-Artillerie eine gute Probe ablegte. Als nämlich die Schweden 1650 das Städtchen Benfelden im Elsaß, in welchem sie einen Waffenplatz und eine Stückgießerei angelegt hatten, verließen, wurde ein ziemlicher Vorrath von Geschützen und Munition nach Straßburg gebracht, um dort eingeschifft zu werden. General Joh. Rudolf Werdmüller[8]) erfuhr, daß man diesen Vorrath muthmaßlich ziemlich billig ankaufen könnte, setzte davon die Zürcher-Regierung in Kenntniß, und die Folge davon war, daß zu Anfang des Jahres 1653 Zeugherr Rahn vom Rathe den Auftrag erhielt, einen solchen Ankauf zu versuchen. Rahn verreiste schon am 9. Januar zu diesem Zwecke über Basel, Straßburg und Heidelberg nach Frankfurt, und schloß dort am 25. Januar mit dem Schwedischen Bevollmächtigten

7) Er brachte dieses ehrenvolle Recht nur sehr sparsam zur Anwendung, unter Anderm 1794 zu Gunsten eines damaligen Hauslehrers in Zürich, des nachmals berühmt gewordenen Philosophen Fichte.

8) Siehe III. 87. Er war ein älterer Bruder des Pag. 28 u. f. bei Ardüser erwähnten Joh. Georg Werdmüller.

einen sehr vortheilhaften Kaufvertrag ab, nach welchem Zürich 26 schwere Geschütze und zugehörige Munition im Gewichte von über 2000 Centner um nicht volle 16,000 Reichsthaler erhielt. Dann kehrte Rahn nach Straßburg zurück, nahm dort Alles in Empfang, traf die nöthigen Anordnungen zum Transporte, erwirkte noch für die ganze Sendung zollfreien Durchpaß, und reiste dann nach Zürich zurück, wo bald nachher auch die bis Basel auf dem Rhein und schließlich auf der Achse beförderten Stücke glücklich eintrafen, und zum Vergnügen der Bürgerschaft acht Tage lang auf dem Münsterhofe ausgestellt wurden.

Als Rahn 1657 zum Landvogt auf Kyburg gewählt wurde, erhielt er wieder mehr Muße für wissenschaftliche Arbeiten, und entschloß sich dann auch zwei Jahre später, eine Frucht derselben in Druck zu geben, nämlich seine „Teutsche Algebra oder Algebraische Rechenkunst, zusammt ihrem Gebrauch, bestehend in Auflösung verworrener mathematischer Aufgaben, in Verhandlung allerhand Algebraischer Aequationen, und in Erfindung unterschiedlicher nutzlicher Theorematum" [9]), welche er, neben seinem Vater, dem Chorherr Joh. Heinrich Hottinger [10]), und den Feldzeugmeistern Joh. Georg Werdmüller in Zürich [11]) und Joh. Heinrich Peyer in Schaffhausen [12]) widmete. „Die Algebra", sagt er in seinem Vorberichte, „ist von allen zeiten hero für eine fürbündige und tiefsinnige wüssenschaft gepriesen worden, vermittelst welcher die verwornesten geheimnussen der Mathematic mit besonderm vortheil und behendigkeit entdekt; die schweresten Problemata aufgelößt, die wichtigsten Propositiones demonstrirt, und allerhand nuzliche Theoremata leichtlich erfunden werden mögen. Von ihro bekomt die Arithmetic ihre follkommenheit, die Geometrey ihre klarheit, die Optik ihren rechten

9) Sie erschien 1659 zu Zürich in einem Quartbande von XII. und 188 Seiten.

10) Der berühmte Theologe und Orientalist (1620 III. 10 — 1667 VI. 5), um dessen Besitz Heidelberg und Leyden mit Zürich stritten, und dessen trauriges Ende I. 108 erwähnt wurde.

11) Vergl. Note 8.

12) Joh. Heinr. Peyer von Schaffhausen (1621—1690) machte sich besonders durch eine Karte verdient, welche er von dem Gebiete seiner Vaterstadt entwarf, und 1688 herausgab.

verstand, und die Mechanic ihre wegleitung. Sie ist ein pures ratiocinium und rechte Logic, dann sie leitet die vernunft, auß bekanten und zugelassenen dingen, die verborgene waarheit auß-zuklauben, und von der falschheit außzusöndern. Was in der Philosophey noch immer disputierlich, in der Astronomey auf ungewüßheit der Hypothesium, und in der Astrologey auf fabelwerk stehet, das hat alhie nicht plazz: dann da wird kein fallacia, sophisma und zweifelhafter grund zugelassen: ja der verstand und die bildung werden hiedurch sehr erbauen und verschärffet. Wird deßhalben dise wüssenschaft von etlichen Divina quasi scientia geheissen." Nachdem dann Rahn bemerkt, wie der Mangel einer neuen Algebra in deutscher Sprache ihn auf den Gedanken gebracht habe, eine solche zu schreiben, fügt er bescheiden bei: „Ich gestehe zwaren gern, daß ich dieses für kein ausgearbeitet und vollkommen Werk dargibe, darin verhandelt und ausgetragen seye, was diese Materie wol erfordert: wenn ich aber vermerke, daß dieses praeliminare wohl aufgefasset wird, so möchte etwann, bey, von Gott erlebender besserer weil geschehen, was jez aus mangel derselben unterlassen werden müssen." In Beziehung auf die benutzten Quellen endlich sagt er: „Die Problemata oder Aufgaben sind theils auß Vieta, Cartesio, Schootenio, Diophanto, Clavio, etc. genommen, theils aber ist beygefügt, was zu erklärung der unterschidlichen fählen nothwendig und nuzlich erachtet worden. In den Solutionen, und grad auch in der Arithmetic bediene ich mich einer ganz neuen manier, die bey einichen [13]) Algebraischen Scribenten in offenem Trukk gebraucht worden, und die ich von einer hohen und sehr gelehrten Person erstmals erlehrnet hab, deren ich auch schuldiger maaßen, und zwaren zur bezeugung unterthänigen respects, gar gern gedenken, so sie es hette zulassen wollen [14]). Dise form

13) Vergl. Note 2.

14) Diese hohe Person ist unzweifelhaft der durch verschiedene mathematische und astronomische Schriften bekannte Engländer John Pell (1610—1685), der von 1654 bis 1658 als Resident Cromwell's in der Schweiz lebte. Ich werde unten auf Pell zurückkommen müssen.

bestehet in einem dreyfachen Margine oder Rand, und hat seinen vilfaltigen nuzzen, dann sie gehet in richtiger, offenbarer ordnung, und gleichsam staffelweis, und ligt alles klar vor augen, daß man sich leicht bedenken kan, was zu tuhn oder zu lassen, zu mindern, zu mehren, zu widerhollen, zu verbessern, und wie am nächsten zum zil zu gelangen seye[15]). Ja nach vil verflossener zeit kan man sich behend von neuem in alles schikken, und die gedechtnuß erfrischen. Fürnemlich aber sparet dise manier vil erklärungsworte, die man ohne solche marginalia nicht wol entberen könte. — Das Werk selbst enthält in seiner ersten Hälfte die sechs arithmetischen Operationen: das Addieren (+), Subtrahieren (—), Multiplicieren ($*$), Dividieren ($\div$), Involvieren (@) und Evolvieren (w), — und die Lehre von den Gleichungen. Den Zeichen des Involvierens (Potenzierens) und Evolvierens (Extrahierens) wird der Exponent rechts als Zeiger beigeschrieben[16]); jedoch werden die ganzen Exponenten auch auf die gewohnte Weise geschrieben, — die 2te, 3te, 4te Wurzeln aber mit dem Zeichen $\sqrt{}$, $\sqrt{}c$, $\sqrt{}\sqrt{}$. Pag. 37 bis 48 findet sich eine Tafel der kleinsten aliquoten Theile der ungeraden Zahlen bis auf 24000. Pag. 61 sagt Rahn: „So groß das mäß des Vermögens (der Grad) ist, so vil wurzeln mag die Aequation befassen, sie seyen dann affirmat oder negat, oder ganz absurd oder unmöglich: Die negat-wurzeln heisset Cartesius radices falsas;

---

15) Als Beispiel dieser gar nicht verwerflichen, wenn auch meines Wissens seither nicht wieder gebrauchten Manier, mag der Anfang einer Auflösung zweier Gleichungen mit zwei Unbekannten folgen:

$x.\ y = a$	1	$x = ?$
$x^2 - y^2 = b$	2	$y = ?$
$x^4 - 2x^2y^2 + y^2 = b^2$	3	@ 2
$x^2y^2 = a^2$	4	$\dot{1}$ @ 2
$4x^2y^2 = 4a^2$	5	$\dot{4}$ $*$ 4
$x^4 + 2x^2y^2 + y^2 = 4a^2 + b^2$	6	$\dot{3} + \dot{5}$
$x^2 + y^2 = \sqrt{4a^2 + b^2}$	7	$\dot{6}$ w 2

Für die Erklärung der Zeichen in der dritten Columne wird auf den Text verwiesen.

16) Vergl. Note 15.

weilen sie aber allein darum negat sind, daß sie in der delineation sich in das gegenspil der affirmat-wurzeln kehren, so bedunken sie mich nicht weniger waarhaft seyn als die affirmaten: Darum so enthalte ich mich sie falsch zu heissen, und bleibe bey dem negat-wort, nach eigenschaft des Zeichens —, so solchen wurzeln angehenkt ist. Die ganz absurden wurzeln sind um ihrer selbs oder ihrer zeichen willen also bewandt, daß sie den Aufgaben ganz unformlich entsprechen: solche nun werden mit dem Zeichen ⵜ bemerket. So viel eine Aequation dimensiones oder vermögen hat, so vil mag sie dividiert werden durch ein binomium oder residuum, bestehend aus der unbekanten quantitet und der wurzel." Die zweite Hälfte beschlägt eine Vermischung von Aufgaben aus der Lehre von den Gleichungen 2ten und höhern Grades mit trigonometrischen und überhaupt einfachern analytisch-geometrischen Untersuchungen, in denen sich Rahns gründliche Kenntniß der Arbeiten von Cardan, Cartesius, Schooten, ꝛc. fortwährend zeigt. Die Ableitungen sind klar, aber hin und wieder gedehnt, doch trägt am letztern die damals noch etwas unausgebildete Bezeichnungsweise die Hauptschuld. — Zum Schlusse sagt Rahn: „Darmit ist dises Werklein zu end gebracht, und obschon eine so weitläuffige, ja unendlich vil considerationes begreiffende materie, in so geringem spatio nicht follkommenlich verhandelt werden mögen, so hoffe ich gleichwol es seye durch ein und andern handgriff zu fruchtbarlichem nachdenken anlaaß genug gemachet. Jedoch hat mich die kürze der zeit so vast eingetahn, daß ich gleichsam auf der post die federn laufen lassen müssen, ja der Correctur des Truks überal nicht abwarten können." — Rahn brachte 1667 unter dem Titel «Algebra speciosa» eine zweite, in lateinischer Sprache abgefaßte, und in Beziehung auf die Gleichungen und die Anwendungen auf die Geometrie sehr vermehrte Ausgabe seines Werkes zu Stande, welche sich handschriftlich in zwei starken Quartbänden [17]) auf der Stadtbibliothek in Zürich vorfindet, von ihrem Verfasser aber nie zum Drucke bestimmt wurde. „Nicht unbe-

17) Der zweite Band behandelt ausschließlich die Diophantischen Aufgaben.

rühmte Männer haben mich dringend ermahnt diese Arbeit zu veröffentlichen", sagt er in der Vorrede, „haben mich aber nicht dazu bereden können. Da bedeutende Männer in England und Holland sich mit ähnlichen Arbeiten beschäftigen, ziehe ich es vor diese kleine Arbeit der öffentlichen Bürgerbibliothek als einen Beweis meiner Liebe zu widmen, als durch übereilten Druck die kostbaren Stunden übel anzuwenden." — Noch ein Jahr später besorgte Thomas Brancker eine englische Uebersetzung von Rahns „Teutscher Algebra", nahm in dieselbe verschiedene Veränderungen und Zusätze auf, welche er von John Pell erhalten hatte, und erweiterte die Factorentafel bis auf 100,000[18]). Durch diese Uebersetzung, auf deren Titel Rahn's Name wegblieb, während er allerdings in der Vorrede des Uebersetzers als «Rhonius» erscheint, wurde sonderbarer Weise der ursprüngliche Verfasser im folgenden Jahrhundert Manchen (wie z. B. Doppelmayr und Kästner) zum Plagiarius: Es war nämlich für jene Zeit eine so seltene Erscheinung ein Buch aus dem Deutschen in's Englische übersetzt zu sehen, daß man schon hinter diesem Umstand etwas Verdächtiges vermuthete, und als man noch gar in der Vorrede des Uebersetzers, sowie in der Anzeige dieser Uebersetzung in den Philos. Transact. einige etwas zweideutige Phrasen las, so war der Richterspruch fertig, — die englische Uebersetzung war eigentlich nicht eine Uebersetzung aus dem Deutschen, sondern eine Originalausgabe eines vorher von einem Deutschen seinem englischen Lehrmeister quasi gestohlenen Werkes. Zu gutem Glück spricht die oben[19]) aus Rahn's Vorrede abgedruckte Stelle sich so offen und klar über das aus, was Rahn dem englischen Mathematiker zu danken hatte, daß es wohl zu seiner vollständigen Rechtfertigung kaum etwas Anderes als einer Hinweisung auf dieselbe bedarf[20]).

---

18) «An Introduction to Algebra. Translated out of the High-Dutch into English, By Thomas Brancker. Much altered and augmented by D(octor Theologiae) P(ell). London 1668 in 4.»

19) Siehe Pag. 60.

20) Anhangsweise mag für den II. 48 erwähnten Heinrich Strübi, der für die Schweiz dieselbe Bedeutung als Rechenmeister hatte wie Adam Riese für Deutsch-

Neben der Arithmetik interessirte sich Rahn auch für die Astronomie. Nicht nur entwarf er einen immerwährenden Kalender, verbesserte er die Stadtuhren, ꝛc., sondern er trat auch als Schriftsteller auf. Zunächst gab er 1654 auf 20 Quartseiten eine von ihm aus dem Französischen übersetzte „Finsternuß-Predig" heraus, über deren Zweck der zu Grunde gelegte Text aus Jerem. X. 2 „Also spricht der Herr, ihr sollen den wäg der Heiden nit lehrnen, und ab den zeichen des himmels sollend ihr nit erschräcken, denn die Heiden förchten solches" hinlänglich aufklärt. — Dann gab er auf einem Folioblatt eine „Figürliche Darstellung des erschrockenlichen Cometen, wie solcher unter der Elevatione Poli von 47 gr. 30′ den 7. 8. 9. 10. 19. 22. 23. 25. und 30. Tag Christmonats styl. vet. diß 1664 jahrs gesehen worden" heraus [21]), welche neben einer Karte des Cometenlaufes drei Columnen Text weist, denen ich folgende Stelle

---

land, nachgetragen werden, daß er nach Meiß „ab einem pferdtfall" 1594 XII. 12 starb, und daß von seiner Arithmetik noch 1685 zu Bern eine neue Auflage veranstaltet wurde.

21) Es mag hier beiläufig noch einiger verwandter Schriftsteller gedacht werden, und zwar vor Allem des Konrad Wolffhardt oder Lycosthenes von Ruffach und Basel (1518—1561), der Professor der Logik und Diacon in Basel war, und 1557 in Basel ein «Chronicon prodigiorum in fol.» herausgab. Dann des jüngern Simon Grynäus von Basel (1539—1582), eines Großneffen des II. 10 Behandelten, der Professor der Mathematik in Heidelberg, dann der Ethik in Basel war, und die 88 Seiten haltende Schrift «Commentarii duo, de Ignitis meteoris unus: Alter de cometarum causis atque significationibus: conscripti per *Simonem Grynaeum* Med. et Matth. — Accessit ejusdem observatio Cometae, qui Anno superiore 77 et ab initio 78 fulsit. Et disputatio de inusitata magnitudine et figura Veneris conspecta in fine anni 1578, et ad initium 1579 in 4.» verfaßte. Ferner des Joh. Jakob Graffer von Basel (1579—1627), der 1607 zu Padua zum «Comes palatinus» und «Eques auratus» ernannt wurde, Professor zu Nimes und später Pfarrer in Basel war, und außer seinem „Schweizerischen Heldenbuch, Basel 1624 in 4.", und vielen andern historischen, antiquarischen und theologischen Schriften ein „Christenliches Bedenken uber den erschrockenlichen Cometen, so 1618 zur wahrnung gestanden, Basel 1619, 28 S. in 4." herausgab. Ferner Joh. Kaspar Schännis von Zürich (1600 VI. 22 — 1634 IV. 30), der Professor des Hebräischen in Zürich war, und unter Anderm «Theses physicae de Cometis, Tig. 1619 in 4.» publicirte, welche z. B. der drei „Phänomene" von 1572, 1577 und 1604 gedenken, von denen das erste unter die Gestirne eingereiht wird, die zwei letztern unter die Cometen. Endlich Joh. Friedrich Ußinger von Zürich (164 . — 1708 V. 27), der Inspector des Zürcherischen Alumnats war, und eine «Dissertatio de Calendario, Tig. 1700, 24 S. in 4." herausgab.

enthebe, welche den damaligen Stand der Aufklärung des Publikums zeigt: „Dieweil diejenigen Figuren, damit die Sternen eingeschrancket sind, einfaltige Leute zu glauben machen, als ob dergleichen Bilder an dem Firmament befindlich weren. Als ist nachrichtlich zu wüssen, daß solche Figuren von uhraltem her dem Gestirn darumb zugemessen werden, eins von dem andern, gleichsam als mit Marchsteinen, zu underscheiden, und mit auflegung gewüsser nammen, desto leichter zu erkennen." Und die fernere Stelle: „Die Würckung betreffend, so sind die Cometen jederzeit großen verenderungen und nammhafften gerichten des Allerhöchsten, zur wahrnung vorher gegangen: daß also derjenig, so es widersprechen wolte, wol ein Gottsvergessener Mensch seyn müßte, ja ärger, denn vil aus den Heiden." Nachher eifert jedoch der Verfasser gegen „der Astrologorum wahnsinnige Prognostica" betreffend die specielle Wirkung der Cometen. — Im folgenden Jahre 1665 gab Rahn dann noch auf 40 Quartseiten einen „Philologischen Discurs über der Cometen Bedeutung, oder grundtliche zusammenfassung underschidlicher meinungen über die bedeutung und würckung der Cometen insgemein, und der beyden jüngsthin erschienenen sonderbar; dazugleich auch etwas von der Astrologia Judiciaria oder Sternen-deutung, anhangsweis beygefügt wird." Er versucht in derselben darzuthun, daß es eben so unrichtig sei, die Cometen auf bestimmte Zeiten und Menschen zu beziehen, ihrer Farbe, ihrem Schweif, xc. gewisse Wirkungen zuzuschreiben, xc. — als sie nur „für läre Zeichen und bloße ungefährliche Naturwerck, so keine Bedeutung auf sich haben" zu halten. Nachher sucht er seine Leser zu überzeugen, „daß die Cometen und alle andere Wunder der Natur uns dienen sollen zur Erinnerung, Warnung und Trost." Da zu diesem dreifachen Zwecke Citate aus allen möglichen Schriften des Alterthums und der neuern Zeit mitgetheilt werden, so ist diese Schrift für den Geschichtsschreiber der Cometenlehre von nicht geringem Werthe. Im Anfange wird die Astrologie hart mitgenommen, und am Ende geschlossen: „daß die Astrologia Judiciaria oder Sternendeuterey anders nichts seye, als ein gottloser, verführerischer, falscher, unsinniger, raubsüchtiger Aberglauben, von dem leidigen Satan zu der Menschen Verderben auf die Ban gebracht."

Zum Schlusse bleibt nachzutragen, daß Rahn 1664 zum Examinator der Kirchen- und Schuldiener, 1669 zum Mitgliede des kleinen Rathes, 1670 zum Obervogt nach Küßnacht, 1672 zum Ober-Zeugherr, und endlich 1674 zum Seckelmeister ernannt, auch wiederholt zu Gesandtschaften an auswärtige Potentaten verwendet wurde. Seine Tüchtigkeit war so anerkannt, daß ihm muthmaßlich bei nächster Vacanz die höchste Würde im Staate zugefallen wäre, hätte ihn nicht der unerbittliche Tod schon am 27. Mai 1676 im besten Alter weggerafft.

Nicolaus Fatio von Basel.

1664 — 1753.

Nicolaus Fatio wurde am 16. Februar 1664 zu Basel geboren, wo seine ursprünglich von Cleven stammende, und wegen Uebertritt zur reformirten Religion flüchtige Familie sich im Anfange des 17ten Jahrhunderts niedergelassen und 1635 eingebürgert hatte, — kann jedoch fast eben so gut als Genfer angesehen werden [1]). Wenige Jahre nach seiner Geburt kaufte nämlich der Vater Johann Baptista Fatio die Herrschaft Duiller im Waadtlande, und bewarb sich 1678 in dem benachbarten Genf um das Bürgerrecht, wie folgende Notiz zeigt, welche sich bei Grenus [2]) unter dem 25. Februar 1678 findet: «Nob. Jn Baptiste Fatio Seigneur de Duillers consent à payer cent pistoles pour la bourgeoisie, en demandant qu'elle soit censée dans ses lettres lui avoir été expédiée gratis, vu qu'étant Bourgeois de Bâle, il ne lui convient pas qu'on croie qu'il a recherché notre bourgeosie à prix d'argent.» — Genf besaß zwar damals noch nicht das rege wissenschaftliche Leben, durch welches es im 18ten Jahrhunderte glänzte; aber doch hatte die 1559 auf Antrieb des Reformators Calvin [3]) ge-

---

1) Ich benutze für Fatio die betreffenden Artikel in Leu, Holzhalb, Senebier, der Biographie universelle, 2c.; außerdem die Korrespondenzen von Leibnitz und Hugens, und verschiedene andere Quellen, die ich bei Gelegenheit aufführen werde. — Der am 28. September 1691 zu Basel als Chef der unruhigen Bürger öffentlich hingerichtete Dr. Johannes Fatio war ein Geschwisterkind unsers Nicolaus.

2) Fragmens biographiques et historiques, extraits des Régistres du Conseil d'état.

3) Jean Calvin (1509—1564) war aus Noyon in der Picardie gebürtig, aber in Genf eingebürgert.

gründete, und neben der öffentlichen Bibliothek von dem Geschichtschreiber Bonnivard [4]) dotirte Academie bereits schöne Blüthen getrieben, und auch die philosophischen und inductiven Wissenschaften, welche schon in frühern Zeiten zu Genf an Michel Varro [5]), Jean Gringallet [6]) und Andern würdige Vertreter hatten, waren soeben durch Robert Chouet's [7]) seltene Lehrgabe zu allgemeinerer Anerkennung gekommen. Ob Fatio ein Schüler Chouet's war, kann ich nicht entscheiden, doch ist es sehr wahrscheinlich; und ebenso darf man annehmen, daß er von seinem ältern Bruder Christoph [8]), der ebenfalls schöne Kenntnisse in

---

4) François Bonnivard von Genf (1496—1570), allgemein bekannt durch seine langjährige Gefangenschaft im Schlosse Chillon. In der neusten Zeit sind durch den verdienten Genfer-Literaten Gustave Revilliod (Genf 1817 IV. 7 geb.) mehrere Manuscripte Bonnivard's wieder ans Tageslicht gezogen, und zum Theil in der mit so viel Beifall aufgenommenen, gelungenen Nachahmung alter Drucke von ihm publicirt worden.

5) Michel Varro von Genf (1546—1586), Staatsschreiber und später Syndic. Sein jetzt sehr selten gewordenes Werk «De motu tractatus, Genevae 1584 in 4.», dessen wichtigste Stellen man übrigens bei Senebier (Hist. litt. II. 33—36) findet, zeigt uns denselben als einen Vorläufer Galilei's; hätte er seine Ideen durch Versuche rectificirt und begründet, so würde jetzt unzweifelhaft sein Name an der Spitze der Geschichte der Mechanik stehen.

6) Für Jean Gringallet (s. I. 114) kann nach Galiffe nachgetragen werden, daß er ein Sohn des 1621 XI. 4 im 74sten Jahre seines Alters verstorbenen Münzmeisters Jean Gringallet war, und 1632 II. 23 im 30sten Jahre seines Alters zu Genf starb, nachdem er kurz zuvor in den Rath der Zweihundert gewählt worden war. François Gringallet war ein älterer Stiefbruder von ihm.

7) Vergl. III. 205—206.

8) Joh. Christoph Fatio (1656—1720 X. 20) war Ingenieur, und leistete namentlich bei der Befestigung von Genf gute Dienste, wie uns folgende Notiz zeigt, welche sich bei Grenus unter dem 8. und 11. Juli 1692 findet: «Le Sr. Jn. Chr. Fatio de Duillers ingénieur qui s'est acquitté de la direction de nos fortifications avec beaucoup d'assiduité, de zèle et de succès, ayant fortement insisté pour obtenir sa démission, elle lui a été accordée en lui témoignant la satisfaction qu'on a de ses services, en reconnaissance desquels on lui fait un présent en vaiselle d'argent de la valeur de 450 livres.« Christoph, der später wie sein Bruder Mitglied der Royal Society wurde, entwarf 1699 eine Karte vom Genfersee und dem Laufe der Rhone, die für eine 1730 in Lyon gestochene und später auch mit Spon's Genfergeschichte ausgegebene Karte benutzt wurde. Die der erwähnten Geschichte beigegebenen «Remarques sur l'histoire naturelle des environs du lac de Genève» werden von den Einen Christoph, von den Andern Nicolaus Fatio zugeschrieben. Dagegen erwähnt Haller in seinem 4ten Bande ein bestimmt von Nicolaus herrührendes Manuscript, betitelt

der reinen und angewandten Mathematik besaß, manches lernte, — nur muß man nicht so weit gehen, seine Bekanntschaft mit der höhern Analysis auf den Unterricht zurückzuführen, welchen Christoph Ende 1690 oder Anfangs 1691 durch Johannes Bernoulli empfing[9]), denn damals war Nicolaus, wie die Folge zeigen wird, bereits kein Neuling mehr in derselben, und befand sich auch gar nicht in Genf. Gewiß ist, daß Fatio sich sehr rasch entwickelte, und schon in seinem 17ten Jahre sich Cassini, dem er damals einen Brief über die Bestimmung der Sonnenparallaxe und die Erklärung des Saturnringes schrieb, zum Korrespondenten und Freunde gewann. Ferner geht nach Senebier aus dieser Korrespondenz des Bestimmtesten hervor, daß man schon 1681 ernstlich daran dachte, ihn zum besoldeten Mitgliede der Pariser-Academie zu machen, und daß Colbert nur darum seine Einwilligung verweigerte, weil er es bei der, sich durch Aufhebung des Edicts von Nantes kennzeichnenden Stimmung, welche im gleichen Jahre Hugens veranlaßte, Paris zu verlassen, nicht wagte, einen Protestanten anzustellen[10]).

Den Winter 1682 auf 1683 brachte Fatio bei Cassini auf der Pariser-Sternwarte zu, um sich mit der praktischen Astronomie bekannt zu machen und nahm so auch an der merkwürdigen Beobachtung Theil, welche unter dem 18. Merz des Jahres 1683 in die Geschichte der Astronomie eingetragen wurde. An jenem denkwürdigen Tage sahen nämlich Cassini und Fatio etwa 1½ Stunden nach Sonnenuntergang einen weißlichen, vom Horizonte längs der Ekliptik bis über die Pleyaden aufsteigenden Schimmer, der

---

«Histoire des révolutions de Genève», zu welchem Micheli Ducret die Noten beigefügt habe. Die Breite von Genf nahm Christoph Fatio, muthmaßlich nach eigener Bestimmung, ganz richtig zu 46° 12′ an. Für seine Beobachtung der totalen Finsterniß von 1706 vergleiche I. 203—204.

9) Vergl. II: 73—74, und den unten folgenden Brief Johannes Bernoulli's.

10) Nach der «Biographie universelle» machten sogar Colbert, Nicaise und Catelan Versuche «de vaincre l'obstacle qui l'éloignait de l'Académie», — und noch deutlicher spricht sich die «Nouvelle Biographie générale» aus, indem sie sagt, Fatio wäre damals in die Academie aufgenommen worden «s'il avait consenti à renoncer au culte protestant.» Fatio zeigte also früh, nicht etwa nur Ehrgeiz, sondern vorherrschend Charakter und Ueberzeugungstreue.

an der täglichen Bewegung des Himmels Theil nahm, — es war die erste eigentliche Beobachtung des sog. Zodiakallichtes, das allerdings schon früher von Childrey und Andern gesehen worden sein mag, aber erst durch Cassini und Fatio wissenschaftlich untersucht wurde. Diese beiden Beobachter begnügten sich nämlich nicht, das zeitweilige Vorhandensein eines solchen Lichtes constatirt zu haben, sondern verfolgten seine Erscheinung während mehreren Jahren, und suchten sich von den verschiedenen Nebenumständen Rechenschaft zu geben. Besonders eifrig war Fatio, und Cassini selbst gab ihm in seiner classischen Schrift «Decouverte de la lumière céleste qui paroist dans le Zodiaque» [11]) das Zeugniß, daß Niemand diese Beobachtungen «avec plus d'attention et d'assiduité» verfolgt habe, als er. Aus Fatio's Beobachtungen, die er nach seinem Abgange von Paris vom Frühjahr 1684 bis zum Herbst 1686 in Duillier machte, wo er, wie Cassini sagt, «fit faire des instrumens tout semblables à ceux dont nous nous servons ordinairement, avec quelque augmentation de son invention» [12]), ging hervor, daß das Zodiakallicht der Sonne in ihrer jährlichen Bewegung folge, daß man dasselbe im Herbst vor Sonnenaufgang sehe, ꝛc. Während Cassini der Ansicht war, daß man das Zodiakallicht nicht in jedem Jahre sehe, und sich überhaupt keinen recht deutlichen Begriff von dessen Natur machen konnte, war es dagegen Fatio klar, daß die Erscheinung zu allen Zeiten dieselbe gewesen sein müsse, und er bildete sich schon 1684 eine Hypothese darüber, welche der jetzt noch vorzugsweise angenommenen sehr verwandt ist, und welche Cassini in folgenden Worten gibt [13]): «M. Fatio

11) «Paris 1685 in fol.» Sie erschien unter Anderm in dem «Recueil d'observations faites en plusieurs Voyages, Paris 1693 in fol.», und enthält troß der Jahrzahl 1683 noch Beobachtungen von 1693.

12) Er fand Duillier 3° 15' östlicher, und 2° 27' südlicher als Paris. — Neben seinen astronomischen Beobachtungen beschäftigte er sich noch mit allem Möglichen. «Il s'occupa de la dilation de la prunelle et de son resserrement», erzählt Nicollet, «et démontra les fibres de l'uvée antérieure et de la choroïde, dans une lettre à Mariotte, du 13 avril 1684. Il imagina une chambre d'observations tellement suspendue, qu'on pût facilement observer les astres dans un vaisseau. Etc.»

13) In der Note 11 erwähnten Schrift. Die von Fatio selbst publicirte

suppose dans l'Ether des particules capables de détourner et de réfléchir la lumière. Il les dispose tout autour du Soleil comme dans un Zodiaque solide, large et irrégulier, compris entre deux surfaces courbes et ondoyantes, en sorte qu'elles puissent comprendre dans un moindre espace les orbites des planettes décrites autour du Soleil, placées à diverses distances, et inclinées diversement l'une vers l'autre. Le milieu de l'épaisseur qu'elles enferment est marqué par une surface pareillement courbe et ondoyante, qui passe par les orbites de toutes les planettes, et détermine le milieu de la lumière. Les particules qui la renvoyent sont comprises dans l'orbe annuel au temps qu'elle paroist.»

Die letzte Beobachtung des Zodiakallichtes durch Fatio, welche Cassini mittheilt, datirt vom 14. Nov. 1686, und wurde in Amsterdam gemacht. Fatio ging nämlich etwa im Herbst 1686 nach Holland, hielt sich dort bis gegen den Sommer des folgenden Jahres auf, und befreundete sich namentlich mit Hugens, der gerne mit dem talentvollen jungen Manne über die neuen mathematischen Methoden verkehrte, wie uns z. B. folgende Note des berühmten holländischen Gelehrten zeigt[14]): «1687 13° ou 14° Martii, M. de Duilliers me communiqua sa méthode des tangentes pour les lignes courbes de M. de Tschirnhaus, pour laquelle il paroissoit que ce dernier s'estoit trompé dans une chose, où il se vante d'avoir merveilleusement reussi. Le lendemain je lui montray ma demonstration exacte de sa methode, et remarquay qu'on pouvoit proceder de l'une ligne à l'autre une à une.» Es ist

---

«Lettre à M. Cassini, sur une lumière extraordinaire qui paroit dans le ciel depuis quelques années, Amsterdam 1686 in 8.» habe ich leider nicht zur Hand bringen können.

14) Siehe «Chr. Hugenii aliorumque seculi XVII virorum celebrium Exercitationes Mathematicae et Philosophicae, ex manuscriptis in bibliotheca Academica Leydono-Batavae servatis edidit P. J. Uylenbroek. Hagae 1833 in 4.», Fasc. II., Pag. 56. — Die im Folgenden vorkommenden Auszüge aus Briefen von Hugens, Leibnitz, Fatio, &c. sind theils dieser Sammlung, theils Gerhardt's Ausgabe von „Leibnitzens mathematischen Schriften" entnommen.

wohl diese Methode dieselbe, über welche Fatio im gleichen Jahre im 5ten Bande von Jean Leclerc's «Bibliothéque universelle» geschrieben haben soll[15]), und auf die sich noch später Leibnitz bezog, als er am 3/13. October 1690 an Hugens schrieb: «Je me mis à chercher une meilleure règle pour déterminer les tangentes par les foyers et filets; et je la trouvay; mais pour la publication j'ay esté prevenu par Mr. Fatio Duillier, dont je ne suis pas fort faché; *car il me semble, qu'il a bien du mérite.*» — Von Holland ging Fatio nach England, und schrieb schon am 14/24. Juni 1687 aus London an Hugens: «Je me suis déja trouvé trois fois à la Société Roiale, où j'ai entendu proposer tantôt d'assez bonnes choses et tantôt d'assez médiocres[16]). Quelques uns de ces Messieurs, qui la composent, sont extrêmement prévenus en faveur d'un livre de Mr. Newton, qui s'imprime presentement et qui se debitera dans trois semaines d'ici[17]). Ils m'ont reproché que j'étois trop Cartesien, et m'ont fait entendre que, depuis les meditations de leur auteur, toute la physique étoit bien changée. Il traitte en general de la Mechanique des Cieux; de la maniere dont les mouvemens circulaires, qui se font dans un milieu liquide se communiquent à tout le milieu; de la pesanteur; et d'une force, qu'il suppose dans toutes les planetes pour s'attirer les unes les autres. Ce traitté, que j'ai vu en partie, est asseurement tres beau et rempli d'un grand nombre de belles propositions. — Vous vous souvenez Mr. de la méthode algebraïque, dont je me servois pour determiner les tangentes des lignes courbes, dont l'équation est donnée. Comme cette methode est veritable, elle concourt entiere avec la

---

15) Vergl. Chasles Geschichte der Geometrie (Uebersetzung von Sohncke, Pag. 408—409), wo Fatio's auf einfache geometrische Beobachtungen gegründete Lösung als ein in unseren Zeiten „seltenes Beispiel von der Methode der Alten bei der Tangentenconstruction" bezeichnet wird. Tschirnhaus habe im 10ten Bande derselben Sammlung seinen Irrthum anerkannt.

16) Fatio wurde schon 1688 zum Mitgliede aufgenommen, — nicht erst 1708, wie Holzhalb sagt.

17) Offenbar die «Principia mathematica philosophiae naturalis.»

vôtre, mais elle a ceci de commode pour moi qu'élle depend d'une reflexion fort simple et fort facile à retenir. C'est ce qui me fit resoudre il y a quelque temps à la mettre au net, et à en faire quelque usage. Pendant que je me suis occupé à cela, je me suis attaché en meme temps à resoudre cet autre probleme: la propriété des tangentes d'une courbe étant donnée, trouver l'équation de la courbe. J'ai trouvé en quelque sorte le moien de le resoudre toutes les fois qu'il est possible, et de reconnoitre quand la courbe proposée n'est pas géométrique.» Diesem Briefe folgten noch mehrere andere, aus denen man sieht, daß Fatio eine ziemlich vortheilhafte Informatorstelle angenommen hatte, daß er mit Boyle und Newton persönlich bekannt geworden war, daß ihm Hugens ein Exemplar seines «Traité de la lumière» übersandte[18]), ꝛc.; aber wir müssen bei ihm stehen bleiben, da er den Ausgangspunkt des Verkehrs und des Streites zwischen Fatio und Leibnitz bildet. Fatio hatte jenem ersten Briefe noch mehrere Details über seine «Règle renversée des Tangentes» beigefügt, ja war in einem zweiten Briefe nochmals darauf zurückgekommen, und als hierauf Hugens seinem Freund Leibnitz davon Kunde gegeben, hatte ihm dieser am 27. Januar 1691 geschrieben: «Je seray bien aise de sçavoir si la regle renversée des tangentes de Mr. Fatio contenue dans les lettres que vous dites avoir receues de luy vous donne quelque contentement, et en quelle sorte de cas vous la trouvés la plus praticable, afin que je puisse juger si elle a quelque rapport à mes méditations.» Unterdessen war Fatio selbst nach Holland zurückgekehrt, und hatte in wiederholten Unterredungen mit Hugens diesem noch weitere Aufschlüsse über seine Methode gegeben, welche er immer mehr vervollkommnete. Hugens versäumte nicht, Leibnitz davon Kenntniß zu geben, und dieser erwiederte am 20/30. Februar 1691: «*Ce que j'ay vu de Mr. Fatio me le fait estimer et j'attends beaucoup de sa penetration.* Je suis bien aise d'entendre qu'il

---

18) Dieses Exemplar befindet sich jetzt nebst einigen andern Büchern, welche zur Zeit Fatio angehörten, in der Bibliothek des Schweiz. Polytechnicums.

est à la Haye, et je luy envierois ce bonheur, dont il ne m'est pas permis de jouir, si je ne considerois, qu'il profitera beaucoup en vous voyant quelques fois, et qu'il en sera d'autant plus en estat de rendre service au public.» Leibnitz drückt im gleichen Briefe die Geneigtheit aus, seine eigene Methode gegen diejenige Fatio's auszutauschen, und dieser ließ sich nach einigem Widerstreben zu einem solchen Tausche wirklich herbei. «Mr. Fatio», schrieb Hugens am 5. Mai 1691 an Leibnitz, «voiant combien le problème renversé des Tangentes est important dans ce cas où il y entre des racines composées dans la soutangente donnée, et y aiant, comme je crois, trouvé plus de difficulté qu'il n'avoit pensé, veut bien que l'échange se fasse de vostre methode en cela, contre la siene, dont il a resolu mes problemes des soutangentes et plusieurs autres, ainsi que vous l'aviez souhaité, de sorte, Monsieur, qu'il ne tiendra qu'a vous que le traité s'execute, duquel je seray garand, et si tost que j'auray receu l'exposition de vostre methode, je vous feray avoir celle de Mr. Fatio, qui en vérité est tres belle. Je vous prie d'estre clair en ce que vous nous donnerez, et de ne pas supposer que nous entendions vostre calculus differentialis.» Unerwartet schützte jetzt aber Leibnitz wieder allerlei vor, das ihn einstweilen verhindere, die Mittheilung zu machen, — wollte später, daß die Methoden nicht im Haag, sondern bei einem gewissen Meyer in Bremen ausgetauscht werden, — und als endlich der durch dieses Mißtrauen verletzte Hugens, mehr als zwei Monate nachdem Fatio wieder nach England zurückgekehrt war, einen betreffenden Aufsatz von Leibnitz erhielt, kam es ihm vor, Leibnitz habe das Beste zurückbehalten, und er dürfe für ein solches Bruchstück die ihm von Fatio anvertraute Methode nicht hergeben [49]), — um so weniger, als ihm Fatio schon am 18/28. Dezember 1691 aus London geschrieben hatte: «Autant que j'en puis juger à present il me semble, que je ne

49) In einem Briefe an de l'Hospital vom 23. Juli 1692 trat Hugens einläßlich über Fatio's Methode ein. Siehe Uylenbroek I. 269—275

gagneray guere au change que Mr. Leibnitz m'a proposé. J'entens fort bien tout son *calculus differentialis*, non obstant les fautes d'impression, qui sont en si grand nombre, qu'on les croiroit faites à dessein: mais c'est que je n'ai étudié ce qu'il en a écrit que depuis que j'ai eu d'ailleurs les memes choses. Il me paroit partout ce que j'ai pu voir jusques ici, en quoi je comprens des papiers écrits depuis bien des années, que *Mr. Newton est sans difficulté le premier auteur du calculus differentialis*, et qu'il le connaissait autant ou plus parfaitement que Mr. Leibnitz ne le connoit encore, avant que ce dernier n'en eut eu seulement la pensée, qui même ne lui est venue, à ce qu'il semble, qu'a l'occasion de ce que Mr. Newton lui écrivit sur ce sujet [20]).» In einem Briefe vom 5/15. Februar 1692 fügte Fatio noch des weitern bei: «Les lettres que Mr. Newton écrivit à Mr. Leibnitz, il y a 15 ou 16 ans, parlent bien plus positivement que l'endroit que je vous ai cité des Principes, qui neanmoins est assez clair; surtout quand ces lettres lui servent d'explication. Je ne doute pas qu'elles ne fissent quelque peine à Mr. Leibnitz, si on les imprimoit, puisque ce n'est que bien longtemps aprez qu'il a donné au public les règles de son *calculus differentialis*, et cela sans rendre à Mr. Newton la justice qu'il lui devoit. Et la maniere dont il s'en est acquitté est si éloignée de ce que Mr. Newton a la-dessus, que je ne puis m'empecher en comparant ses choses ensemble, de sentir bien fortement leur difference, comme d'un original achevé et d'une copie estropiée et trez imparfaite. Il est vrai Mr., comme vous l'avez deviné, que *Mr. Newton a tout ce que Mr. Leibnitz paroit avoir, et tout ce que j'avois moi-même*, et que Mr. Leibnitz n'avoit pas. Mais il est encore allé infiniment plus loin que nous, soit pour ce qui regarde les quadratures, soit pour ce qui regarde la propriété de la courbe quand il la faut trouver par la

---

20) Fatio verweist hier auf das oft citirte Scholium, das Newton auf Pag. 253 seiner Principien einrückte.

propriété de la tangente.» — Begreiflich war es Leibnitz schon unangenehm, als ihm Hugens sein Verfahren bei dem oben erwähnten Tausche, der nun natürlich rückgängig wurde, verwies, — geschweige als er aus einem spätern Briefe desselben vernahm, welche Parallele Fatio zwischen ihm und Newton gezogen; doch begnügte er sich damals, sich zu stellen, als ob auch er sich leicht über das Mißlingen des, doch immerhin von ihm zuerst angeregten, Tauschverkehrs trösten könne, und rühmte noch in einem, am 26. April 1694 an Hugens gerichteten Schreiben: «Comme Mr. *Fatio a bien de la penetration, j'attends de luy des belles choses*, quand il viendra au détail; et ayant profité de vos lumières et de celles de Mr. Newton, il ne manquera pas de donner des productions qui s'en ressentiront. Je voudrois estre aussi heureux que luy et à portée pour consulter ces deux oracles» [21]). Und auch sein Freund Johannes Bernoulli hielt damals noch viel auf Fatio, sonst hätte er nicht 1695 II. 2/12. aus Basel an Leibnitz schreiben können: „Daß Nic. Fatius Duillerius in England eine Station gefunden, höre ich mit Vergnügen; noch lieber jedoch wünschte ich ihm eine solche in seinem Vaterlande, wo er mir näher wäre; aber ich ersehe schon hieraus, daß in England und anderwärts die Mathematik höher geschätzt wird als hierorts, da jener sich lieber im Aus-

21) In zwei im gleichen Jahre von Leibnitz an Herrn de Beyrie nach London geschriebenen Briefen spricht er sich ebenso anerkennend über Fatio aus. So sagt er z. B. in dem ersten: «Je suis bien obligé à M. Fatio de l'honneur de son souvenir, et je vous supplie bien fort de lui témoigner que *j'estime extrêmement son mérite si extraordinaire*. Je m'en promets beaucoup pour le progrès des sciences profondes. *Les échantillons qu'il a donné ne nous en laissent point douter*. Je voudrais savoir des particularités des progrès de ses méditations, et si j'étais en état de lui rendre quelques services, ce serait un de mes plus grands plaisirs. Comme M. Newton est un des savans de l'univers que j'estime le plus, et que M. Fatio, à ce que j'apprens, a des liaisons avec lui très particulières, j'attends un grand effet de cette combinaison de mérite.» Und in dem zweiten: «J'ai lu la lettre de M. Fatio avec tout le plaisir que les méditations d'un aussi habile homme que lui, peuvent donner à une personne qui aime avec passion tout ce qui peut faire avancer nos connaissances.» Auch Guhrauer führt in seinem Leibnitz die erstere Stelle theilweise an, leitet sie aber, um von vorneherein nicht durch sie genirt zu werden, mit den Worten ein, Leibnitz habe diese Bemerkung „fast nicht ohne Ironie" hingeworfen.

lande aufhalten will als in seiner Heimat, wo er doch an allen Gütern Ueberfluß hat. Seinen ältern Bruder Joh. Christoph habe ich zu Genf genau kennen gelernt; er erfreut sich aber nicht einer so großen Schärfe des Urtheils wie Nicolaus; daher hat er mehr Vergnügen am Praktischen, als am Theoretischen." Als dann aber Fatio sich herausnahm in einer kleinen Schrift, welche er 1699 über das damals vielfach besprochene Problem der Brachystochrone herausgab[22]), sich in einem den mitgetheilten Briefen entsprechenden Sinne öffentlich auszusprechen, da war es plötzlich „aus mit der Liebe". Nicht genug, daß sich Leibnitz in einem Briefe an Wallis bitter darüber beklagte, daß die Royal Society einem solchen Libell nicht das Imprimatur verweigert habe, — daß er in einem Briefe an de l'Hospital ziemlich abschätzig von Fatio sprach, dessen Aeußerungen lediglich gekränktem Ehrgeize zuschrieb, und zu glauben vorgab, es werde nicht einmal Newton dieselben billigen[23]), daß er und Johannes Bernoulli in den Leipziger-Acten über den unbequemen Mann herfielen, — rc.; es durfte auch letztgenanntes Journal die Antworten Fatio's auf ihre Artikel nicht aufnehmen[24]), und es wurde fortan jede Ge-

---

22) «Nicolai Fatii Duillerii, Lineae brevissimi descensus investigatio geometrica duplex. Cui addita est Investigatio geometrica solidi rotundi, in quod minima fiat resistentia. Londini 1699, 24 S. in 4.» Die immer und immer wiederholte Angabe, Fatio sei nur darum gegen Leibnitz aufgetreten, weil ihn dieser nicht unter den Mathematikern aufgeführt habe, von denen er eine Lösung des Problems der Brachystochrone erwarte, scheint mir unrichtig. Fatio wurde dadurch verletzt, dieß geht allerdings aus seiner Schrift hervor; aber er gab dieselbe nicht heraus, um jenen Angriff machen zu können, — sondern er benutzte die Gelegenheit, um seine, lange vor Aufstellung jenes Problems bei ihm feststehende, Ueberzeugung auszusprechen.

23) Er scheint sie aber doch gebilligt zu haben; denn in der von Dutens besorgten Genfer-Ausgabe der Leibnitz'schen Werke findet sich III. 488 die betreffende Stelle aus Fatio's Schrift abgedruckt, und dabei als «Remarque de Mr. Newton» Folgendes: «Monsieur Fatio parle ici en témoin. Il rapporte ce qu'il a vu, et son témoignage est d'autant plus fort, qu'il est porté contre ses propres interêts; et que n'étant point Anglois, il peut moins être soupçonné d'avoir voulu me favoriser. *Il entendoit nos Méthodes; et il étoit en état de former un jugement véritable*, *à l'aide de ce qu'il avoit vu et connu.*»

24) Ich folge hier dem, was Buffon in der Vorrede zu seiner Uebersetzung «La méthode des fluxions et des suites infinies, par M. Newton, Paris 1740 in 4.», sagt, da es mir im gegenwärtigen Augenblicke unmöglich ist, die betreffenden Bände der Leipziger-Acten selbst zu durchblättern.

legenheit benutzt, den früher hochgestellten Gelehrten als „albern und abgeschmackt", als „der Nieswurz bedürftig, um sein Gehirn zu reinigen", ja überhaupt als ein verkommenes Subjekt zu qualificiren, — und noch Guhrauer, der bekannte Biograph von Leibnitz, fand sich offenbar ganz gut in den von seinem Helden und dessen Freund über Fatio angeschlagenen Ton hinein, wenn er bei Anlaß des beginnenden Streites zwischen Newton und Leibnitz sagte: „Wie es zu geschehen pflegt, waren es nicht die Würdigsten, welche als Zwischenträger sich voranstellten. Ein solcher war Fatio von Duilliers, ein durch sich selbst längst verschollener Name, von dessen Arbeiten im Gebiete der Geometrie schlechterdings nichts erhalten ist, welcher jedoch damals, dadurch daß er häufig von Frankreich nach Deutschland, und von Deutschland nach England ging, sich unter die berühmten Männer mischte, gegenseitig der Zwischenträger ihrer Erfindungen und Entdeckungen, und ohne Zweifel auch ihrer Mißhelligkeiten war, dahin gelangte, sich unter ihnen eine Art von Namen und Ansehen zu schaffen; nicht allein bei Newton, sondern auch bei Leibnitz [25]. Am meisten gelang es ihm bei Huygens, in dessen Vertrauen er sich auf einer Reise in Holland im Jahre 1687 einzuschmeicheln, und ihm den Wahn beizubringen wußte, von ihm als ein sehr großer Gelehrter gehalten zu werden, welcher namentlich in den neuen Rechnungen sehr stark wäre. Es dauerte längere Zeit, ehe Leibnitz und seine Freunde enttäuscht wurden." — Es ist gegenüber einem solchen Gebahren wohlthuend, zum Schlusse noch einen Zeugen zu Gunsten Fatio's aufführen zu können, dem wohl Niemand abstreiten wird, in Sachen einem Leibnitz und Johannes Bernoulli mindestens ebenbürtig gewesen zu sein, — ich spreche von Jakob Bernoulli, der gerade damals ebenfalls das Vergnügen hatte, von seinem Herrn Bruder und zum Theil auch von Leibnitz gemaßregelt zu werden [26]. Als ihm Fatio, der schon früher mit ihm in Korrespondenz gestanden, am 22. Juli 1700 aus Duillier, wohin er damals zurückgekehrt

---

25) Vergl. Note 21 und 32.

26) Vergl. I. 146—156, und einige Stellen der unten aufgenommenen Briefe.

war, seinen Tractat sandte, hatte er ihm unter Anderm geschrieben [27]): «Vous verrez, Monsieur, dans l'imprimé que je vous envoie, le sujet du chagrin de Mr. Leibnitz. Je savois bien que je lui avois touché la prunelle de son oeil, et je ne doutois point qu'il n'en fut sensiblement piqué. Mais pour ce qui regarde Mr. votre frère, il n'avoit à mon sens, aucun sujet de s'en plaindre; quoique j'aie dit naïvement ma pensée sur cette manière de proposer des problèmes aux géomètres, de laquelle il s'est tant servi.» Jakob Bernoulli antwortete ihm hierauf am 14. August 1700: «J'ai lu avec beaucoup de plaisir le beau traité que vous m'avez fait l'honneur de m'envoyer, et dont je vous rends mille grâces. J'ai été surpris d'y trouver si peu de chose, qui pût raisonnablement choquer mon frère. — *Votre analyse de la courbe de descente égale est courte et belle*, et je vois que le calcul des fluxions, dont vous vous servez et que vous dites être celui de Mr. Newton, est tout-à-fait le même que le nôtre, et qu'il n'en diffère qu'en ce que nous appellons, après Mr. Leibnitz, la différence de x, ou dx; ce que vous marquez par $\dot{x}$. En parlant de calcul, dans les Actes de Leipzic 1691, j'avois dit innocemment, qu'il pouvoit être facilement déduit de celui de feu Mr. Barrow, ce qui choqua tellement Mr. Leibnitz, que je sens son amitié beaucoup refroidie envers moi.» Als ihm sodann Fatio unter dem 22. August 1700 seine Antworten auf die erwähnten Artikel von Leibnitz und Joh. Bernoulli mit der Bemerkung zugesandt hatte: «Je vous prie de les lire, de changer ce que vous jugerez à propos, et de les envoyer à MM. les auteurs des Actes de Leipzig, dont je ne sais pas l'adresse», — antwortete er ihm unter dem 22. September: «Votre réponse aux écrits de Mr. Leibnitz et de mon frère partit mercredi passé pour Leipzig. Je ne l'ai pas envoyée sous mon nom, de peur d'être cru d'intelligence avec vous et d'être cause qu'on ne la supprime peut-être, ou du moins qu'on n'y

27) S. Bibl. univers. Sciences et Arts. Vol. 23.

raye quelque chose, comme il arrive ordinairement à mes pièces; car l'on y est extrêmement jaloux de la gloire de Mr. Leibnitz, et on ne sauroit lui donner la moindre atteinte sans offenser grandement Messieurs de Leipzig.» Einige andere Auszüge aus dieser Korrespondenz auf den folgenden Abschnitt versparend, mag hier schließlich noch an die große Auszeichnung erinnert werden, welche Fatio durch Jakob Bernoulli in seiner Schrift von 1701 zu Theil wurde[28]).

Der Raum erlaubt mir nicht, Fatio's Erfolge auf andern Gebieten mit gleicher Einläßlichkeit zu behandeln, ja ich muß mich begnügen, seinen Brief «Sur la manière de faire des Bassins pour travailler les verres objectifs des Télescopes»[29]), — seine etwa 1700 gemachte glückliche, und sehr bald zu allgemeiner Anwendung gekommene Erfindung den Rubin zu bohren, und als Zapfenträger in die feineren Uhren einzuführen[30]), — seine Anleitung den Nutzeffekt der Sonne durch Anlage von Wällen für die Pflanzen zu steigern[31]), — rc., nur schlechtweg anzuführen, um wenigstens noch einigermaßen seine Verdienste um die Lehre von der Gravitation hervorheben zu können: Fatio gehört nämlich einerseits unbestritten zu den frühesten und entschiedensten Anhängern der Newton'schen Principien, wie dieß übrigens bei seinem langen und vertrauten Umgange mit Newton nicht anders zu erwarten ist, — und als dieser sich nicht herbeilassen wollte, eine neue Auflage seines unsterblichen Werkes vorzubereiten, schrieb Fatio am 18/28. Dez. 1691 an

---

28) Vergl. I. 155.

29) Siehe Journal des Scavans, Nov. 1684.

30) Siehe «Berthoud, histoire de la mesure du temps par les horloges II. 8.», — «G. Maurice, discours sur l'histoire de la mesure du temps, Genève 1831 in 8.», — etc. — Nach Poggendorf soll von Fatio auch eine, sonst nirgends aufgeführte «Description d'une pièce d'horlogerie très-rare et très-remarquable. Genève 1704 in 4.» existiren.

31) «Fruit-Walls improved, by inclining them to the Horizon: Or, a Way to build Walls for Fruit-Trees; whereby the may receive more Sun Shine, and Heat, than ordinary. London 1699 in 4. (XXVIII. und 128).» Daß diese Schrift wirklich von Fatio herrührt, geht nicht nur aus der mit N. F. D. unterschriebenen Zuschrift an den «Marquiss of Tavistock», sondern aus Fatio's Brief vom 30. Dez. 1700 an Jak. Bernoulli unzweifelhaft hervor.

Hugens: «Il n'est pas impossible que j'entreprenne cette edition; à quoi je me sens d'autant plus porté, que je ne crois pas qu'il y ait personne qui entende à fonds une si grande partie de ce livre que moi, graces aux peines que j'ai prises et au temps que j'ay employé pour en surmonter l'obscurité. D'ailleurs je pourrois facilement aller faire un tour à Cambridge, et recevoir de Mr. Newton même l'explication de ce que je n'ai point entendu. Mais la longueur de cet ouvrage m'épouvante, puisque par les différentes choses que j'y voudrais ajouter, il ferait un folio assez raisonnable. Ce folio néanmoins se liroit et s'entendroit en beaucoup moins de temps que l'on ne peut lire ou entendre le quarto de Mr. Newton.» Es geht hieraus wohl für jeden unbefangenen Leser hervor, daß Fatio einfach beabsichtigte, eine commentirte Ausgabe der Principien zu veranstalten, etwa wie dieß später Le Seur und Jacquier mit Hülfe von Calandrini machten[32], — und es ist zu bedauern, daß ihn äußere Umstände verhinderten, seinen Plan auszuführen, da durch eine solche Ausgabe die Verbreitung der Newton'schen Lehren ungemein beschleunigt worden wäre[33]. — Anderseits erwarb sich Fatio dadurch directe Verdienste um die Gravitationslehre, daß er sich an der durch Hugens, Newton, ꝛc. angeregten Discussion über das Wesen der Schwere auf das Intensivste betheiligte, und schon in den Jahren 1689 und 1690 eine selbstständige Theorie derselben aufzustellen suchte, welche den Beifall von Newton und Halley, nach längerer Verhandlung schließlich auch den von Hugens erhalten haben soll, und sehr verwandt mit der später von Lesage aufgestellten war, von welcher ich in dessen Biographie ebenfalls werde sprechen müssen. Fast alle seine Briefe enthalten

---

32) Nur Guhrauer las statt dessen in seinem Leibnitz-Eifer aus diesem Briefe heraus, daß Fatio die „Dreistigkeit“ gehabt habe, „sich fast Newton gleich zu stellen.“

33) Hugens schrieb am 29. Dez. 1692 an de l'Hospital: «Un sçavant Anglois vient de me dire que la seconde édition des Principes de Mr. Newton, de laquelle Mr. Fatio devoit avoir soin, ne se fera pas encore aussi-tost. Il y a une infinité de fautes à corriger et quelques-unes, qui sont de l'autheur, comme il reconnoitra luy mesme.»

einzelnes über diese Theorie; aber, wenn Fatio selbst in einem betreffenden Briefe vom 24. Febr. 1690 an Hugens sagen mußte: «Je vous en dis trop dans une lettre, et trop peu pour vous en donner une juste idée,» so würde es mir noch schwerer fallen, aus diesen Briefen eine klare Uebersicht von seinen Ideen zu geben, und ich ziehe vor, beispielsweise wörtlich hier aufzunehmen, was Fatio am 22. August 1700 darüber an Jakob Bernoulli mittheilte: «Si je puis trouver du temps par rapport à mes occupations domestiques», schrieb er damals aus Duillier, «je tâcherai de mettre au net ma théorie de la pesanteur et d'en composer un juste traité. Vous y verrez, Monsieur, des principes de physique bien différens de ceux qui sont reçus. Leur simplicité infinie et leur extrême hardiesse vous rebuteront d'abord. Mais plus vous irez avant, plus vous reconnoîtrez que les phénomènes de toute la nature concourent à les établir. Il se réduisent à peu près à ces chefs: Que la rareté des corps terrestres est immense. Que dans presque tout l'univers il n'y a presque que du vide. Qu'il y a divers ordres de corps dont la vitesse est immense, et dont la petitesse est immense. Qu'une portion de matière donnée, tant petite soit-elle, suffit seule, étant duement divisée et agitée, pour produire toutes les pesanteurs, qui se ressentent dans le système solaire, et à proportion pour les étoiles fixes. La plupart de ces propositions ne sont pas tant avancées pour expliquer la pesanteur, que démontrées tant en conséquence de ce qu'il y a une telle chose que la pesanteur, qu'en conséquence de la plupart des phénomènes de la nature.» Bernoulli nahm dieß Résumé mit großem Interesse auf, und schrieb am 22. September desselben Jahres an Fatio: «Je meurs d'impatience de voir un jour votre théorie de la pesanteur. Vous pouvez compter que rien ne me rebutera, quelque hardi qu'il soit; je suis assez accoutumé à trouver de l'immensité partout; et il y a long-temps que je crois que la nature est autrement faite qu'on ne se l'imagine ordinairement.» Fatio wurde durch dieß Interesse veranlaßt, seine Theorie der Schwere wirklich zu redigiren, und übersandte dieselbe Bernoulli im Sommer 1701. Hierauf antwortete ihm Bernoulli unter dem 9. August: «Je ne puis pas dire que j'aie encore bien lû, comme il faut, votre excellent traité de la pesanteur. Il demande une application, dont je sens que mes pensées trop distraites ne sont pas encore capables; et il semble qu'il ne me faudra pas moins de temps, pour bien comprendre toutes les beautés de votre systême, que vous n'en avez employé à le bâtir et à le perfectionner. Il n'y a que la solution du 4e problême, touchant la résistance des corps, que j'ai examinée assez attentivement. Le calcul va parfaitement bien, mais l'hypothèse me fait quelque peine. A la réserve de cette difficulté, qui n'est sans doute telle que pour moi et que vous pouvez éclaircir facilement, *tout y ressent la plus fine géométrie, et j'admire l'adresse dont vous maniez le calcul, pour déterrer des vérités si cachées. Quand il n'y auroit point d'autres preuves de votre grande capacité, cet Essai seul seroit capable de nous en convaincre, et de fermer la bouche à tous ceux qui vous en veulent disputer la gloire.* Vous devez donc, Monsieur, vous hâter de mettre au jour des témoignages si authentiques de votre habileté, d'autant plus qu'il y a déja tant d'années que vous avez trouvé ce systême, et que les deux plus grands géomètres, MM. Hugens et Newton, ne l'ont pas désapprouvé.» Leider versäumte jedoch Fatio diesen Rath zu befolgen, und dadurch sich für alle Zeiten ein unvergängliches Denkmal zu setzen. Wohl schrieb er noch am 15. August 1701 an Jakob Bernoulli, um die von demselben aufgefundene Schwierigkeit zu lösen, und ermächtigte ihn, wenn er sterben sollte, seinen «Traité de la pesanteur» drucken zu lassen; aber nachher[34]) blieb alles auf sich

---

34) Fatio scheint damals wieder auf die Dauer nach England zurückgekehrt zu sein; doch brachte er auch noch einzelne Abschnitte seines spätern Lebens in Duillier zu; denn J. J. Ritter (vergl. II. 159) erzählt in Börner's Nachrichten, daß er daselbst im August 1736 seinen Anverwandten „den berühmten Mathematicum Herrn Fatio de Duillier" besucht habe. — In denselben Nachrichten erzählt Ritter

beruhen, und man weiß jetzt noch nicht, wo die von Jakob Bernoulli mit so großem Vergnügen gelesene Arbeit hingerathen ist, — denn auch unter den zahlreichen, und zum Theil sehr interessanten Papieren Fatio's, welche Lesage nach dessen Tode sammelte, und nachmals der Genfer-Bibliothek legirte [35]), scheint sie nicht gewesen zu sein, wohl aber ein großes Gedicht über diesen Gegenstand, mit welchem Fatio dreißig Jahre später, zu einer Zeit, wo er [36]) nach Allem zu schließen, nicht mehr ganz der Alte war, bei der Pariser-Academie concuriren wollte, und welches er in der Folge noch wiederholt in einer mich unwillkürlich an Lhuillier erinnernden Weise [37]) umarbeitete, bald im Plane führend, es der Royal Society zu widmen, bald es auf Subscription herauszugeben.

«Fatio jouissait de l'estime de tous les savants de son temps», erzählt Nicollet in der Biographie universelle. «Il avait prouvé par des travaux distingués qu'il n'en était pas indigne, et il continuait à se rendre utile aux sciences, quand tout à coup son esprit changea de direction,

---

von sich selbst: „Die Arithmetic, Geometrie und Trigonometrie hörte ich bei Herrn Kaufmann V. D. M. Autodidacto, und ehmaligen öffentlichen Lehrer dieser 3 Wissenschaften, vor jezo aber Pfarrer auf der Bernischen Grenz-Vestung Arburg; die Algebram, und Sectiones conicas bey dem, durch seine besondere Neigungen und Eigensinn sich zugezogene Schicksale berühmten redlichen Herrn Sam. König, ehemaligen Bernischen Stadt-Pfarrer in der Hospital-Kirche, nachhero Gräfl. Ysenburg Büdingischen Inspector, dißmaligen Prof. LL. or. Histor Eccles. et Matheseos Extr. zu Bern; mit dessen Sohne dem jetzigen Hofrat und Bibliothecario bey Sr. Hoheit dem Prinzen Erb-Stadthalter, wie auch Prof. Jur. bei der neu aufgerichteten Ritter-Academie in S'Gravenhage, ich eine sehr vertraute Freundschaft aufrichtete, und der mir in Mathematicis et Philosophia Wolfiana ferneren guten Unterricht gab. Und endlich excolirte ich auch die Algebram noch besser unter obbemeldeten Herrn Haller, der mir ein Collegium privatum über Newton's Arithmeticam universalem lase, und sein sauberes Mspt. das von Herrn Bernoulli abstammete, zum Abschreiben überließ. Und wiewohl mich dessen exemplarischer Fleiß in arbeiten ungemein zur Nachfolge ermunterte, so liessen doch die engen Schranken meiner Seelen-Kräfte mir nicht zu, Ihm, auch nur von ferne, nachzufolgen."

35) Nach Senebier geht aus diesen Manuscripten hervor, daß Fatio ungemein viel arbeitete, und von einer Menge seiner Projekte und Entdeckungen kaum gesprochen hat.

36) Vergleiche das unten über sein späteres Leben Erzählte.

37) Siehe I. 622.

et montra le côté faible par lequel, trop souvent, l'homme que nous avons admiré, finit par exciter notre compassion. Il se déclara zélé partisan des Camisards ou fanatiques des Cévennes réfugiés à Londres, qui avaient publié le recueil des prédictions de leurs prophètes. Ils avaient même promis de ressusciter un mort [38]: le miracle manqua, ce qui commença à les discréditer; mais ce qui acheva de ruiner leur parti, ce fut le ridicule que Shaftesbury répandit sur eux dans sa *Lettre sur l'enthousiasme.* La police mit fin à ces folies en Septembre 1707: Fatio, qui s'était fait le secrétaire de ces prophètes, et qui avait écrit en leur faveur, fut pris avec deux autres fanatiques, et ils furent tous les trois condamnés au pilori, quoi qu'en dise Senebier [39], exposés debout deux jours différents, pendant une heure, sur un échafaud, avec cet écriteau attaché au chapeau: *Nicolas Fatio convicted for abbeting and favouring Elias Marion, in his wicked and countrefait prophecies, and causing them to be printeg and published, to terrify the queen's people.* Redevenu libre, Fatio cessa toutes ses études; il se mit en tête de convertir l'univers, et entreprit à cet effet un voyage en Asie pour y commencer sa réforme. De retour en Angleterre, il vécut dans l'obscurité, et mourut dans le comté de Worcester, en 1753 [40], âgé de près de quatre-vingt-dix ans, et sans être revenu de son enthousiasme pour les prophètes.» — Es geht aus dieser Erzählung mit Sicherheit hervor, daß Fatio während der zweiten Hälfte seines Lebens einer Geistesstörung unterlag, auf welche schon oben hingedeutet wurde;

38) In einer Anmerkung zu der Note 34 aufgeführten Erzählung Ritter's heißt es: „Fatio wollte A. 1707 zu London aus einer fanatischen Einbildung in der Paul Kirche in Gegenwart einer großen Menge Zuschauer einen Todten auferwecken. Er blieb aber tod, zu seiner größten Beschimpfung. Es scheinet eine Contradiction: Ein Mathematicus und Fanaticus zugleich zu sein. Allein man darf sich darüber nicht verwundern. Der Aberglaube ist eine ansteckende Krankheit, davon die größten Geister öfters nicht frey bleiben."

39) Senebier gibt zu, daß Fatio auf einem Gerüste mit einem Zettel am Hut ausgestellt worden sei, ganz wie dieß Nicollet auch erzählt, und sagt bloß: «On a répandu et imprimé *faussement* que Fatio avait été mis au pilori.»

40) Nach Poggendorf 1753 V. 10 in Maddersfield bei Worcester.

aber doch darf nicht vergessen werden, daß sein Geist wenigstens noch zuweilen aufflammte, wie dieß verschiedene, größtentheils astronomische, und nach Nicollet ganz interessante Aufsätze beweisen sollen, welche er in den Jahren 1737 und 1738 dem mir leider unzugänglichen «Gentlemen's Magazine» einverleibte[41]), — besonders aber eine kleine Schrift[42]) darthut, in welcher er 1728 die später nach Douwes benannte Methode behandelte, aus zwei Höhen der Sonne und der Zwischenzeit der Beobachtungen die Breite zu bestimmen. Wenn aber sogar jene Störung eine permanente gewesen wäre, würde uns dieß berechtigen, den früher so reich begabten und in die Geschichte der mathematischen Wissenschaften so vielfach und tief eingreifenden Mann zu vergessen, oder gar einen Stein auf ihn zu werfen? «Les éclipses du soleil font une partie de son histoire», sagt Senebier mit vollem Recht; «le grand homme ne disparoît pas quoique son esprit affoibli l'expose quelquefois à demander notre compassion. Peut-être la Providence a voulu consoler ceux qu'elle n'a pas doué d'un génie vaste et original par le spectacle des folies de ceux qu'ils sont forcés d'admirer.»

---

41) Es könnte hier auch noch die dem 28sten Bande der Phil. Trans. einverleibte, vom 17. Mai 1712 datirte «Epistola Nicolai Facii, Reg. Soc. Lond. Sod. ad Fratrem, Joh. Christoph. Facium dictae Societatis Sodalem, qua vendicat Solutionem suam Problematis de Inveniendo Solido Rotundo seu Tereti in quod Minima fiat Resistentia», angeführt werden.

42) «Navigation improv'd: Being chiefly the Method for finding the Latitude, at Sea as well as by Land, by taking any proper Altitudes, together with the Time between the Observations. By Nicolas Facio Duillier. London 1728 in fol. (12 S.).» Das mir vorliegende, der Basler-Bibliothek zugehörende Exemplar, wurde muthmaßlich von Fatio selbst dem damals in London lebenden Zürcher Joh. Kaspar Scheuchzer (s. I. 486) geschenkt, und enthält den Autographen: London June the 5th 1728. J shal be further willing, upon proper Encouragement, to go to Sea a short Voyage, to demonstrate and teach the Method which J do here propose; As, for instance, a Voyage to Gottenburg, Copenhagen, or Portugal. N. Facio.» Nach Nicollet erschien auch eine französische Ausgabe «La navigation perfectionnée, 1728 in 8.»

Leonhard Euler von Basel.

1707 — 1783.

Am 15. April 1707 dem Pfarrer Paul Euler bei St. Jakob von seiner Frau, Margaretha Brucker, geboren, verlebte Leonhard Euler seine ersten Jugendjahre in Riehen, wohin sein Vater 1708 befördert worden war[1]). Dort bereitete ihn der Vater so weit vor, daß er später unmittelbar in die höhern Schulen seiner Vaterstadt eintreten konnte, und gab ihm namentlich einen tüchtigen mathematischen Unterricht, wofür er als ehemaliger eifriger Schüler Jakob Bernoulli's Neigung und Geschick besaß[2]). Er dachte dabei nicht von ferne daran, aus seinem Sohne

---

1) Ich benutze für Euler außer den bekannten in deutscher und französischer Sprache aufgelegten Lobreden, welche Fuß und Condorcet auf ihn hielten, und den betreffenden Artikeln in allen möglichen biographischen Sammelwerken, hauptsächlich seinen Briefwechsel, — werde übrigens im Folgenden sowohl über diese Quellen als einige andere gelegentlich nähern Aufschluß geben — In dem Anhange der schon wiederholt von mir citirten Athenae Rauricae von Herzog wird folgende Anekdote aus Eulers ersten Jahren beigebracht: „Als Knabe von ungefähr vier Jahren beobachtete er während einem Landaufenthalt, wie die Hühner über den Eyern sitzend diese ausbrüten und so ihre Jungen ans Tageslicht fördern. In der Hoffnung, den nämlichen Zweck zu erreichen, sammelte er heimlich die Eyer aus den Nestern, legte sie in einen Winkel des Hauses, setzte sich auf dieselben, und ließ nicht ab, bis er von seinen Eltern vermißt und ängstlich gesucht über den Eyern sitzend gefunden, und von jenen weggeführt wurde. Auf die Frage, was er da mache, antwortete er: Er wolle junge Hühner gebären."

2) Paul Euler (167. —1745 III. 11 oder 13) vertheidigte 1688 unter dem Vorsitze Jak. Bernoulli's «Positiones Mathematicae de rationibus et proportionibus (Bas. in 4.)» Man kann sich denken, welche Freude er später an den großen Erfolgen seines Sohnes hatte, zumal bei diesem dadurch die Liebe zum elterlichen Hause nicht im mindesten geschwächt wurde, wie sich z. B. aus dem in Basel noch vorhandenen Briefwechsel Leonhards mit dem Postmeister Johannes Schorndorf in Basel vielfach belegen ließe. Namentlich bekümmerte es Leonhard nicht wenig, als

einen Mathematiker zu machen, obschon ihm dessen entschiedene Anlagen für dieses Fach nicht verborgen bleiben konnten, sondern bestimmte ihn gegentheils für die Theologie; aber Leonhard Euler hatte schon zu viel von dieser ihm zusagenden Geistesnahrung gekostet, um sie wieder entbehren zu können. Wohl besuchte er, als ihn der Vater etwa im 13ten Jahre nach Basel schickte, alle ihm vorgeschriebenen Collegien, eignete sich mit der ihm eigenen großen und durch ein wunderbares Gedächtniß unterstützten Capacität das Vorgetragene vollständig an, und konnte so z. B. schon im Jahre 1722 wiederholt als Respondent auftreten [3]), sich in demselben Jahre den ersten philosophischen Lorbeer, und im folgenden die Magisterwürde erwerben, bei letzterer Gelegenheit in einer lateinischen Rede eine Vergleichung zwischen der Cartesianischen und Newtonischen Philosophie anstellend; aber mit höherm Interesse verfolgte er nur die Vorlesungen Johannes Bernoulli's, verwendete alle seine freie Zeit auf mathematische

---

er in den 40ger Jahren Nachricht von dem Dahinsiechen des geliebten Vaters erhielt, und als derselbe gestorben war, forderte er wiederholt die Mutter auf, zu ihm nach Berlin zu ziehen, und schrieb so noch am 26. Mai 1750 an seinen Freund Schorndorf: «Comme j'espère que ma mère se résoudra de se rendre ici pour finir ses jours chez moi, et qu'elle partira bientôt pour Francfort, où je lui irai au-devant, je prends la liberté de vous prier, Monsieur, de lui procurer toutes les commodités pour ce voyage, et même de l'assurer que ce voyage n'aura les difficultés qu'on tâchera de lui persuader, pour la détourner de cette résolution.» Die Mutter leistete jetzt wirklich Folge, und der gute Sohn hatte die Freude, sie noch bis 1761 pflegen zu können. — Am 4. Sept. 1743 schrieb Daniel Bernoulli an Leonhard Euler: „Vor etlichen Tagen ist der große Burcard, *Magni Euleri praeceptor in mathematicis*, gestorben" Es bezieht sich dieß unzweifelhaft auf Johannes Burckhardt von Basel, einen Schüler Johannes Bernoulli's von schönen mathematischen Kenntnissen, der 1721 Pfarrer zu Kleinhüningen wurde, und im gleichen Jahre seinen Namen zu einer Streitschrift des Lehrers gegen Taylor (Act. Erud. Lips. 1721 Maj.) hergab, am 27. Aug 1743 aber als Pfarrer in Oltingen starb. Zu welcher Zeit dagegen Burckhardt Eulers Lehrer war, wüßte ich nicht anzugeben.

3) Die Bibliothek in Basel besitzt: «Positiones logicae miscellaneae quas pro vacante Cathedra Logica ad d. 30. Jan. 1722 publico Eruditorum examini subjiciet Joh. Rud. Battierius. Respondente juvene praestantissimo Leonhardo Eulero, Phil. Stud. Bas. in 4.» Ferner: «Brevis Romanorum judiciorum Historia quam thesium loco publico Eruditorum examini submittet Joh. Rod. Iselius. Respondente juvene florentissimo Leonhardo Eulero, Phil. Cult. ad d. V Cal. Dec. 1722. Bas. in 4.»

Studien, und erregte bald die Aufmerksamkeit seines berühmten Lehrers in solchem Grade, daß er ihm erlaubte, ihn an jedem Sonnabend zu besuchen, und ihm die Schwierigkeiten vorzulegen, welche ihm während der Woche bei seinen Privatstudien aufgestoßen[4]). Ebenso ließ sich zwar Euler, um dem Wunsche seines Vaters nachzukommen, in die theologische Facultät einschreiben, und begann mit nicht geringem Erfolge das Studium der morgenländischen Sprachen und der Theologie; aber Geschmack konnte er ihm nur so wenig abgewinnen, daß bald auch der Vater einsah, es sei besser, wenn sich Leonhard ausschließlich der Mathematik widme. Dieß that er denn auch im vollsten Maße, bis er 1726 veranlaßt wurde, sich wenigstens momentan in die medicinische Facultät aufnehmen zu lassen: Als nämlich 1725 die mit Euler befreundeten Nicolaus II. und Daniel Bernoulli nach Petersburg abgingen[5]), hatten sie ihm versprechen müssen, auch für ihn dort eine schickliche Stelle zu suchen, und schrieben ihm nun im folgenden Jahre, daß sie eine solche für ihn in Aussicht hätten, wenn er sich entschließen würde, seine mathematischen Kenntnisse auf die Physiologie anzuwenden, also etwas Medizin zu studiren. Euler arbeitete sich mit Leichtigkeit in die neue Richtung hinein, und fand daneben noch Zeit und Kraft, eine Preisaufgabe der Pariser-Academie über die Bemastung der Schiffe auf so ausgezeichnete Weise zu bearbeiten, daß der Eingabe des von keinerlei praktischen Kenntnissen unterstützten, erst 19jährigen Baslers, der noch nie auch nur ein größeres Schiff gesehen hatte, immerhin 1727 ein zweiter Preis zuerkannt werden konnte[6]), — ja derselben nur Eine Arbeit vorgezogen wurde,

---

4) Euler's damaligen Mitschülers Thomas Spleiß ist I. 261—280 gedacht worden. Hier mag nachgetragen werden, was Joh. Georg Müller in den Erinnerungen an seinen Bruder über ihn schrieb: „Th. Spleiß war ein sehr geschickter Mathematiker und in der Philosophie ein strenger Wolfianer. Mein Bruder und später auch ich, wenn ich etwa allein bei ihm war, unterhielten uns am liebsten mit ihm über Astronomie: der ehrwürdige Greis sprach alsdann mit Begeisterung von der Einrichtung des Weltgebäudes, welches näher kennen zu lernen er eine seiner schönsten Hoffnungen für die Ewigkeit nannte."

5) Siehe II. 78, 401—403; III. 455—459.

6) Eulers erste Preisschrift «Meditationes super problemate nautico de

welche der damals in bestem Alter stehende, und schon seit Jahren als Professor der Hydrographie in einer Seestadt lebende, bekannte Pierre Bouguer eingereicht hatte.

Nachdem sich Euler im Frühjahr 1727 vergeblich um die Professur der Physik in Basel beworben hatte[7]), trat er im Vertrauen auf die von Daniel Bernoulli erhaltene Zusicherung die Reise nach Petersburg an[8]), und wurde dort wirklich sofort zum Adjunkten der mathematischen Klasse der Academie ernannt, ohne daß der Physiologie weiter gedacht worden wäre. Auch mußte es ihm verhältnißmäßig leicht werden, sich in der fremden Weltstadt einzugewöhnen, da er außer seinem mehrgenannten Freunde noch zwei Mitbürger daselbst fand, nämlich den noch etwas mit ihm verwandten Jakob Hermann, einen ausgezeichneten Schüler Jakob Bernoulli's, der sich frühe durch eine Streitschrift über die Principien der Differentialrechnung[9]) die Freundschaft von Leibnitz erwarb, mit ihm Jahre lang korrespondirte[10]), von ihm 1701 zur Aufnahme in die Berliner-Academie empfohlen wurde, auf seinen Vorschlag 1707 eine Professur der Mathematik zu Padua und 1713 eine ebensolche zu Frankfurt an der Oder erhielt, an letzterm Orte seine Hauptschrift über Mechanik ausarbeitete[11]), endlich 1724 als Professor der höhern Mathe-

implantatione malorum» wurde im 2ten Bande des «Recueil des pièces qui ont remporté les prix de l'Académie royale des Sciences de Paris» abgedruckt.

7) Vergl. I. 267 und II. 159. — Euler schrieb für diese Bewerbung eine «Dissertatio physica de sono, Bas. 1727 in 4.»

8) Er ging zu Schiff nach Mainz, zu Fuß nach Lübeck und dann wieder zu Schiff nach Reval.

9) «Jacobi Hermanni Basil. Responsio ad Clar. Viri Bernh. Nieuwentiit considerationes secundas circa calculi differentialis principia editas. Basileae 1700 in 8. (62 S.)»

10) In dem von Gerhardt herausgegebenen Leibnitz'schen Briefwechsel finden sich 78 der zwischen ihm und Leibnitz gewechselten Briefe, von denen die frühern mehr arithmetische, die spätern fast ausschließlich dynamische Materien beschlagen. Hermanns Korrespondenz mit Bourguet, aus der ich 1849 und 1850 einige Auszüge in den Berner-Mittheilungen gab, liegt in Neuenburg, — die mit Scheuchzer in Zürich.

11) «Phoronomia, sive de viribus et motibus corporum solidorum et fluidorum libri duo. Amstel. 1716 in 4.»

matik nach Petersburg berufen worden war, wo er zugleich dem Enkel Peters des Großen, dem als Knabe auf den Thron erhobenen und gestorbenen Czar Peter II. Unterricht in dieser Wissenschaft zu geben hatte[12]), — und Isaac Bruckner, ein mit der angewandten Mathematik und Geographie sehr vertrauter und auch durch mechanische Kunstfertigkeit vortheilhaft bekannter Mann, der sich lange in Paris aufgehalten und dort den Titel eines königlichen Geographen erhalten hatte, 1725 aber auf Empfehlung des vorgenannten Professor Hermann von der Petersburger-Academie als Mechaniker angestellt worden war[13]). Dagegen

---

12) Jakob Hermann von Basel (1678 VII. 16–1733 VII. 11) war ein Sohn des Gymnasiarcha German Hermann, von dem «Assertiones mathematicae ex universa mathesi desumptae, Basil. 1661, 8 S. in 4.» herrühren. Wie lieb Jakob Hermann seinem Lehrer Jakob Bernoulli war, ersieht man unter Anderm aus dem Stammbuche, welches sich Hermann anlegte, als er 1704 eine größere Reise nach Holland und Frankreich antrat; denn Bernoulli schrieb ihm in dasselbe: „Einem Jeden ist sein Tag gesetzt. Kurz und unwiederbringlich ist Allen die Zeit des Lebens. Aber seinen Namen durch Thaten zu verbreiten, das ist der Tüchtigkeit Werk. Mit diesen Worten entläßt den fürtrefflichen Herren M. Hermann S. M. C., den rüstigen Pfleger der Mathematik, seinen besten Freund, der nach jedem Vortrefflichen strebt, und wünscht ihm von ganzem Herzen eine glückliche Reise, und dereinst eine glückliche Rückkehr ins Vaterland, mit der Versicherung wahrer Liebe und beständigen Wohlwollens. Basel 1704 II. 22, Jakob Bernoulli, Prof. d. Math. und d. Z. Rector der Academie." Dieses Stammbuch, dessen Kenntniß ich der Güte eines Nachkommen, des Herrn Em. La Roche in Basel, verdanke, enthält auch sonst noch manche interessante Autographen, z. B. die von Nic. Malebranche, J. G. Grävius, Sam. Werenfels, J. J. Harder, Theodor Zwinger, Joh. Bernoulli, Volder, Guill. de L'Hospital, Pierre Varignon (von dem Hermann ein jetzt der Basler-Bibliothek zugehöriges Exemplar von Vieta's «Algebra nova» zum Geschenk erhielt), J. Konr. Ammann, Loth. Zumbach, ꝛc. — In Petersburg war Hermann sehr angesehen, wurde von Katharina zum Handkusse zugelassen und mit einer großen goldenen Medaille beschenkt. Von dem, für den im Texte erwähnten Unterricht verfaßten «Abrégé des mathématiques pour l'usage de sa majesté impériale de toutes les Russies, St. Pétersbourg 1728, 3 Tom. in 8», schrieb Hermann den ersten und dritten Theil (Reine Mathematik und Fortifikation), während der zweite (Astronomie und Geographie) von Delisle verfaßt wurde. Für s. übrigen Schriften und Abhandlungen vergl. Poggendorf, Leu, Holzhalb, ꝛc.; für sein Leben den Mercure Suisse 1733 X. und 1734 II, sowie auch Note 14.

13) Isaak Bruckner von Basel (1686 VII. 22 — 1762 IV. 6) blieb 16 Jahre in Petersburg, besuchte nachher England, Holland und Frankreich, kehrte 1752 nach Basel zurück, und hielt dort, 1753 vom Rathe hiefür mit einem Jahresgehalte von 160 Gulden bedacht, öffentliche Vorträge über Geographie und praktische Geometrie, nebenbei seine Kunstarbeiten fortsetzend. Ganz besondern Ruf erwarben ihm seine

schienen bald nach Eulers Ankunft die Stellungen bei der Academie in Folge des Todes von Katharina I. unsicher werden zu wollen, und Euler war schon im Begriffe, ein Anerbieten des Admiral Sievers, das in einer Marine-Lieutenantsstellung mit Aussicht auf schleunige Beförderung bestand, anzunehmen, als die Verhältnisse der gelehrten Körperschaft durch die Thronbesteigung der Kaiserin Anna sich wieder consolidirten, und ihm zugleich die Nachfolge des nach Basel zurückkehrenden Hermann [14])

Erdgloben, über die er schon 1722 zu Basel einen „Bericht" in Druck gegeben hatte; auch eine von ihm verfertigte Maschine zur Längenbestimmung soll bei der Pariser-Academie günstige Aufnahme gefunden haben. Von verschiedenen Kartenwerken, welche er publicirte, mag beispielsweise ein 1749 zu Berlin erschienener «Nouvel Atlas de Marine» erwähnt werden. Endlich notire ich noch s. «Description et usage d'un cadran solaire universel, St. Pétersbourg 1735 in 4.», und verweise für weiteres auf den Appendix zur Athenae rauricae, auf Meusels Lexikon der von 1750 bis 1800 verstorbenen Schriftsteller, ꝛc., sowie für seinen Neffen Daniel Bruckner auf die drittfolgende Biographie.

14) Hermann hatte große Anhänglichkeit an sein Vaterland und seine Familie, und bemühte sich wiederholt eine Professur in Basel zu erhalten, so z. B. 1706 die der Eloquenz, bei welcher Gelegenheit er ein «Specimen de requisitis ad veram Eloquentiam (12 S. in 4.)» drucken ließ; aber das Loos war ihm nie günstig. Noch am 11. Nov. 1724 schrieb Joh. Bernoulli an J. J. Scheuchzer: «Le pauvre Mr. Herman est si las d'être dehors et languit tellement après sa patrie, qu'il troqueroit bien sa profession contre la moindre et la plus vile station de Bale; car le Recteur magn. m'a dit, que Mr. Herman lui a écrit qu'en cas qu'il n'obtint point de profession, il voudra bien se contenter d'être fait le vicaire de son Pere, qui est Recteur de l'école triviale, pour y enseigner les enfans: Ainsi il n'auroit pas honte de devenir Pédagogue de Professeur qu'il étoit.» Im Jahre 1727 endlich gelang es Hermann die Professur der Ethik in Basel, und zugleich die Vergünstigung zu erhalten, dieselbe, bis zum Ablaufe seiner Verpflichtungen in Petersburg, durch einen Vicar versehen zu lassen. Erst Ende 1730 konnte er, von Anna mit einer Pension von 200 Rubel bedacht, die Reise nach der Heimath antreten, und am 20. April 1731 schrieb Joh. Bernoulli an Scheuchzer: «Notre Mr. Herman désigné Professeur de la Philosophie morale, est revenu de Pétersbourg, il y a environ 10 ou 12 jours. Je ne sais s'il aura grand agrément d'enseigner une science qui a si peu de rapport aux mathématiques. Mais que faire? il faut ici accepter ce qu'on peut et non ce qu'on veut.» Er genoß jedoch das Glück in der Heimath zu leben nur noch etwas mehr als zwei Jahre, und wurde dann das Opfer eines hitzigen Fiebers. «The cause of his death», schrieb Ben. Stähelin am 15. Juli 1733 an Haller, «may be his deligthing to much in the Russich manner of live at this hot season in our country, und fügte dann mit einem etwas boshaften (wohl z. B. mit I. 269—271 zusammenhängenden) Seitenblicke bei: «His loss is a very great one for be-

zugesichert wurde. — Hatte Euler schon während den ersten Jahren die academischen Sammlungen bereichert, so begann jetzt eine sich von Jahr zu Jahr steigernde wissenschaftliche Thätigkeit, deren Folge eine solche Menge von Abhandlungen, Preisschriften und selbstständigen Werken war, daß der für diese Biographie erlaubte Raum nicht einmal hinreichen würde, die sämmtlichen Ueberschriften und Titel derselben vorzuführen [45]; geschweige dieselben einzeln zu behandeln. Ich ziehe daher vor, zuerst einen kurzen Abriß der äußern Lebensschicksale des großen Mannes zu geben, dann ein übersichtliches Bild seiner wissenschaftlichen Thätigkeit zu entwerfen, für den Schluß aber einige Worte über seine letzten Tage und seinen Charakter aufzusparen, und hier nur noch die interessante Parallele zu geben, welche Lacroix in der Biographie universelle aufgestellt hat. «S'il était permis», sagt dieser selbst eben so verdiente als fruchtbare Mathema-

---

sides his mathematical Knowledge, he was a very honest cheerfull Gentleman of a better nature than they are wont to be.»

45) Ich kann hiefür auf Poggendorf, Leu, Holzhalb, rc. verweisen, vor Allem aber auf das von Nic. Fuß (s. Note 38) für die Petersburger-Academie verfaßte «Eloge de Leon. Euler, St. Pétersbourg 1783 in 4.», und dessen von ihm veranstaltete deutsche Ausgabe „Lobrede auf Herrn Leon. Euler, Basel 1786 in 8. (mit einem von Chr. v. Mecheln gestoch. Portraite)." In dieser letztern, die Fuß mit den Worten „Nimm dieses Opfer, das einer Deiner Söhne Dir, von den Ufern der Newa her, aus Dankbarkeit und Vaterlandsliebe darbringt, als ein Zeichen seiner unveränderlichen Zuneigung und Treue gütig an" seinem Vaterlande widmete, nimmt das bloße Verzeichniß der Eulerschen Schriften und Abhandlungen die Pag. 123—181 ein, und doch war dasselbe, wie wir später sehen werden, noch nicht einmal annähernd vollständig. Der ausgezeichnete Kupferstecher Christian von Mecheln von Basel (1737—1817), dem man neben zahlreichen Kunstwerken auch ein «Tableau comparatif des montagnes de la Lune, de Vénus, de Mercure et de quelques unes des plus hautes montagnes de la Terre dressé d'après les observations de Mr. Schröter» verdankt, welches er nebst einer Erklärung 1806 zu Berlin publicirte, schrieb bei Uebersendung eines Exemplars dieser Lobrede am 25. April 1786 aus Basel an J. S. Wyttenbach: „Hier zum freundschaftlichen Gruße ein Exemplar des auf Kosten unsers Staats zu Ehren des unsterblichen Eulers gedruckten Lobs von seinem Schüler und würdigen Nachfahrer, Hrn. Prof. Fuß. Es ziere auch in Bern die Bibliothek eines würdigen Freundes. Sie sehen daraus, Verehrtester, daß unsere Vaterstadt dem Verdiensten huldiget und zur guten Nachahmung es öffentlich bezeugt. In diesem Werk ist alles von hier, ein wahres Opus Basileense. Der Belobte, der Lobende, der Drucker, der Schriftschneider, der Papierer und der Graveur alles von Einem Ort. Man hat hierin eine kleine Eitelkeit gesucht. Möge sie oft statt haben."

tiker, «de mettre en parallèle deux hommes qui se sont illustrés dans des genres très différents, on dirait avec raison que, par son étonnante fécondité et sa facilité pour le travail, Euler doit occuper dans les mathématiques la place que tient Voltaire dans les belles lettres. Celui-ci ne laissait échapper aucune des pensées, aucun des traits d'esprit qui s'offraient sous sa plume; celui-là ne perdait pas un seul des calculs qu'il essayait dans toutes les recherches qu'il entreprenait sur les sujets les plus variés.»

In demselben Jahre 1733, welches seinen Freund und Rivalen Daniel Bernoulli nach Basel zurückführte, verheirathete sich Euler mit Katharina Gsell, einer Tochter des geschickten Malers Georg Gsell von St. Gallen, der sich in Amsterdam etablirt, dort eine v. Loen und nach ihrem frühen Tode die uns schon bekannte Dorothea Maria Graf geheirathet hatte[16]), und später von Peter dem Großen für eine in Petersburg gegründete Maler-academie gewonnen worden war. Euler's Ehe wurde mit 13 Kindern beglückt, von denen jedoch 8 frühe, zwei erwachsene und verheirathete Töchter wenigstens vor dem Vater starben, während drei Söhne das Geschlecht fortpflanzten: Joh. Albert, der, am 27. Nov. 1734[17]) geboren, unter Anleitung seines Vaters so schnelle Fortschritte in der Mathematik machte, daß er schon im 20sten Jahre zum Mitgliede der Berliner-Academie und im 24sten zum Direktor der Sternwarte erwählt werden konnte, 1766 an die Petersburger-Academie berufen wurde, von 1769 bis zu seinem Tode am 5/6. September 1800 das Secretariat derselben bekleidete, der rechte Arm seines Vaters während dessen Blindheit war, zahlreiche astronomische und metereologische Beobachtungen anstellte, eine Menge der schönsten Abhandlungen über

16) Siehe III. 146. Katharina Gsell, die 1773 im 66sten Jahre ihres Alters starb, war eine Tochter erster, — dagegen Salomea Abigael Gsell, mit welcher Euler 1776 eine neue Ehe einging, eine Tochter zweiter Ehe.

17) Alt. Styl. nach Poggendorf, neuen Styl. nach dem Suppl. zur Athena Rauricae. Letztere scheinen Recht zu behalten, da die Note 18 erwähnte Quelle den 16. Nov. 1784 als Geburtstag angibt. Das Todesdatum bezieht sich dagegen auf alten Styl.

alle Theile der mathematischen Wissenschaften ausarbeitete, und sich mit großem Erfolge mit den von den verschiedenen Academien ausgeschriebenen Preisfragen beschäftigte [18]), — Karl, der, am 15. Juli 1740 geboren, sich zunächst auf Medizin legte, und am 7. Merz 1790 als kais. russischer Leibarzt zu Petersburg starb [19]), — und Christoph, der, am 1. Mai 1743 geboren, sich zwar auch etwas mit mathematischen Dingen beschäftigte, zumal mit astronomischen Beobachtungen, von denen z. B. seine Beobachtung des Venusdurchganges von 1769 zu Orsk angeführt werden mag [20]), zunächst aber sich dem Militär widmete, und 1812 als Artillerie-General und Director der Waffenfabrik zu Sisterbeck am finnischen Meerbusen starb. — Im Jahre 1735 wurde der Academie aufgetragen, schleunigst für die Polhöhe von Petersburg eine Hülfstafel zur Zeitbestimmung aus korrespondirenden Sonnenhöhen zu construiren, welche für jeden Grad der Declination und für jeden Unterschied der Beobachtungszeiten von 1 bis 18 Stunden die Mittagsverbesserung bis auf Terzien genau gebe. Verschiedene Academiker verlangten für diese Arbeit einige Monate Zeit, — Euler vollendete sie in drei Tagen; aber leider sollte er diese Anstrengung theuer bezahlen: Er erhielt einen heftigen Fieberanfall, der ihn an den Rand des Grabes brachte, und einen Absceß veranlaßte, dessen Folge der Verlurst des rechten Auges war. Er hätte nun allerdings das linke Auge nur um so mehr schonen sollen; aber er vergaß es im Eifer der Arbeit, und erhielt auch zuweilen Aufträge, welche es ihm fast unmöglich machten. „Die Geographie ist mir fatal", schrieb er

---

18) So theilte er z. B. mit seinem Vater einen Preis über die Theorie des Mondes, mit Bossut einen nautischen Preis, mit Clairaut einen Preis über die Cometentheorie ꝛc., und solchen Männern gewachsen zu sein, sagt mehr als genug. Verzeichnisse der Abhandlungen Albert Euler's finden sich bei Poggendorf, Holzhalb, ꝛc.; sonst ist für ihn Vol. XV. der Nov. Act. Acad. Petrop. zu vergleichen.

19) Eine 1760 von der Pariser-Academie gekrönte Abhandlung «Meditationes in quaestionem: utrum motus medius Planetarum semper maneat aeque velox, an successu temporis quampiam mutationem patiatur? et quaenam sit ejus causa» dürfte nach Fuß (Bull. de Pétersb. VII. 363) eher vom Vater, als von ihm herrühren, da sich Karl gar nie ernstlich mit Mathematik beschäftigt habe.

20) Vergl. dafür das Note 67 angeführte Werk.

am 21. Aug. 1740 an Goldbach[21]). „Ew. wissen, daß ich dabei ein Aug eingebüßet habe, und jetzo wäre ich bald in gleicher Gefahr gewesen. Als mir heut Morgen eine Partie Charten zu examiniren zugesandt wurde, habe ich sogleich neue Anstöße empfunden. Denn diese Arbeit, da man genöthiget ist, immer einen großen Raum auf einmal zu übersehen, greifet das Gesicht weit heftiger an, als nur das simple Lesen oder Schreiben allein." — Im Jahre 1741 ließ sich Euler von Friedrich dem Großen, der seiner Academie eine neue Gestaltung und ein reges wissenschaftliches Leben zu geben beabsichtigte, für Berlin gewinnen, — um so eher, als damals das Leben in Rußland unter der tyrannischen Regierung Ernst Johannes von Biren, des allmächtigen Günstlings der Kaiserin Anna, auch für den ruhigsten Bürger nichts weniger als angenehm gewesen war, wie uns folgende Anecdote zeigt, welche sich auf Eulers Vorstellung bei der Königin-Mutter bezieht. «Cette princesse se plaisoit dans la con-

---

21) Christian Goldbach von Königsberg (1690—1764), erst Mitglied der Petersburger-Academie, dann Collegienrath im russischen Staatsdienste. Er correspondirte mit Euler von 1729 bis zu seinem Tode, und 177 von beiden gewechselte Briefe füllen den ersten Band der von mir vielfach benutzten «Correspondance mathématique et physique de quelques célèbres géomètres du 18ième siècle précédée d'une notice sur les travaux de Léonard Euler et publiée par P. H. Fuss, St. Pétersbourg 1843, 2 Vol. in 8.», welche der Herausgeber mit folgendem, vom 8/20. Februar 1843 datirten, der Veröffentlichung würdigen Schreiben der Universität Basel übersandte: „Das Werk, das ich hiemit dieser berühmten Universität darzubringen mir erlaube, hat außer seinem wissenschaftlichen und literar-historischen Interesse, durch die großen Namen der Männer, deren gelehrten Briefwechsel es enthält, noch einen besondern Anspruch auf Ihre Theilnahme: Es ist ganz wesentlich ein Buch zum Ruhme der Stadt Basel, der Wiege der Euler und der Bernoulli. Auch der Herausgeber, dem es vergönnt war, die darin niedergelegten wissenschaftlichen Schätze der Vergessenheit zu entziehen, ist stolz darauf, durch seine Väter einem Orte anzugehören, welchem die Academie seines Geburtslandes den schönsten Theil ihres Ruhmes verdankt. Möge daher die erleuchtete Universität, aus deren Schoße jene großen Männer hervorgingen, diesen ihren Nachlaß als Ihr gebührenden Erbtheil Ihres eigenen Ruhmes entgegennehmen, die Gabe aber zugleich dem Herausgeber als ein Zeichen der Ergebenheit anrechnen, mit welcher er an der Vaterstadt seiner Väter hängt, und der hohen Verehrung, die er für die Universität derselben hegt." Das dem ersten Bande dieser Korrespondenz beigegebene von Küttner gemalte Portät Euler's ist nach dem Zeugnisse des ältern Fuß das beste, welches existirt, — wohl das schlechteste dürfte sich dagegen auf einer Medaille finden, welche Abramsen verfertigte.

versation des hommes éclairés», erzählt Condorcet[22]), «et elle les accueilloit avec cette familiarité noble qui annonce dans les Princes le sentiment d'une grandeur personelle, indépendante de leurs titres; cependant elle ne put obtenir de M. Euler que des monosyllabes, et elle lui reprocha cette timidité: *Pourquoi ne voulez-vous donc pas me parler*, lui dit-elle? *Madame*, répondit-il, *parce que je viens d'un pays où, quand on parle, on est pendu.*» — Friedrich der Große wußte Euler zu schätzen, und ernannte ihn nicht nur 1744 zum Director der mathematischen Klasse der Academie, sondern bediente sich auch sonst wiederholt seiner Einsichten. So übertrug er Euler das Nivellement des die Havel und Oder verbindenden Kanales, — berieth ihn für die Wasserwerke zu Sans-Souci, verschiedene Lotterie- und Finanz-Projekte, — ließ sich von ihm Vorschläge zur Besetzung von Lehrstühlen geben, — x., und verkehrte überhaupt vielfach mit ihm, wie eine Sammlung von 54, zum Theil eigenhändigen Briefen zeigt, welche der große König an Euler richtete. — In nicht geringerm Ansehen stand der ausgezeichnete Geometer bei den Prinzen des königlichen Hauses namentlich bei dem Markgrafen Heinrich von Brandenburg-Schwedt, der sich ihn zum Lehrer seiner beiden Töchter erbat. Die eine derselben (nach Fuß die nachmalige Aebtissin zu Herforden, nach Herzog dagegen die nachmalige Fürstin von Dessau) ist die deutsche Prinzessin, an welche er zur Fortsetzung seines Unterrichtes, während dem Aufenthalte des Hofes zu Magdeburg, die durch ihre Klarheit ausgezeichneten Briefe schrieb, welche nachher unter dem Titel «Lettres à une Princesse d'Allemagne sur quelques sujets de Physique et de Philosophie» erschienen[23]). Sie wurden zwar nicht mit dem ungetheilten Beifalle aufgenommen, dessen sich die meisten wissenschaftlichen Arbeiten Euler's

---

22) «Eloge de M. Euler» im Jahrgange 1783 der «Histoire de l'académie royale des Sciences.»

23) «St. Pétersbourg 1768—1772, 3 Vol. in 8.» Spätere französ. Ausgaben erschienen z. B. Londres 1775, Paris 1778 (Condorcet) und 1842 (Labey); deutsche Leipzig 1769, 1773, 1792 (Kries), Stuttgart 1851 (Müller); englische Newyork 1835 (Brewster); x.

erfreuten, ja ein Lagrange, der später Euler sehr hoch stellte, und wiederholt gesagt haben soll[24]) «Les vrais amateurs devront toujours lire Euler, parceque dans ses écrits tout est clair, bien dit, bien calculé, parcequ'ils fourmillent de beaux exemples, et qu'il faut toujours étudier dans les sources», nannte die Briefe ein Werk, das Euler «n'aurait pas dû publier pour son honneur», und ein Bonnet fand wenigstens vieles daran zu tadeln, wenn er auch zugeben mußte, es finden sich darin «d'excellentes choses aussi chrétiennes que philosophiques»; aber sie sind immer als einer der ersten und gut gelungenen Versuche, die Wissenschaft zu popularisiren, merkwürdig, und die vielen bis in die neuere Zeit veranstalteten Ausgaben und Uebersetzungen zeigen, wie begierig das größere Publikum war und noch ist, auch etwas von dem berühmten Gelehrten lesen zu können. «Le nom d'Euler, si grand dans les Sciences», sagt Condorcet, «l'idée imposante que l'on se forme de ses Ouvrages destinés à développer ce que l'Analyse a de plus épineux et de plus abstrait, donnent à ces Lettres si simples, si faciles, un charme singulier: ceux qui n'ont pas étudié les Mathématiques, étonnés, flattés peut-être de pouvoir entendre un Ouvrage d'Euler, lui savent gré de s'être mis à leur portée; et ces détails élémentaires des Sciences, acquièrent une sorte de grandeur par le rapprochement qu'on en fait avec la gloire et le génie de l'homme illustre qui les a tracés.» — Von andern Schülern, welche Euler in Berlin um sich sammelte, und zum Theil in seinem Hause wohnen ließ, kennen wir bereits Louis Bertrand[25]) und Christoph Jetzler[26]); von Andern mag noch Stephan Rumovsky angeführt werden, der später sein College wurde, und durch den vorzugsweise die mathematischen Wissenschaften, welche früher in Rußland fast ausschließlich durch

---

24) Zeitschrift für Astronomie I. 412. — Prof. Wolfers erzählt (Astr. Nachr. 1306), auch Gauß habe 1847 zu ihm gesagt, „daß alle Euler'schen Werke noch immer zu den empfehlungswerthesten mathematischen Bildungsmitteln gehören."

25) Vergl. I. 447.

26) Vergl. II. 208—210.

Ausländer vertreten waren, in diesem Lande eingebürgert worden sind. — In seiner Stellung eines der Directoren der Academie, hatte Euler unter Anderm die Aufsicht über deren ökonomische Verhältnisse zu führen, — eine Aufgabe, die für ihn nicht recht paßte, und ihm auch in den 60ger Jahren vielen und nicht ganz unverdienten Verdruß zuzog [27]): Ein gewisser Oberkommissarius Köhler besorgte nämlich schon seit längerer Zeit das Kalenderwesen, auf dessen Ertrag die Academie angewiesen war, und ließ sich dabei immer mehr Eigennutz und Läßigkeit zu Schulden kommen. Euler mußte dieß zugeben, hatte aber weder den Muth gehörig entgegenzutreten, noch die praktische Einsicht, gründlich abzuhelfen, und doch war es ihm sehr ärgerlich, als durch eine Kabinetsordre eine eigene Kommission zu diesem Zwecke aufgestellt wurde, in der neben ihm auch Sulzer, Lambert, Merian, 2c. saßen. Er hatte nun nicht nur die Schwäche, die Arbeiten dieser Kommission zu erschweren, sondern, als sie einen, betreffende Vorschläge enthaltenden Bericht an den König vorbereitet hatte, vor seinem Abgange und hinter dem Rücken seiner Collegen zu versuchen, Friedrich von vornherein gegen die Vorschläge zu stimmen. Die Folge war aber nicht die gehoffte, sondern die, daß die Kommission plötzlich ein Kabinetsschreiben mit dem Befehle erhielt, das Kalenderwesen in Pacht zu geben, wie sie es in erster Linie selbst vorgeschlagen hatte. „Diese Kabinets-Ordre", erzählt Sulzer [28]), „veranlaßte eine außerordentliche Konferenz der Kommissarien. In derselben sagte ich gleich Anfangs, das Kabinetsschreiben beweise deutlich, daß einer von uns mit der Kommission nicht aufrichtig genug gehandelt habe, indem offenbar daraus erhelle, daß der König schon alles wisse, was ihm erst durch das ganze Kollegium habe sollen berichtet werden. — Jedermann schwieg hierauf eine Weile lang still, und wir

---

27) Fuß ist über diese Angelegenheit nicht eingetreten. Ich habe dagegen die Ansicht, daß in einer Biographie die Schatten nicht unterdrückt werden sollen, und gebe darum gerade in dieser Sache, die neben dem früher besprochenen Verfahren gegen Sam. König (II. 171—173) das Einzige ist, was uns die Nachtseite des großen Mannes darstellen kann, allen nöthigen Detail.

28) In der III. 291—316 vielfach benutzten „Kurzen Nachricht."

sahen stillschweigend einander an. Herr Euler zog uns endlich aus der Verlegenheit und gestand, daß er an den König geschrieben habe, um den schädlichen Folgen, die der entworfene Bericht gewiß nach sich ziehen müßte, zuvorzukommen. Er setzte hinzu: er sei überzeugt, daß niemand als Köhler im Stande sei, die Finanzen der Academie zu administriren, daß er deutlich voraussehe, daß wenn Köhler weggedrängt sein würde, die Einkünfte der Academie in Verfall gerathen und sich so weit vermindern müßten, daß die Pensionen nicht mehr würden bezahlt werden können. Er habe also aus guter Meinung dem Könige vorläufig abgerathen, unsern Vorschlägen Gehör zu geben. — Dieses naive Bekenntniß erweckte ein allgemeines Lächeln. Man fragte endlich Herrn Euler, ob er nicht auch selbst eine Antwort vom Könige erhalten habe. Nach einiger Unentschlossenheit gestand er, daß er eine habe, und legte dieselbe auf den Tisch. Sie ward mit seiner Bewilligung gelesen, und es erhellte daraus, daß Herr Euler in seinem Schreiben an den König alles, was die Kommission vorzuschlagen willens gewesen, zum Voraus zu widerlegen unternommen hatte. Diese Widerlegung muß aber so beschaffen gewesen sein, daß sie dem König gerade das Gegentheil von dem bewies, was sie beweisen sollte. Ich bin zwar nicht im Stande, schrieb der König, krumme Linien auszumessen, aber so viel weiß ich doch, daß 16 mehr ist als 13. Dieses bezog sich darauf, daß in dem Berichte stand, der gegenwärtige Ertrag der Kalender belaufe sich auf 13,000 Thlr., man hoffe aber, daß er, durch eine bessere Administration auf 16,000 Thlr. und darüber steigen würde[29]). — Wir konnten uns nicht enthalten über diese Antwort des Königs zu lachen. Herr Euler aber, der vorher ganz gleichgültig geschienen hatte, wurde jetzt sehr empfindlich. Er schrieb nachher hierüber nochmals an den König, erhielt aber eine, allem Ansehen nach, sehr ernsthafte Antwort, die er niemand gezeigt hat. Dieses ist die wahre Veranlaßung seines Entschlusses wieder

---

29) Wirklich betrug der Pacht 1778 schon 23,000 Thlr., 1800 sogar 30,400 Thaler.

nach Petersburg zu gehen." — Euler hatte seine Beziehungen zur Petersburger-Academie nie ganz aufgegeben, einen Theil seines frühern Gehaltes immer fortbezogen, und ihr auch sehr häufig Abhandlungen vorgelegt. Umgekehrt war auch er in der nordischen Hauptstadt nicht vergessen worden, und als 1762 die russischen Truppen in Berlin einzogen, erhielt er eine Schutzwache, — ja als General Tottleben erfuhr, daß seine Soldaten ein Euler zugehöriges Gütchen bei Charlottenburg geplündert haben, ersetzte er ihm nicht nur den Schaden reichlich, sondern bewirkte noch durch seinen Bericht an die russische Kaiserin, daß er überdieß von derselben mit einem Geschenke von 4000 fl. bedacht wurde. Als dann Katharina die Große den Thron bestieg, und ihrer Academie neuen Glanz zu geben wünschte, lag der Gedanke nahe, auch Euler wieder zu gewinnen, und dieß fiel gerade in die Zeit, wo er durch die eben mitgetheilten Geschichten sich verletzt fühlte. Fürst Dolgorucki wurde ermächtigt, Euler einen Jahresgehalt von 3000 Rubel, und auf den Fall seines Todes der Wittwe eine Pension von 1000 Rubeln zuzusagen, auch vortheilhafte Anstellungen für seine drei Söhne in bestimmte Aussicht zu stellen. Euler sagte zu, erbat sich im Mai 1766 für sich und seine Söhne von Friedrich den Abschied, und reiste schon im Juni über Warschau, wohin ihn Stanislaus August dringend eingeladen hatte, nach Petersburg, wo er den 17. Juli anlangte, und sogleich der Kaiserin vorgestellt, sowie von ihr zur Tafel gezogen und mit 8000 Rubel zum Ankaufe eines Hauses beschenkt wurde. — Kaum hatte sich Euler in seinem Hause eingerichtet, als er von einer heftigen Krankheit befallen wurde, in deren Folge sich auch noch auf seinem linken, durch übertriebenes Arbeiten schon längst geschwächten Auge [30]) ein Staar bildete, dessen rasche Fortschritte ihn bald zu beständiger Unthätigkeit verdammen zu wollen schienen. Und, wie wenn dem fast ganz blind gewordenen und nur noch einen schwachen Schein [31]) übrig behaltenden Manne auch die Erleichterung mißgönnt worden wäre

---

30) Vergl. Pag. 95—96.

31) Vergl. spätere Stellen des Textes.

in einem Hause zu leben, in dem Erinnerung und Gewohnheit ihn sich noch ziemlich zurecht finden ließen, so wurde einige Jahre später auch dieses Haus bei Anlaß einer großen Feuersbrunst[32]) ein Raub der Flammen, ja es fehlte wenig, daß nicht nur Eulers sämmtliche Manuscripte, sondern sogar er selbst denselben zum Opfer geworden wären. «Il n'est que trop vrai», schrieb Daniel Bernoulli am 28. Sept. 1771 an Mallet nach Genf, «que le grand incendie de Pétersbourg a consumé la maison du grand Euler, qui a peine a pu se sauver en robe de chambre. On m'a dit que l'Impératrice lui a fait payer 6000 Roubles en dedommagement de sa perte; mais je ne scai si cela est vrai; je ne scai pas non plus si les manuscrits et tous ses calculs ont été sauvés; une telle perte serait sans doute irréparable à moins que ce grand homme ne les ait fait imprimer aussitot qu'ils sont sortis de ses mains. Un Balois artisan, nommé Grim, est volé, à ce qu'on m'a dit, à son secours et doit avoir sauvé plusieurs articles après avoir mis en sureté le malheureux maitre.» Und Condorcet erzählt: «En 1771, la ville de Pétersbourg éprouva un incendie terrible, les flammes gāgnèrent la maison de M. Euler; un Bâlois Pierre Grimm, dont le nom mérite sans doute d'être conservé[33]), apprend le danger de son illustre compatriote, aveugle et souffrant; il se précipite au travers des flammes, pénètre jusqu'à lui, le charge sur ses épaules et le sauve au péril de sa vie: la bibliothèque, les meubles de M. Euler furent consumés, mais les soins empressés du comte Orloff, sauvérent ses manuscrits[34]); et cette attention, au milieu des

---

32) Sie verzehrte am 23. Mai 1771 über 550 Häuser.

33) Ich habe leider über diesen wackern Mann, den der über dieses Ereigniß überhaupt sehr kurz weggehende Fuß sonderbarer Weise nicht einmal nennt, bis jetzt nichts Genaueres finden können, — und doch sind ihm die Wissenschaften gewiß mehr Dank schuldig als manchem sog. Gelehrten, von dem uns die Zeitgenossen ein detaillirtes Lebensbild überliefert haben.

34) Nach Fuß gingen übrigens doch auch mehrere Manuscripte verloren, und namentlich das Concept für die später zu erwähnende Preisschreift über die Mondstheorie. „Der jüngere Herr Euler sah sich demnach genöthiget", fügt Fuß in

troubles et des horreurs de ce grand désastre, est un des hommages les plus vrais et les plus flatteurs que jamais l'autorité publique ait rendu au génie des Sciences: la maison de M. Euler étoit un des bienfaits de l'Impératrice, un nouveau bienfait en répara promptement la perte.» Wenige Monate nach diesem unglücklichen Ereignisse ließ sich Euler von dem bekannten Augenarzte, Baron von Wenzel, den Staar stechen. Die Operation gelang zu seiner unaussprechlichen Freude; aber, — sei es, daß in der Folge der Arzt zu wenig Vorsicht anwandte, oder daß Euler selbst zu begierig war sein Auge zu brauchen, — diese Freude war nur von ganz kurzer Dauer, und Euler verlor sein Gesicht unter großen Schmerzen zum zweiten Male, und nun für immer. — Als Daniel Bernoulli am 12. Juni 1771 an Mallet schrieb: «Nous serions bien malheureux, vous et moi, si nous étions aussi feconds en découvertes importantes que Mr. Euler. Le penible travail dans l'exécution nous excederait et la paresse nous forcerait malgré nous à les suprimer et cela nous ferait une peine infinie,» — war Euler längst blind, und dennoch setzte er nicht nur damals, sondern fast bis zum letzten Lebenshauche seine tiefen mathematischen Untersuchungen mit immer steigender Thätigkeit und Productivität fort. Sein geistiges Auge war nur um so schärfer, sein Gedächtniß nur um so sicherer geworden, und zugleich war es ihm gelungen, seine Umgebung so zu gestalten, daß ihm der fehlende Sinn durch sie fast ersetzt wurde. Letzterm Bestreben verdankt man Eulers Algebra[35]), welche jetzt noch den besten elementaren Werken über Arithmetik beizuzählen ist, und sich namentlich durch eine, bei deutschen mathematischen Büchern leider so seltene, ungemeine

---

Beziehung auf Letzteres bei, „den ganzen Gegenstand neuerdings durchzuarbeiten und alle Rechnungen zum zweitenmal zu machen."

35) „Vollständige Anleitung zur Algebra, St. Petersburg 1770 (auch 1771 und 1802), 2 Theile in 8." — Neben dieser Originalausgabe wird besonders die durch Joh. III. Bernoulli besorgte französische Ausgabe «Elémens d'Algèbre par M. Léonard Euler, Lyon 1774, 2 Vol. in 8.» wegen der ihr durch Lagrange beigefügten Zusätze geschätzt. Sonst existiren noch mehrere deutsche und französische Ausgaben durch Grüson, Kaußler, Garnier, 2c.

Klarheit auszeichnet. „Ich bin unter Anderm", schrieb Joh. Albert Euler am 1/12. Sept. 1769 an Kästner, „mit der Herausgabe einer deutschen Algebra beschäftigt, welche mein Vater gleich zu Anfang des Verlustes seines Gesichtes einem seiner Bedienten, der ein Schneider von Profession ist, dictiret und also eingerichtet hat, daß derselbe wirklich in den Stand gesetzt wurde, die schwersten algebraischen Aufgaben ohne alle fremde Hülfe selbst aufzulösen. Die russische Uebersetzung dieser Algebra ist schon vor mehr als einem Jahre erschienen." Immerhin konnten jedoch natürlich diesem Bedienten nur leichtere und mechanische Rechnungen übergeben werden, und wo es sich um Redactionen oder schwierigere Ausarbeitungen handelte, mußte der Sohn oder einer der frühern Schüler mithelfen. So schrieb auch Joh. Albert Euler in dem schon oben benutzten Briefe über seinen Vater: „Mit seiner Gesundheit geht es ganz leidlich, sein Gesicht ist aber noch beständig wie es gewesen: er mahlt seine Rechnungen auf einer schwarzen Tafel mit Kreide, kann aber das Schwarze auf dem Weißen nicht unterscheiden. Der Adjunkt Lexell[36]) kommt alle Tage zu ihm und schreibt seine Gedanken auf, welche er hernach weiter berechnet." Später wünschte Euler einen ständigen Gehülfen zu haben und wendete sich dafür, wie uns der jüngere Fuß[37]) erzählt, im Jahre 1772 an Daniel Bernoulli «pour l'engager à lui choisir, parmi ses élèves les plus distingués, un jeune géomètre compatriote, capable de l'aider dans ses profonds et pénibles calculs. Le choix tomba sur Fuss[38]), qui, depuis 1773 jusqu'à la mort d'Euler eut l'insigne bonheur de jouir de sa société journalière et de ses précieuses instructions, et fut le rédacteur d'un

---

36) Anders Johann Lexell von Abo (1740—1784), später Mitglied der Academie in Petersburg. Vergl. für ihn Poggendorf.

37) Paul Heinrich Fuß (1798 V. 21 — 1855 I. 10), Sohn des in der folgenden Note Erwähnten und sein Nachfolger im Secretariat der Petersburger-Academie. Vergl. für ihn die Noten 21, 40 und 44, ferner Poggendorf, und vor Allem das von Otto Struve geschriebene «Eloge de P. H. Fuss, St. Pétersbourg 1857 in 4.»

38) Nicolaus Fuß von Basel (1755 I. 30 — 1825 XII. 23). Er wurde später Mitglied der Petersburger-Academie, und nach Joh. Albert Eulers Tod dessen Nachfolger im Secretariat. Vergl. für ihn auch die Noten 15, 40 und 41.

grand nombre de ses ouvrages.» Die Wahl war eine sehr glückliche, und schon am 28. Juli 1773 konnte Daniel Bernoulli seinem frühern Schüler schreiben: «M. Jean-Albert Euler me marque qu'ils sont tous très contens de vous, surtout M. son père qui vous a déjà pris, se sont ses termes, en grande affection. Je souhaite que ce favorable achemi-nement vous conduise bientôt à quelque établissement solide, et si c'est par la porte de l'académie des sciences, je n'en serai que plus charmé.» Am 25. Januar 1785 aber schrieb Joh. Ludw. Spleiß [39]) aus Petersburg an Jetzler: „Herr Fuß, ein ächter wahrer Schweizer, ist ein Mann von dem für-trefflichsten Charakter, und sowohl in dieser Absicht als wegen seiner tiefen mathematischen Einsicht ein würdiger Eleve und Enkel [40]) des großen Eulers. Kenner sagen, Er werde mit der Zeit seiner Vaterstadt Ehre, und seinen Namen eben so berühmt machen als die Bernoulli und Euler [41]). — Ueber die Weise,

---

39) Vergl. I. 271—272.

40) Fuß war kein Enkel Euler's; dagegen verheirathete er sich 1784 mit Albertine Euler, der Tochter von Joh. Albert Euler, und zeugte mit ihr 13 Kinder, unter denen sich außer dem Note 37 erwähnten Paul noch Georg Albert und Nicolaus um die Wissenschaften verdient machten: Der Erstere (1806 XII. 13 — 1854 I. 5), der von Poggendorf, bei dem verschiedene Abhandlungen von ihm citirt sind, fälschlich als Sohn von Paul aufgeführt wird, war erst Astronom in Pulkowa, dann Director der Sternwarte in Wilna, — der Letztere, der Paul in Herausgabe der Euler'schen Korrespondenzen und nachgelassenen Schriften behülflich war, lebt, wie ich glaube, zu Petersburg als Professor der Mathematik.

41) Letzteres Urtheil war etwas übertrieben, und es wird immer den Hauptruhm von Fuß bilden, sich seinem Meister unbedingt hingegeben, und so die große Productivität desselben im letzten Jahrzehend seines Lebens (v. Note 42) ermöglicht zu haben. Immerhin verdankt mit ihm überdieß eine schöne Zahl werthvoller eigener Arbeiten, deren Verzeichniß z. B. bei Poggendorf zu finden ist; so wurde seine «Instruction détaillée pour porter les lunettes au plus haut degré de leur perfection, calculée sous la direction de Mr. L. Euler, St. Pétersb. 1774 in 4.», über die ihm Daniel Bernoulli schrieb: «Je vous fais des complimens sur votre ouvrage dioptrique; on ne pouvoit faire une plus belle entrée dans la république des lettres», sehr geschätzt, und 1778 von Klügel deutsch herausgegeben, — ebenso seine «Eclaircissemens sur les établissemens publics en faveur tant des veuves que des morts avec la description d'une nouvelle espèce de Tontine aussi favorable au public qu'utile à l'état calculés sous la direction de Monsieur Léonard Euler», welche ebenfalls dem Jahre 1774 angehören, und 1776 deutsch erschienen, — während er

wie Euler mit Fuß arbeitete, erzählt uns der jüngere Fuß Folgendes: «Euler avait dans son cabinet une grande table qui occupait tout le milieu de la pièce et dont le dessus était recouvert d'ardoise. C'est sur cette table qu'il écrivait, ou plutôt indiquait ses calculs en gros caractères, tracés avec de la craie. Quand il voulait prendre de l'exercice, ce qui arrivait à des heures régulières du jour, il avait l'habitude de se promener autour de cette table, en glissant la main le long des bords, pour se guider; ces bords, par le fréquent usage, étaient lisses et luisants comme du bois poli. Chaque matin, son élève se présentait chez lui pour lui faire lecture soit de sa vaste correspondance (dont la conduite lui était entièrement confiée), soit des feuilles politiques, soit enfin de quelque nouvel ouvrage digne d'attention; ou s'entretenait de diverses matières de la science, et le maître, à cette occasion, se prêtait avec complaisance à lever les doutes et à résoudre les difficultés que l'élève avait rencontrées dans ses études. Quand la table était couverte de calculs, ce qui arrivait souvent, le maître confiait au disciple ses conceptions toutes fraîches et récentes, et lui exposait la marche de ses idées et le plan général de la rédaction, en lui abandonnant le soin du développement des calculs, du choix des exemples et de l'exécution des détails; et ordinairement, celui-ci lui apportait dès le lendemain le croquis du mémoire inscrit dans un grand in-folio (Adversaria mathematica). Ce croquis approuvé, la pièce était rédigée au net et présentée immédiatement à l'Académie. La force de la mémoire que le vieillard avait conservée, et que peut-être la privation de la vue avait encore aiguisée, l'aidait admirablement dans ces sortes d'entretiens, ainsi que dans la lecture des ouvrages de son célèbre émule, Lagrange,

---

dagegen allerdings seine 1780 der Academie gelesenen, gegen Christian Mayer gerichteten «Reflexions sur les satellites des étoiles» jetzt schwerlich mehr schreiben würde.

et bien des fois, pour faire de tête les calculs les plus compliqués, il lui fallait moins de temps qu'à un autre la touche à la main; et encore ne se trompait-il que fort rarement.»

Gehen wir zu einer nähern Betrachtung der wissenschaftlichen Arbeiten Eulers über, so müssen wir vor Allem aus noch einmal die fabelhafte Menge und Ausdehnung derselben ins Auge fassen: Der jüngere Fuß zählte schon 1843 in der Einleitung zu der mehrerwähnten Korrespondenz 756 selbstständige Werke und Abhandlungen Eulers auf[42]), — fand später zu seinem großen Erstaunen noch viele Inedita, durch welche jene Zahl sogar auf 809 erhöht wurde[43]), — und berechnete, daß eine Gesammtausgabe der Euler'schen Schriften circa 16000 Quartseiten füllen würde[44]). Von diesen Arbeiten beschlagen etwa 40% die Arithmetik, 18 die Geometrie, 28 die Mechanik und Physik, 2 die Architektur, Nautik und Artillerie, 11 die Astronomie und 1 verschiedenartige Gegenstände, — und es mögen im Folgenden für jede dieser Kathegorien die wichtigsten derselben hervorgehoben werden. — Was die Arithmetik anbelangt, so gehören ihr, außer der schon oben erwähnten Algebra und einer noch etwas früher publicirten Arithmetik[45]), drei größere selbstständige Werke an:

---

42) Von diesen fallen nicht weniger als 355 auf die Jahre 1773 bis 1782, während welchen Nic. Fuß für Euler schrieb und rechnete.

43) So z. B. eine «Astronomia mechanica». — Vergl. über diesen Fund die Nachrichten von Fuß in dem «Bulletin physico-mathématique de l'Académie de St. Pétersbourg Nr. 166, 214», wo sich auch sonst noch interessante Nachrichten über Euler und seine Arbeiten finden.

44) Die Euler'schen Abhandlungen finden sich der Mehrzahl nach in den Schriften der Petersburger-, Berliner- und Pariser-Academie, — und in drei Sammlungen, von denen Euler selbst zwei, die «Opuscula varii argumenti, Berol. 1746—1751, 3 Vol. in 4.», und die «Opuscula analytica, Petrop. 1783—1785., 2 Vol. in 4.» anordnete, während die dritte «Commentationes arithmeticae, Petrop. 1849, 2 Vol. in 4.» von seinem Urenkel Fuß veranstaltet wurde. Letztere Sammlung enthält bereits einzelne der von Fuß aufgefundenen Inedita; die übrigen sollen unter dem Titel «Opera posthuma Euleri» ebenfalls publicirt werden. Die Basler-Regierung ließ zum Schmucke der neuen Publikationen das in Basel befindliche, von Handmann gemalte Originalbild Eulers in Stahl stechen.

45) „Einleitung zur Rechenkunst, St. Petersburg 1738—1740, 2 Vol. in 8." — Das Werk «L'arithmétique raisonnée et démontrée, Oeuvres posthumes de Léonard Euler, traduite en françois par Daniel Bernoulli, Directeur de

Die Einleitung in die Analysis des Unendlichen, die Differentialrechnung und die Integralrechnung [46]), — drei Werke, welche jetzt noch in keiner nur etwas größern mathematischen Bibliothek fehlen dürfen, zur Zeit ihres Erscheinens aber Epoche machten. Was diese Werke so außerordentlich auszeichnet, ist, daß man kaum weiß, ob man die Klarheit und Eleganz der Entwicklungen, oder den Reichthum des Stoffes mehr bewundern soll, — und Aehnliches dürfte fast von jeder einzelnen der zahlreichen Abhandlungen wiederholt werden, durch welche Euler nach und nach seinen Namen in die Geschichte aller Gebiete der Arithmetik eintrug. Während es den meisten mathematischen Schriftstellern vor Euler, und auch noch sehr vielen nach ihm, nicht gelingen wollte, Tiefe und Klarheit zu vereinigen, so wußte er dagegen die schwierigsten Untersuchungen mit der größten Lucidität durchzuführen, und was Bossut in seiner Geschichte der Mathematik nach Aufzählung des reichen Inhaltes der erwähnten «Introductio» mit Recht hervorhebt: «Tous ces objets sont traités avec une clarté et une méthode qui en facilitent l'étude, au point que tout lecteur médiocrement intelligent peut les suivre de lui-même et sans aucun secours étranger», — darf auch auf die übrigen Schriften unsers großen Landsmannes ausgedehnt werden. So große Entdeckungen ferner schon vor Euler durch die Newton, Leibnitz, Bernoulli, ꝛc. in den Gebieten der mathematischen Analysis gemacht worden waren, so fehlte

---

l'Observatoire de Berlin, corrigée et considérablement augmentée par M. De la Grange, Berlin 1792 in 8.» soll ein elendes Machwerk sein, mit dem die Namen Euler, Bernoulli und Lagrange betrügerischer Weise verbunden wurden.

46) «Introductio in Analysin infinitorum, Lausanne 1748, 2 Vol. in 4.» Eine neue Ausgabe soll 1797 zu Leyden veranstaltet worden sein; eine deutsche Ausgabe besorgte Michelsen zu Berlin 1788—1791 in 3 Octavbänden, eine französische Labey zu Paris 1796—1797 in 2 Quartbänden. — «Institutiones calculi differentialis, cum ejus usu in analysi finitorum ac doctrina serierum, Berol. 1755, 2 Vol. in 4.» Eine neue Ausgabe wurde Ticini 1787 veranstaltet; eine deutsche Ausgabe besorgte Michelsen zu Berlin 1790—1793 in 3 Octavbänden, und Grüson gab 1798 zu Berlin noch ein Supplement zu derselben. — «Institutiones calculi integrales, Petrop. 1768—1770, 3 Vol. in 4.» Eine 2te und eine 3te Ausgabe je in 4 Quartbänden erschienen zu Petersburg 1792—1794 und 1824—1845; eine deutsche Ausgabe gab Salomon zu Wien 1828—1830 in 4 Octavbänden.

doch noch immer theils eine einheitliche und methodische Abhandlung derselben, theils ihre Vervollständigung zu einer abgerundeten und dadurch die sichere Anwendung auf die verschiedensten Probleme ermöglichenden Doctrin, und diese große Lücke füllte erst Euler durch seine Schriften und namentlich durch die drei speziell erwähnten Werke aus, — ja führte auf dem gewonnenen breiten Fundamente mit ebensoviel Scharfsinn als Solidität fast allein ein ganzes Stockwerk auf, und zeigte noch seinen Nachfolgern die Mittel, weiter zu bauen: «Les richesses de l'art auparavant connues, un plus grand nombre de théories absolument nouvelles», sagt der oben benutzte Geschichtschreiber, «sont ici présentées et developpées de la manière la plus lumineuse et la plus instructive, et sous cette forme originale et commode que l'auteur a fait prendre à toutes les parties des hautes mathématiques. La réunion de ces divers traités compose le plus vaste et le plus beau corps de science analytique que l'esprit humain ait jamais produit. Tous les géomètres qui ont été à portée de lire ces ouvrages, y ont puisé des connaissances, et *quelques-uns même se sont fait honneur des méthodes qu'on y trouve.* Si le P. Reyneau a pû être appelé un moment, et par exagération, l'Euclide de la haute géométrie, *on peut dire avec vérité qu'Euler est cet Euclide, et même ajouter qu'il est très-supérieur à l'ancien, par l'étendue et la force du talent.*» Auf alles Einzelne einzugehen, wodurch Euler fast die sämmtlichen Gebiete der Arithmetik umgestaltete und wesentlich erweiterte, davon kann natürlich hier nicht die Rede sein, und ich kann höchstens noch beispielsweise anführen, daß er die Zahlentheorie und unbestimmte Analytik mit großem Erfolge bearbeitete, mehrere der Fermat'schen Lehrsätze bewies und ihnen verwandte neue aufstellte, die Lehren von den Kettenbrüchen und Gleichungen erweiterte, 2c., — daß er sich mit Vorliebe mit der Theorie der Reihen beschäftigte und die Factorenfolgen in dieselbe einführte, den Bernoullischen Zahlen die nach ihm benannten anreihte, den folgewichtigen Zusammenhang zwischen den Exponentialgrößen und den goniometrischen Functionen entdeckte und fruchtbar machte[47]), ꝛc., — daß er die Integralrechnung auf eine vor ihm kaum geahnte und seinen mathematischen Blick kennzeichnende Weise ausdehnte, z. B. die nach ihm benannten Integrale[48]), von denen das eine seit Legendre als sog. Gamma-Function viel von sich reden machte, aufstellte, die in neuerer Zeit so wichtig gewordenen elliptischen Functionen behandelte, die Lehre von den Differentialgleichungen zuerst auf einen grünen Zweig brachte, ꝛc., — daß er die Wahrscheinlichkeitsrechnung pflegte, sie auf viele im Leben vorkommende Aufgaben anwandte, ꝛc. — und daß solche Einzelnheiten am Ende nur einen kleinen Theil von Eulers Verdiensten um die Arithmetik bilden: «Ces communications qu'il a ouvertes entre toutes les parties d'une Science si vaste», hebt Condorcet mit Recht hervor; «ces vues générales, que souvent même il n'indique pas, mais qui n'échappent point à un esprit attentif; ces routes dont il s'est contenté d'ouvrir l'entrée, et d'aplanir les premiers obstacles, sont encore autant de bienfaits dont les Sciences s'enrichiront, et dont la postérité jouira, en oubliant peut-être la main dont elle les aura reçus.» — Der Geometrie als solcher widmete Euler kein selbstständiges Werk, dagegen, wie schon aus der oben gegebenen Uebersicht seiner Schriften erhellet, manche Abhandlungen, — und obschon er ihr lange nicht dieselbe Thätigkeit zuwandte wie der Arithmetik, so wußte er sich doch auch ihre verschiedenen Gebiete zinspflichtig zu machen. Die Elemente verdanken ihm z. B. den merkwürdigen Satz über

---

47) Die bekannten Relationen

$$e^{xi} = \text{Cos}\, x + i.\ \text{Sin}\, x \qquad e^{-xi} = \text{Cos}\, x - i\ \text{Sin}\, x$$

von denen Euler hiebei ausging, werden fast überall, als von ihm zuerst aufgestellt, angeführt; Cournot dagegen sagt in s. bekannten Theorie der Functionen, Euler habe sie allerdings zuerst publicirt, aber sie selbst seinem Lehrer Johannes Bernoulli zugeschrieben. Woher Cournot diese Notiz hat, konnte ich bis jetzt nicht finden, — weder in der Introductio selbst, noch in den Eloges, noch in verschiedenen andern darüber consultirten Werken findet sich eine Andeutung.

48) Vergl. für sie unter Anderm meines lieben Kollegen Dedekind's Inauguraldissertation „Ueber die Elemente der Theorie der Euler'schen Integrale, Göttingen 1852 in 4.", bei deren Erwähnung ich nicht umhin kann, ihrem trefflichen Verfasser meinen Dank für verschiedene Beiträge abzustatten, welche er mir für den 4ten Band meiner Biographien gegeben hat.

die gegenseitige Lage von Höhenpunkt, Schwerpunkt und Centrum der Ecken eines Dreiecks, — die nach ihm benannte einfache Beziehung zwischen der Anzahl der Ecken, der Flächen und der Kanten eines converen Polyeders, und mehrere ähnliche Sätze, — die Ersetzung der goniometrischen Linien der Frühern durch Seitenverhältnisse im rechtwinkligen Dreiecke, — und wie er die ebene und sphärische Trigonometrie vervollkommnete, so versuchte er auch bereits denselben eine sphäroidische Trigonometrie beizufügen. Die analytische Geometrie erhielt nicht nur dadurch Bereicherungen, daß sie Euler in allen ihren Theilen die schönsten Beispiele und Aufgaben zur Anwendung der Differential- und Integralrechnung bot, sondern Euler handelte sie auch in seiner schon oben besprochenen «Introductio» im Zusammenhange ab. «Dans le second livre, l'auteur commence par établir les principes généraux de la théorie des courbes géométriques et de leur division en ordres, classes et genres», sagt der mehr benutzte Bossut; «ensuite il applique en détail ces principes aux sections coniques, dont toutes les propriétés sont ici déduites de leur équation générale; il finit par une théorie très-élégante des surfaces des corps géométriques.» An diese letztere Bemerkung ist anzuknüpfen, daß Euler auch der Erste war, welcher die Theorie der Hauptaxen der Flächen zweiter Ordnung aufstellte, und zeigte, daß die Krümmung irgend eines Flächenelementes durch die Krümmungshalbmesser der Curven bestimmt wird, in welchen zwei durch die Normale gelegte Ebenen die Fläche schneiden, und daß die zwei Ebenen, für deren Schnittlinien der Krümmungshalbmesser ein Maximum und Minimum wird, zu einander senkrecht stehen. Ferner mag hier angereiht werden, was Condorcet über Eulers Behandlung des isoperimetrischen Problems mittheilt. «La question de déterminer les courbes ou les surfaces pour lesquelles certaines fonctions indéfinies sont plus grandes ou plus petites que pour toutes les autres, avoit exercé les Géomètres les plus illustres du siècle dernier», sagt der berühmte Secretär der Pariser-Academie. «Les solutions des problèmes du solide de la moindre résistance, de la courbe

de la plus vite descente, de la plus grande des aires isopérimètres, avoient été célèbres en Europe. La méthode générale de résoudre le problème, étoit cachée dans ces solutions, et surtout dans celle que Jacques Bernoulli avoit trouvée pour la question des isopérimètres, et qui lui avoit donné sur son frère un avantage que tant de chef-d'oeuvres, enfantés depuis par Jean Bernoulli, n'ont pu faire oublier. Mais il falloit développer cette méthode, il falloit la réduire en formules générales ; et c'est que fit M. Euler, dans un ouvrage imprimé en 1744 [49]), et l'un des plus beaux monumens de son génie. Pour trouver ces formules il avoit été obligé d'employer la considération des lignes courbes ; quinze ans après un jeune Géomètre (M. de la Grange), qui dans ses premiers essais annonçoit un digne successeur d'Euler, résolut le même problème par une méthode purement analytique : M. Euler admira le premier ce nouvel essort de l'art du calcul, s'occupa lui-même d'exposer la nouvelle méthode [50]), d'en présenter les principes, et d'en donner le développement avec cette clarté, cette élégance qui brillent dans tous ses ouvrages ; *jamais le génie ne reçut et ne rendit un plus bel hommage et jamais il ne se montra plus supérieur à ces petites passions que le partage d'un peu de gloire rend si actives et si violentes dans les hommes ordinaires.*»
Endlich darf nicht vergessen werden, daß Euler bei seinen geometrischen Untersuchungen auch zuweilen deren Anwendung in Betracht zog, so z. B. die Kartenprojectionen behandelte, und (wie er überhaupt keine, mathematischer Behandlung fähige Frage,

---

49) «Methodus inveniendi lineas curvas maximi minimive proprietate gaudentes, sive Solutio problematis isoperimetrici latissimo sensu accepti, Lausannae 1744 in 4.» — Euler hatte am 21. Mai 1743 an Goldbach betreffend seinen Verleger in Lausanne geschrieben: „M. Bousquet hat einen Contract mit mir geschlossen, kraft welches er alle meine Schriften, ausgenommen diejenigen, welche ich nach St. Petersburg zu schicken schuldig bin, drucken wird, und wird den Anfang mit dem Tractatu de Isoperimetris machen."

50) Die sog. Variationsrechnung. Euler behandelte sie theils in eigenen Abhandlungen, welche 1764 und 1771 in den Petersburger-Commentarien erschienen, theils im 4ten Bande seiner Integralrechnung.

die sich ihm im Leben bot, unberücksichtigt ließ) als eifriger Schachspieler die berühmte Springer-Aufgabe wissenschaftlicher Lösung unterwarf. „Die Erinnerung einer mir vormals vorgelegten Aufgabe", schrieb Euler am 26. April 1757 an Goldbach, „hat mir neulich zu artigen Untersuchungen Anlaß gegeben, auf welche sonsten die Analysis keinen Einfluß zu haben scheinen möchte. Die Frage war: Man soll mit einem Springer auf einem Schachbrette alle 64 Plätze dergestalt durchlaufen, daß derselbe keinen mehr als einmal betrete. Zu diesem Ende wurden alle Plätze mit Marquen belegt, welche bei Berührung des Springers weggenommen wurden. Es wurde noch hinzugesetzt, daß man von einem gegebenen Platz den Anfang machen soll. Diese letztere Bedingung schien mir die Frage höchst schwer zu machen, denn ich hatte bald einige Marschrouten gefunden, bei welchen mir aber der Anfang mußte freygelassen werden. Ich sahe aber, wenn die Marschroute in se rediens wäre, also daß der Springer von dem letzten Platz wieder auf den ersten springen könnte, alsdann auch diese Schwierigkeit wegfallen würde. Nach einigen hierüber angestellten Versuchen habe ich endlich eine sichere Methode gefunden, ohne zu probieren, so viel dergleichen Marschrouten ausfindig zu machen, als man will [51]), doch ist die Zahl aller möglichen nicht unendlich." — Die Mechanik und Physik

---

51) Euler theilt in seinem Briefe beispielsweise folgende Lösung mit:

54	49	40	35	56	47	42	33
39	36	55	48	41	34	59	46
50	53	38	57	62	45	32	43
37	12	29	52	31	58	19	60
28	51	26	63	20	61	44	5
11	64	13	30	25	6	21	18
14	27	2	9	16	23	4	7
1	10	15	24	3	8	17	22

Eine betreffende Abhandlung findet sich in den Mém. de Berlin XV. 1759.

bedachte Euler, außer zahlreichen Abhandlungen, mit fünf selbstständigen Werken. Durch das erste derselben [52]) erhielt die gelehrte Welt das erste Lehrbuch der analytischen Mechanik, und mit ihm eine vollständige Theorie der Bewegung eines isolirten körperlichen Punktes, auf welchen beliebige Kräfte wirken, — und zwar sowohl im leeren Raume als in widerstehenden Mitteln. «L'auteur a suivi partout la méthode analytique», sagt Bossut; «ce qui, en rappelant toutes les branches de cette théorie à l'uniformité, en facilite d'autant plus l'intelligence, qu'Euler manie d'ailleurs le calcul avec une sagacité et une élégance dont il n'y avait pas encore d'exemple. Nonseulement il résout une foule de problèmes difficiles, dont quelques-uns étaient alors nouveaux, mais il perfectionne l'analyse même, par des intégrations neuves et délicates, auxquelles son sujet donne lieu.» Einer Reihe betreffender Abhandlungen, in denen er z. B. gleichzeitig mit Daniel Bernoulli das Prinzip der Erhaltung der Flächen aufstellte, die Lehre von den durch Segner zuerst aufgefundenen Hauptaxen entwickelte, rc., folgte später noch ein zweites Hauptwerk über analytische Mechanik [53]), in welchem Euler vorzugsweise die Theorie der Rotation fester Körper um verschiedene Systeme von Axen behandelte. Ferner verdankt man ihm eine Reihe von Abhandlungen über Hydrostatik und Hydrodynamik, welche in Verbindung mit den betreffenden Arbeiten von Daniel Bernoulli und d'Alembert diese schwierige Wissenschaft so weit förderten, als es der damalige Stand der Analysis irgend erlaubte. «Pendant que l'hydrodynamique faisait de si brillans progrès en France», sagt der in Sachen vorzugsweise competente Bossut nach Besprechung von d'Alembert's Verdien-

52) «Mechanica, sive motus scientia analytice exposita. Petrop. 1736, 2 Vol. in 4.»

53) «Theoria motus corporum solidorum seu rigidorum. Rostoch et Gryphisw. 1765 in 4.», — auch Gryphisw. 1790. — Prof. Wolfers in Berlin gab von der Mechanica und der Theoria motus unter dem Titel „Leonhard Euler's Mechanik oder analytische Darstellung der Wissenschaft von der Bewegung, Greifswald 1848—1853, 3 Vol. in 8." eine deutsche und mit schätzbaren Anmerkungen bereicherte Gesammtausgabe.

sten, «Euler était occupé à réduire toute cette science en formules générales et uniformes, qui présentent l'un de ces beaux tableaux analytiques où l'auteur a excellé dans toutes les parties des mathématiques. Il a donné cette théorie dans un premier mémoire imprimé parmi ceux de l'académie de Berlin[54]; il l'a ensuite étendue et perfectionnée dans quatre grands mémoires qui font partie du recueil de l'académie de Pétersbourg[55]. L'Hydrostatique, tant de fois maniée et remaniée, est présentée ici d'une manière nouvelle et avec des applications très-intéressantes. Toute la théorie du mouvement des fluides est comprise dans deux équations différentielles du second ordre; l'auteur applique les principes généraux aux écoulemens par les orifices des vases, à l'ascension de l'eau dans les pompes, à son cours dans les tuyaux de conduite de diamètres constans ou variables, etc. Il a considéré aussi le mouvement des fluides élastiques: celui de l'air le conduit à des formules très-simples sur la propagation du son et sur la manière dont le son est produit dans les tuyaux d'orgue ou de flûte.» Diese letztere Bemerkung leitet uns auf ein anderes Hauptwerk Euler's, seine Theorie der Tonkunst[56]), die ein Ergebniß seiner Erholungsstunden war, welche er am liebsten am Clavier zubrachte. „Dieses tief gedachte und mit neuen, oder doch aus einem neuen Gesichtspunkte dargestellten Ideen erfüllte Werk", sagt Fuß in seiner Lobrede, „hat indessen kein sonderlich Aufsehen gemacht: vielleicht nur deßwegen, weil es zu viel Mathematik für den Tonkünstler, und zu viel Musik für den Mathematiker enthält. Unterdessen

---

54) Principes généraux de l'état d'équilibre des fluides. 1755.

55) «De statu aequilibrii ac motus fluidorum 1769. — Sectio secunda: De principiis motus fluidorum. 1770. — Sectio tertia: De motu fluidorum lineari, potissimum aquae. 1771. — Sectio quarta: De motu aeris in tubis, inaequaliter amplis, 1772» — Brandes gab von diesen Abhandlungen unter dem Titel „Die Gesetze des Gleichgewichtes und der Bewegung flüssiger Körper, Leipzig 1806 in 8." eine deutsche Gesammtausgabe.

56) Tentamen novae theoriae Musicae, ex certissimis harmoniae principiis dilucide expositae. Petrop. 1739 in 4.

findet man darin, ohne Rücksicht auf die zum Theil auf Pythagorische Grundsätze gebaute Theorie, eine Menge für den Instrumentenmacher und den Tonsetzer wichtige Fingerzeige; überdieß ist die Lehre von den Tonarten, ꝛc. mit einer Deutlichkeit und Bestimmtheit vorgetragen, die alle Werke Euler's bezeichnen. Was die Theorie selbst betrifft, deren physicalischer Theil keinem Zweifel unterworfen ist, so geht Herr Euler von dem Grundsatze aus, daß die Vorstellung jeder Vollkommenheit Vergnügen erweckt, daß Ordnung eine der Vollkommenheiten ist, die in unsrer Seele angenehme Empfindungen erregen, und daß folglich das Vergnügen, so uns eine schöne Musik gewährt, in der Vorstellung der Verhältnisse liegt, welche die Töne unter sich haben, sowol in Rücksicht ihrer Dauer als der Anzahl der Luftschwingungen, aus denen sie entspringen. Dieser psychologische Grundsatz dient der Euler'schen Theorie zur Grundlage, und zugegeben, daß er wahr ist, so muß man gestehn, daß die Anwendung desselben auf die ganze musicalische Theorie nicht glücklicher sein konnte." — Ueber Euler's im Wettkampfe mit Daniel Bernoulli gemachte Untersuchungen über schwingende Saiten und Tafeln[57]), — über seine Vertheidigung der Hugens'schen Undulationstheorie, — und über so manches Andere von Euler's Arbeiten, das allein hinreichen würde, einen Mann zum ausgezeichneten Gelehrten zu stempeln, zwingt mich der Ueberfluß an Stoff wegzugehen; dagegen mögen noch seine Verdienste um die Verbesserung der optischen Instrumente speziell hervorgehoben werden, mit der sich viele seiner Abhandlungen und zwei selbstständige Werke[58]) vorzugsweise befassen: Im Jahre 1747 hatte Euler aus Betrachtung des menschlichen Auges den Schluß gezogen, es müsse möglich sein, die durch die Brechung des Lichts entstandenen Farben wieder zu heben, und nach Analogie des

57) Vergl. III. 483. — Dieser Streit blieb immer rein auf wissenschaftlichem Gebiete, und Daniel erklärte zwar, daß er bei seinen Ansichten verharre, fügte aber bei: «Quoiqu'il en soit de mes prétensions, je suis toujous prêt de baisser pavillon devant mon Amiral.»

58) Constructio lentium objectivarum ex duplici vitro. Petrop. 1762 in 4. Dioptrica. Petrop. 1769—1771, 3 Vol. in 4. — Ferner ist hier auf die Note 44 erwähnte Instruction hinzuweisen.

thierischen Sehorganes vorgeschlagen, die Objektive aus zwei Glaslinsen, zwischen deren concaven Flächen Wasser oder eine andere Flüssigkeit enthalten sei, zusammenzusetzen. Als dann freilich John Dollond nach Euler's Rechnungen praktisch versuchte, ein achromatisches Fernrohr zu construiren, erhielt er keinen Erfolg; aber es war doch der Anstoß gegeben, die seit Newton vernachläßigte praktische Dioptrik wieder zu cultiviren, und bald darauf wies der schwedische Mathematiker Klingenstierna auf experimentellem Wege die Unrichtigkeit des Newton'schen Grundsatzes nach, daß sich die Farbenzerstreuungen verschiedener Mittel wie die um die Einheit verminderten Brechungen verhalten. Dollond nahm nun seine Versuche neuerdings auf, und construirte 1758 sein erstes achromatisches Fernrohr mit einem aus Kronglas und Flintglas combinirten Objective; Euler aber entwickelte die Regeln zur Verfertigung von zusammengesetzten Linsen, bei denen sowohl die Abweichung der Gestalt als der Farbe möglichst gehoben war, und ließ nach demselben ebenfalls Fernröhren ausführen, von denen er unter Anderm Friedrich dem Großen ein Muster übersandte. «Je vous remercie des petites lunettes d'approche qui me sont arrivées à la suite de votre lettre du 14 de ce mois», schrieb ihm der Monarch am 15. Sept. 1759, «et je loue le soin que vous prenez de rendre utile aux hommes la Théorie que vous fournit votre étude et votre application aux Sciences.» Seine zahlreichen Abhandlungen über diese und verwandte Gegenstände faßte Euler schließlich in dem zweiten der obengenannten Werke zusammen, und durch dieses erhielt eigentlich erst die Dioptrik ihre jetzige Gestalt. „Die Berechnung der von der Kugelgestalt der Gläser herrührenden Abirrung der Lichtstrahlen", sagt Fuß in seiner Relation über dieses Werk, „ist ein Meisterstück der feinsten Analyse, und man bewundert mit Recht die ungemeinen Kunstgriffe, die angewandt worden sind, um in den Fernröhren und Mikroskopen jeder Art alle mögliche Vortheile, Deutlichkeit der Vorstellung, Größe des Gesichtsfeldes und Kürze des Instruments, für jede Vergrößerung und Anzahl der Oculare zu vereinigen, sowie die Vereinfachung der ehmals durch die Menge und Verwicklung der Elemente so langweiligen dioptrischen Berechnungen den Dank und Beifall der Welt verdient.“ Noch könnten die von der Pariser-Academie theils mit ersten, theils mit zweiten Preisen bedachten und in ihre Sammlungen der Preisschriften aufgenommenen Abhandlungen Eulers über die Natur der Wärme, die Construction der Inclinatorien und die Theorie des Magneten [59]) besprochen werden, ebenso seine Versuche über das Gefrieren des Quecksilbers, seine mathematische Entwicklung der Erscheinungen und Ursachen des Erdmagnetismus [60]), und manches Andere; aber das Vorstehende dürfte genügen, um Eulers Thätigkeit auf diesen Gebieten würdigen zu können. — Die Architektur bedachte Euler nur mit einigen Abhandlungen, von welchen die merkwürdigsten diejenigen sein dürften, in denen er die rückwirkende Festigkeit abhandelte. Die Nautik dagegen, in welcher er die erste Palme errungen [61]), verdankte ihm auch später nicht nur eine ziemliche Anzahl wichtiger Abhandlungen, von denen noch zwei von der Pariser-Academie gekrönt und veröffentlicht wurden [62]), sondern zwei Spezialwerke [63]). Durch das erstere Werk wurde die Schiffsbaukunst, welche bis dahin rein empirisch

---

59) In den Jahren 1738, 1743 und 1746. Die beiden letzten Preise theilte er mit Dan. und Joh. II. Bernoulli; vergl. III. 189—191.

60) Vergl. über dieselbe Horner's Darlegung auf Pag. 1025—1039 von Bd. VI des Gehler'schen Wörterbuches.

61) Siehe Pag. 89—90.

62) In den Jahren 1753 und 1757. Er theilte wieder beide Preise mit Dan. Bernoulli; vergl. III. 191—192. Condorcet sagt bei Erwähnung des seltenen Wettkampfes zwischen Euler und Daniel Bernoulli: «En examinant les sujets sur lesquels l'un et l'autre ont obtenu la victoire, on voit que le succès a dépendu surtout du caractère de leur talent: lorsque la question exigeoit de l'adresse dans la manière de l'envisager, un usage heureux de l'expérience, ou des vues de Physique ingénieuses et neuves, l'avantage étoit pour M. Daniel Bernoulli; n'offroit-elle à vaincre que de grandes difficultés de calcul, falloit-il créer de nouvelles méthodes d'analyse, c'étoit M. Euler qui l'emportoit: et si l'on pouvoit avoir la témérité de vouloir juger entr'eux, se ne seroit pas entre deux hommes, qu'on auroit à prononcer, se seroit entre deux genres d'esprit, entre deux manières d'employer le génie.»

63) Scientia navalis, seu tractatus de construendis ac dirigendis navibus. Petrop. 1749, 2 Vol. in 4. — Théorie complète de la construction et de la manoeuvre des vaisseaux. St. Petersb. 1773 in 8., auch Paris 1776.

gewesen, mit einem Schlage zu einer Wissenschaft, — und als sich Euler später entschloß zu Gunsten der Praktiker, welche seinen tiefsinnigen Entwicklungen nicht zu folgen vermochten, die dem Seemanne nöthigen Theile seines Buches möglichst faßlich abzuhandeln, wodurch das zweite Werk entstand, so wurde er durch den glänzendsten Erfolg belohnt. Nicht nur wurde dasselbe sofort auch ins Russische, Italienische und Englische übertragen, sondern die französische Regierung veranstaltete noch eine Extra-Ausgabe, um es in allen Seeschulen einführen zu können, und der Minister Turgot schrieb Euler am 15. October 1775 folgenden ehrenvollen Brief: «Pendant le temps, Monsieur, que j'ai été chargé du département de la Marine, j'ai pensé que je ne pouvais rien faire de mieux pour l'instruction des jeunes gens élevés dans les écoles de la Marine et de l'Artillerie, que de les mettre à portée d'étudier les ouvrages que vous avez donnés sur ces deux parties des Mathématiques: j'ai en conséquence proposé au Roi, de faire imprimer par Ses ordres votre traité de la construction et de la manoeuvre des vaisseaux et une traduction française de votre Commentaire sur les principes d'Artillerie de Robins. — Si j'avais été à portée de vous, j'aurais demandé votre consentement, avant de disposer d'ouvrages qui vous appartiennent; mais j'ai cru que vous seriez bien dédommagé de cette espèce de propriété par une marque de la bienveillance du Roi. Sa Majesté m'a autorisé à vous faire toucher une gratification de mille Roubles[64]) qu'Elle vous prie de recevoir comme un témoignage de l'estime, qu'Elle fait de vos travaux et que vous méritez à tant de titres. — Je m'applaudis, Monsieur, d'en être dans ce moment l'interprête, et je saisis avec un véritable plaisir cette occasion de vous exprimer ce que je pense depuis longtems pour un grand homme, *qui honore l'humanité par son génie et les sciences par ses moeurs.*» Dieß Schreiben

---

64) Die russische Kaiserin beschenkte Euler bei derselben Gelegenheit sogar mit 2000 Rubel.

von Turgot führt uns noch auf die Verdienste, welche sich Euler durch seine Bearbeitung von Robins Artillerie[65]) erwarb. „Der König hatte Herrn Eulers Meinung über das beste in dieses Fach schlagende Werk verlangt“, erzählt Fuß. „Herr Euler lobte das Werk von Robins, obschon dieser seine Mechanik, die er nicht verstund, einige Jahre vorher auf eine grobe Art angefallen hatte, — ja machte sich anheischig, das Werk zu übersetzen und mit Zusätzen und Erläuterungen zu begleiten. Diese Erläuterungen enthalten eine vollständige Theorie der Bewegung geworfener Körper, und es ist seit 38 Jahren nichts erschienen, das dem, was Herr Euler damals in diesem schweren Theile der Mechanik gethan hat, an die Seite gesetzt werden könnte[66]). Herr Euler ließ in dieser Uebersetzung, wo es immer nur thunlich war, Herrn Robins Gerechtigkeit wiederfahren, verbesserte mit einer seltenen Bescheidenheit dessen Fehler gegen die Theorie, und alle Rache, welche er wegen des alten Unbills an seinem Gegner nahm, bestand darin, daß er dessen Werk so berühmt machte, als es ohne ihn nie geworden wäre.“ — Die Astronomie bedachte Euler mit zahlreichen Abhandlungen und mehreren selbständigen Werken. In erstern behandelte er unter Anderm das Problem aus Beobachtung von drei Höhen eines Sternes und den Zwischenzeiten die Polhöhe und Declination zu finden, die Bestimmung der Länge aus Monddistanzen und Sternbedeckungen, die Ermittlung der Mondparallaxe, 2c., — stellte er die wahre Differentialgleichung der Refraction auf, und gab damit eine feste Basis für die spätern Arbeiten der Lagrange, Laplace, 2c., — berechnete er den Cometen, die Sonnenfinsterniß und den Venusdurchgang des denkwürdigen Jahres 1769, — 2c. Den Venusdurchgang hatte unter Anderm Joh. Albert Euler beobachtet, und darüber am 26/37. Mai 1769 an Kästner geschrieben: „Wir

---

65) „Neue Grundsätze der Artillerie, aus dem Englischen des Herrn Robins übersetzt, und mit Anmerkungen bereichert. Berlin 1745 in 8.“ — Außer der von Turgot verordneten französischen Uebersetzung, wurde auch eine prachtvolle englische Ausgabe veranstaltet.

66) Seither ist allerdings durch Hutton, Vega, Coste, Poisson, 2c. Vieles geschehen.

haben verwichenen Sonnabend und Sonntag ein recht erwünschtes Wetter gehabt. Der Churpfälzische Astronomus Hr. P. Mayer, sein Gehülfe Hr. Stahl, der Professor Kotelnikoff, der Adjunkt Lexell und ich begaben uns den 23sten dies vor Sonnenuntergang auf die k. Sternwarte. Ersterer glaubte kurz vor dem gänzlichen Untergange der Sonne den Eintritt der Venus durch einen 18schühigen Dollond gesehen zu haben; diese Beobachtung aber ist noch vielen Zweifeln unterworfen. Hingegen haben wir alle gleich nach Sonnenaufgang die Venus ³/₄ Stunden lang in der Sonne deutlich gesehen, auch sogar einen locum bestimmen können. Der Anfang des Austritts geschah nach Beschaffenheit der Fernröhren um $3^h\ 25^m\ 37^s$ bis 51^s nach der wahren Zeit, und der gänzliche Austritt um $3^h\ 43^m\ 17^s$ bis 44^s. Der Horizont war voller Dünste und die Undulation sehr stark." In einem zweiten Briefe vom 1/12. September 1769 berichtet er ebendemselben: „Die aus diesen Observationen (Petersburg, Kola, Orenburg und Umba) geschlossene Parallaxe der Sonne betreffend, so kann ich E. Wohlg. nichts zuverlässiges davon melden. In Kurzem aber wird mein Vater eine Abhandlung über derselben Berechnung herausgeben, und in welcher diese Parallaxe nach einer neuen Methode, sowohl aus den Beobachtungen des diesjährigen als auch des vorigen Durchgangs der Venus vorbei der Sonnenscheibe bestimmt werden soll. Allem Anschein nach möchte Hr. Pingré recht behalten und die Parallaxe sogar größer als 10'' herauskommen. Die Anno 1761 auf dem Cap angestellte Observation ist wohl offenbar falsch und muß sich der Observator daselbst zum wenigsten auf zwei Minuten verzählt haben. Ein anderer Beweis, daß die Parallaxe der Sonne nicht wohl 8'' kann, ist, weil Monnier, ein sehr geschickter Observator, dieselbe aus sehr vielen Beobachtungen des Mars von 12'' geschlossen hat, und es nicht wohl zu vermuthen ist, daß derselbe so sehr von der Wahrheit abgewichen sein sollte. Doch bitte E. Wohlgeb. gehorsamst sich noch nichts hievon merken zu lassen, sondern zu warten, bis mein Vater gänzlich mit dieser mühseligen und dabei sehr kützlichen Arbeit wird fertig sein." Der im Jahre 1770 publicirten Sammlung der in Rußland bei Anlaß des Venusdurchganges angestellten Beobachtungen[67]) wurde dann wirklich Euler's Abhandlung über die Methode zur Berechnung der Sonnenparallaxe, — seine Methode zur Bestimmung der Länge aus Beobachtungen einer Sonnenfinsterniß[68]), — die unter seiner Anleitung nach beiden Methoden ausgeführte Berechnung für verschiedene Stationen des In- und Auslandes, welche für die Sonnenparallaxe 8″,80 ergab[69]), — ꝛc., beigegeben. — Seine Methode zur Berechnung der Planeten- und Cometenbahnen hatte Euler schon früher in einem eigenen Werke[70]) entwickelt, und dieselbe auf die Cometen von 1680 und 1744 angewandt, — und wenn sich auch, nach Prof. Wolfers, gerade aus diesem Werke ergeben soll, „daß Eulers Fertigkeit im numerischen Calcul, so weit sie hier in Anwendung gekommen, dem großen analytischen Talente desselben nachstand“, und obschon die Methode selbst durch vorzüglichere Verfahren ersetzt worden, so glaubt doch dieser ausgezeichnete astronomische Rechner dem mathematischen Publikum eine berichtigte deutsche Ausgabe dieser Euler'schen Schrift vorlegen zu sollen. — Mit Vorliebe wandte sich Euler der Mechanik des Himmels zu, behandelte viele der wichtigsten einschlagenden Fragen, obschon er sich lange sträubte, Newton's allgemeine Schwere als eine Facultas occulta der Materie anzuerkennen, ganz im Sinne dieses größten aller neuern Mathematiker, und

---

67) Collectio omnium observationum quae occasione transitus Veneris per Solem A. 1769 jussu Augustae per imperium Russicum institutae fuerunt una cum theoria indeque deductis conclusionibus. Petrop. 1770 in 4.

68) Encke sagt in s. Schrift „Der Venusdurchgang von 1769, Gotha 1824 in 8.“, durch diese Methode Eulers, welche im wesentlichen mit den neusten Verfahren übereinstimme, seien zuerst die Bedingungsgleichungen in diese Rechnungen eingeführt worden.

69) Encke erhielt in dem Note 68 citirten Werke als Endresultat aus den Durchgängen von 1761 und 1769 für die Horizontal-Equatoral-Sonnenparallaxe 8″,5776.

70) «Theoria motuum planetarum et cometarum, continens methodum facilem ex aliquot observationibus orbitas cum planetarum tum cometarum determinandi. Berol. 1744 in 4.» Pacassi gab 1781 zu Wien eine deutsche Ausgabe davon. — Hier mag auch die von Euler herrührende „Beantwortung verschiedener Fragen über die Beschaffenheit, Bewegung und Würkung der Cometen, Berlin 1744 in 8.“ angeführt werden, zu der im gleichen Jahre noch eine Fortsetzung erschien.

errang auch nicht weniger als sechs[71]) der von der Pariser-Academie darüber ausgeschriebenen Preise. Nachdem er im Jahre 1740 mit Dan. Bernoulli und Maclaurin einen Preis über die Ebbe und Fluth getheilt hatte[72]), blieb er in den Jahren 1748, 1752 und 1756 mit drei großen Abhandlungen, die in der Geschichte der Mechanik des Himmels Epoche machten, einziger Sieger[73]). «C'est à la première pièce d'Euler sur les mouvemens de Jupiter et de Saturne», sagt der Verfasser der Mécanique céleste in einer dem fünften Bande derselben eingefügten historischen Notiz, «qu'il faut rapporter les *premières recherches sur les perturbations des mouvemens planétaires*. Cette pièce couronnée par l'Académie des Sciences en 1748, fut remise au secrétariat le 27 juillet 1747, quelques mois avant que Clairaut et d'Alembert communiquassent à l'Académie les recherches analogues qu'ils avaient faites sur le *problème des trois corps*, qu'ils nommérent ainsi parce qu'ils avaient appliqué leurs solutions au mouvement de la Lune attirée par le Soleil et par la Terre. Mais les différences de leurs méthodes à celles d'Euler, prouvent qu'ils n'avaient rien emprunté de sa pièce. Euler a choisi pour coordonnées la longitude de la planète comptée d'une droite invariable prise sur un plan fixe, son rayon vecteur, l'inclinaison de l'orbite au même plan, et la longitude de son noeud ascendant. Il donne entre les quatre coordonnées et le temps dont il suppose l'élément constant, quatre équations différentielles. L'analyse par laquelle il y est parvenu, est exposée dans deux de ses Mémoires dont le premier parut en 1749 dans les Mémoires de l'Académie de Berlin pour la même année; le second parut en 1750 dans le volume des Mémoires de l'Académie de Pétersbourg pour les années 1747 et 1748. Le premier de ces

71) Oder sogar sieben, vergl. Note 49.

72) Siehe III. 189.

73) 1748 und 1756 gewann er je einen vollen, 1752 sogar einen doppelten Preis; — für alle drei zusammen 10,000 Livres, — bei der Pariser-Academie überhaupt etwa 30,000 Livres.

deux Mémoires est surtout remarquable en ce que ce grand géomètre y parvient aux équations différentielles du premier ordre, de l'inclinaison et de la longitude du noeud, en faisant varier les constantes arbitraires qui expriment ces deux élémens dans l'orbite invariable: *c'est le premier essai de la méthode de la variation des constantes arbitraires.*» Nachdem dann Laplace im Detail gezeigt hat, wie Euler in seiner Preisschrift die Störungen Saturns durch Jupiter untersuchte, und wie er überall Bahn brach, wenn er auch in Einzelnem irrte, resümirt er noch das Verdienst derselben in den Worten: «L'auteur a tracé dans cette pièce la route la plus directe et la plus simple pour arriver aux divers résultats de cette théorie; *il a surmonté par son génie et par son profond savoir en analyse, des obstacles qui dès les premiers pas, auraient arrêté la plupart des géomètres*; enfin, il a donné les formules des inégalités périodiques et séculaires du mouvement des planètes, dont plusieurs sont fautives, mais qu'il serait facile de rectifier en suivant ses méthodes analytiques,» — und fährt dann fort: «L'Academie, en couronnant la pièce dont je viens de parler, et voulant donner à la théorie dont elle est l'objet, une plus grande perfection, proposa cette théorie pour le sujet du prix de Mathématiques qu'elle devait décerner en 1750. Aucune pièce digne du prix ne lui étant parvenue, elle remit le même sujet pour le prix de l'année 1752, qui fut adjugé à une seconde pièce d'Euler.» Dann setzt er wieder im Detail, Euler fortwährend als den großen Geometer bezeichnend, die Fortschritte auseinander, welche die Mechanik des Himmels durch diese neue Arbeit machte, und wendet sich nun schließlich zu der dritten Arbeit Eulers: «En 1756», sagt er, «l'Académie des Sciences couronna une troisième pièce d'Euler sur les inégalités du mouvement des planètes, produites par leurs actions réciproques. La méthode que ce grand géomètre y expose, est *très belle et fort importante* dans la Mécanique céleste. Elle consiste à regarder les élémens du mouvement elliptique, comme variables en vertu des forces perturbatrices.» In der weitern Discussion hebt er unter Anderm anerkennend hervor, daß Euler, bei Anwendung seiner Formeln auf die Bewegung der Erde, die seculäre Variation der Schiefe der Ekliptik zu 48″ bestimmt, und dadurch die von vielen gelehrten Astronomen damals noch bestrittene seculäre Abnahme dieser Schiefe außer Zweifel gesetzt habe, — sagt aber auch: «En général dans cette pièce, comme dans les deux précédentes, le mérite des méthodes fait regretter que leur auteur ait été souvent, par de nombreuses erreurs de calcul, conduit à des résultats fautifs qui l'ont, peut-être, empêché lui-même de reconnaître les avantages de ces méthodes sur lesquelles il n'est plus revenu.» Immerhin waren schon die Leistungen Euler's in den Memoiren von 1748 und 1752 so außerordentlich, daß die Pariser-Academie sich 1755 entschloß, ihn auf eine Weise zu ehren, wie sich dessen vorher und nachher kein Gelehrter zu rühmen hatte: Sie kam nämlich bei Louis XV. um die Erlaubniß ein, Euler unter ihre auswärtigen Mitglieder aufzunehmen[74]), obschon der durch den Tod von Moivre erledigte der acht Plätze schon wieder an einen Engländer vergeben worden war, und obschon bereits zwei von diesen acht durch die Schweizer Daniel Bernoulli und Albrecht von Haller bekleidet wurden. Der König willigte ein, und sein Staatsminister, der Marquis d'Argenson, machte sich eine Ehre daraus, Euler eigenhändig davon in Kenntniß zu setzen: «Le Roy vient de vous choisir, Monsieur», schrieb er am 15. Juni 1755, «d'après le voeu de Son Académie royale des sciences, pour remplir une place d'associé étranger dans cette Académie, et comme elle a nommé en même tems Milord Macclesfield, Président de la Société royale de Londres, pour remplir une pareille place qui vaque par la mort de M. Moivre, Sa Majesté a décidé que la première place de cette espèce, qui vaquera, ne sera pas remplie. L'extrême

---

74) Die Royal Society hatte Euler schon 1747 zum Mitgliede aufgenommen. Auch fast alle übrigen gelehrten Gesellschaften Europa's beehrten sich, Euler unter ihren Mitgliedern aufzuzählen.

rareté de ces sortes d'arrangemens est une distinction trop marquée, pour ne pas vous en faire l'observation et vous assûrer de toute la part que j'y prends. L'Académie désiroit vivement de vous voir associé à ses travaux et Sa Majesté n'a pu qu'adopter un témoignage d'estime que vous méritez à si juste titre.» Die zwei übrigen Preise erhielt Euler in den Jahren 1770 und 1772 für seine analytischen Untersuchungen über die Mondbewegung [75]), mit welchen er sich schon seit Jahren mit großem Erfolge beschäftigt hatte. Schon 1746 hatte er, gestützt auf eine von ihm aufgestellte Theorie des Mondes neue Tafeln berechnet [76]), und am 29. November desselben Jahres an Goldbach geschrieben: „Ich hoffe nächstens allhier meine neue theoriam motus lunae unter die Presse geben zu können, und glaube dieselbe so weit gebracht zu haben, daß man durch Hülfe meiner daraus verfertigten tabularum den locum Lunae jederzeit so genau bestimmen kann, daß der Fehler niemals über 100 Secunden austrägt, da nach den Cassinianischen Tabellen der Fehler sich bisweilen auf 15′, nach den letztern englischen aber auf 6′ belaufen kann." Der Druck dieser Theorie wurde jedoch erst 1753 beendigt [77]), so daß sie schon bei ihrem Erscheinen die schwere Concurrenz mit den entsprechenden Arbeiten von d'Alembert und Clairaut zu bestehen hatte. Sie hatte jedoch dieselbe nicht zu scheuen, da sie eben so originell und für die Theorie des Mondes eben so förderndwar, als die Arbeiten jedes seiner beiden Rivalen. «Euler, ce génie si vaste, si fécond et si lumineux, a fait faire aussi plusieurs pas importans à la théorie de la Lune», sagt Gautier in seiner vortrefflichen Geschichte dieses Abschnittes der Astronomie [78]), nachdem er d'Alembert's und Clairaut's Verdienste gewürdigt hat. «Il y a intro-

75) Den von 1772 theilte er mit Lagrange.

76) Tabulae astronomicae Solis et Lunae. Berol. 1746 in 4. — Novae et correctae tabulae ad loca Lunae computanda. Berol. 1746 in 4.

77) Theoria motuum Lunae, exhibens omnes corporum inaequalitates cum additamento. Berol. 1753 in 4.

78) «Essai historique sur le problème des trois corps. Paris 1817 in 4.» Diese Schrift enthält natürlich ebenfalls eine einläßliche Besprechung der Pag. 123—125 nach Laplace geschilderten Verdienste Eulers.

duit l'emploi initial des trois coordonnées rectangulaires, la décomposition des forces suivant trois axes situés à angle droit, la méthode des coefficiens indéterminés, et celle des équations de condition. Ses tables furent les premières où, en supposant les élémens constans, on appliqua directement toutes les inégalités au mouvement de la Lune, et ce fut à lui qu'on dut également ensuite les premiers essais de la variation des constantes arbitraires [79]). *Il est peu d'idées heureuses en ce genre qu'il n'ait eues le premier, ou dont il n'ait partagé l'invention*, et la modestie ou l'indifférence qui l'empêchait de réclamer ce qui lui appartenait, ne doit rendre que plus attentif à lui faire honneur de ce qui lui est dû. *La marche d'Euler, dans sa Théorie de la Lune, ne le cède à aucune autre en simplicité et en clarté.* Conduit par une seule idée, il la suit jusqu'au bout en se confiant à la puissance de l'analyse pour en tirer des résultats exacts.» Es darf ferner nicht vergessen werden, daß Tobias Mayer eingestandenermaßen bei seinen vortrefflichen Arbeiten über die Mondbewegung auf die Untersuchungen Euler's basirte, und daß auch das englische Parlament davon gebührende Notiz nahm, indem es 1765, als es der Wittwe Mayer's für die aus dem Nachlasse ihres Mannes übersandten neuen Mondtafeln einen Preis von 3000 ℔ Sterl. zuerkannte, gleichzeitig auch Euler ebenfalls mit 3000 ℔ Sterling bedachte [80]), weil er Mayer den Weg gebahnt habe. Weniger großen Einfluß als die frühern Arbeiten Eulers übten auf die Entwicklung der Mondtheorie seine spätern Arbeiten aus, welche neben den im Eingange berührten Preisschriften von 1770 und 1772 aus einer sehr umfangreichen Theorie des Mondes [81]) und darauf gestützten neuen Tafeln [82]) bestanden. Daß sie nicht

---

79) Vergl. Pag. 124.

80) Nach Fuß hätte Euler nur 300 ℔ erhalten; da aber immer angeführt wird, Mayer und Euler haben gleich viel erhalten, und Mayers Wittwe wirklich 3000 ℔ zugekommen sein sollen, so glaubte ich auch Euler 3000 ℔ zuschreiben zu müssen.

81) Theoria motuum Lunae, nova methodo pertractata. Petrop. 1772 in 4.

82) Novae Tabulae lunares singulari methodo constructae. Petrop. 1772 in 8.

ohne Verdienst waren, und manche neue Gesichtspunkte und analytische Kunstgriffe zu Tage förderten, wird Niemand bezweifeln, selbst wenn keine gekrönten Preisschriften darunter wären, und selbst wenn er die in einem Briefe von Lagrange an d'Alembert enthaltene, auf Eulers Preisschrift von 1770 bezügliche, vom 26. August 1770 datirte Stelle: «Je vous suis bien obligé du précis que vous avez bien voulu me donner de la pièce d'Euler sur la Lune. Non seulement je ne vois pas que sa méthode puisse avoir quelque avantage sur les méthodes connues, mais il me parait au contraire qu'elle leur est même inférieure à plusieurs égards; d'ailleurs cette méthode ne contient rien, ce me semble, qui puisse être pris pour découverte telle que M. Euler l'avait annoncée. J'aurais bien de la peine à passer une pareille fanfaronnade à un écolier; du moins j'en concevrais une très mauvaise opinion, et je crois que je n'aurais pas tort» gelesen hätte, welche uns nur zeigt[83]), daß Lagrange, wenigstens in jener frühern Zeit, seine Mitarbeiter nicht so zu würdigen verstand wie ein Euler[84]), — ja daß er sogar den, dem ältern und auch von ihm als Lehrer zu verehrenden Gelehrten, schuldigen Respekt außer Acht setzen konnte. Dagegen muß allerdings zugegeben werden, daß die auf diese Arbeiten gewendete Kraft und Zeit sich durch deren Resultate nicht hinlänglich lohnten; denn, daß an jenen nicht gespart wurde, zeigt uns folgende, in einem, am 20/31. Mai 1771 von Euler an Lagrange adressirten Briefe enthaltene Stelle: «Depuis environ un an, la théorie de la Lune m'a tellement occupé, que je n'ai presque pu penser à autre chose. Trois habiles calculateurs[85]) ont bien voulu m'assister pendant tout ce temps; quoique nous ayons rencontré mille obstacles, nous les avons surmontés, presque tous, assez heureusement, de sorte que nos travaux sur cette matière se trouvent actuellement sous presse. Jamais re-

---

83) Vergl. auch Pag. 98.
84) Vergl. Pag. 112.
85) Johann Albert Euler, Lexell und Krafft.

cherche n'a demandé autant de calculs pénibles et autant d'adresse dans l'exécution; *il s'en faut cependant de beaucoup que cette matière soit entièrement épuisée; nous devons nous contenter, si les tables que nous en avons tirées s'accordent mieux encore avec le ciel, que celles de MM. Mayer et Clairaut, et si leur usage est beaucoup plus facile»*, — und doch ging leider nicht einmal diese letztere Hoffnung in Erfüllung, sondern die Mayer'schen Tafeln bewährten sich auch nachher noch als die Besten. — Ueber einige Productionen Eulers endlich, die dem von ihm so meisterhaft umfaßten wissenschaftlichen Gebiete ferner standen, wie z. B. seine „Gedanken von den Elementen der Körper“ [86]), seine „Rettung der Offenbarung gegen die Einwürfe der Freygeister“ [87]), &c., kann ich kurz weggehen: Sie sind von keiner höhern wissenschaftlichen Bedeutung, sondern zeigen uns bloß, daß Eulers Geist zu gesund war, um sich nicht gegen die Extravaganzen der damaligen Philosophen, und gegen den destructiven Unglauben seiner Umgebung zu erklären. Vielleicht hätte er besser gethan, sich nicht öffentlich auszusprechen, und vermied es auch später wirklich, — muthmaßlich seinem Freunde Daniel Bernoulli Recht gebend, der ihm am 29. April 1747 schrieb: „Sie sollten sich nicht über dergleichen Materien einlassen; denn von Ihnen erwartet man nichts als sublime Sachen, und es ist nicht möglich in jenen zu excelliren.“

Euler hätte die Unzahl von Arbeiten, von denen ich im Vorhergehenden eine kurze Uebersicht zu geben versuchte, bei all' seiner Productivität nicht beendigen können, geschweige noch Zeit für seine große wissenschaftliche Korrespondenz [88]), für die Lectur wissenschaftlicher und politischer Bücher und Blätter, für die

86) Berlin 1746 in 4.

87) Berlin 1747 in 8. — Prof. Hagenbach in Basel gab diese Schrift 1851 in einem Programme neu heraus, von ihm und Professor Rudolf Merian mit einleitenden und erläuternden Anmerkungen versehen.

88) Außer den wiederholt erwähnten und benutzten Korrespondenten Daniel Bernoulli und Goldbach wechselte Euler auch mit Joh. I. Bernoulli, Nicol. I. Bernoulli, d'Alembert, Bouguer, La Condamine, Gabr. Cramer, Lambert, La Grange, Karsten, Clairaut, Kästner, &c. Briefe.

zahlreichen Besuche aus nahe und fern, für seine Familie und die Leitung einer allabendlichen Hausandacht, ꝛc., gefunden, wenn ihm nicht vergönnt gewesen wäre, bis ins höchste Alter immer mit derselben geistigen Kraft und Leichtigkeit zu arbeiten. Johannes von Müller war furchtbar hinter das Licht geführt worden, wenn er am 14. Januar 1778 aus Genthod an Bonstetten schreiben konnte: „Euler ist blind und taub geworden und sein Geist nähert sich der Kindheit. Vor kurzem hatte er zwei russische Fürsten lange in der Geometrie unterrichtet. Am Ende der Lection sagten sie: Wahrlich, das ist schön, Euklides war ein geistreicher Mann; was müssen wir Ihnen bezahlen, Herr Professor; wenn Sie uns nun in einem andern Kollegium das Gegentheil von allen diesen Sätzen beweisen?“ Schrieb ja nicht nur Joh. Ludwig Spleiß noch am 21. April 1781 aus Berlin an Jetzler: „Herr Euler arbeitet, wie mir Herr Bernoulli sagt, noch immer mit der gleichen Emsigkeit. Er hat, so viel bekannt ist, kein besonderes Werk unter Händen; aber eine so große Menge von Memoiren, daß, wenn Er nur noch einige Zeit zu arbeiten im Stande ist, die Petersburger Academie noch zehen Jahre nach seinem Tode ihre Abhandlungen mit denselben wird bereichern können[89].“ Sondern es konnte sogar Fuß, der immer um Euler war, in seiner Lobrede Folgendes über die letzten Tage seines großen Meisters erzählen: „Einige Anfälle von Schwindel, über die sich Euler in den ersten Tagen des September 1783 beklagte, hinderten ihn nicht, die Bewegung der Luftbälle zu berechnen, die damals anfingen, die allgemeine Aufmerksamkeit an sich zu ziehn, und es war ihm eine schwere Integration gelungen, auf die ihn diese Untersuchung geführt hatte. Jene Schwindel waren indessen die Vorläufer seines Todes, der den 7. September erfolgte. Er hatte sich noch bei

89) Wirklich waren beim Tode Euler's noch 208 von ihm der Academie vorgelegte Abhandlungen ungedruckt: Viele derselben wurden in den Jahren 1783—1830 nach und nach in die Petersburger-Memoiren aufgenommen, andere in die Opuscula analytica, noch andere in den 4ten Band der neuen Ausgabe der Integralrechnung. Als man endlich den reichen Nachlaß erschöpft zu haben glaubte, fand Fuß noch neue Inedita, v. Pag 407 sowie Note 43 und 44.

der Mittagsmahlzeit mit dem nun auch verstorbenen Lexell und mir über den neuen Planeten und andere Gegenstände mit ungeschwächtem Geiste und sehr zusammenhängend unterhalten, und darauf seine gewöhnliche Mittagsruhe gehalten. Beim Thee scherzte er noch mit einem seiner Enkel, als er plötzlich vom Schlage gerührt wurde. Er verlor sogleich mit den Worten ich sterbe Sinne und Bewußtsein, und endigte einige Stunden nachher seine glorreiche Laufbahn in einem Alter von 76 Jahren 5 Monaten und 3 Tagen." Ebenso sagt Condorcet: «*Euler avait conservé toute sa facilité, et en apparence toutes ses forces, aucun changement n'annonçoit que les Sciences fussent menacées de le perdre.* Le 7 Septembre 1783, après s'être amusé à calculer sur une ardoise les loix du mouvement ascensionel des machines aérostatiques, dont la découverte récente occupoit alors toute l'Europe, il dina avec M. Lexell et sa famille, parla de la planète d'Herschel, et des calculs qui en déterminent l'orbite; peu de temps après il fit venir son petit-fils, avec lequel il badinoit en prenant quelques tasses de thé, lorsque tout-à-coup, la pipe qu'il tenoit à la main lui échappa, et *il cessa de calculer et de vivre.* Telle fut la fin d'un des hommes les plus grands et les plus extraordinaires que la Nature ait jamais produits; dont le génie fut également capable des plus grands efforts et du travail le plus continu, qui multiplia ses productions au-delà de ce qu'on eût osé attendre des forces humaines, et qui cependant fut original dans chacune; dont la tête fut toujours occupée et l'ame toujours calme, qui enfin, par une destinée malheureusement trop rare, réunit et mérita de réunir un bonheur presque sans nuage, à une gloire qui ne fut jamais contestée.» Und Formey in der Rede, welche er am 29. Januar 1784 zur Feier des Anniversariums der Geburt des Königs vor der Berliner-Academie hielt: «Un instant avant que d'être frappé du coup qui l'a terrassé, Euler raisonnoit *avec la même force et avec cette vivacité* qui l'a toujours caractérisé, sur les objets qui n'ont cessé de l'occuper; il s'occupoit de la nouvelle Planète et des moyens d'en déterminer l'orbite.» Und auch die Art, wie die Kunde von seinem Tode aufgenommen wurde, zeigt, daß man sich bewußt war, ein lebendiges Glied der Gelehrten-Republik verloren zu haben, und nicht eine Ruine: Ueberall erregte sie Sensation, — in Rußland wurde sein Tod als ein öffentlicher Verlurst betrachtet, — ja die Petersburger-Academie, deren Stolz Euler bis zu seinem letzten Athemzuge geblieben war, trug förmlich um ihn Trauer, und ließ eine Marmorbüste von ihm verfertigen, um damit ihren Sitzungssaal zu schmücken. — Euler war auf dem Kirchhofe von Smolenskoïé beigesetzt, und sein Grab mit einem einfachen Steine bezeichnet worden. Bei späteren Besuchen des Kirchhofs konnten Fuß und sein Sohn trotz anhaltendem Suchen den Platz nicht mehr finden, und erst nach dem Tode des Vaters gelang es dem Sohne Fuß halb zufällig, die theure Stätte wieder zu entdecken. Seither schmückt ein einfacher, aber dauerhafter Block finländischen Granits mit der Inschrift: «Leonhardo Eulero Academia Petropolitana» das Grab des großen Geometers.

So viele Gelegenheit Euler durch seine Stellung und sein Ansehn geboten wurde, sich in hohen und den höchsten Cirkeln zu bewegen, so blieb er doch beständig ein einfacher schlichter Schweizer, ja behielt sogar die Basler-Aussprache mit allen Eigenthümlichkeiten dieses Idioms unverändert bei. „Oft belustigte er sich", erzählt Fuß, „mir gewisse Provinzialismen und Inversionen ins Gedächtniß zu rufen, oder in seine Reden Baslerausdrücke zu mengen, deren Gebrauch und Bedeutung ich schon längst vergessen hatte." Entsprechend verlor er auch die Liebe zur Heimath nicht, obschon er sie nie mehr besuchte, und in frühern Zeiten hatte er sogar die Absicht, so bald er sich ein Kapital von 10,000 Rthlr. erworben haben würde, im Vaterlande ein Landgut zu kaufen, und darauf zu leben. Er war, wie schon oben angedeutet wurde, sehr religiös, — erfüllte alle Pflichten des Christenthums, ohne Bigotterie und Gepränge, als Herzenssache, — und zeichnete sich durch Toleranz und Menschenfreundlichkeit aus. Als Gatte, Vater, Freund und Bürger war er ein Muster, und es war ein rührendes Schauspiel ihn im

Kreise seiner zahlreichen Enkel zu sehen, die sich hinwieder bestrebten, ihm durch Aufmerksamkeiten aller Art seine letzten Tage zu versüßen. Seine Lebhaftigkeit konnte ihn zuweilen ins Feuer bringen; aber seine Güte vermittelte immer bald wieder, und er war unfähig anhaltend zu grollen. In Gesellschaft konnte er sehr munter werden, und durch drollige Erzählungen beleben. Es fiel ihm da nicht ein, in irgend einer Weise den Gelehrten zu spielen, so groß auch seine Erudition war; denn er kannte nicht nur fast die ganze mathematische Literatur bis in den Detail, sondern auch die besten Schriftsteller des alten Roms, die Geschichte aller Zeiten und Völker, ja auch die Medizin, Botanik und Chemie. Ein seltenes Gedächtniß unterstützte ihn dabei: So konnte er noch in ältern Tagen nicht nur die ganze Aeneis recitiren, sondern wußte sogar anzugeben, mit welchem Verse jede Seite der von ihm früher benutzten Ausgabe beginne und schließe, — so konnte er noch im letzten Lebensjahre in einer schlaflosen Nacht die ersten sechs Potenzen der ersten zwanzig Zahlen ohne Fehler im Kopfe ausrechnen, und mehrere Tage später ohne Anstoß hersagen. Von Eitelkeit wußte er wenig: Er arbeitete nicht, um berühmt zu werden, sondern weil ihm das Auffinden neuer Wahrheiten das größte Vergnügen machte, — und wenn er um Preise concurrirte, so geschah es auch weniger um der äußern Ehre willen, als weil es für ihn Reiz hatte, gleichzeitig sich in die gestellte Aufgabe vertiefen und seiner zahlreichen Familie ein Benefice erwerben zu können, — schrieb er ja sogar am 12. April 1749 an Goldbach: „In meinen Umständen ist seit der Zeit nichts vorgefallen, als daß ich dieser Tage in einer Lotterie 600 Rthlr. gewonnen, welches also eben so gut ist, als wenn ich dieses Jahr einen Pariser Preis gewonnen hätte." Wie rückhaltlos er fremdes Verdienst anerkannte, ist oben mehrmals gezeigt worden, und es könnten noch mehr Beispiele hiefür beigebracht, noch andere Vorzüge des trefflichen Mannes hervorgehoben werden, wäre der Raum nicht vollständig erschöpft. Ich schließe mit den beredten Worten, mit denen Formey in seiner oben erwähnten Rede das Andenken des ausgezeichneten Schweizers feierte: «Que dirai-je, Messieurs», so sprach er, «du grand Euler, épithete que vous ne m'accuserez pas de prodiguer. C'est à lui qu'il appartient d'avoir remplacé dans ce siècle les Newton et les Leibnitz; qui entrant, dès sa première jeunesse, dans la route qui venoit d'être ouverte par ces immortels créateurs de la Géométrie transcendante, l'a parcourue à pas de géant, en a suivi, pour ainsi dire, tous les sentiers sans en laisser aucun qu'il n'ait visité, nettoyé, élargi, et en a même frayé plusieurs nouveaux. Nous l'avons possédé pendant vingt-cinq ans; nous avons vu les élans continuels de son génie plus qu'humain; nous savons que ce génie ne s'est jamais rallenti, et que, privé de la lumière du jour, ce nouveau Tirésias a percé mieux que jamais jusqu'au fond des abymes qu'offre l'immensité de la nature à ceux qui veulent la soumettre aux loix du calcul.»

Jean-Rodolphe Perronet von Chateau-d'Oex.

1708 — 1794.

Jean-Rodolphe Perronet wurde am 8. October 1708 zu Surennes bei Paris geboren, wo sein Vater, ein Officier bei einem Schweizerregimente in französischen Diensten, damals mit seiner Frau, einer Schwester des uns schon bekannten Jean-Pierre de Crousaz, lebte[1]). So bald es sein Alter erlaubte, wurde dem fähigen Knaben Gelegenheit gegeben, sich in Paris mit den Künsten und Wissenschaften bekannt zu machen, und da er sich schon im Alter von 15 Jahren schöne Kenntnisse in der Geometrie erworben hatte, bestimmte ihn ein Freund seines Vaters, der Marschall von Berchiny, sich zum Genieoffizier auszubilden. Nachdem Perronet aber bereits das Kandidatenexamen glücklich bestanden hatte, wurden die wenigen freien Plätze an bevorzugte Söhne von Ingenieuren vergeben, und eine nächste Promotion abzuwarten, erlaubten unserm jungen Manne die ökonomischen Verhältnisse nicht, in welche seine Familie durch den frühen Tod des Vaters versetzt worden war. Er entschloß sich nun, um möglichst bald den Seinigen zur Stütze dienen zu können, Architekt zu werden, wurde 1725 in das Bureau des Stadtbau-

---

[1]) Ich benutze für Perronet zunächst die von P. C. Lesage herausgegebene und mit einem von Cochin gezeichneten Porträte gezierte «Notice pour servir à l'éloge de M. Perronet, premier Ingénieur des ponts et chausées de France, Paris 1805 in 4.», und den ausführlichen Artikel, welchen W. Hoffmann für die Encyclopädie von Ersch und Gruber über ihn schrieb. Lesage bürgert übrigens die Perronet fälschlich in Lausanne ein, Hoffmann in Vevey; Perronet stammte bestimmt von Chateau-d'Oex, wie ich theils aus einer directen Anfrage in Lausanne, theils aus seinem eigenen, II. 245 mitgetheilten Zeugnisse weiß.

meisters Debeausire aufgenommen, und wußte sich dessen Zutrauen in so hohem Grade zu erwerben, daß er ihm Entwurf und Leitung mehrerer größerer Arbeiten übertrug, wie z. B. den Bau der großen Cloake (Grand égoût), mehrerer Quai's, verschiedener Straßen, ꝛc. Bald wurde seine, durch große Arbeitsamkeit [2]) unterstützte Tüchtigkeit, welche sich auch bei Anlaß eines Brückenprojektes, das als Preisaufgabe ausgeschrieben worden war, glänzend bewährte, in weitern Kreisen bekannt, und Trudaine, der damalige Minister der öffentlichen Bauten, berief ihn 1745 in das «Corps des ponts et chaussées», ernannte ihn zum Inspektor und bald darauf sogar zum Ober-Ingenieur der «ci-devant généralité d'Alençon», ja 1747 zum Director der von ihm in Paris gegründeten «Ecole des ponts et chaussées». Diese letztere Stellung, welche Perronet nicht zu Vorträgen verpflichtet zu haben scheint, sondern ihm ausschließlich die Leitung und Ueberwachung des Ganges der Anstalt überband, war ganz nach seinem Sinne, und er wußte sie auch zu benutzen, um großen Einfluß auf die Zöglinge zu gewinnen, und Erfolge zu erzielen, welche der neuen Schule im In- und Auslande großen Kredit verschafften. «Perronet assistait souvent aux leçons de cette école», erzählt sein Biograph Lesage, der selbst in derselben gebildet wurde, «il aimait à s'entretenir avec les élèves qui y étoient admis, et à exciter leur zèle et leur aptitude. Leurs progrès dans les sciences étaient l'unique objet de sa sollicitude; et, dans les réunions fréquentes qui avoient lieu chez lui, et où le sentiment du dévouement et de l'amitié présidait toujours, il s'occupait sans cesse à leur élever l'ame, à étendre leurs idées, et à leur faire envisager que l'estime et la considération publiques étoient le partage de ceux qui se distinguoient dans la carrière qu'ils avaient à parcourir.» Jeden Zögling sah er überhaupt wie einen Pflegesohn an, und es kam wiederholt vor, daß er kranken Schülern, welche aus ökonomischen Gründen

---

2) Er stand sehr früh auf, und arbeitete bis Abends spät, — ja opferte manche Nächte.

keinen ausgezeichnetern Arzt berathen konnten, seinen eigenen Arzt zur Hülfe sandte. Wie groß umgekehrt die Anhänglichkeit der studirenden Jugend an Perronet auf solche Weise werden mußte, läßt sich leicht ermessen, und er wäre unzweifelhaft schon von großer Bedeutung für sein Adoptivvaterland geworden, wenn er sich auf diesen Einen Wirkungskreis beschränkt hätte; aber er erwarb sich noch größere Verdienste als praktischer Ingenieur.

Es sind von mir in den bisherigen Biographien schon viele tüchtige Ingenieure und Topographen geschildert worden, — ich erinnere an den Aargauer Haßler, den Appenzeller Mertz, die Basler Huber und Meyer, die Berner Bodmer, Lanz, Trechsel, Watt und Wild, den Bündner Ardüser, die Genfer Fatio, Mallet und Micheli, die Luzerner Capeller und Pfyffer, die Neuenburger Merveilleux und Osterwald, die Schaffhauser Jetzler und Peyer, den Unterwaldner Müller, die Waadtländer Erchaquet, Roverea[3]) und Treytorrens, die Zürcher Eschmann[4]), Feer, Frey, Gyger, Müller, Pestalozzi, Römer, Waser und Werdmüller, 2c.; aber noch wären manche

---

3) Von J. G. v. Roverea (s. II 271) habe ich seither wenigstens erfahren, daß er von Bex gebürtig war.

4) Seitdem ich Eschmann's Biographie geschrieben (s. II. 435—451), habe ich durch die Güte des Herrn Bibliothekar Dr. Horner eine Reihe von Briefen erhalten, welche er aus Paris und Wien an Herrn Hofrath Horner richtete. Während ihm letzterer Aufenthalt durch die anregende Kraft des vortrefflichen Littrow, und durch die Liberalität, mit welcher ihm der Zutritt zur Sternwarte gestattet wurde, von hohem Nutzen wurde, war dagegen der frühere Aufenthalt in Paris, abgesehen von der Sprache, ohne großen Erfolg für ihn geblieben. Die Collegien sagten ihm nicht zu, und die Hoffnung, sich auf der Sternwarte praktisch bethätigen zu können, wurde zu Wasser, wie z. B. folgende Stelle aus einem Briefe vom 26. Nov. 1827 zeigt: „Für Uebungen in der praktischen Astronomie werde ich in Paris schwerlich Gelegenheit finden. Denn auf dem Observatorium wird fast nichts mehr gethan; größere Thätigkeit herrscht in der unmittelbar unter dem Beobachtungszimmer liegenden Küche, und zwar dergestalt, daß, wenn man auch beobachten wollte, man wegen dem Mörseln und Sieben nicht einmal die Uhren hören würde; was zwar ohne dieß geschehen könnte, denn obgleich der Saal mit Uhren gleichsam tapezirt ist, so habe ich nur eine Einzige gehen sehen, deren Besorgung wahrscheinlich auch dem Barometermacher (portier) überlassen ist. Herr Baron von Zach machte mir mehr Hoffnung, in Turin einst in dieser Hinsicht Befriedigung zu finden, da Herr Prof. Plana sich mehr um junge Leute bekümmere, als die chevaliers de la légion d'honneur in Paris."

verdiente Ingenieure zu behandeln, — ich erinnere an Domenico Fontana von Melide am Luganer-See[5]), der erst Privatarchitekt des Cardinals Montalto in Rom war, dann, als dieser unter dem Namen Sixtus V. den päpstlichen Stuhl bestieg, für ihn verschiedene große Bauten ausführte, namentlich 1586 mit eben so viel Kunst als Glück den großen, bei 10,000 Centner schweren egyptischen Obelisken auf dem Petersplatze aufrichtete[6]) und das Aqua felice genannte Wasser nach Rom führte, unter Clemens VIII. durch Neider gestürzt, schließlich 1592 als königlicher Architekt und Ingenieur nach Neapel berufen wurde, dort wieder verschiedene Palläste, Kanäle und Straßen baute, und noch den Plan zu einem Hafen für Neapel entwarf, den später Picchiati ausführte, — an Pietro Morettini von Cerentino in dem tessinischen Valmaggia[7]), der, zuerst als einfacher Maurer nach Besançon auf Arbeit gegangen, sich durch großes Talent bemerklich machte, von Marschall Vauban zur Befestigung von Landau verwendet, von General Coehorn als erster Ingenieur für die Befestigung von Bergen-op-Zoom angestellt und zum Range eines Obersten befördert wurde, endlich in den Jahren 1707 und 1708 den unter dem Namen des Urnerloches berühmt gewordenen Stollen oberhalb der Teufelsbrücke durch den Felsen trieb, —

---

5) Nicht von Mili am Comersee, wie man meistens liest. Nach dem «Dizionario storico-ragionato degli uomini illustri del Canton Ticino, Lugano 1807 in 4.» erinnert in der Pfarrkirche zu Melide eine in der Nähe des Hauptaltars stehende Marmorbüste Fontanas die Bewohner noch jetzt an ihren großen Mitbürger. Er lebte von 1543 bis 1605, — sein älterer Bruder Giovanni, der als Architekt der Peterskirche ebenfalls in Rom lebte, und sich auch durch Herstellung mehrerer Wasserleitungen verdient machte, von 1540 bis 1614.

6) Ganz Rom jubelte, als am 10. September 1586 das von frühern Päpsten vergeblich angestrebte Werk gelang. Sixtus V. ließ zwei Medaillen auf dieses Ereigniß schlagen, erhob Fontana in den Adelstand, ernannte ihn zum Ritter des goldenen Sporns, ließ ihm sofort 5000 Thaler auszahlen, schenkte ihm alle verwendeten Materialien und Maschinen, und sicherte ihm noch eine Pension von 2000 Thaler zu. Fontana beschrieb die von ihm erfundenen Maschinen und Verfahren in dem Werke «Del modo tenuto nel trasportare l'obelisco Vaticano, e delle fabbriche di nostro signore Sisto V, fatte dal cavalier Domenico Fontana, Roma 1590 in fol.» Einer zweiten Ausgabe, welche 1604 zu Neapel erschien, fügte er einen zweiten Folioband bei, in welchem er seine spätern Bauwerke beschrieb.

7) Genauere Nachrichten, und namentlich Daten über Geburt und Tod habe ich nicht gefunden.

an Domenico Trezzini von Astano bei Lugano [8]), der in Dänemark und Rußland als Ingenieur lebte, und namentlich die Anlage von Petersburg so vortrefflich leitete, daß ihm Peter der Große sein vollstes Vertrauen schenkte, ihn öfter in seinem Hause besuchte, ihm den Rang eines Obersten gab, und ihn mit großen Ländereien beschenkte, — an Johann Ulrich Grubenmann von Teufen in Außerrhoden [9]), den durch die von ihm erfundenen Hängewerke so berühmt gewordenen Erbauer der leider 1799 von den Franzosen abgebrannten Brücken in Schaffhausen und Wettingen, dem man auch die schönen Kirchen in Trogen, Wädenschweil, ꝛc. verdankt, — an Giuseppe Antonio Alberti von Vira bei Lugano [10]), der, ein Sohn eines nach Bologna ausgewanderten Maurers, sich daselbst schöne Kenntnisse in der reinen und angewandten Mathematik zu erwerben wußte, und nicht nur als praktischer Architekt und Wasserbaumeister in römischen Diensten Ausgezeichnetes leistete, sondern auch als Schriftsteller nicht un-

---

8) Nach Oldelli lebte er noch 1738. Genauere Nachrichten habe ich nicht finden können.

9) Er wurde 1709 III. 9 in Teufen getauft, und starb daselbst 1783 I. 24. Nach Herrn Pfarrer Engwiller in Teufen, dem ich diese Daten verdanke, ist Holzhalb's Notiz, daß er sich später in Wettingen niedergelassen habe und zur katholischen Religion übergetreten sei, falsch, — und könnte sich eher auf seinen Bruder Johannes (1707 VI. 15 getauft) beziehen, der ebenfalls ein geschickter Brückenbauer war, die Brücke in Reichenau allein und die in Wettingen mit Hans Ulrich gemeinschaftlich erbaute. — Es wird erzählt, daß die Herren von Schaffhausen anfänglich unsern in seinem Aeußern nichts weniger als imponirenden Hans Ulrich sonderbar angesehen haben, als er „mit kurzen Hosen, langem blauen Kirchenschopen und weißer Zipfelmütze" vor sie trat, „sein Modell zur Rheinbrücke in einem Schlaufsäckli bei sich tragend." Bald gewannen sie jedoch Zutrauen zu ihm, und übergaben ihm den Bau, den er von 1756 VII. 19 bis 1759 X. 2 glücklich ausführte. „Die Brücke kostete ohngefähr 69,000 fl.", erzählt Christoph Murbach; „des Baumeisters accordierter Lohn war wochentlich eine alte Dublonen à 8 fl. 50 kr., woraus er sich verköstigen mußte; ein jeder seiner (durchschnittlich 12) Gesellen hatte des Tages 36 kr. und 1 Maaß Wein und 1 Pf. Brodt." Für die Beschreibung dieser Brücke siehe die II. 215 erwähnte Schrift Jetzlers.

10) Alberti wurde 1715 zu Bologna geboren, und starb 1768 VIII. 21 zu Perugia. Von seinen Schriften erwähne ich die «Instruzioni pratiche per l'Ingegnero Civile, Venezia 1748 und 1761 in fol.», — die «Pirotecnia, Venezia 1749 in 4.», — den «Trattato d'Aritmetica pratica, Venezia 1752», — die «Nuova Dioptrica Monicometra da usarsi sopra la tavoletta Pretoriana, 1758», — etc.

bedeutend war, — an Jean-Samuel Guisan von Avenches in der Waadt [11]), der nach dem Wunsche seiner Verwandten anstatt zu studiren Zimmermann wurde, als solcher in Genf arbeitete und zugleich sich allseitig ausbildete, 1769 der Einladung eines in Surinam niedergelassenen Oheims folgte, dort nur wie durch ein Wunder mit Hülfe einer alten Negerin dem Fiebertode entrann und zu Accaribo mit großem Erfolge einer Plantage vorstand, 1777 sich von dem damaligen Generalintendanten von Guyana und nachmaligen französischen Minister Malouet gewinnen ließ, als «Ingénieur en chef pour la partie hydraulique et agraire» in seine Dienste zu treten, um der bis dahin nicht gedeihen wollenden französischen Colonie aufzuhelfen, durch großes administratives Talent und wohl unübertroffene Uneigennützigkeit [12]) alle Schwierigkeiten und Intriguen überwand, Cayenne befestigte und die umgebenden Sümpfe der Kultur gewann, 1780 nach Paris berufen wurde, um über alle Verhältnisse aufzuklären, dort sich unter Anderm den Marschall de Castries und den Grafen de Broglie zu Freunden und Gönnern gewann [13]), zwischenhinein einen vortrefflichen und später auch wirklich ausgeführten Plan zur Trockenlegung von Rochefort ausarbeitete [14]),

---

11) Guisan wurde im März 1740 zu Avenches geboren, und starb 1801 VI. 19 zu Bern. Vergl. für ihn die sehr interessante Schrift «Le chevalier Guisan, sa vie et ses travaux à la Guyane par Charles Eynard. Paris 1844 in 8. (407 S.)»

12) Er schlug z. B. wiederholt große Geschenke an Gebäuden und Ländereien aus, mit welchen ihn die französische Regierung belohnen wollte.

13) Broglie schätzte Guisan sehr hoch, nur tadelte er dessen Bescheidenheit wiederholt; «Vous n'êtes qu'un nigaud», sagte er ihm einmal in seiner derben Weise, «et à la cour il faut être un peu charlatan. Il ne suffit pas d'être honnête quand on veut s'occuper du bien public, il faut savoir faire prévaloir ses raisons, autrement le bien ne se fait pas. Je vous voudrais un peu charlatan. Vous n'êtes qu'un franc nigaud; vous n'avez pour vous que vos talents et votre probité, cela ne suffit point dans ce pays.»

14) Die Arbeiten von Rochefort wären ohne allen Zweifel schon damals unter Guisan's directer Leitung ausgeführt worden, wenn nicht der Finanzminister die nöthigen Fonds nur unter der Bedingung hätte verabfolgen wollen, daß vorerst Guisan's Plan von den Ingénieurs des ponts et chaussées gutgeheißen werde. Dieses Corps fühlte aber seine Vorrechte dadurch, daß ein fremder Ingenieur ein so wichtiges Unternehmen leiten sollte, so verletzt, daß es absolut nicht Hand bieten wollte, so wenig es eigentlich auch an dem vorgelegten Plane auszusetzen wußte. So sagte unser Perronet, der damals an der Spitze dieses Corps stand, zu Guisan,

später mit neuen Vollmachten nach Cayenne zurückkehrte, dort die Gewürzkultur einführte und eine große Zuckersiederei anlegte, nebenbei noch Zeit fand, für die Pariser-Academie gründliche Untersuchungen über den Zitteraal anzustellen [15]) und ein ausgezeichnetes Werk über Guyana zu schreiben [16]), bei Ausbruch der Revolution auf Guyana von den ihm alles schuldenden Colonisten mit schnödem Undank belohnt wurde und froh sein mußte, die Colonie lebend verlassen zu können, auf der Rückreise nach Europa bei einem Schiffbruche seine naturhistorischen Sammlungen und alle Papiere einbüßte, in Frankreich sehr gut aufgenommen und mit dem Ludwigsorden geschmückt wurde, seiner wohlverdienten Pension dagegen durch den Sturz des Königthums verlurstig ging, sich schließlich nach der Schweiz zurückzog [17]), und sich nach Gründung der Helvet. Republik als «Ingénieur général des ponts et chaussées et Chef de brigade dans le corps du génie» um sein Vaterland verdient machte [18]), ja noch mehr verdient gemacht haben würde, wenn ihn nicht ein schneller Tod verhindert hätte, manche seiner Plane, wie z. B. die Linthcorrection, auszuführen, — an Giacomo Albertolli von Bedano bei Lugano [19]), einen Neffen und Zögling des als Ornamentiker berühmten Professor Gio-

---

nachdem er ihm privatim erklärt hatte, daß er seine Pläne vortrefflich finde: «L'estime que j'ai conçue pour vous, Monsieur, est au-dessus de tout ce que je pourrais vous exprimer, et je ne saurais parler de votre travail qu'avec éloge; mais quand vous seriez mon propre fils, il me serait impossible de me conduire autrement, et *je ne signerai rien.*»

15) Seine der Academie eingereichten «Recherches sur la gymnote électrique» sollten in die Mémoires des savants étrangers aufgenommen werden, aber die Revolution trat störend dazwischen, so daß Guisan's, in manchen Beziehungen noch jetzt nicht übertroffene Versuche fast unbekannt blieben, bis sein Sohn sie in einer Dissertation «De gymnoto electrico, Tubingae 1819» veröffentlichte.

16) Traité sur les terres noyées de la Guyane, appelées communément Terres-Basses, sur leur desséchément, leur défrichement, leur culture, et l'exploitation de leurs productions, avec des réflexions sur la régie des esclaves et autres objets. 1788, 350 p. in 4.

17) Er wohnte bis 1798 in Avenches, an dessen Kirche jetzt noch eine von ihm damals construirte Sonnenuhr zu sehen sein soll.

18) Seine damals niedergeschriebenen „Bemerkungen über Erbauung, Verbesserung und Unterhaltung der Wege, vorzüglich der Nebenwege. Den Landbauern Helvetiens gewidmet. Bern 1800 in 8." wurden zur Zeit sehr geschätzt.

19) Albertolli lebte von 1761 bis 1805 l. 6.

condo Albertolli in Mailand, der sich theils durch Bauten, namentlich aber als Professor der Architektur in Padua und Mailand einen großen Ruf erwarb, und nach seinem Tode in der Brera ein wohlverdientes Monument erhielt, — an Franz-Mayor de Montricher von Lully bei Morges [20]), der, nachdem er in dem ehemaligen Institute zu Gottstadt und dann zu Marseille (wo sein Vater sich als Kaufmann etablirt hatte) den ersten Unterricht erhalten, zu Paris die Ecole polytechnique und die Ecole des ponts et chaussées mit Auszeichnung durchlief, 1830 mit dem als Ingenieur und Physiker gleich ausgezeichneten Lamé auf eine wissenschaftliche Reise durch England und das südliche Frankreich gesandt wurde, nach seiner Rückkehr unter Legrand und neben Franqueville auf dem «Secrétariat du conseil général des ponts et chaussées» arbeitete, mit Kermaingant die Eisenbahn von Lyon nach Marseille zu studiren hatte, dann für letztere Stadt (die seit Jahrhunderten an drückendem Wassermangel litt) einen Plan ausarbeitete, um ihr mit Ueberwindung ungeheurer Schwierigkeiten aus der Durance per Sekunde 6 Kubikmeter Wasser zuzuführen, die mehr als 10 Jahre und an 30 Millionen erfordernde Ausführung dieses Planes übernahm [21]), seine in dem allgemein bewunderten «Pont-acqueduc de Roquefavour» ihren Höhepunkt erreichenden Kunstbauten mit seltener Meisterschaft ausführte [22]), bis zum «Ingénieur en Chef du Département des Bouches du Rhone» avancirte, während

---

20) Er wurde 1810 IV. 19 im Schlosse von Lully geboren, und starb zu Neapel 1858 V. 28. Vergl. für ihn die «Notice biographique sur M. de Montricher, par Seb. Berteaut. Marseille 1859 in 8.», welche ich nebst verschiedenen Beilagen und Berichtigungen einem Bruder des Verstorbenen verdanke.

21) Die Großartigkeit dieser Baute erhellt z. B. aus der von Berteaud gegebenen Notiz: «En 1846 le Canal était ouvert sur toute la ligne; on avait percé 52 souterrains d'une longueur totale de 17170 mètres; on avait exécuté 18 ponts-aqueducs à plusieurs arches et 220 ouvrages d'art de moindre importance.»

22) Als Napoleon 1852 nach Marseille kam, besuchte er unter Anderm auch Roquefavour. «C'est en présence de ce monument», erzählt Berteaud, «sous l'impression produite par la vue de se frère du pont du Gard, que Napoléon détacha lui-même sa croix d'officier pour la poser de sa main sur la poitrine de l'ingénieur-architecte.»

den schlimmen Tagen der Revolution und der Cholera durch eine von wahrem Christenthum getragene Thätigkeit und eine unerschütterliche Festigkeit vielem Unglück vorzubeugen wußte[23]), durch großartige Wohlthätigkeit und beständige Vorsorge für die arbeitende Klasse sich den Himmel auf Erden verdiente, sich mit weitaussehenden Planen für sein zweites Vaterland trug und doch noch Zeit fand, auch fremde Länder seine seltenen Einsichten genießen zu lassen, so z. B. den Plan zur Ableitung des seine ganze Umgebung verpestenden See's Fucino in den Abbruzzen entwarf, dort aber leider ein tödtliches Fieber holte, als Leiche aus Neapel nach Marseille zurückgebracht und unter allgemeiner Trauer und Theilnahme beigesetzt[24]), schließlich mit einer schönen Statue bedacht wurde, — denen noch manche Andere beigefügt

---

23) Folgende mir von seinem Herrn Bruder mitgetheilte Erzählung mag als Beispiel dienen: «Au moment de la plus grande effervescence des esprits on vint avertir l'autorité qu'une manifestation allait avoir lieu de la part des ouvriers français demandant le renvoi immédiat de tous les ouvriers étrangers. Mr. de Montricher est prévenu; il ne veut consentir à aucun prix à éloigner les ouvriers étrangers qui ont mérité son approbation par des services antérieurs. Il proteste contre la faiblesse de l'autorité toujours prête, à cette époque, à faire cause commune avec le peuple égaré et il se charge d'aller *seul* à la rencontre de 1500 hommes qui approchent de la ville dans une attitude menaçante. Un homme de bonne volonté se décide à l'accompagner. Mr. de Montricher donne l'ordre au détachement des troupes qui doit le suivre, de ne le faire qu'à distance et sans se montrer. Il comptait moins sur la force que sur la persuasion. Il va au devant des mutins; les cris, les menaces l'accueillent; mais à sa vue, à ses paroles, peu à peu le tumulte s'appaise et bientôt on n'entend plus qu'une voix; c'est la sienne qui sait dompter comme par enchantement ces passions révolutionnaires. Tous ces hommes entrèrent en ville avec lui, parfaitement paisibles et soumis, et sans se douter qu'il avait les moyens de les réduire par la force, et qu'il avait preféré mettre sa vie en danger plutôt que de risquer une collision entre eux et la force armée.»

24) Das Leichenbegängniß wurde auf öffentliche Kosten angeordnet, und entsprach ganz der öffentlichen Stimmung, welcher der Maire von Marseille, M. Honnorat, am Grabe unter Anderm in folgenden Worten den Ausdruck verlieh: «Il est des hommes qui sont placés si haut dans l'estime de leurs contemporains que leur perte est, à bon droit, considerée comme un malheur public. Tel était celui dont nous entourons, en ce moment, le cercueil. Il n'est pas un Marseillais qui n'ait donné tous ses regrets à l'ingénieur éminent, à l'excellent citoyen, à l'homme de bien qui succombait au milieu de sa gloire, dans la force de l'âge et la maturité du talent.»

werden könnten, von denen nur einige Wenige im Folgenden noch beiläufige Erwähnung finden werden. Das Folgende mag entscheiden, ob ich Recht hatte, Perronet diesen Männern, und namentlich einem Guisan und Montricher vorzuziehen; ich will nur beifügen, daß mir die Wahl schwer wurde, und ich lebhaft bedauerte, die eben erwähnten zwei Schweizer erst genauer kennen gelernt zu haben, nachdem ich bereits alle Plätze in dem letzten Cyclus meiner Biographien definitiv vergeben hatte.

Perronet wurde in demselben Jahre 1747, in welchem ihm, wie wir oben sahen, die Direction der «Ecole des ponts et chaussées» übertragen wurde, auch mit dem Grade eines «Premier Ingénieur des ponts et chaussées» bekleidet, und durch diese letztere Stellung erhielt er den weiten Geschäftskreis, in welchem er seine Meisterschaft im Konstruiren und Administriren entwickeln und sich namentlich das Verdienst erwerben konnte, den Bau steinerner Brücken auf die höchste Stufe der Vollkommenheit gestellt zu haben[25]), so daß sein Name noch jetzt in der Geschichte des Brückenbaus Allen vorleuchtet. „Perronet bewährte sein Genie", sagt Hoffmann, „durch dreizehn Brücken, welche nach seinen Planen gebaut wurden, und durch die Entwürfe zu acht andern, deren Ausführung er nicht selbst leitete. Alle diese Werke zeichnen sich durch eine ihnen eigenthümliche Schönheit, sowie durch die Zweckmäßigkeit der Anlage und des Baues aus; einige sogar gelten als Meister- und Musterwerke, wie z. B. die zu Neuilly, Nemours, Pont-Sainte-Marence und die Brücke Ludwigs XVI. zu Paris. Alle Rücksichten bei diesen Bauten bestimmte Perronet nach wohlerwogenen Grundsätzen, so daß dieselben wegen ihrer praktischen Wahrheit und Zuverlässigkeit stets als Muster dienen werden." Ueber die Brücke zu Neuilly urtheilt Wiebeking: Unter allen Brücken in Europa wird diese für eine der merkwürdigsten und schönsten gehalten. Dieses Kunstwerk ist nach Hoffmann das erste Beispiel einer horizontalen Brücke. Es

---

25) Es sind dieß nach Hoffmann die Worte, welcher sich der große deutsche Meister Wiebeking in seiner bürgerlichen Baukunde (IV. 550) bediente.

wurde 1768 unter der Leitung Perronet's und der Aufsicht des Ingenieurs Chezy[26]) begonnen, aber erst 1774 vollendet, und kostete $3\frac{1}{2}$ Millionen. Es besteht aus 5 Bogen von je 120 Fuß Oeffnung, für welche Perronet Lehrgerüste von sehr merkwürdiger Konstruktion erbauen ließ; als dieselben am 22. September 1772 weggenommen werden konnten, fand sich Ludwig XV. mit seinem ganzen Hofe, allen Ministern und fremden Gesandten dazu ein, von einer ungeheuren Menge anderer Zuschauer nicht zu sprechen. «Trois minutes et demie», erzählt Lesage, «ont suffi pour faire tomber les fermes des cinq arches, auxquelles on avait ôté, quelques jours auparavant, les moises, les liernes horizontales, les contrefiches, et les boulons des moises qui les entretenaient.» Perronet hatte als Vorbereitung auf den Bau dieser Brücke zahlreiche Versuche über die Tragkraft der Steine angestellt, um genau bestimmen zu können, wie viel von der bisher üblichen Dicke der Pfeiler erspart werden dürfe, — hatte genaue Vorschriften zur Bereitung des Mörtels ermittelt, — hatte zum voraus berechnet, um wie viel sich Lehrgerüste und Bogen senken werden, — rc., und analog wußte er bei allen seinen Bauwerken, unter denen neben den vielen Brückenbauten auch bedeutende Hafen-, Kanal- und Straßenbauten erscheinen[27]), immer auf die schönste Weise Theorie und Erfahrung zu vermitteln. Ebenso legte er einen sehr großen Werth darauf, die Hülfsvorrichtungen, welche bei solchen weitaussehenden Bauten von doppelter Wichtigkeit werden, immer mehr zu vervollkommnen, und so entstand der heute noch in Frankreich nach ihm benannte Wippkarren, die ihm eigenthümliche Maschine zum Steinbohren, seine Kunstramme mit Klinkhacken, seine Säge um Pfähle unter dem Wasser abzuschneiden, sein verbessertes Pater-

26) Antoine de Chezy (1718—1798), der von 1763 an bei Perronet arbeitete, und 1794 dessen Nachfolger im Directorium der Ecole des ponts et chaussées wurde. Er erwarb sich auch als Mathematiker Verdienste; vergl. Pogg. Lex.

27) Für seine beiden großen Kanalprojekte vergl. das Note 29 citirte Werk. Für die Straßenbauten mag erwähnt werden, daß Perronet die unmittelbare Direction der großen Straßen in der «Ci-devant généralité de Paris» überbunden war, und daß er hier über 600 Meilen theils eröffnen, theils corrigiren und mit Bäumen bepflanzen ließ.

nosterwerk, sein Odometer, 2c.[28]). Und wie der große Baumeister seine Projekte ungeachtet der oft großen Schwierigkeiten ohne Ausnahme glücklich auszuführen wußte, so gelang es ihm auch, dieselben auf eine so belehrende Weise zu beschreiben, daß er sich dadurch bis auf unsere Zeit alle Ingenieure und Architekten zinspflichtig gemacht hat[29]). „Perronet's Schriften", sagt Hoffmann, „werden stets eine reiche Fundgrube für jeden bleiben, der sich einen gleichen oder doch verwandten Beruf im Leben wählt. Es waltet darin derselbe Geist, der die beschriebenen Werke schuf. Wer sie also recht benutzt, wird daraus großen Nutzen für die eigene Einsicht und Bildung gewinnen. Nicht bloß der, welcher sich dem Baufache widmet, jeder Freund des höhern Bauwesens, wenn er darin mehr als die gewöhnliche Befriedigung der ge-

---

28) Lesage berichtet auch über eine von Perronet erfundene «Machine pour lever les plans, la nuit». Er sagt darüber Folgendes: «Cette machine consiste dans une planchette portant un crayon qui mesure et trace exactement, au moyen d'une alidade mobile, les bases et les angles des plans topographiques, en faisant parcourir ces bases avec une espèce de brouette qui porte la planchette, laquelle peut-être conduite avec vitesse par un simple journalier, soit dans une tranchée dont on veut avoir le plan, *sans exposer les ingénieurs*; soit dans les avenues d'un parc, ou autre terrain; les détails de ces plans peuvent ensuite être levés avec la boussole, ou autres instrumens usités.» Muthmaßlich bezieht sich hierauf die zuweilen vorkommende Angabe, Perronet habe den Meßtisch verbessert.

29) Perronet's großes Werk, die «Description des projets et de la construction des ponts de Neuilly, de Mantes, d'Orléans, etc.; du projet du Canal de Bourgogne pour la communication des deux mers par Dijon; et de celui de la conduite des eaux de l'Yvette et de Bièvre à Paris. Avec 76 planches. Paris 1782—1789, 2 Vol. in fol.», wurde nicht nur später noch wiederholt aufgelegt, so z. B. 1820 in einem Quartbande Text mit Atlas in fol., sondern es erschien auch 1820 zu Halle eine von Eytelwein bevorwortete, durch Dietlein besorgte deutsche Ausgabe, für welche jedoch der Atlas etwas reducirt wurde. — Einige den Brückenbau betreffende Abhandlungen, welche Perronet der Pariser-Academie vorlegte, sind von ihm ebenfalls diesem Werke einverleibt worden; dagegen findet sich in demselben das 1766 vorgelegte «Mémoire sur les différentes méthodes qui ont été employées pour fonder les ouvrages de maçonnerie dans l'eau, et principalement sur celles qui tendent à supprimer les bâtardeaux et épuisemens dans la construction des ponts» nicht, und ebensowenig einige selbstständig erschienene kleinere Schriften, wie z. B. seine letzte Arbeit, die unter dem Titel «Projet d'un pont d'une travée de charpente de 36 pieds d'ouverture à son sommet, 40 pieds de largeur sous clef et sans clef», 1794 zu Paris in 4. erschien.

meinsten Lebensbedürfnisse anerkennt, wird deren Studium nicht versäumen dürfen. Was seine Schriften besonders auszeichnet, ist ihr praktischer Werth; denn sie sind sämmtlich das Ergebniß der Erfahrung, durch welche das Theoretische geprüft, geläutert und bestimmt worden war. So erscheint Perronet in That und Schrift derselbe, ein Mann von Einsicht, Ueberlegung und Erfahrung."

Perronet war kein einseitiger Ingenieur, sondern hatte auch für Anderes offene Augen. So legte er 1761 der Pariser-Academie eine Abhandlung über das Nadlerhandwerk vor, welche nachher von Réaumur zum Theil für sein betreffendes Werk benutzt wurde [30]), — so erstattete er 1762 derselben Bericht über ein bei Compiègne gefundenes Lager fossiler Austern [31]), und 1766 über einen schimmelartigen salzigen Beschlag, den er auf Kalksteinen beobachtet hatte [32]), — so las er ihr 1769 eine Abhandlung über Bergstürze und dergleichen, sowie über die Mittel, ihnen zuvorzukommen [33]), — ɾc. Die Academie wählte ihn auch 1765 in Anerkennung seiner wissenschaftlichen Tüchtigkeit zum «Associé libre», und ebenso nahmen ihn die Royal Society, die Academien zu Berlin, Stockholm, Lyon, ɾc. zum Mitgliede auf, — ja die Society of Arts zu London erwies ihm die seltene Ehre, seine Büste in ihrem Sitzungssaale neben der Franklin's aufzustellen. Vom Staate wurden seine vielfachen Verdienste theils durch Orden, theils dadurch anerkannt, daß er 1757 zu seinen übrigen Stellen die eines Generalinspektors der Salinen erhielt. Seine Collegen, die Ingenieure, überraschten

---

30) L'art de l'épinglier; par M. de Réaumur, avec des additions de M. Duhamel du Monceau, et des remarques extraites des Mémoires de M. Perronet. Paris 1762 in fol.»

31) «Observation sur un banc d'huitres fossiles, très considérable, trouvé près de Compiègne.» (Mém. de Par. 1762.)

32) «Observation sur des pierres calcaires, couvertes d'efflorescences salines.» (Mém. de Par. 1766.)

33) «Mémoire sur l'éboulement qui arrive quelques fois à des portions de montagne et autres terrains élevés; et sur les moyens de prévenir ces éboulemens, et de s'en garantir dans plusieurs circonstances.» (Mém. de Par. 1769.)

ihn 1778, indem sie seine Büste in Marmor ausführen ließen, und ihm dieselbe mit der ehrenden Inschrift «Patri carissimo Familia» überreichten[34]); die Zöglinge der Ecole des ponts et chaussées aber, welche ihn mit Recht ebenfalls wie einen Vater liebten, ließen 1782 sein von Cochin gezeichnetes Porträt durch St. Aubin in Kupfer stechen. Die in diesen Thatsachen zu Tage tretende allgemeine Liebe und Hochachtung bewährte sich sogar in den trüben Tagen der Schreckenszeit, und ruhig schloß er am 27. Februar 1794 seine lange und ehrenvolle Laufbahn, bis zum letzten Augenblicke seine geistigen Kräfte bewahrend und jene Liebenswürdigkeit, welche ihn allen so theuer machte, die ihm näher standen. «On put lui appliquer», sagt sein mehr benutzter Biograph Lesage, «ce vers du bon Lafontaine : *Rien ne trouble sa fin, c'est le soir d'un beau jour.* Son nom vivra tant que les sciences existeront parmi les peuples policés; il a été et sera toujours l'ornement et la gloire de notre art.»

---

34) Perronet legirte dieselbe nebst seiner großen Bibliothek und allen seinen Zeichnungen der Ecole des ponts et chaussées.

Jean Jallabert von Genf.

1712—1768.

Jean Jallabert wurde am 26. Juli 1712 zu Genf von Michée Tronchin, der Frau des Professor Etienne Jallabert, geboren [1]). Der Vater Etienne, 1658 zu «St. Hyppolite en Languedoc» geboren, und mehrere Jahre als reformirter Prediger im Vivarais thätig, hatte sich 1685 bei den in Frankreich beginnenden Religionsverfolgungen nach dem ihm schon in seiner Studienzeit lieb gewordenen Genf geflüchtet, dort privatim mit Erfolg Unterricht in der Philosophie und Mathematik ertheilt, und sich mit einer Tochter des berühmten Theologen Louis Tronchin verheirathet; im Jahre 1700 «en considération de son mariage et de son mérite personnel» mit dem Bürgerrechte von Genf beschenkt, hatte er 1704 aus Dankbarkeit dem Staate seine unentgeldlichen Dienste anerboten, war unmittelbar darauf «vû son mérite, son expérience et sa réputation» zum Honorar-Professor der Mathematik ernannt, ja 1709 «en récompense de ses services» mit 1000 Gulden beschenkt, und endlich 1713 nach dem Abgange von Gautier [2]) zum ordentlichen Professor der Philosophie gewählt worden, in welcher Eigenschaft er verschiedene Disserta-

---

1) Ich benutze für Jallabert zunächst die betreffenden Artikel in Senebier, Leu, Holzhalb, Ersch und Gruber, der Biographie universelle und générale, und das von Rozier in den 8ten Band f. «Observations sur la Physique» aufgenommene, sich auf die Memoiren der Gesellschaft zu Montpellier stützende «Eloge», dann die oft citirten Werke von Grenus und Galiffe, sowie einige andere Quellen, welche ich gelegentlich citiren werde. Rozier, Poggendorf und Escher in Ersch und Gruber nennen Jean Jallabert fälschlich Louis.

2) Siehe III. 207.

tionen im Druck erscheinen ließ[3]), namentlich aber als Lehrer sehr angesehen war, so daß sein früher Tod im Jahre 1723 allgemein bedauert wurde. Jean Jallabert war somit schon Waise geworden, als er in die höhern Schulen seiner Vaterstadt eintreten konnte; aber so nöthig dem gewöhnlichen Knaben gerade in dieser Zeit der intensivsten physischen und geistigen Entwicklung die kräftige väterliche Leitung wird, so genügte es für ihn, Lehrer zu erhalten, welche seine Wißbegierde wecken und leiten konnten, und solche fand er an den Calandrini, Cramer, Turretini, &c. in um so höherm Grade, als sie sich speziell für seine seltenen Anlagen und Leistungen interessirten, — ja sogar in so weit um ihn stritten, als ihn Calandrini und Cramer ganz für die Philosophie gewinnen wollten, Turretini aber für die Theologie. Zunächst siegte der Letztere, und Jallabert wurde im April 1737 mit Auszeichnung in das Genferische Ministerium aufgenommen; als dann aber jener ausgezeichnete Theologe am ersten Mai desselben Jahres starb, wurde es Calandrini und Cramer nicht schwer, den jungen Geistlichen wieder ganz für seine frühern Lieblingswissenschaften zu gewinnen. «Il leur était aisé», sagt Senebier, «de plaider la cause de la philosophie auprès du jeune philosophe, qui ne craignait pas d'être vaincu; ils attisent ce feu caché sous la cendre, et ils le déterminent, en engageant le Conseil d'ériger en 1737 pour Jallabert une chaire de physique expérimentale.» So ehrenvoll es aber für Jallabert war, auf so ausgezeichnete Weise für academische Thätigkeit gewonnen zu werden, so sehr machte er es sich zur Pflicht, das in ihn gesetzte Vertrauen zu rechtfertigen, und vor Allem aus auf Reisen theils seine Kenntnisse zu ergänzen, theils sich die nöthigen Instrumente zu verschaffen: Sein nächstes Ziel war Basel, wo die Bernoulli's den Lieblingsschüler ihres Freundes Cramer mit offenen Armen aufnahmen; dann ging er nach Holland zu den s'Gravesande und Muschenbroek; in England hörte er Desaguliers und befreundete sich

3) So z. B. De barometro, 1718, — De maris aestu, 1722, — De sono 1722, — etc.

mit dem berühmten Sloane; den Schluß bildete ein längerer Aufenthalt in Paris, wo er Mairan, Réaumur, Maupertuis, La Condamine, Buffon, ꝛc. kennen lernte, namentlich aber den Abbé Nollet cultivirte. Mit reichem wissenschaftlichem Erwerbe kehrte er im Sommer 1739 nach Genf zurück, mit der Pariser-Academie als Korrespondent von Mairan verbunden[4]).

Am 28. August 1739 begann Jallabert seine Funktionen mit einer Rede über den Nutzen der Experimentalphysik[5]), und wußte sich bald den Ruf eines sehr tüchtigen Lehrers und namentlich eines vorzüglichen Experimentators zu erwerben, wie dieß z. B. folgende Note bezeugt, welche Grenus unter dem 13. Sept. 1740 mittheilt: «Les Nob. Scholarques déclarent que le cabinet de Physique de Sp. Jn. Jallabert et son habileté dans les expériences ne peuvent procurer que de l'honneur et de l'avantage à l'Académie. Ils proposent aussi d'établir un observatoire, ce qui est ajourné, vu l'état de nos finances.» Letztere Stelle zeigt uns, daß sich Jallabert auch für Astronomie interessirte[6]), und überhaupt fand er, obschon er sich in dem gleichen Jahre 1739 mit Sybille-Cathérine Calandrini verheirathet hatte[7]), und überdieß «en considération de ses talens, de ses lumières et de ses connaissances bibliographiques» zum Collegen Abauzit's im Bibliothekariate gewählt worden

---

4) Im Jahre 1740 wurde er auch von der Royal Society, 1743 von der Academie in Montpellier, 1752 von der Academie zu Berlin, ꝛc., zum Mitgliede aufgenommen. Vergl. Note 19.

5) «De Philosophiae experimentalis utilitate, illiusque et Matheseos concordia. Oratio inauguralis. Genevae 1740 in 4.» (14 S.). Jallabert eignete diese Schrift Mairan zu, übersandte sie aber auch an Dan. Bernoulli, der sie sehr freundlich aufnahm, und an ihren Verfasser die verbindlichen Worte schrieb: «Je prévois que vous allez faire grand bruit dans l'Europe savante; vous êtes fait pour éclairer tout le monde.»

6) Entsprechend berichtet Lalande in der Connaiss. d. t. 1763, daß ihm von Jallabert eine Beobachtung des Venusdurchganges von 1761 zugegangen sei.

7) Aus dieser Ehe gingen François (1740—1798), nachmals Staatsrath, — und Marie-Aymée hervor, welche Pierre-François Plantamour heirathete, und die Großmutter des Astronomen Emile Plantamour (geb. 1815 V. 14) und des Chemiker Philippe Plantamour (geb. 1816 XI. 21) wurde.

war[8]), noch Zeit zu den verschiedensten wissenschaftlichen Bethätigungen. «Quand on sent le prix du temps on sait comment il faut l'employer», sagt Senebier. «Jallabert veut profiter de ses plus petits moments; il se livre à l'étude de la chymie, et il composoit un Cours de cette science qu'il n'a pas eu le temps d'achever; il s'appliqua à la méchanique, et il trouva une machine pour descendre aisément et sans risque les décombres d'une voûte fort élevée qu'on démolissoit; il observe avec soin les seiches ou les crûes d'eau subites et passagères qui se forment en été aux deux bouts du Lac de Genève, et il communiqua à l'Académie royale des Sciences de Paris une description[9]), insérée dans son histoire, pour l'année 1742; il composa un discours sur la théorie de la terre, dans lequel il cherche à établir que la disposition actuelle de ces couches est telle qu'elle a toujours été[10]). La critique, l'histoire, et surtout celle de Genève, prenoient à Jallabert bien des momens; un cabinet de médailles et de curiosités[11]), faisoit ses récréations. Il eut, outre cela,

---

8) Ueber seine Verdienste um die Genfer-Bibliothek vergl. «Senebier, Catalogue raisonné des Manuscrits de la Bibliothèque de Genève.»

9) «Observation sur le flux et le reflux du lac de Genève.» Im gleichen Jahre berichtete er der Academie «Sur une trombe vue sur le lac de Genève.»

10) Senebier hätte hier auch noch der in den 6ten Band des Mus. helv. aufgenommenen «Academicae quaestiones de Vesuvio» gedenken können. Ferner seiner 1756 von der Pariser-Academie publicirten «Description du tremblement de terre arrivé à Genève en 1756, avec une énumeration de tous ceux qu'on y a ressenti depuis le quatrième siècle», — etc. — Ob man aus einem Briefe, den Maupertuis 1735 aus Berlin an Jallabert schrieb, schließen darf, Letzterer habe auch regelmäßige meteorologische Beobachtungen gemacht, wage ich kaum zu entscheiden. «Je vous remercie, Monsieur, des Observations du Thermomètre que vous me communiquez», schrieb Maupertuis unter Anderm. «Je fais sur le froid ici de cruelles expériences, et je pourrois en marquer le degré par la quantité de sang que je crache tous les jours. J'ai connu à Paris ce Mr. Michéli dont vous me parlez, exact Observateur, mais qui n'auroit du jamais ce mêler que de Thermomètres.»

11) Vergl. III. 237. Mehrere conchyliologische Briefe, welche der in Paris lebende, mit Jussieu, d'Alembert, ꝛc. befreundete Genfer François Mussard

une correspondance fort étendue et fort curieuse. C'est ainsi que le goût de l'étude multiplie le temps, et c'est ainsi que l'homme du monde, qui ne connoit le temps que par l'ennui qu'il éprouve, ne comprend pas comment le temps bien employé peut produire tant de choses.» Am einläßlichsten beschäftigte sich jedoch Jallabert mit der Electricität, welche er wohl bei Nollet vorzugsweise kennen gelernt hatte [12]). L'électricité étonnoit les Savans par ses phénomènes», sagt Senebier, «et irritoit leur curiosité par les difficultés dont elle étoit environnée. Jallabert se saisit de cet objet; il répète les expériences qu'on avoit faites; il en imagine de nouvelles et il pensa le premier à rendre les effets de ses émanations utiles aux hommes, en les appliquant à la guérison des maladies et surtout des paralysies. Il eut des succès qui en promettent de plus grands; il trouva même une théorie pour expliquer le petit nombre de faits électriques qu'il avoit alors sous ses yeux; mais, quoi qu'il n'ait pas rencontré la vérité, il donna pourtant un ouvrage utile qu'on cite toujours, et qui a contribué beaucoup aux découvertes qu'on a faites ensuite.» — Das von Senebier erwähnte Werk [13]), das wir als Jallabert's Hauptwerk etwas einläßlicher betrachten müssen, beginnt mit einem «Avertissement», aus welchem ich folgende charakteristische Stellen hervorhebe: «Mon dessein dans cet Ouvrage n'est pas de faire l'histoire des découvertes sur l'électricité», sagt Jallabert im Eingange desselben. «Je ne me suis proposé que de décrire avec exactitude les principaux phénomènes électriques, et de les ranger dans un ordre qui facilitât la déduction des conséquences qui en

---

(1693—17..) an Jallabert schrieb, sollen im Mercure de France abgedruckt worden sein. Mussard besaß ein schönes Fossiliencabinet, für welches er die Umgebung von Paris mit seltener Vollständigkeit ausgebeutet hatte.

12) Vergl. das weiter unten folgende Schlußwort von Jallabert's «Avertissement.»

13) «Expériences sur l'électricité, avec quelques conjectures sur la cause de ses effets, Genève 1748 et Paris 1749 in 8.» (XII. und 304). Deutsch, Basel 1750 und 1771.

résultent. Car telle est, et surtout en Physique, la lente mais nécessaire gradation de nos connaissances; ce n'est que par les conséquences que nous pouvons remonter aux causes, et arriver insensiblement à une théorie.» Nachdem er sodann hervorgehoben, wie sich die electrischen Versuche in den letzten Jahren angehäuft, und wie es fast unmöglich sei, bei jedem Versuche anzugeben, wer ihn zuerst gemacht habe, fährt er fort: «Je ne répondrois pas même que les expériences que je crois avoir tentées le premier n'eussent été faites ailleurs et avec plus de succès. Ce seroit un hazard bien singulier que plusieurs personnes, occupées du même objet qui l'étudient à peu près sous le même point de vûe et avec le secours des mêmes instruments ne se rencontrassent jamais dans l'observation des phénomènes. J'espère cependant que, dans le nombre d'expériences que j'ai recueillies, on en verra quelques-unes de neuves. On en trouvera même qui paroitront en opposition avec celles que d'autres Physiciens ont faites. Tout ce que je puis dire, c'est que j'ai observé avec soin, et que je rapporte avec fidélité. Si l'attachement à la vérité est la première vertu de l'Historien, la sincérité et l'exactitude dans le détail des observations doit principalement caractériser l'Historien de la Nature.» Nach einigen Bemerkungen über die Schwierigkeit guter Versuche fügt er bescheiden bei: «Après les différents systèmes qui ont paru sur l'électricité, et surtout après la théorie si plausible de Mr. l'Abbé Nollet, on s'étonnera peut être que j'ose hazarder ici mes idées particulières. Je ne les donne qu'avec timidité, et comme de simples conjectures. Les faits ne me paroissent conduire qu'à l'idée d'un fluide subtil, agité autour du corps électrisé, lequel attire vers ce corps et en éloigne les corps légers. Mr. l'Abbé Nollet, dans son ingénieuse hypothèse, explique les phénomènes de l'attraction et de la répulsion au moyen d'un fluide qui sort en même temps du corps électrisé et de ceux qui l'environnent. J'ai soupçonné que ce fluide pourroit bien aller et revenir par oscillation; et comme je dois à cette conjecture une partie de mes expériences, je m'en suis fait une raison de la rapporter. Si je me suis trompé, mes erreurs même pourront être utiles. J'aurai marqué quelques écueils d'une route qui en est pleine. Les tentatives malheureuses des premiers qui cherchèrent des terres inconnues, ont valu peut être à ceux qui les ont suivis la gloire de les avoir découvertes.» Zum Schlusse endlich sagt er: «Le nom de Mr. l'Abbé *Nollet* vient se placer de lui même à la tête d'un ouvrage de ce genre. C'est aussi à vous, *Mon Ami*, que je l'adresse; à vous dont l'exemple m'inspira le désir d'entrer dans la même carrière, et dont les conseils m'y dirigèrent souvent. Je ne crains point de vous offrir des idées qui ne sont pas toujours conformes aux vôtres. Dans les sciences, comme dans les Etats libres, on ne connoit point l'esprit de Cour. Un Philosophe tel que vous, fait cas de toutes les opinions qui peuvent conduire à la vérité. C'est à vous de juger les miennes. Recevés-en l'hommage des mains de la reconnaissance, de l'estime et de la tendre amitié.» — Jallabert's Werk wurde zur Zeit mit großem Interesse aufgenommen, und als ein «modèle de méthode» gepriesen. Jetzt dürften allerdings die im Vorhergehenden angedeuteten «Conjectures sur la cause de l'électricité», deren Entwicklung Jallabert die zweite Hälfte seines Werkes widmete, nicht mehr hinlängliche Wichtigkeit haben, um ein eingehenderes Besprechen zu verdienen [14]). Dagegen werden die in der ersten Hälfte beschriebenen «Expériences sur l'électricité» noch immer geschätzt, und dürfen in keiner Geschichte der Physik unberücksichtigt bleiben. Besonders schätzbar sind in dieser Hinsicht Jallabert's Versuche über die Lichterscheinungen im luftverdünnten Raume, über den Einfluß der Elektricität auf die Vegetation, über die Leitungsfähigkeit ver-

---

14) Ein betreffender Brief Nollet's an Jallabert vom 26. Jan. 1758 wurde Bibl. univ. Sciences et Arts Vol. 25 publicirt. Der in demselben erscheinende Herr N.... ist ohne Zweifel Jallabert's Schüler Louis Necker. (Vergl. I. 446.)

schiedener Körper, ꝛc.; aber zur Zeit machte eine elektrische Kur, welche er in dem Winter 1747 auf 1748 mit bedeutendem Erfolg an einem Schlossermeister Nogues in Genf, der 15 Jahre zuvor durch einen Schlag eines Hammers am rechten Arme gelähmt worden war, vornahm [15]), das meiste Aufsehen, da sie einen der ersten Versuche bildete [16]), die Elektricität in der Heilkunde zu verwerthen. «Oserois-je vous demander Monsieur, des nouvelles de votre paralytique», schrieb La Condamine am 1. Januar 1752 bei Uebersendung seiner Beschreibung der Peru-Expedition an Jallabert. «Vous seul avez jusqu'ici rendu l'électricité utile; et tout ce qu'on avoit annoncé de cures merveilleuses en Italie et en Allemagne semble ne s'être pas confirmé; aussi, les expériences ne portoient-elles pas le caractère d'exactitude et de discernement qui distinguent les vôtres. Il seroit à souhaiter pour le bien de l'humanité, que les cas où ce nouveau remède est applicable fussent moins rares et que plus de gens éclairés suivissent la route que vous leur avez ouverte avec tant de succès.» Ob Jallabert später wirklich selbst noch ähnliche Kuren unternahm, wie es die oben aus Senebier mitgetheilte Stelle andeutet, ist mir nicht näher bekannt; dagegen ist es sicher, daß er bald viele Nachahmer fand, und unter diesen mag beispielsweise der dänische Hofkunstdrechsler Lorenz Spengler von Schaffhausen [17]) erwähnt werden, über dessen elektrische, in An-

---

15) Außer dem weitläufigen Berichte in seinem Werke, legte er darüber 1748 der Par. Acad. eine betreffende Abhandlung «La guérison d'un paralytique par le moyen de l'électricité» vor.

16) Nur Kratzenstein in Halle soll einige Jahre früher einen gelähmten Finger auf ähnliche Weise behandelt haben.

17) Spengler, am 22. September 1720 einem armen Maurer geboren, bildete sich in Regensburg zum Kunstdrechsler, und wurde 1743 vom dänischen König zu seinem Hofkunstdrechsler ernannt. Man räumte ihm im königl. Schlosse in Kopenhagen den benöthigten Platz zu seinen Arbeiten ein, die so wohl gefielen, daß der König und seine ganze Familie bei ihm Unterricht nahmen, und viele seiner Arbeiten in Elfenbein, Bernstein ꝛc. in den königl. Kunstkammern aufgestellt wurden, deren Direction 1771 an ihn überging. Nebenbei beschäftigte sich Spengler nicht ohne Erfolg mit Physik und Naturgeschichte, und legte sich namentlich eine ganz vorzügliche Conchylien-, Mineralien- und Gemäldesammlung an, welche auf

wesenheit des Hofes und des königl. Leibarztes Van Berguer unternommene Kuren schon im Novemberhefte 1753 des Journal helvétique sehr anerkennend berichtet wird, und von dem man im Protokoll der Zürcherischen Naturforschenden Gesellschaft, welche ihn 1764 zum Ehrenmitgliede ernannte, unter Anderm liest: „Mit den Elektrischen Versuchen verrichtete er bei den Kranken Wunder. Herr Pfarrer Keller von Schlieren und Herr Vallravers[18]) waren Augenzeugen dieser gesegneten Bemühungen."

Es ist oben mitgetheilt worden, wie der Theologe Jallabert wieder den mathematischen Wissenschaften gewonnen wurde; nichts desto weniger scheint er aber auch später noch geistliche Functionen ausgeübt zu haben, denn Senebier (nachdem er erzählt, wie Jallabert in den Jahren 1742 und 1743 genöthigt gewesen sei, um sich von einer schweren Krankheit zu erholen, einen Aufenthalt in Montpellier zu machen[19]), berichtet: «La santé de

---

12,000 Dukaten geschätzt wurde. Außer naturhistorischen Notizen in den Schriften der Berliner-Gesellschaft Naturforschender Freunde und anderer gelehrter Körperschaften, schrieb er „Briefe, welche einige Erfahrungen der elektrischen Würkungen in Krankheiten enthalten, nebst einer ausführlichen Beschreibung der elektrischen Maschine, Kopenhag. 1754 8.", und war nach Vallravers «le principal auteur de la magnifique Chonchyliologie gravée à Copenhagen par Regenfuss aux dépens du roi.» Er genoß allgemeiner Achtung, gehörte zu den wenigen Günstlingen Struensee's, welche durch seinen Fall nicht berührt wurden, und erhielt, als er am 20. Dezember 1807 starb, seinen Sohn Konrad zum Nachfolger in der Direction des Museums. Sein Großneffe, der nachmals als Techniker überhaupt und besonders durch seinen Gußstahl rühmlich bekannte Oberst Joh. Konrad Fischer von Schaffhausen (1773—1851), welcher ihn 1794 als Kupferschmidgeselle in Kopenhagen besuchte, hat in der Einleitung zu seinem „Tagebuche einer Reise von Kopenhagen nach Stockholm, Schaffhausen 1845 in 8." mehrere interessante Notizen über ihn aufgenommen.

18) Einen betreffenden Brief vom 11. März 1763, den Vallravers an Haller schrieb, habe ich in den Berner-Mittheilungen von 1847 publicirt.

19) Rozier erzählt über diesen Aufenthalt Folgendes: «Il vint a Montpellier, à la fin de 1742; il y passa sept à huit mois, qu'il regardait comme les plus agréables de sa vie. Sa santé parut se rétablir; il fut satisfait et du climat, et de ceux qui l'habitent. On l'avoit particulièrement adressé à M. de Sauvages, et il se lia bientôt avec tous les membres de l'Académie. Elle désira de l'avoir pour Confrère, et ce fut à son occasion qu'elle demanda une classe d'Associés Etrangers qui lui manquoit. Cette classe fut accordée, et M. Jallabert fut le premier que les suffrages de l'Académie firent entrer. Quelque sensible qu'il fut à cet honneur académique, sa

Jallabert étoit meilleure, mais elle n'étoit pas assez forte pour lui permettre de prêcher; il résigna ses fonctions de Ministre qu'il ne pouvait plus remplir. La Compagnie des Pasteurs le déchargea à regret en 1744 de sa qualité d'Ecclésiastique; mais elle vouloit le conserver à l'Académie et à la Patrie; elle en faisoit même tant de cas qu'elle se l'attacha quelques années après, en engageant le Conseil à lui donner le titre de Professeur de Philosophie, et on lui rendit la justice qu'il méritait en lui confiant en 1750 la chaire de mathématiques.» Ueber letztere Berufung, welche ihn zum Nachfolger seines Lehrers Cramer machte, bringt Grenus unter dem 6. Mai 1750 folgende Notiz bei: «Le Recteur déclare que Sp. Jn. Jallabert ayant été appelé hier, de la manière la plus honorable, à la chaire de Professeur de Mathématiques, il ne peut que lui rendre le témoignage qui est dû à ses talens distingués, et reconnus dans les Académies étrangères dont ils lui ont mérité l'association, et qu'il félicite l'Académie d'acquérir un si digne professeur.» Als dann der auf den Lehrstuhl der Philosophie übergegangene Cramer zwei Jahre später starb, wurde Jallabert nochmals sein Nachfolger, und bekleidete die neue Stelle mit demselben Erfolge, bis ihn 1757 das Zutrauen seiner Mitbürger in den Staatsrath abrief. «Les commencemens de son administration furent heureux», erzählt Rozier; «il montra dans doute sa conduite, que l'esprit des sciences et celui des affaires, ne sont nullement incompatibles. Il déploya, dans plusieurs occasions, avec le plus grand succès, l'activité de son génie; et chacun

---

modestie lui fit représenter qu'il étoit bien mieux dû à son ancien Maître et son ami, M. Cramer, dont le mérite, disoit-il, étoit de beaucoup supérieur au sien. La nouvelle classe ne devoit être composée que de quatre personnes, et il y avoit, ce semble, quelque inconvénient à en choisir deux dans la seule Ville de Genève. Cependant, l'Académie passa pardessus cette considération, et les deux Amis furent nommés. M. Jallabert fut toujours le premier d'une classe formée à son occasion, et M. Cramer, sensible à une distinction bien méritée, fut ravi de la tenir en quelque sorte, des mains de l'amitié.»

s'empressa de lui applaudir. A ces jours brillans, en succédèrent de nébuleux. La division se mit dans la République: on le pourvut du Syndicat dans ces fâcheuses circonstances. C'est alors qu'il regretta plus d'une fois la douceur de ses anciennes occupations: il lui sembloit entendre la voix des sciences qui s'efforçoit en secret de le rappeller; mais l'amour de la patrie le rendit sourd à cette voix: il ne se détourna point de son objet, le bonheur de ses concitoyens. En voulant le procurer, il lui arriva souvent de déplaire aux deux parties. Il savoit bien que tôt ou tard, on lui rendroit justice; mais il fallut s'entendre blâmer, et passer une partie de ses jours dans l'amertume. Enfin, les troubles cessèrent, et le terme prescrit à la durée de son Syndicat, arriva. Il sortit de charge le 11 Mars 1768. Débarrassé des plus cuisans soucis, il s'empressa d'aller prendre quelque délassement dans sa maison de campagne de Begnin au Pays de Vaud[20]. Un danger qu'il n'avoit pu prévoir, l'attendoit à son retour. Au milieu de sa route, et dans le chemin le plus uni, son cheval s'effraye, se renverse et lui porte à la tête un coup mortel. Au bout de quelques heures on eut la douleur de le voir expirer. Sa mort causa, dans la Ville de Genève, un deuil universel, et les deux partis opposés, qui, de son vivant, sembloient s'être accordés à le contredire, se réunirent alors pour le pleurer.» Die unglückliche Katastrophe, welche den ausgezeichneten Mann in einem Alter von nicht vollen 56 Jahren dem Vaterlande und den Wissenschaften, die er nun neuerdings zu cultiviren gedachte, entriß, hatte nach einem Briefe, den Bonnet am 12. April 1768 an Haller schrieb, am Samstag zuvor, also am 9. April 1768,

---

20) Rozier sagt fälschlich «de Beguin», was auch Poggendorf gestützt auf diese Quelle veranlaßt haben mag, Beguin als Todesort Jallabert's zu bezeichnen. Letzteres ist ebenfalls unrichtig, da in dem unten benutzten Briefe Bonnet's ausdrücklich gesagt wird, er sei nach Nyon transportirt worden und dort um 9 Uhr Abends gestorben.

statt [21]), und erregte mit Recht überall großes Bedauern, so daß Bonnet wohl der allgemeinen Stimmung Ausdruck verlieh, als er in jenem Briefe die folgenden Worte schrieb, mit welchen gegenwärtige Biographie schließen mag: «Notre république, mon illustre ami, vient de perdre un de ses plus grands ornemens et un de ses premiers magistrats; la société un homme aimable et sociable; la république des lettres un savant très distingué par ses lumières, par ses talens et par son habileté dans l'art de faire des expériences et d'en tirer des conséquences logiques.»

---

21) Poggendorf, der den von mir 1848 in der Bern. Mitth. publicirten Brief Bonnet's nicht kannte, glaubte den oben von Rozier als Entlassungstag angeführten 11. März auch als Todestag ansehen zu sollen.

Gottlieb Sigmund Gruner von Bern.

1717 — 1778.

Gottlieb Sigmund Gruner wurde am 20. Juli 1717 zu Trachselwald im Emmenthal von Anna Maria Kastenhofer, der Frau des dasigen Pfarrers Johann Rudolf Gruner, geboren [1]). Der Vater Johann Rudolf stammte aus einem alten Berner-Geschlechte, das sich schon vielfache Verdienste um Staat und Kirche erworben, — war selbst nicht nur ein sehr tüchtiger Geistlicher, sondern auch ein gründlicher Kenner der vaterländischen Geschichte und Landeskunde, wie seine «Deliciae Urbis Bernae» und noch mehr die voluminösen handschriftlichen Sammlungen bezeugen, welche die Stadtbibliothek in Bern besitzt, — ja hatte große Liebe zu den Naturwissenschaften, und besaß ein sehenswürdiges Kabinet von Mineralien und andern Kuriositäten [2]). Diese Lieblingsbeschäftigungen des Vaters konnten kaum verfehlen, Einfluß auf die geistige Entwicklung des Sohnes zu gewinnen, und bei ihm ähnliche Neigungen zu wecken, zumal derselbe länger im elterlichen Hause verblieb, als es in der Regel bei Pfarrersknaben der Fall ist; denn 1725 wurde Pfarrer Gruner nach Burgdorf versetzt, wo schon damals durch eine lateinische Schule Gelegenheit gegeben war, sich zum Studium vorzu-

---

1) Ich benutze für Gruner außer den betreffenden Artikeln in Lutz, Leu, Holzhalb, 2c., hauptsächlich seine Schriften und die Korrespondenzen von Wyttenbach und Wild. Andere Quellen werden im Verlaufe der Biographie namhaft gemacht werden.

2) Pfarrer Joh. Rudolf Gruner lebte von 1680 bis 1761, und wurde 1744 zum Dekan des Burgdorfer-Kapitels ernannt. Außer Gottlieb Sigmund hatte er noch mehrere Söhne, von denen Joh. Rudolf (1707—1775) Pfarrer in Höchstetten und Sigriswyl war, und 1735 einen Ruf als Professor der orientalischen Sprachen nach Amsterdam ausgeschlagen hatte.

bereiten, und somit kein Grund vorlag, den Knaben frühe nach Bern zu senden. Wann letzteres geschah, weiß ich nicht anzugeben, da nur sehr dürftige Nachrichten über die äußern Schicksale unsers Gottlieb Sigmund vorliegen. Gewiß ist, daß er schon 1736 eine Dissertation über den Feuercultus der Heiden herausgab [3]), dann sich dem Notariatswesen widmete und 1739 patentirt wurde. Zwei Jahre später wurde er von dem Landgrafen von Hessen-Homburg als Archivar berufen, — dann hatte er 1743 den Prinzen Christian von Anhalt-Schaumburg als Hofmeister nach Brandenburg und Schlesien zu begleiten, welche Gelegenheit er benutzte, viele schöne Naturalien zu sammeln, die er später mit dem vom Vater erhaltenen Kabinete vereinigte, — schließlich bezog er mit dem Prinzen die Universität Halle. Nach Hause zurückgekehrt wurde Gruner 1749 zum Vice-Amtschreiber zu Thorberg ernannt, und 1755, in welchem Jahre er sich auch mit einer Schnell von Burgdorf verheirathet zu haben scheint [4]),

---

3) Diss. de cultu ignis apud Gentiles, ex Levit. VI. 16 ad gentes translato. Bernae 1736 in 8.

4) Gruner erhielt von seiner Frau außer mehreren Töchtern einen Sohn Gottlieb Sigmund (1756 III. 13 — 1830 II. 16), nachmals Helfer am Münster in Bern, dann Pfarrer in Herzogenbuchsee und zuletzt in Zimmerwald. Für seine Charakteristik und sein gemeinnütziges Wirken auf das Lebensbild verweisend, welches Prof. Karl Wyß in Bern für Lauterburg's Taschenbuch auf 1858 entwarf, mögen hier nur zwei Einzelnheiten noch mehr hervorgehoben werden, als es dort geschehen ist: Fürs Erste ist seine lebhafte Mitwirkung bei dem 1797 gemachten ersten Versuche eine Schweizerische Naturforschende Gesellschaft zu stiften (Vergl. II. 312—314) zu betonen. Ueber die erste Anregung zu diesem Versuche schrieb Gruner am 17. Juni 1797 aus Bern an seinen Freund Joh. Konrad Escher nach Zürich: „Prof. Studer machte gestern in der physic. Gesellschaft den Antrag, alle schweizerischen Naturforscher zu einer allgemeinen Zusammenkunft einzuladen. Man fiel ihm bei und kam überein, wir müssen, damit etwas herauskäme, für das erste mal Zeit und Ort provisorisch bestimmen. Iferten, Murten, Thun, Unterseen, Langnau, Langenthal und Herzogenbuchsee wurden vorgeschlagen, und endlich das letzte und die Zeit Anfangs Weinmonats gewählt. Er soll nun bis über acht Tage ein Projekt Ankündigung bringen, und ich in Herzogenbuchsee nachfragen, ob man auch eine Gesellschaft von 20 und mehr Personen bequem logiren könnte. Hätten Sie in Ihrem oder Ihrer Mitbürger und Nachbarn Namen wichtige Verbesserung in Absicht auf Zeit oder Ort vorzuschlagen, so haben Sie die Güte es zu melden, übrigens unter Ihren Bekannten der Ankündigung gute Aufnahme vorzubereiten.“ Es scheint jedoch, daß damals in der Ostschweiz der schöne Gedanke noch nicht recht verfangen wollte. — Für's zweite hebe ich Gruner's langjähriges Bestreben hervor, das isländische Moos als Nahrungsmittel zu belieben. Wie schon Wyß erzählt, benutzte

avancirte er zum Fürsprech vor Räth und Burger, 1764 endlich zum Landschreiber nach Landshut und Fraubrunnen mit Amtssitz in Utzistorf.

Schon bevor unser Gruner die ebenerwähnte Stelle erhielt, nämlich im Jahre 1760, gab er zu Bern das seinen Namen der Geschichte der Wissenschaften einverleibende Werk „Die Eisgebirge des Schweizerlandes" heraus [5]), das er dem damaligen Schult-

---

der von Jugend auf etwas schwächliche und auf strenge Diät verwiesene Gruner dasselbe in den verschiedensten Formen zu seiner eigenen Stärkung, — ermunterte zum Sammeln, sich anerbietend, das Gefundene zu kaufen, — und hatte dabei fast mehr Erfolg als ihm lieb war, indem er einmal von einem Entlebucher einen ganzen Wagen voll vor sein Haus gefahren erhielt. Er war dafür auch seinen Freunden bekannt, und Escher kündigte in seiner launigen Weise dem beidseitigen Freunde Steinmüller am 6. April 1803 einen Besuch Gruners mit folgenden Worten an: „Hurtig lauf in die Alpen, kauf Milchzucker auf und suche Mooß zusammen, denn der liebe hagere Priester vom Münster in Bern wird sich am heiligen Osterfest in die Landkutsche setzen und hieher kommen." Daß Gruner während den Hungerjahren 1816 und 1817 mit verdoppelter Energie das Moos durch Wort und Beispiel empfahl, wird Niemand verwundern, und wirklich schrieb er am 10. März 1817 an Escher: „Um den Vorrath an Erdäpfeln und Getreide zur Saat aufsparen und andern davon mittheilen zu können, schaffte ich mir schönen Vorrath von isländischem Moose an, mit dem ich vorerst meine Schweine mästen ließ, womit ich freilich nicht ohne Widerspruch durchdrang. Und nachdem diese nun zur Bekehrung der Ungläubigen geschlachtet sind, so wende ich das uns von der Versehung für solche Zeiten aufgesparte Nahrungsmittel andern zum Beispiel zu meiner eigenen Fütterung folgendermaßen an: Ich wäge jeden Sonntag ein Pfund dieser Waare ab, das mich aus unsern Apotheken im Großen angeschafft auf 7 kr. zu stehen kommt, — lese sorgfältig alles Heterogene daraus, worauf bei 14 Unzen übrig bleiben, von denen ich auf jeden Tag 2 Unzen, somit für 1 kr., zuerst in reinem Wasser auswaschen, hernach mit siedendem brühen, solches wieder abgießen, und dann eine halbe Maaß abgerahmte Milch (für 1 kr.) daran einsieden lasse. Von dieser Speise, die mich folglich auf 2 kr. zu stehen kommt, mache ich mein Frühstück, ohne Brot oder irgend eine andere Zuthat, mit ungefähr einem Trinkglas voll, höchstens 1/3 oder 1/4 des Ganzen, ohne auf den Mittag hungriger als sonst zu sein. Das übrige wird bald einem Bettler, oder sonst jemand der eben daher kommt, es kosten will und gewöhnlich sehr genießbar findet, zu Theil, — oder Katzen und Hühner, bei denen damit auch etwas anderes erspart wird, behelfen sich gerne damit. Das abgegossene Wasser, nicht allein das welches heiß, auch das welches kalt aufgegossen worden war, wenn es lange darüber gestanden, ist eben die Arznei, welche jetzt häufig Schwindsüchtigen verordnet wird, und kann mit Nutzen zur Tränke der Schweine, auch im Sommer statt Bier von Menschen zur Löschung des Durstes und zur Nahrung zugleich verwendet werden." — Vergl. für Gruner auch die Noten 5 und 19.

5) „Bern 1760, 3 Th. in 8." — Eine französische Ausgabe veranstaltete Keralio 1770 zu Paris in 4.; die Tafeln sollen sehr schön, die Eigennamen da-

heiß Joh. Anton Tillier widmete. — „Die prächtige Schöpfung" sagt Gruner in seiner Vorerinnerung zu demselben, „verdient in ihrem ganzen Umfange Aufmerksamkeit und Bewunderung. Der vortreffliche Entwurf des Ganzen; die Manchfaltigkeit der Theile; ihre unvergleichliche Ordnung; ihr wunderbarer Zusammenhang; die weise Bestimmung eines jeden, auch des geringsten insbesondere, sind so viele Stuffen, die uns bis zu einem unendlichen Wesen, welches unsichtbar unter dem Schatten der Natur wandelt, empor leiten, und uns die deutlichsten Spuren seiner Weisheit und Vollkommenheit entdecken. — Die prächtigen und erstaunlichen Wälle von einem ewigen Eise, mit welchen ein guter Theil des Schweizerlandes ummauert und unter sich selbst verschanzet ist, schließen insbesonders so viele glänzende Wunder der großen Natur in sich, und diese sind uns bis hiehin so unbekannt geblieben, daß wir wahrhaftig vor den Ausländern, ja gegen uns selbst beschämt stehen müssen, diese unermeßlichen Zeugen einer unendlichen Weisheit und Güte, die uns doch täglich vor Augen liegen, fast gänzlich unbemerkt zu lassen. Dieses, mit der Würdigkeit des Gegenstandes verglichen, hat mich nach und nach zu der Begierde verleitet, von dem ganzen Umfang, Zusammenhang, Umständen, Verschiedenheit und Nutzen dieser so seltsamen Pyramiden, und denen damit verknüpften Merkwürdigkeiten der Natur, eine nähere und richtigere Kenntniß zu erlangen." Nachdem dann Gruner mit aller Anerkennung seiner uns zumeist schon bekannten Vorgänger, der Tschudi, Simmler, Stumpf, Merian, Rebmann [6]), Plantin, Pfändler [7]), Wag-

---

gegen theilweise arg verstümmelt sein. — Als eine zweite deutsche Ausgabe sind die von Gruner anonym herausgegebenen „Reisen durch die merkwürdigsten Gegenden Helvetiens, London (Bern) 1778, 2 Bd. in 8." zu betrachten. — Gruner's Handexemplar s. Eisgebirge wurde durch seinen Sohn an Linth-Escher geschenkt. „Von meines Vaters sel. Eisgebirgen, die im Buchhandel längst nicht mehr zu haben sind", schrieb er ihm am 31. Januar 1806, „lege Ihnen ein durchschossenes, mit seinen Verbesserungen, welche er aber größtentheils zu den Reisen durch Helvetien benutzt hat, bereichertes Exemplar bey. Können Ihnen diese einiges Vergnügen oder Nutzen bringen, so ist das Buch nirgends in bessern Händen als bey Ihnen."

6) Joh. Rudolf Rebmann von Bern (1566—1605), Pfarrer zu Muri, namentlich bekannt durch sein „Poetisches Gastmahl und Gespräch zweyer Bergen,

ner, Muralt, Scheuchzer, Sprecher [8]), Guler [9]), Altmann, Hottinger [10]), Capeller, Christen [11]), Langhans [12]), ꝛc. gedacht,

---

des Nießens und Stockhorns in dem Berner-Gebiet, Bern 1606 und 1620 in 8." — Neben Rebmann hätte auch der von seinem Geburtsort Nellikon in der Zürcherischen Pfarrei Egg Rhellican genannte Johannes Müller (1478—1542 I. 4) erwähnt werden können, der zuerst Prof. des Griechischen und der Philosophie in Bern, dann Inspector der Alumnen in Zürich, und zuletzt Pfarrer in Biel war; denn er dürfte der erste sein, der die Alpen bestieg um zu botanisiren, und die zuerst in einem Anhange zu «Homeri vita, Bas. 1537 in 4.», und dann Zürich 1555 selbstständig erschienene Beschreibung seiner 1536 unternommenen Wanderung auf das Stockhorn soll nicht ohne Interesse sein.

7) Wohl Joh. Heinrich Pfändler, Pfarrer zu Schwanden im Kanton Glarus, dem man eine „Beschreibung der hohen Bergen, samt deren sich darauf befindenden Fruchtbarkeit, wilden Thieren und andern Wunderdingen, Basel 1670 in 12." verdankt.

8) Wohl der Bündner-Oberst Fortunat Sprecher (15..—1649), dessen «Pallas Rhaetica armata et togata, Basil. 1617 in 4.», später unter dem Titel „Rhetische Chronica, Chur 1672 in 4." erschien, und noch 1782 durch Lehmann aus der alten Handschrift Fortsetzungen erhielt. Noch soll von ihm in Manuscript eine weitläufige „Beschreibung der Landschaft Davos" existiren."

9) Wohl der Bündner-Oberst und Landammann auf Davos Johann Peter Guler (1594—1656 I. 8), dem man eine „Chorographische und historische Beschreibung des Veltlins, Wormbs und Cleven, Straßburg 1625 in 4." verdankt.

10) Ohne Zweifel der beliebte Arzt Joh. Heinrich Hottinger von Zürich (1680 IV. 4—1756 I. 3), für den I. 192 zu vergleichen. Behufs der Abhandlung über die Kristalle, welche er unter dem Vorsitze seines Oheims vertheidigte, bereiste er die Gletscher am Grindelwald und an der Rhone, wobei er vom Reflex der Sonne vom Eise so verbrannt wurde, daß er mehrere Wochen das Haus nicht verlassen durfte. 1702 wurde er in die Acad. Nat. Curios. aufgenommen, und rückte deren Miscell. mehrere medizin. Observationen ein.

11) Muthmaßlich Wolfgang Christen von Bern (168.—1745 XI.), Stadtarzt in Bern, der neben vielen medizinischen Schriften, wie z. B. einem «Lexicon medicum, Bern. 1707 in 8.», einem „Einladungsbrief zu Erforschung aller, insonderheit der Nationalkrankheiten des Schweizerlands und derselben Hülfsmitteln, Bern 1708 in 4.", einem «Essai d'une pharmacopée expérimentale, Berne 1712 in 8.», etc., und mehreren balneographischen Abhandlungen, wie z. B. einer „Beschreibung des Habsburger-Bads, Bern 1708 in 4.", einer „Beschreibung des Weissenburger-Bads, Bern 1720 in 4.", ꝛc., auch im Jahre 1722 einen „Vorschlag zu Bauung des Schweizer-Erzes" publicirt haben soll. Gruner, der Christen viel benutzte, nennt ihn wenigstens einen „erfahrnen Bergmann".

12) Ohne Zweifel Daniel Langhans von Bern (1727—1813), Arzt und Sanitätsrath in Bern, der bei längerem Aufenthalte in Paris am Hofe Louis XV. in verdientem Ansehen stand, und neben vielen medizinischen Schriften sich namentlich durch seine „Beschreibung verschiedener Merkwürdigkeiten des Siementhals, nebst einem genauen Bericht über eine neue ansteckende Krankheit, die in diesem Land entstanden, Zürich 1753 in 8." nicht unbedeutendes Verdienst um die Natur

und hervorgehoben, wie er das von ihnen gelieferte Material „theils durch Reisen, theils durch Briefwechsel“ zu ergänzen gesucht, sagt er in Beziehung auf seine vorliegende Arbeit: „Ich will dieselbe für nichts anders als einen ersten Versuch ausgeben; die gelehrten Anwohner dieser Gebirge aber, und alle diejenigen, die in diese Gegenden zu reisen Anlaß haben, hiemit öffentlich und angelegenlichst angesucht haben, ihre fernern Anmerkungen über dieselben zu machen, und mir zum Vortheile der Naturkunde unsers Vaterlandes großgünstig einzusenden; dadurch also die gegründete Hoffnung zu beleben, daß in vielleicht nicht langen Jahren etwas vollständiges auf diese Weise werde zu Stande gebracht, und in einer neuen Auflage mitgetheilt werden können.“ Im Weitern berührt er die Schwierigkeiten, welche ihm die topographische Darstellung gemacht, und wie er versucht habe, mit einzelnen Special-Abbildungen nachzuhelfen [13]), — theilt auch mit, daß es ihm unpassend geschienen hätte in den Beschreibungen und Karten die vorkommenden Mineralien unberücksichtigt zu lassen, — und sagt dann zum Schlusse: „Ich habe dieses Werk, welches, wie die Schrift eines Advocaten, zu größerer Weitläufigkeit angewachsen ist, als ich Anfangs vermuthete, in drey Theile abgetheilt, von denen die zween erstern eine historische und geographische Beschreibung der Eisgebirge, und der dabey vorkommenden Merkwürdigkeiten der Natur, der dritte aber darüber gemachte physikalische Betrachtungen enthaltet. In den zween erstern habe ich diesen seltsamen Pracht der Natur nicht mit vielem Wortgepränge beschrieben, noch diese stolzen Pyramiden so vorgestellt, wie sie einem erstaunten Fremdlinge vorkommen, der diese Wunder zum erstenmale erblicket; sondern, da es schlechterdings unmöglich ist, diesen unaussprechlichen

---

kunde, und, wie dieß Häser rühmlich anerkennt, auch um die Medizin erwarb. Vergl. auch III. 44.

13) Die Abbildungen sind von A. Zingg gestochen, und theils von ihm, theils von Grimm, Dürringer, Walser, rc. aufgenommen. Die Karten sind durch Gruner, von dem nach Haller auch noch eine handschriftliche Karte des Engelberger-Thales existiren soll, selbst entworfen. Für die Höhen benutzte er meistens J. J. Scheuchzer und Micheli. Der von ihm citirte Joh. Georg Scheuchzer ist muthmaßlich J. J. Scheuchzers Sohn Joh. Kaspar (Gaspard), vergl. I. 486.

Pracht der Natur würdig zu beschreiben, so lege ich denselben in einer bloßen historischen Beschreibung in seinen natürlichen Farben vor Augen. In dem letztern aber habe ich den Ursprung und die Zufälligkeiten dieser seltsamen Kolossen nach dem bloßen Fingerzeige der Natur erklärt. Es ist zwar schmeichlerisch für einen Schriftsteller, etwas neues und seltsames zu sagen, oder eine Wahrheit durch viele gelehrte Folgen hindurch zu erweisen: Ich habe mich aber von dieser Ehre, wenn ich gleich dazu aufgelegt wäre, nicht verführen lassen; sondern ich bin der Natur und ihren Wirkungen auf dem Fuße nachgefolgt. — Darf ich von dem gütigen Leser für meine Bemühung einige Gefälligkeit verhoffen, so will ich mir von demselben diese Betrachtung ausbitten, daß dergleichen Schönheiten der Natur sich besser fühlen, als beschreiben lassen, — und dieses werde ich sodann für meine beste Entschuldigung darlegen, wenn die Art meines Vortrages nicht aller Orten der Größe des Gegenstandes angemessen ist." — Diese Vorerinnerung charakterisirt uns Gruner's Wesen und Bestreben so gut, daß es überflüssig sein dürfte, in dieser Hinsicht noch ein Weiteres über seine „Eisgebirge", oder über die, dieselben ergänzenden spätern Arbeiten, die 1775 für Wyttenbach's Beiträge zur Naturgeschichte des Schweizerlandes [14]) geschriebenen Abhandlungen „Die Naturgeschichte Helvetiens in der alten Welt" [15]), und den „Versuch eines Verzeichnisses der Mineralien des Schweizerlandes" beizufügen. Dagegen theile ich noch über die wissenschaftliche Bedeutung dieser Arbeiten Gruners einige competente Urtheile neuerer Zeit mit. „Es hat sich Gruner in mehrfacher Beziehung durch seine fleissigen Sammelwerke um die Naturgeschichte der Schweiz verdient gemacht", schrieb mir neulich Professor Bernhard Studer aus Bern; „da aber sein Wissen großentheils auf Korrespondenz oder mündlichen Erkundigungen, nicht auf eigener Ansicht beruhte, und ihm physikalische und gründliche naturhistorische Kenntnisse mangelten, so ist allerdings

---

14) Vergl. I. 366–367.

15) Eine französische Ausgabe veranstaltete «Dulon, Ministre de Vevey» 1776 zu Neuchatel in 12., und widmete sie unter dem 3. Februar 1776 dem Verfasser selbst.

ein tieferes Eingehn auf die Sache bei ihm nicht zu suchen. Seine Eisgebirge waren der erste glückliche Versuch, das schweizerische Hochgebirge im Zusammenhang darzustellen, und die beigefügte mineralogische Karte, die acht Jahre nach der von Guettard gegebenen erschien, ist die erste von einem Schweizer ausgegangene Arbeit dieser Art. Auch in Helvetien in der alten Welt zeigt sich das den echten Naturforscher charakterisirende Bestreben, die einzelnen Thatsachen in Verbindung zu bringen, und durch inductives Verfahren zu allgemeinen Schlüssen zu gelangen. So fand er, daß unsere Mollassethäler durch Erosion entstanden sein müßten, daß die niedrige Schweiz lange Zeit vom Meer bedeckt gewesen sei, daß auf eine Zone quarzartiger Gebirge eine breite Zone kalksteinartiger, auf diese eine von Schiefer, Sandstein und Nagelflue folge. In seiner Theorie der Gletscher, die den 3ten Band der „Eisgebirge" bildet, folgt er Altmann und Langhans, im Gegensatz der Zürcher, indem er das Fortschreiten der Gletscher auf das Princip der Schwere und nicht auf das der Ausdehnung durch die Wärme zurückführt. Wie De Luc glaubt er eine zunehmende Ausbreitung der Gletscher annehmen zu müssen. Das Verdienst der Gruner'schen Arbeit über die Gletscher ist von De Saussure mit großem Lob anerkannt worden. Besonders werthvoll sind Gruners Verzeichnisse schweizerischer Mineralien und Petrefacten, nicht sowohl durch Aufzählung neuer Arten, deren nähere Bestimmung ohnehin seine und der meisten seiner Zeitgenossen Kenntnisse überstieg, als durch die Angabe vieler bis dahin unbekannt gebliebener Fundorte. Es läßt sich kaum bezweifeln, daß Elie Bertrand einen großen Theil seiner im damaligen Kanton Bern angeführten Fundorte der Sammlung und den Verzeichnissen von Gruner verdankt." Und Arnold Escher von der Linth sagt in dem Anhange zu der trefflichen Biographie seines Vaters, die wir dem sel. Hottinger verdanken: „Der erste Naturforscher, der das Merkwürdige der Fündlinge erfaßte, scheint Gottlieb Sigmund Gruner gewesen zu sein, der in seiner 1760 erschienenen Beschreibung der Eisgebirge des Schweizerlandes eine mit der spätern Saussure'schen ziemlich übereinstimmende, jedoch unvollkommnere Theorie über die Gletscher aufstellte, und aus dem Vorkommen von Austerbänken und andern Meerschnecken von gleicher Art ohne fremde Beimischung in der Molasse bei Bern, von versteinerten Bohrmuscheln im Jurakalk überraschend richtige Schlüsse, die Bildungsweise der Molasse und die Entstehung mancher Thäler betreffend, gezogen hat. Im obigen Werke sagt er auf Seite 11 des 3ten Theiles, daß von den Geißbergersteinen (Granit und verwandte Felsarten) im mitternächtigen Theile der Schweiz sich allezeit nur Bruchstücke vorfinden, die folglich von ihrem Geburtsort und von den Felsen, davon sie ehemals Theile ausgemacht haben, nunmehr weit entfernt sind. Und auf Seite 27 und 28 seiner 1775 erschienenen Naturgeschichte Helvetiens in der alten Welt äußert er sich darüber unter anderm in folgender Weise: Die Flüsse können sie nicht hergewälzt haben, denn wir finden sie sehr weit von den jetzigen entfernt und an allen Orten des Landes beinahe in gleicher Menge. Sie werden in hohen und niedrigen Landesgegenden angetroffen. Ja! da dieselben von verschiedener Mischung, und bald mit grünen, bald mit blauen, bald mit rothen Glimmertheilen und mit einer verschiedenen Menge durchsichtiger Quarzkörner durchmischt sind, so kann man bei der Untersuchung der nun so weit von ihrem Geburtsort entfernten Bruchstücke immer genau errathen, von welchem Felsgebirge sie ehemals einen Theil ausgemacht haben." — Auch die Zeitgenossen Gruner's anerkannten seine Leistungen in gleichem Maße; nur als er in seiner „Naturgeschichte Helvetiens in der alten Welt" die Ansicht aufstellte, es sei dieses Land früher mit einem eigenen, salzigen, spätestens zur Zeit der Sündfluth abgelaufenen, See bedeckt gewesen, fand er überall Widerspruch, wie dieß schon Daniel Sprüngli voraussah, als ihm Gruner sein Manuscript zur Durchsicht mittheilte. „Neulich habe ich", schrieb er nämlich am 27. October 1773 aus Stettlen an Wyttenbach, „durch die

Güte des Herrn Landschreiber Gruner seine Naturgeschichte der Schweiz erhalten, und mit Vergnügen gelesen. Sie enthält viele schöne mineralogische Bemerkungen von unserm Land; mit seiner neuen Hypothese aber wird er meinem geringen Bedünken nach kaum Beifall finden; wohl aber würde es geschehen sein, wenn er anstatt eines besondern Sees, das Meer angenommen hätte, wovon unser Land, wie viele andere Länder, den Grund in alten Zeiten ausgemacht haben. Allein in diesem Falle würde seiner Hypothese der Werth der Neuigkeit gemanglet haben." Namentlich wiesen Gruner seine sonst mit ihm befreundeten Landsleute Wild und Wyttenbach zurechte. Ersterer, der noch am 19. September 1786 an Born schrieb: „Gruner war ein sehr fleißiger Mann, aber Cabinets-Systematiker, und sein vermeintlicher See des alten Helvetiens ein Cabinets-Monstrum", schrieb gegen ihn in den «Nouvelles de la république des lettres», — Letzterer, der ihm schon vor dem Drucke seine mit Sprüngli übereinstimmenden Bedenken schriftlich mitgetheilt hatte, in seinem Magazin [16]). Gruner mußte sich schließlich so ziemlich überwunden erklären, und schrieb so unter Anderm am 25. Januar 1777 an Wyttenbach: „Voltaire hat ganz Recht, mein Freund, wenn er die Hypothesen den Ratzen vergleicht, die zwar zwanzig Löcher finden, in die sie passen, aber endlich zwei oder drei antreffen, die sich nicht für sie schicken. Ich habe Ihnen die Mühe verursachet, diese Löcher aufzusuchen, die meiner Hypothese den Eingang versagen."

Nur im Vorbeigehen eine kleine juridische Arbeit Gruner's berührend [17]), bleiben uns noch in Kürze die ökonomischen Arbeiten desselben aufzuführen, welche ihn neben der Naturgeschichte lange Jahre mit Erfolg beschäftigten, und von 1762 an zu einem der verdientesten Mitglieder der damals in höchster Blüthe stehenden ökonomischen Gesellschaft in Bern machten [18]). Nachdem Gruner schon 1761 für eine Abhandlung über die Frage „Wie

---

16) Vergl. I. 366.

17) „Materialregister über der Stadt Bern erneuerte Gerichtssatzung, Bern 1764 in 8." Es soll sehr detaillirt und vollständig sein.

18) Sonst scheint Gruner nur der Acad. Nat. Curios. angehört zu haben.

die Sümpfe in nutzbares Land zu verwandeln seyen" von besagter Gesellschaft ein Accessit erhalten, gewann er in den folgenden Jahren nicht weniger als sechs der ausgesetzten Preise[19]), und seine betreffenden Abhandlungen „Von den Ursachen des Verfalls des Nahrungsstandes in denen Städten, — Ueber die Mittel der Aufnahme der Bergwerke, — Anzeige der Mineralien im Kanton Bern, — Von der besten Theorie der Wasserquellen, — Erfahrungen über verschiedene Arten der Bienenzucht, — Vom Schwellenbau", gehören unstreitig mit zu den Zierden der gedruckten Sammlungen der Berner-Gesellschaft. Auch sonst erhielten Letztere noch verschiedene Beiträge von Gruner; so theilte er z. B. noch weitere Erfahrungen über die Bienenzucht, welcher er lange mit großem Eifer oblag, mit, — so handelte er von der Erzeugung des Salpeters, — so gab er 1771 eine Nachricht von seinem Naturaliencabinet, das er gerne der Berner-Regierung als Grundlage einer öffentlichen Sammlung gegen billige Entschädigung abgetreten hätte[20]), — ꝛc. Endlich darf nicht vergessen werden, daß Gruner die Mühe nicht scheute, die schwedische Sprache zu erlernen, um eine von dem großen Haller längst gewünschte deutsche Ausgabe einer Auswahl, größtentheils der Stockholmer-Academie zu verdankender, staatswirthschaftlicher und naturwissenschaftlicher

---

19) Unter den Preisschriften, welche die ökonomische Gesellschaft in Bern „Ueber die Errichtung einer Brandassekuranz" erhielt und 1789 drucken ließ, findet sich auch eine von „Gottlieb Sigmund Gruner, Diener des göttlichen Wortes", welche sich g e g e n die Assekuranz ausspricht, — sie ist also ohne Zweifel eine Arbeit des Note 4 besprochenen Sohnes Gruner. Eine andere Preisschrift f ü r die Assekuranz rührt von einem gewissen J. A. Bruckner her, über den ich sonst nichts gefunden habe. Dagegen mag bei dieser Gelegenheit der auch mit Gruner im Verkehr stehende Registrator und Rathssubstitut Daniel Bruckner von und in Basel (1705—1781 XII. 28) erwähnt werden, der sich als Herausgeber und Fortsetzer der Wursteisen'schen Chronik, durch eine 1766 von Mecheln gestochene Karte des Kantons Basel, und besonders durch seine für die Versteinerungskunde noch jetzt werthvolle „Beschreibung historischer und natürlicher Merkwürdigkeiten der Landschaft Basel, Basel 1748—1765, 23 Stücke in 8.", große Verdienste erwarb. Andreä spricht in seinen Briefen mit großem Lobe von Bruckner's Sammlung von Fossilien und Alterthümern.

20) Gruner hatte sein Kabinet (Vergl. Pag. 162) durch eigenes Sammeln und Tauschverkehr mit Joh. Geßner, ꝛc. namentlich in Beziehung auf inländische Mineralien und Fossilien immer mehr vervollständigt; später scheint ihm jedoch dasselbe lästig geworden zu sein, so daß, als sich Anfangs der 70ger Jahre ein

Reden und Abhandlungen zu veranstalten [21]). Wenn diese Sammlung, die von der ökonomischen Gesellschaft mit großer Freude begrüßt, und von Haller mit einer Vorrede eingeleitet wurde, schon mit dem zweiten Bande abbrach, so geschah es nicht wegen Theilnahmlosigkeit des Publikums, denn sonst wäre Gruner nicht von Basel aus wiederholt um neues Manuscript angegangen worden, — sondern in Folge von einem etwelchen Eigensinne Hallers, der die Originalabhandlungen hergeben sollte: Gruner schrieb mehrmals an Haller, er möge ihm eine Partie von den schwedischen Abhandlungen nach Utzistorf senden, damit er sie lesen, und dann seine Auswahl treffen könne; — Haller aber verlangte, Gruner solle sie bei ihm selbst auswählen, was dieser für unmöglich hielt, da er sie dort nicht lesen könne, — und so unterblieb schließlich die Fortsetzung. — Der Brief Gruners an Wyttenbach, dem ich diese letztere Anekdote entnommen habe, datirt vom 14. Februar 1778, und enthält, während frühere Briefe über schlechter werdendes Gedächtniß, „ziemliches Verrosten der allezeit sehr flüchtigen Kenntnisse", und zunehmende Trägheit klagen, kein Wort über irgend welche Störung der Gesundheit, sondern im Gegentheil noch eher Spuren von Lebenslust, — und doch war Gruner schon am 10. April 1778 eine Leiche. Man darf also wohl annehmen, daß das ruhige Leben des fleißigen, anspruchslosen und gefälligen Mannes ohne längere Krankheit auch einen leichten Abschluß gefunden habe.

Käufer zeigte, er nicht ungeneigt war, zuzuschlagen, jedoch für seine Pflicht hielt, zuerst in Bern anzufragen, ob man es nicht kaufen wollte. Die damalige Berner-Regiernng hatte jedoch kein Interesse für die Naturwissenschaften, und zog vor, ihr Geld für die Franzosen aufzusparen. So ging schließlich das Gruner'sche Kabinet in die Ferne, — nach den meisten Angaben an einen reichen Genfer, — nach einem Briefe Steinmüller's, dem man als Freund von Gruner's Sohn sollte Glauben schenken dürfen, nach Madrid.

21) „Auserlesene Sammlung zum Vortheil der Staatswirthschaft, der Naturforschung und des Feldbaues, mit Beyfall der l. ökonomischen Gesellschaft in Bern aus dem schwedischen übersetzt. Basel 1763 in 8." Ein 2ter Band erschien 1769.

George-Louis Lesage von Genf.

1724 — 1803.

George-Louis Lesage wurde am 13. Juni 1724 zu Genf von Anne-Marie Camp geboren, der Frau des sich seit einigen Jahren in Genf mit Privatunterricht und schriftstellerischen Arbeiten ziemlich kümmerlich durchbringenden George-Louis Lesage von Conches in Bourgogne[1]). Der Vater Lesage, durch seine Mutter ein Enkel des uns schon bekannten Nathan d'Aubigné[2]), war schon als kleiner Knabe durch seine Verwandten nach England gebracht worden, um vor den in Frankreich immer gefährlicher werdenden Religionsverfolgungen sicher zu sein, hatte dort, wie es scheint, ziemlich gute Studien in den mathematischen und philosophischen Wissenschaften gemacht, und später theils als Schriftsteller, theils als Lehrer ziemlich viel Beifall und Zutrauen gefunden. Von seinen zahlreichen Schriften[3]) habe ich nur einen «Cours abrégé de physique»[4]), der von des Ver-

---

1) Ich benutze für Lesage zunächst die «Notice de la vie et des écrits de George-Louis Lesage de Genève, rédigée d'après ses notes par Pierre Prevost, Genève 1805 in 8.», — seine Werke, und einige auf der Genfer-Bibliothek in seinen Manuscripten gesammelte Notizen. Andere Quellen werden im Verlaufe namhaft gemacht werden.

2) Siehe Pag. 27. — Der Vater Lesage lebte von 1676 I. 5 bis 1759 II. 5. Poggendorf führt ihn als Professor der Philosophie in Genf auf, während ich glauben muß, daß er nie öffentlicher Lehrer war.

3) Cours abrégé de philosophie, 1714 in 8., — Remarques sur l'Angleterre, 1715 in 8., — De l'univers et de la disposition de ses parties, 1729 in 8., — Elemens de Mathématiques, 1733 in 8., — De l'Economie, 1747 in 8., — L'esprit des loix, 1752 in 8., — etc. Mehrere dieser Werke wurden 3 und 4 mal aufgelegt.

4) Genève 1732 (VIII. und 268) in 8. — Bei Anlaß der Zweifel, welche er gegen die Möglichkeit der «transmutation des métaux» ausspricht, fügt er in

fassers Kenntniß der ältern und neuern Ansichten und Beobachtungen keinen schlechten Begriff gibt, selbst gesehen; ich hebe z. B. hervor, daß ein Theil der zahlreichen historischen und literarischen Notizen noch jetzt nicht ohne Werth sein dürfte, daß letztere den Verfasser als einen fleißigen Leser der zu seiner Zeit erscheinenden Journale und academischen Sammlungen erweisen, und daß derselbe überhaupt keine Mühe scheute, seinen Leitfaden auf die Höhe seiner Zeit zu stellen, obschon er glaubte in der Vorrede klagen zu sollen: «Il est triste d'avoir consumé tant de tems à un Ouvrage de si courte durée. Si j'avois employé ce tems-là à commenter quelque ancien Auteur négligé, à en relever les beaux endroits, et à montrer que c'est là la source des belles choses que l'on admire dans les Auteurs les plus recens, l'on m'en auroit sçu plus de gré.» Dabei zeigt sich Lesage in diesem Buche als ein gut organisirter, von feinen Vorurtheilen eingenommener Kopf, der z. B. in dem damals noch ziemlich heftigen Kampfe der Anhänger von Cartesius und Newton sich entschieden auf die Seite des Letztern stellte, ohne sich darum unbedingt an ihn zu ergeben, und viele seiner Aussprüche sind jetzt noch zu beherzigen. So sagt er z. B. in seiner aphoristischen Weise: «Il n'y a que les esprits véritablement forts qui sachent se contenter d'une simple histoire des phénomènes de la nature. La plùpart veulent tout savoir, et aiment mieux se repaître de vaines conjectures, que d'ignorer les causes. — Un ignorant et un connaisseur regardent un tableau avec plaisir, mais le dernier en connait bien mieux le mérite. De même tous les hommes sont frapez de la beauté des créatures, mais il faut avoir étudié la physique, pour en bien connoître les perfections. — La Physique est une Théologie pour ceux que la considération des distances, de la grandeur, et du nombre des corps célestes,

---

einer Note bei: «Quelques uns ont dit que Nathan d'Aubigné, mon ayeul maternel, avoit le secret de la pierre philosophale. S'il la sçû, je ne sais pourquoi il ne l'a pas communiqué à sa famille, ou du moins, pourquoi il ne lui en a pas fait ressentir les effets.»

oblige de reconnoître la toute-puissance et l'immensité du créateur, et qui sont convaincus de sa sagesse infinie par la mécanique des animaux. — La nature a des richesses infinies: Mais notre ignorance ou notre paresse sont cause que nous n'en jouissons que fort imparfaitement. — Le plus grand usage que nous retirons de l'étude de la Physique, est de nous garantir de la superstition, de nous faire voir la vanité des présages, ou des prognostics, et l'abus des diverses espèces de divinations qui se sont pratiquées dans le monde. — Etc.» Und eben so gesund soll sich Lesage in einem zweiten Werkchen ausgesprochen haben [5]), in dem er 76 Gedanken vorlegte, von denen folgende beispielsweise aufgenommen werden mögen: «4me pensée. Il arrive souvent parmi les Gens de Métier, que lors qu'un jeune Garçon fait paroitre de mauvaises inclinations, l'on évite d'en faire un Serrurier, de peur qu'il ne soit tenté de faire un mauvais usage d'un Métier, qui est des plus fertiles en Invention. Il seroit à souhaiter que l'on pût prendre les mêmes mesures pour ceux que l'on aplique aux Etudes. L'Ambition et l'Avarice des Gens de Lettres, ont causé de tout tems des Maux infinis. Quelqu'un a dit, que la Science étoit un Sceptre dans la Main d'un Sage; une Marotte dans celle d'un Fou; et une Epée dans celle d'un Furieux. — 41. Il faut exhorter les jeunes gens à lire avec choix, mais c'est à eux seuls à qui il faut laisser le soin de choisir. Bien des jeunes gens ont été rebutez des Etudes, parce qu'on vouloit les obliger à étudier méthodiquement. Et au contraire on a vû un garçon Epicier devenir habile homme, en lisant les maculatures dont il envelopoit ses marchandises. — 75. Les Anciens avoient dans l'étude cet avantage sur les Modernes, qu'ils emploioient moins de temps à aprendre les Langues; l'étude de la Scholastique, de la Théologie et des Controverses, n'occu-

---

5) «Pensées hazardées sur les études. A la Haye 1729 und Genève 1734 in 12.» Vergl. darüber Juliheft 1734 des Mercure suisse.

poit pas la plus grande partie de leurs Gens de Lettres. ils lisoient moins, et méditoient d'avantage.»

Es war nöthig über den Vater Lesage etwas näher einzutreten, da die frühern Biographen des Sohnes verschiedene Schwächen und Eigenheiten des Letztern ohne weiteres einer etwas verkehrten Erziehung und einem mangelhaften ersten Unterrichte zuschreiben, d. h. den Sohn auf Kosten des Vaters beschönigen wollten, — sich dabei allerdings auf einzelne Angaben des Sohnes stützend, der übrigens mit vieler Liebe von seinem Vater sprach, und ihn z. B. in einer seiner Noten «mon bon père, parent et précepteur» nannte. Man sollte glauben, der junge Lesage sei nur schwächlich gewesen, weil er zu wenig ins Freie geschickt wurde, — nur schüchtern und unbeholfen im Ausdrucke, weil der Vater keinen Widerspruch ertrug und ihm häufig Stillschweigen auferlegte, — nur träumerisch, weil er zunächst auf sich selbst angewiesen war, und nicht jede der zahllosen Fragen erschöpfend beantwortet wurde, mit denen er den Vater so bestürmte, daß dieser oft klagte: «Cet enfant me fatigue jusqu'à me donner la fièvre; moins par le nombre et la variété de ses questions sur le comment et le pourquoi de tout ce qui le frappe, que parce qu'il veut toujours savoir en outre le comment de ce comment et le pourquoi de ce pourquoi, sans presque s'arrêter nulle part.» Wird ja dem Vater sogar vorgeworfen, daß sein Unterricht nicht so methodisch gewesen sei, wie es die Eigenthümlichkeit des Sohnes verlangt hätte, — daß er ihn mit realen Kenntnissen fast überfüttert, und seinen Hang zum Brüten zu wenig begünstigt habe; — ja, außer einem Hinweise auf die ärmliche Wohnung und die dürftige Bibliothek des Vaters[6]), wird der Sohn noch mit den Worten bedauert: «Il n'avoit dans la maison paternelle aucun endroit où il pût réfléchir sans

---

6) Beides war eine natürliche Folge der prekären Verhältnisse, in denen der Vater lebte. Bücher besaß er, außer einigen vom erwähnten Großvater ererbten, wenige eigenthümlich, und es dürfte wohl hierin der nächste Grund liegen, warum er den eine Geschichte wünschenden Sohn auf das «Dictionnaire de Moréri» verwies; denn dieses besaß er, dagegen eine Geschichte nicht.

trouble et sans interruption, si ce n'est le lit, où on le laissoit assez longtemps tranquille; il arriva dans la suite que ses principaux travaux de méditation se firent au lit,» aus den Noten desselben die betreffende Stelle anschließend: «J'appris ensuite, non sans quelque orgueil, qu'un très-grand philosophe, Descartes, en avoit agi de même. Je n'ose presque pas ajouter dans quels lieux, autres que le lit, je me réfugiois ordinairement pour réfléchir sur la physique, ou pour prier Dieu à ma manière.» — Wir werden in der Folge sehen, daß der unüberwindliche Hang, den Lesage zum Meditiren hatte, schließlich zu einigen schönen Resultaten führte; aber in jener frühern Zeit war er offenbar schädlich, und verhinderte den jungen Mann, sich mit den nöthigen positiven Kenntnissen auszurüsten, die ihm damals auf der Genfer-Academie reichlich geboten wurden. Wie könnte man sich sonst erklären, daß ein Schüler der Calandrini und Cramer noch in spätern Jahren an seinen Vater schreiben mußte, «que plusieurs choses qu'il ignorait n'étaient que *l'A, B, C des mathématiques*». Und auch die Berufswahl, zu der ihn endlich der Vater drängen mußte, wurde natürlich durch eine solche, jedes Brodstudium scheuende Geistesrichtung erschwert, und mehr aus Gehorsam als aus Neigung entschied er sich schließlich für die Medizin. Er begann die betreffenden Studien in Basel, wo er beiläufig mit Daniel Bernoulli bekannt wurde, und setzte sie nachher in Paris fort, — an beiden Orten bemüht, durch Ertheilung von Privatstunden die ungenügenden Mittel zu ergänzen, welche ihm vom Vater verabreicht werden konnten, und zugleich seinen Lieblingsstudien möglichst wenig Abbruch zu thun. So verflossen 3½ Jahre, nach deren Ablauf er vom Vater aufgefordert wurde, nach Genf zurückzukehren, um dort zu practiciren. Wie es bei einer solchen Praxis, zu der nicht nur Lust, sondern auch Geschick und Kenntnisse fehlten, gegangen wäre, läßt sich leicht ermessen, und es war muthmaßlich ein Glück für den jungen Mann, daß sich die Genfer-Regierung bemüßigt fand, ein altes Gesetz auf ihn anzuwenden, nach dem die Ausübung der Arzneikunde nur Bürgern gestattet war.

Es blieb nun Lesage nichts anderes übrig, als sich durch Privatunterricht sein Brod zu erwerben, und hiebei befand er sich gar nicht übel, so daß er nur ein Mal, und auch da nicht sehr ernstlich, sich um eine öffentliche Lehrstelle bewarb, — nämlich im Jahre 1752, wo der Lehrstuhl der Mathematik durch die Beförderung Jallabert's auf die Professur der Philosophie frei geworden war. Er hatte damals die uns längst bekannten Jacques-André Trembley, Louis Necker und Louis Bertrand zu Koncurrenten, machte die Probelectionen mit, trat dagegen zurück, ohne die darauf folgende Disputation über ein vorgelegtes Thema zu bestehen. «Mr. Le Sage, qui avoit donné, dans les leçons, des preuves, de son intelligence en Mathématiques, se retira», erzählt das Journal helvétique vom September 1752; «sa santé, et peut-être son goût, ne lui permettant pas de se fournir à un Exercice, où la Mémoire et la Voix ont presque autant de part que l'Esprit.» — Und in der That gingen Lesage die Eigenschaften ab, um öffentlich zu brilliren, während er dagegen wie dazu gemacht war, als Privatlehrer nicht nur gründliche Kenntnisse beizubringen, sondern auch den wissenschaftlichen Sinn des Einzelnen zu beleben, und ihn durch sein hingebendes Wesen für alle Zeiten an sich zu fesseln. Er hatte dabei nicht nur das Glück, eine ziemliche Anzahl reicher Ausländer, unter denen z. B. die Lord Stanhope, Duc de la Rochefoucault, &c. genannt werden mögen, längere Zeit zu unterrichten, und so sein reichliches Auskommen zu finden, sondern sich auch eine Zahl eigentlicher Schüler zu bilden, die in seinem Geiste fortarbeiteten und ihm in allen Beziehungen Ehre machten: Ich erinnere an den uns schon bekannten Simon Lhuillier von Genf [7]), — an Elie-Salomon-François Reverdil von Nyon [8]), der, nach vollendeten Studien in Genf

---

7) Vergl. I. 401—422, namentlich 402—404, 408 und 411—412.

8) Er wurde 1732 V. 19 zu Nyon geboren, und starb 1808 VIII. 4 zu Genf. Vergl. für ihn das auch für die Geschichte von Dänemark sehr interessante Werk «Struensée et la cour de Copenhague 1760—1772. Mémoires de Reverdil, Conseiller d'état du roi Chrétien VII., précédés d'une courte notice sur l'auteur et suivis de lettres inédites, publiées par Alexandre Roger, ancien président du tribunal du district de Nyon et Major du génie militaire

und einem kürzern Aufenthalte in Paris, im Jahre 1757 durch den Minister Bernstorf [9]) nach Kopenhagen berufen wurde, um ein früher von Mallet [10]) redigirtes Journal fortzuführen, im folgenden Jahre daselbst zum Professor der Mathematik avancirte, 1760 die Aufgabe erhielt, den nachmaligen König Christian VII. zu unterrichten, nach dessen Thronbesteigung großen Einfluß auf den jungen Herrscher behielt und mit Erfolg für Aufhebung der Leibeigenschaft arbeitete, dann, durch Rechtlichkeit und Uneigennützigkeit unbequem geworden, gestürzt, wieder berufen und nochmals gestürzt wurde, schließlich den Rest seiner Tage abwechselnd in Nyon und Genf zubrachte, seine Zeit zwischen seinen Freunden [11]), den Wissenschaften [12]) und der Landökonomie [13]) theilend, — und vor Allem an den schon früher wiederholt genannten, und auch im Verlaufe gegenwärtiger Biographie noch mehr-

---

de la Confédération Suisse. Paris 1858 (XVI. und 549) in 8.» Der eben genannte Herausgeber Roger (ein zu Genf 1780 IX. 9 geborner Bürger von Nyon und Neffe von Reverdil) lebt gegenwärtig noch in Nyon, und ist mit dem III. 389 erwähnten Geodäten identisch. Es ist jener Notiz nachzutragen, daß Roger zur Zeit auch für Delcros einige trigonometrische Arbeiten an der Schweizergrenze machte und bei der Grenzbesetzung in den Jahren 1809 und 1810 für den Quartiermeisterstab topographische Aufnahmen in den Kantonen St. Gallen und Appenzell besorgte, — daß er ferner noch in den letzten Jahren die Höhen des Montblanc und großen St Bernhard neu bestimmte, und bei 40 Jahre an der Vervollkommnung des Barometers und seiner Anwendung zum Nivelliren arbeitete. — Bei dieser Gelegenheit mag nachgetragen werden, daß der III. 307 erwähnte Charles de l'Espinasse einer französischen Emigrantenfamilie angehörte, nicht in Nyon geboren war, sondern erst nach seinem Aufenthalte in England auf den Wunsch einer nach Nyon verheiratheten Schwester ebendahin kam, mit dem Bürgerrechte beschenkt wurde, und zwischen 1792 und 1794 starb. Ich verdanke diese, sowie die vorhergehenden Notizen der Gefälligkeit der Herren Apotheker Roux in Nyon und Prof. Dufour in Lausanne.

9) Einen Gönner seines Vetters André Roger von Nyon, s. III. 281.

10) Vergl. II. 266.

11) Reverdil war z. B. mit Voltaire, dem Minister Necker, der Frau von Stael, rc. befreundet. Voltaire soll von ihm gesagt haben: «On peut avoir autant d'esprit que Reverdil, mais pas d'avantage.»

12) Man verdankt Reverdil unter Anderm die in den Anhang zu der Note 4 erwähnten «Notice» aufgenommenen «Fragmens de l'ouvrage projeté par Lesage sur les causes finales.»

13) Reverdil war Mitglied der ökonomischen Gesellschaften in Copenhagen und Bern, und erhielt 1770 von letzterer einen Preis für seine Pflanzung weißer Maulbeerbäume.

mals ehrenvoll zu erwähnenden Pierre Prevost von Genf[14]), der in seiner Vaterstadt Theologie und Jurisprudenz studirte, dann mehrere Jahre als Erzieher von Benjamin Delessert in Paris lebte und sich durch verschiedene literarische Arbeiten Ruf erwarb[15]), 1780 von Friedrich dem Großen als Professor der Philosophie und Mitglied der Academie nach Berlin berufen wurde, dort unter Anderm die berühmt gewordene Abhandlung «Sur le mouvement progressif du centre de gravité de tout le système solaire», und das sie ergänzende «Mémoire sur l'origine des vitesses projectiles, contenant quelques recherches sur le mouvement du système solaire» schrieb[16]), 1784 von den Behörden seiner Vaterstadt, weil er sich «par ses ouvrages une célébrité qui a fait désirer de l'attacher à l'Académie» erworben habe, einen Ruf «pour la chaire de belles lettres» erhielt, die er später successive mit den Professuren der Philosophie und Physik vertauschte, und nun in Genf bis in sein höchstes Alter (dem Grundsatze nulla dies sine linea getreu) eine Menge physicalischer und literarischer Abhandlungen und Werke schrieb, die nicht wenig zur Aeufnung der Wissenschaften beigetragen haben[17]). — Lesage hatte die Freude, 1770 in Anerkennung seiner Lehrthätigkeit und des, durch

---

14) Pierre Prevost wurde in Genf am 3. März 1751 geboren, und starb ebendaselbst am 8. April 1839. Vergl. für ihn die von De Candolle im April 1839 in der Bibl. univ. gegebene «Notice.»

15) Namentlich wurde seine französische Uebersetzung der Tragödien des Euripides sehr geschätzt, und wiederholt aufgelegt.

16) Prevost las diese beiden Abhandlungen, welche 1783 im Jahrgange 1781 der Berliner-Memoiren erschienen, der Academie am 3. Juli und 11. September 1783, zu einer Zeit, wo er eingestandenermaßen schon eine vorläufige Kenntniß der am 6. März 1783 von Herschel der Royal Society gelesenen Abhandlung «On the proper motion of the Sun» erhalten, aber diese Abhandlung noch nicht gelesen hatte. Es kann also hier nicht von einer Prioritätsfrage die Rede sein, sondern das Verdienst von Prevost's Arbeit besteht zunächst darin, daß er sich rasch der Herschel'schen Idee bemächtigte, und ihre Richtigkeit aus neuen Gesichtspunkten darlegte. Vergl. auch III. 332.

17) Neben dem sofort zu citirenden erwähne ich z. B. die selbstständigen Werke «De l'origine des forces magnétiques. Genève 1788 in 8., — Recherches physico-mécaniques sur la chaleur, Genève 1792 in 8., — Du calorique rayonnant, Genève 1809 in 8.», für andere und die zahlreichen Abhandlungen auf Poggendorf verweisend.

seine sofort zu besprechenden Arbeiten wohlerworbenen wissenschaftlichen Rufes, von Genf mit dem Bürgerrechte beschenkt zu werden. «Vous ne doutez pas, mon cher Démocrite», schrieb ihm bei dieser Gelegenheit am 6. Mai 1770 der mit ihm sehr befreundete Charles Bonnet aus seinem lieben Genthod, «que je ne prenne part au plaisir que vous donne la galanterie que le conseil vient de vous faire. Elle aurait eu plus de mérite à mes yeux, si elle avait été moins tardive. Il était bien temps que la patrie inscrivît dans le nombre de ses citoyens, un homme né dans ses murs, et qui l'honorait par une réputation fondée sur l'estime des vrais savans. Il eut été infiniment à désirer pour l'intérêt public, qu'on n'eût jamais accordé la bourgeoisie qu'au mérite et aux talens.»

Es kann sich hier weniger darum handeln, alle wissenschaftlichen Fragen zu erörtern, welche sich Lesage während seinem langen Denker-Leben nach und nach vorlegte[18]), als darum, diejenigen hervorzuheben, die ihn fast unausgesetzt beschäftigten, und durch deren originelle Behandlung sein Name Bedeutung für die Wissenschaft gewonnen hat. In dieser Beziehung gehört die erste Stelle seinen Untersuchungen über die Natur der Schwere: Schon als kleiner Knabe stellte er die Frage, warum die Erde nicht falle, — wurde stutzig, als ihm der Vater, statt eine directe Antwort zu geben, sagte, er sollte lieber fragen, warum die Körper zur Erde fallen, — und hatte von da ab beständig die Erklärung der Schwere als eines der interessantesten Probleme vor Augen. «C'est dans le cours de ses deux années de philosophie», erzählt Prevost, «qu'il commença à s'élever contre l'abus du mot *attraction*, et qu'il s'accoutuma à expliquer par l'impulsion divers faits, qui au premier coup d'oeil semblent dépendre d'une autre force.» Während

---

18) Lesage entwarf z. B. auch eine Arbeit «Sur les alvéoles des abeilles», die Huber zum Theil im 2ten Bande seiner «Observations sur les abeilles» benutzte, — schrieb den Artikel *Insectes* für die Encyclopädie, — gab 1778 «Remarques sur les différentes méthodes de préserver les édifices des incendies» heraus, — etc.

seinem Aufenthalte in Paris (etwa zu Anfang des Jahres 1746) hatte er seine Gedanken etwas mehr präcisirt, und erst einige Zeit nach seiner Rückkehr nach Genf (im August 1749) durch Cramer die für ihn sehr überraschende Nachricht erhalten, daß schon Fatio verwandte Ideen über die Natur der Schwere ausgesprochen habe [19]), — noch etwas später (1751) war ihm eine

19) Vergl. Pag. 81—84, wo auch bereits angedeutet wurde, welche Mühe sich Lesage gab, die Manuscripte von Fatio zu sammeln. Er wollte sie später publiciren, scheint aber nicht sofort einen Verleger gefunden zu haben, und legirte sie schließlich der Genfer-Bibliothek, wo sie nun neben seinem eigenen schriftlichen Nachlasse aufbewahrt werden. — Lesage sprach nie von seinen Ansichten über die Schwere, ohne Fatio als seinen Vorgänger anzuführen, obschon zwischen ihren Systemen eine Kapital-Differenz statt hatte (vergl. Note 26), — nur verwahrte er sich des Bestimmtesten seine Ideen aus den Papieren Fatio's geschöpft zu haben, während er dagegen Cramer ziemlich bitter vorwirft, dieses gethan zu haben, und dafür Fatio selbst zum Zeugen aufruft, indem man auf einem seiner Zettelchen liest: «N. Fatio dit: Que son frère ainé (Christ.) a fait une copie de ses trois principaux manuscrits sur la cause de la pesanteur, en 1699, 1700 et 1701: Est qu'il est mort en 8bre 1720. Que cette Copie a passé à leur neveu (Ferdinand Calandrini). *Par où, dit-il, elle a été communiquée à Mr. Cramer, Professeur en Philosophie à Genève. Qui a réduit ma Théorie, en des Thèses publiques; les publiant sous son propre nom, sans l'entendre à fond.*» Mit derselben Bitterkeit vertheidigt er sich wiederholt gegen die Meinung, er habe Cramer etwas weiteres als jene Mittheilung von 1749 zu danken, und wohl längst zuvor dessen Dissertation (s. III. 213) gekannt. So sagt er z. B. unter dem Titel «Sur la part qu'on devrait m'accorder, à l'honneur d'avoir découvert le Mechanisme de la Gravité: Lors même qu'on supposerait, que c'est dans les Thèses de Mr. Cramer, que j'en ai puisé le premier Apperçu» Folgendes: «Et même dans la fausse supposition que j'aurais eu quelque connaissance des Thèses de Mr. Cramer, avant que d'imaginer mon propre Système: Il n'aura pas fait autre chose, que de m'indiquer une Mine précieuse, dont il ne sentait point le prix: Tandis que moi, j'aurais pris la peine de l'exploiter, au point de la rendre accessible à tout le monde et même d'en façonner tous les divers produits.» Und wieder unter dem Titel: «Que j'ai eu plus de part que Mr. Cramer à la découverte du vrai Méchanisme de la Gravité», — daß er weiter gegangen sei, während Cramer später von diesen Sachen ganz abstrahirt habe, und fügt dann noch bei: «Je crois bien me rappeller: Que Mr. Abauzit, ne m'apprit l'existence des Thèses de Mss. Cramer et Jallabert qu'à l'occasion de la lecture que je lui avais faite de ma Pièce le 25 et 26 Mars 1748. — Mr. Abauzit (qui aimait la tranquilité par dessus toute chose. Il avait toujours eu pour Règle de sa Conduite, de ne blesser l'amour-propre d'aucun homme de lettres, ni directement ni indirectement) ne me parla dabord que très vaguement de la connaissance que Mss. Cramer et Jallabert avaient eu de l'hypothèse de Fatio: Mais qu'il s'en expliqua un peu plus clairement après la mort de Mr. Cramer, et plus clairement encore après celle de Mr. Jallabert.»

betreffende und sonst wenig beachtete Dissertation eines deutschen Arztes in die Hände gefallen[20]), und hatte ihn zweifelhaft gemacht, ob es ihm gelingen werde, seine eigenen Ideen mit mehr Erfolg zur Geltung zu bringen. Neuen Muth gewinnend, benutzte Lesage seine Ideen als Grundlage für einen «Essai de chimie mécanique»[21]), mit dem er die Preisfrage der Academie zu Rouen «Sur la cause des affinités» zu beantworten suchte, und für den ihm nicht nur (1758) die Hälfte des Preises zugesprochen wurde, sondern mit dem er sich auch auf die schönste Weise in die Gelehrten-Welt einführte. Die unmittelbare Folge war, daß Lesage, der bereits etwas früher mit La Condamine und d'Alembert auf einer Durchreise derselben durch Genf bekannt geworden war, auch mit Lalande, Mairan, Boscovich, Euler, Lambert, etc. in Briefwechsel kam, und durch die Pariser-Academie 1761 unter ihre korrespondirenden Mitglieder aufgenommen wurde. Aus seiner betreffenden Korrespondenz hebe ich beispielsweise hervor, daß ihm Euler nach Empfang des erwähnten Essai am 13. October 1761 aus Berlin schrieb: «Le sujet que vous y traitez surpasse trop nos faibles lumières, pour que nous puissions nous flatter de découvrir jamais les vrais ressorts, que le créateur a mis en usage pour opérer les merveilleux phénomènes de la nature. Mais il ne paroit pas douteux que vous y ayez infiniment mieux réussi que tous les autres, qui se sont attachés à ces mêmes recherches, et je crois que les preuves que vous apportez balancent

---

20) «Franc. Alb. Redekeri, De causa gravitatis meditatio, Lemgoviae 1736 in 8.» — Vergl. Note 26. Lesage erwähnt auch Redeker bei jeder Gelegenheit mit großem Lobe, und man kann sagen, daß dessen Schrift zunächst durch Lesage allgemeiner bekannt wurde.

21) Er wurde gedruckt (113 S. in 4.), aber nicht publicirt, und von Lesage nur an Freunde und Gelehrte abgegeben. Ein auf der Basler-Bibliothek befindliches Exemplar hat einen geschriebenen Titel und viele Randglossen. Muthmaßlich bezog es sich auf diesen Essai, wenn Bonnet am 22. November 1760 an Haller schrieb: «Monsieur Le Sage, bon mathématicien, dont j'ai eu l'honneur de vous parler, voudrait faire imprimer un mémoire sur les affinités chimiques: La Société de Berne pourrait-elle se charger de le faire imprimer? La pièce le mérite sûrement et je souhaiterais que vous en voulussiez juger.»

assez bien les objections qu'on y peut opposer.» Immerhin gestand jedoch Euler in einem spätern Briefe vom 16. April 1763, daß für ihn die von Lesage, wie wir unten noch genauer sehen werden, zur Erklärung der Schwere angenommenen Strömungen von «corpuscules ultramondains» doch etwas unwahrscheinlich seien, und fügte bei: «La preuve tirée du mouvement de la lumière n'est chez moi d'aucun poids, puisque je suis convaincu que la lumière n'est point actuellement dardée des corps lumineux, mais qu'elle en est propagée de la même manière que le son des corps sonores sans qu'il s'échappe réellement quelque chose des corps luisans.» Ja die von Lesage versuchte Vertheidigung hatte bei Euler nur den negativen Erfolg, daß er ihm am 8. Sept. 1765, nachdem er zur Entschuldigung seiner Kürze geschrieben hatte: «Je me trouve, par l'affoiblissement de ma vue, à peu près dans le même cas que vous»[22], rundweg erklärte: «Je sens encore une très-grande répugnance pour vos corpuscules ultramondains, et j'aimerois toujours mieux d'avouer mon ignorance sur la cause de la gravité, que de recourir à des hypothèses si étranges.» Andere Korrespondenten sprachen sich günstiger aus, forderten aber Lesage auf, die von ihm versprochenen weitern Entwicklungen und Konsequenzen seiner Ideen bald möglichst zu Tage zu fördern, und so schrieb ihm z. B. auch Lambert am 14. April 1768: «Si à l'aide des *corpuscules ultramondains*, vous y pouvez prédire des phénomènes, comme vous l'insinuâtes dans votre première lettre, et comme il me paraît très-vraisemblable, cela accréditera ces corpuscules, à peu près comme MM. Bernoulli mirent en vogue le calcul différentiel à force d'en faire voir les résultats surprenans et inouis.» Das war ganz was Lesage zu machen wünschte, was er aber nie fertig brachte, so daß er selbst am 22. Mai 1772 an seinen früher erwähnten Schüler, den Herzog von La Rochefoucauld schrieb: «Vous con-

---

22) Lesage hatte 1762 beinahe das Gesicht verloren, und trotz ärztlicher Behandlung und großer Schonung wurde es später nie mehr ganz hergestellt.

naissez des courbes, qui s'approchent perpétuellement d'une certaine ligne droite; mais qui ne l'atteignent jamais, parce qu'elles s'en approchent toujours moins. Ces courbes, ce sont mes ouvrages: et cette ligne droite, c'est leur publication, dont j'approche toujours moins, parce que j'ai toujours moins de santé.» Dann fügte er freilich bei: «Vous savez, Monsieur le duc, que je travaille depuis dix ans à une *Histoire raisonnée de la pesanteur*, qui m'avoit semblé devoir être l'ouvrage d'une année. Mais les matériaux nécessaires pour faire un tout régulier se sont trouvés si nombreux et si compliqués, que mes amis ne veulent plus attendre la fin de cette *Histoire*, pour voir paroître l'exposition même de mon système. Et je viens enfin de me rendre à leur avis.» Aber auch dießmal kam Lesage nicht zum Ziele, und noch am 20. März 1776 schrieb Jeanneret an Jetzler: «M. le Sage travaille toujours à sa théorie de la Gravité, toujours occupé de particules ultramondaines et à bâtir des systèmes dans sa chambre sans rien publier, il travaillera ainsi toute sa vie et à sa mort on brulera tous ses enfants qu'il a mis au monde avec tant de peine; mais je ne vous dirai pas si le Monde savant y gagnera ou y perdra; je ne scai au reste ce que l'on peut gagner avec des rêves.» Im Jahre 1779 endlich schien es Ernst zu werden; wenigstens schrieb Stockar am 13. Februar 1779 aus Genf an Jetzler: «J'ai fait la connaissance de Mr. le Sage, qui croit vous avoir vû chez Mr. Mallet, l'astronome, et si cela est effectivement il m'a chargé de vous faire bien ses compliments. Il va faire imprimer un ouvrage intitulé Système helvétique, ou lettres sur la nature et les causes de la gravité: il l'appelle *système helvétique*, parce que 2 suisses, Fassio et Mégard[23]), ont eus à peu près les mêmes

---

23) Vergl. für Mégard z. B. III. 246. In der Note 4 erwähnten Notice ist in der Pag. 362—372 mitgetheilten Korrespondenz zwischen Lesage und Clairaut ebenfalls wiederholt und ziemlich einläßlich von den optischen Arbeiten Mégard's die Rede, und Lesage sagt unter Anderm, daß ein von Mégard 1751 nach Paris eingesandtes katadioptrisches Memoire dort gekrönt worden sei.

idées que lui sur cette matière, et qu'il en veut faire honneur à la Suisse: il l'appelle lettres, parce qu'il contient la correspondance qu'il a tenu sur cette matière avec plusieurs savans: le premier volume, qui paraitra dans 3 ou 4 mois, ne renferme que des lettres jusqu'à présent inconnues de grands mathématiciens; les 2 autres qu'on aura vers la fin de cette année, traiteront de l'objet même.» Aber es erschien wieder nichts, und erst 1782 erhielt man als eine Einsendung an die Berliner-Academie den «Lucrèce neutonien»[24]), welchen Prevost in folgenden Worten resumirt: «Lesage y expose son opinion d'une manière indirecte, mais qui a d'autant plus d'intérêt, qu'elle peint en quelque sorte la marche qu'il avoit lui-même suivie. Partant des atomes d'Epicure, expliqués par Lucrèce, il fait voir que si le philosophe athénien avait fait usage des lumières de ses contemporains sur la cosmographie et les sciences mathématiques, il aurait rencontré naturellement les lois de l'attraction neutonnienne, et les aurait conclues de leur cause. Il a placé à la suite quelques propositions courtes et claires, desquelles tout géomètre peut déduire ces mêmes conséquences.» Wenn man jedoch die vielen Phrasen: «Si les Epicuriens avaient eu des idées saines, — avaient été persuadés, — auraient saisi, — etc.» liest, deren Lesage nöthig hatte, um die sich gestellte Aufgabe durchzuführen, so muß man seine Mühe fast bedauern, durch die er schließlich nur jenen Leuten diente, vor denen ihn Lambert schon am 14. April 1768 mit den Worten gewarnt hatte: «Et quand vous aurez tout fait et tout bien fait, il y aura des gens, qui attribueront vos découvertes à quelque philosophe grec. Vos corpuscules seront encore le reste des atomes errans d'Epicure, qui pour être venus de trop loin, n'ont pu s'accrocher à temps aux corps des planètes, etc. Ces sortes d'enthousiastes de la littérature grecque, tout in-

---

24) Siehe Mém. de Berlin pour 1782, und den neuen Abdruck im Anhange der Note 4 erwähnten Notice.

justes qu'ils sont, reviennent encore de temps en temps, pour enrichir les anciens des dépouilles des modernes.» Und wenn Prevost sein Résumé mit den Worten schließt: «Ce mémoire est, si je ne me trompe, ce que Le Sage a publié de plus satisfaisant sur sa doctrine», so ist diese Bemerkung nur darum richtig, weil Lesage sein Hauptwerk nie vollendete; denn nach dem Bruchstücke desselben zu urtheilen, das Prevost nach dem Tode seines Meisters publicirte[25]), wäre dieses denn doch von ganz anderer Bedeutung gewesen, wie z. B. folgende Stellen zeigen, durch die uns Lesage selbst mit seinen Ideen über die Schwere bekannt machen mag: «L'espace étant conçu vide, il faut d'abord y placer un *atome* fort petit, de l'espèce de ceux que les physiciens ont coutume d'appeler *durs* dans le sens absolu, c'est-à-dire infrangible, inflexible, et privé de toute élasticité[26]). Ce premier atome, ou Corpuscule, étant ainsi constitué, rangez par la pensée d'une manière uniforme et régulière d'autres corpuscules pareils, de manière à occuper tout l'espace, en laissant néanmoins de grands intervalles entre chaque

---

25) «Deux traités de physique mécanique. publiés par P. Prevost, comme simple éditeur du premier et comme auteur du second, Genève 1818 (XLIII. und 352) in 8.

26) Hierin besteht nach Prevost der Hauptunterschied zwischen den Systemen von Fatio und Lesage. «Nicolas Fatio», sagt Prevost in der Einleitung zu der Note 25 erwähnten Schrift, «inventa un système sur la cause de la pesanteur, parfaitement semblable à celui de Lesage, hormis en deux points; l'un de moindre importance est relatif à l'origine des corpuscules, que Fatio ne faisait pas ultramondains; l'autre, tout-à-fait essentiel, tient à la nature des corpuscules, que Fatio supposait *élastiques*, tandis que Lesage les suppose *durs*. Cette différence a des conséquences telles que l'un des systèmes explique et que l'autre n'explique pas. Si les élémens et les corpuscules gravifiques sont doués d'une élasticité parfaite, comme le voulait Nic. Fatio, leur retour empêchera la chute; ils agiront après le choc, avec une force égale à celle du choc direct; chaque courant de corpuscules aura un courant antagoniste, qui contre-balancera exactement son effet; il ne naîtra aucun mouvement d'approche mutuelle dans les corps qui interceptent ces courans.» — Redeker stimmt in sofern mit Lesage überein, daß seine «corpusculus gravifiques» ebenfalls hart sind, und Prevost spricht mit großem Lobe von seiner Arbeit, obschon er sie gegenüber der von Lesage als «dépourvu de cette analyse exacte des phénomènes qui fait le principal mérite de toute espèce de théorie» schildert.

atome et les atomes voisins. Vous avez maintenant la conception d'un fluide discret, dont les parties sont en repos. — Donnez à chaque corpuscule une impulsion égale; communiquez ainsi à tous une même vitesse, très-grande, dirigée en différens corpuscules d'une manière différente: tellement que vous ne puissiez feindre aucune direction, selon laquelle il ne se meuve un courant de corpuscules, pareil à tout autre courant mû selon quelqu'autre direction. — Le fluide discret ainsi constitué, ayant chacun de ses élémens mû d'une vitesse égale et très-rapide, traverse l'univers; et par conséquent il est parti de lieux placés au-delà; c'est pourquoi ces élémens s'appellent *corpuscules ultramondains*; et le fluide lui-même s'appelle *gravifique*, parcequ'il produit la gravité. — Fixons un point de l'univers. Quelque court que soit l'instant de notre contemplation, on peut dire, vu la rapidité des corpuscules ultramondains, qu'il passe par ce point, pendant cet instant, des filets de corpuscules selon toutes les directions imaginables. Donc on peut dire d'un point quelconque de l'espace, pendant un instant quelconque, qu'il est comme un centre où convergent, et d'où divergent, en toutes directions, des filets de corpuscules en nombre innombrable.— Cette constitution du fluide gravifique étant conçue, que l'on plonge dans ce fluide un corps solide terminé par des angles saillans ou par des surfaces convexes, et beaucoup plus gros qu'un corpuscule Ce corps demeurera immobile, ou du moins ne sera en proie à aucun mouvement constant. Il sera balloté peut-être par l'inégalité des courans, et exécutera des oscillations irrégulières. — Plongez un second corps dans ce même fluide, à quelque distance du premier. Ces deux corps s'approcheront l'un de l'autre; car l'un sert à l'autre de bouclier, et les courans qui n'ont plus d'antagonistes, devenant nécessairement efficaces, produisent, dans l'un et l'autre corps, un mouvement constant, par lequel ils tendent à se réunir. — Soit maintenant une particule de matière, beaucoup trop petite pour

que nos sens puissent la distinguer, mais beaucoup plus grande cependant qu'un corpuscule ultramondain; elle arrêtera tous les corpuscules qui s'avanceront vers ce point, en sorte qu'on peut se les représenter comme étant tous interceptés. On pourra concevoir ceux qui y vont comme traversant successivement diverses surfaces sphériques, concentriques à cette particule: et les corpuscules qui traversent une de ces surfaces, sont exactement les mêmes que ceux qui ont traversé toute autre d'entr'elles plus éloignés; ils y seront donc d'autant plus serrés que celle-là sera moins étendue que celle-ci. Or, les surfaces des sphères sont entr'elles comme les carrés de leurs diamètres, ou de leurs demi-diamètres, qui sont ici les distances de ces surfaces à la particule. Donc les densités de ces corpuscules ultramondains, à diverses distances de la particule, suivent la raison inverse du carré de ces distances. Donc enfin *leurs impulsions efficaces, pour entraîner avec eux vers cette particule les corps qu'ils rencontrent sur leur passage, suivent la raison inverse du carré des distances de ces corps à cette particule.* — Plusieurs faits attestent la grande porosité des corps. Il faut de plus concevoir ces pores tellement construits, qu'ils permettent aux corpuscules ultramondains un passage facile. — Il suit de cette constitution des graves, que le nombre des corpuscules, qui arrivent aux premières et aux dernières couches d'un corps, est sensiblement le même, malgré la grosseur de ce corps; et par conséquent, que les interceptions sont proportionelles à la quantité de matière; en d'autres termes *que la pesanteur est proportionelle aux masses.* Du reste, je conviens que, d'après ce système, cette loi ne doit pas être rigoureuse; mais aussi rien ne preuve qu'elle l'est.»
Es würde uns natürlich zu weit führen, Lesage in der weitern Ausführung seiner Ideen zu folgen, und zu zeigen, wie er zum Voraus die zu gewärtigenden Einwürfe zu widerlegen sucht; dagegen muß noch darauf aufmerksam gemacht werden, daß Lesage auch versuchte, auf sein System eine Theorie der

elastischen Flüssigkeiten zu gründen, und daß er hier zu ganz analogen Ansichten gelangte, wie diejenigen sind, welche in der allerneusten Zeit in der Physik Geltung erhalten haben. So sagt er z. B.: «Les particules d'un fluide élastique sont solides, et non élastiques; la moyenne distance mutuelle des plus voisines est beaucoup plus grande que leur diamètre; chacune d'elles est agitée d'un mouvement progressif très-rapide, dont les directions sont tellement variées qu'il en existe dans tous les sens. Quand ce mouvement a été détruit ou affaibli par la rencontre d'une autre particule, ou de quelque corps grossier, il se renouvelle promptement au même degré: et la cause de ce renouvellement est l'inégalité de l'impulsion des corpuscules ultramondains sur les faces opposées d'une même particule. — Quand ces particules seront plus grandes qu'aucun des pores d'un corps exposé à leurs chocs; la somme de ces chocs sur une surface donnée pendant un temps donné, la vitesse des particules ne changeant point, suivra la raison triplée de leur moyenne distance mutuelle, c'est-à-dire, la raison directe de la densité du fluide. Or, la petitesse de chaque choc, de chaque distance des chocs simultanés, de chaque intervalle de temps des chocs successifs, donne à leur somme l'apparence d'une pression continue. *Donc, on obtiendra un fluide expansible et coercible, dont la pression sera proportionelle à sa densité; c'et-à-dire, de l'air: un fluide élastique susceptible d'être contenu dans des vases clos est soumis à nos expériences de pression, dans lesquelles se vérifiera la loi de Mariotte.* — On trouve des vestiges de cette opinion sur la nature de l'air, et même de quelques autres fluides, dans divers auteurs qui m'ont précédé[27]; *mais aucun de ces auteurs n'est entré dans*

27) Lesage citirt hiebei folgende Schriften: «Lucrèce l. II. v. 444—440; Gassendi, Physique, sect. 1, l. IV. ch. 8, l. VI. ch. 4; Boyle, Nouvelles expériences et traité sur la fluidité; Parent, Mém. de Paris 1708; Hermann, Phoronomia, l. II. ch. 6; Dan. Bernoulli, Hydrodynamique, sect. 10; Dan. et Jean Bernoulli, pièce de prix 1746.

le moindre détail, ni sur l'origine du fluide subtil qui produisait cette agitation dans les fluides élastiques, ni sur la manière dont il produisait cette agitation. La pleine connaissance que mes propres méditations m'ont acquise de cette théorie date du 1er décembre 1759.» Statt den weitern Entwicklungen von Lesage zu folgen, ziehe ich aber vor zum Schlusse noch einige Hauptstellen aus der zweiten Abhandlung [28]) zu geben, in der Prevost diese Untersuchungen im Sinne seines Meisters weiter führte. Man liest in derselben: «*Il résulte de la théorie exposée ci-dessus*[29]), *qu'un fluide élastique (tel que l'air, par exemple) est un fluide discret, dont les particules se meuvent indépendamment les unes des autres. La rapidité de ce mouvement est la même, par une moyenne, dans un même fluide; elle diffère dans les fluides hétérogènes; ces particules laissent entr'elles de grands intervalles vides. De cette simple constitution, on déduit régulièrement la loi de Boyle ou Mariotte, relative au rapport entre l'élasticité et la densité d'un gaz.* — Il sera bien d'insister un peu ici sur la différence de cette théorie et de celle de plusieurs autres physiciens. Newton a bien considéré des fluides discrets, mais il ne les envisageoit qu'en repos, et nous pensons qu'ils sont en mouvement: il leur attribue une vertu répulsive, et *nous croyons que leur mouvement seul suffit à expliquer les principaux phénomènes. — Le poids d'un fluide élastique, contenu dans un vase clos, ne peut être, dans notre théorie, que la différence des chocs contre le fond et contre le couvercle.* — Dan. Bernoulli conclut, tant de ses propres observations que de celles d'Amontons, que l'accroissement d'élasticité, produit par la chaleur, est proportionel à la densité qu'avoit l'air avant d'être échauffé. Cette loi paroît résulter de la constitution qu'assigne aux fluides élastiques la théorie que nous avons adoptée. En effet, le calorique augmente l'élasticité. *Ce ne peut-être, dans cette théorie, qu'en imprimant aux*

28) Vergl. Note 25.

29) Prevost citirt hier die soeben mitgetheilte Stelle aus der Abhandlung von Lesage.

particules du fluide une vitesse additionelle. Or, comme cette cause agit à la fois sur toutes les particules, il est certain que plus il y en a et plus l'effet doit se manifester.» — Würde wohl Muncke jetzt noch schreiben [30]): „Es scheint mir überflüssig, die Ideen des Lesage und die Anwendungen, welche er selbst und Prevost auf die Naturerscheinungen davon gemacht haben, näher anzugeben. Seine Hypothese hat, außer etwa Prevost, kaum irgend einen Anhänger gefunden."

Das äußere Leben von Lesage war so einfach, daß dem bereits mitgetheilten kaum mehr beizufügen ist, als daß er in Folge einer kurzen aber schmerzhaften Krankheit am 9. November 1803 starb, — herzlich betrauert von Allen, die ihm im Leben näher gekommen waren, oder seine wissenschaftliche Bedeutung begriffen. «Hélas ! non, mon ami Le Sage n'est plus dans ce monde», schrieb sein Jugendfreund Jean-André Deluc am 7. Mai 1804 aus Braunschweig an Daniel Huber nach Basel. «J'ose d'autant moins y penser, que je suis peu satisfait de ce que j'apprends concernant l'usage qu'on fera de ses manuscrits. Si j'étais libre, quoiqu'entré dans ma 78ème année, j'irais à Genève pour cet objet. Personne n'a pris à ses idées le même intérêt que moi, parce qu'elles m'ont servi de guide dans la physique expérimentale ; personne n'a comme moi l'histoire de ses pensées et de ses plans, et personne n'en sent comme moi l'importance. Il y a des trésors dans ses manuscrits, quoiqu'ils n'y soient que par fragments ; mais ce sont des trésors pour les esprits capables de profondes méditations, et je n'en connais plus.»

---

30) Siehe seinen Artikel über die Materie in Gehler VI. 1832.

Jean-André Deluc von Genf.

1727 — 1817.

Jean-André Deluc wurde am 8. Februar 1727 dem Uhrmacher Jacques-François Deluc zu Genf von seiner Frau, Françoise Huant, geboren [1]). Der Vater, der zwei Jahre später einen zweiten Sohn, Guillaume-Antoine, erhielt, welcher mit dem Erstgebornen bis an sein Lebensende im innigsten Rapporte stand, war ein nicht nur in seinem Berufe geschickter, sondern auch wissenschaftlich gebildeter Mann [2]), der in die religiösen und politischen Streitigkeiten, welche damals Genf bewegten, sehr verwickelt war, aber es herzlich gut meinte, und namentlich den mit ihm befreundeten Rousseau zum Frieden zu stimmen suchte. Dieser hörte jedoch wenig auf ihn, und soll sich geäußert haben [3]): „Er ist

---

1) Ich benutze für Deluc den betreffenden Artikel Escher's in der Encyclopädie von Ersch und Gruber; ferner Senebier, Holzhalb, 2c., — die Korrespondenzen von Haller, Jetzler, 2c., — die Schriften Deluc's, 2c. — Bei Wiedererwähnung des schon so oft benutzten Escher mag folgende kurze Notiz über ihn Platz finden: Heinrich Escher von Zürich (1781—1860 II. 28) war Professor der Geschichte am Zürcherischen Gymnasium, und hatte das seltene Glück, 1857 sein 50jähriges Amtsjubileum mit ungebrochener Kraft zu feiern, bei welcher Gelegenheit auch seiner großen Verdienste um die Reorganisation des Zürcherischen Schulwesens in den Dreißiger-Jahren gebührend gedacht wurde. Neben vielen historischen Abhandlungen, zu denen gar mancher seiner zahlreichen und großen Artikel für die Encyclopädie von Ersch und Gruber zu zählen ist, ist namentlich auch seine letzte Arbeit, die neue und bis auf die Gegenwart fortgesetzte Ausgabe von Vögelin's Schweizergeschichte, als höchst werthvoll und gelungen zu bezeichnen. Vergl. für ihn die „Reden, gehalten bei der Feier des fünfzigjährigen Amtsjubileums des Herrn Dr. H. Escher, Zürich 1857 in 8.°

2) Vater Deluc lebte von 1698 bis 1780. Er unterstützte später seine Söhne zuweilen dadurch, daß er in Genf korrespondirende Beobachtungen machte, wenn sie auf Reisen waren.

3) Vergl. Schuler IV. b. 850. — Auch Schuler verdient, daß ich hier einige Worte zu seinem Andenken beifüge: Melchior Schuler von Glarus (Glarus 1779

IV. 13

wohl ein trefflicher Freund, redlich und tugendhaft, aber gar langweilig, und seine Schriften[4]) dienen mir als Opium gegen die Schlaflosigkeit.» — «Monsieur de Luc», schrieb Bonnet am 15. Juni 1762 über ihn an Haller, «est de meilleure foi en matière de religion. Il est singulier de voir un simple horloger attaquer les Bayle, les Toland, les Maudeville, etc. et se mettre à la place des Abbadies, des Sherlock, des Turretins, etc. Il eut été à désirer pour son bonheur et pour celui de ses concitoyens qu'il ne se fut jamais occupé que de religion: mais il a voulu jouer un rôle dans nos dissensions civiles, et ce rôle ne lui a pas mérité l'estime de la plus saine partie de notre état. C'était une espèce de fanatique en politique, d'autant plus dangéreux que son ton paraissait plus simple et plus désintéressé. Il est encore dans les mêmes idées où il était autrefois, et ces idées reviennent à celles qui ont perdu Michéli[5]). Mais aujourd'hui malheur à qui voudrait troubler l'heureuse paix dont nous jouissons.» Und am 18. März 1766, wo neue und sehr ernstliche Unruhen in Genf ausgebrochen waren[6]), klagte derselbe seinem Freunde in Bern: «J'ai toujours oublié de vous dire que le principal auteur de l'opposition est ce même De Luc qui publia, il y a quelques années, le livre inti-

---

III. 9/21 — Aerlisbach 1859 IV. 30) war successive Pfarrer zu Siblingen, Kerenzen, Mönthal, Bözberg und Aerlisbach, und erwarb sich überall große Verdienste um Schule und Armenwesen. Seine Muße verwendete er fast ausschließlich auf vaterländische Geschichte, und er hat sich in verschiedenen Werken, namentlich aber in seiner, die Kulturgeschichte auf früher nicht gebräuchliche Weise berücksichtigenden Hauptschrift: „Die Thaten und Sitten der Eidgenossen, Zürich 1839—1857, 7 Bde. in 8." ein bleibendes Denkmal gesetzt. Vergl. für ihn den von Fröhlich für das Feuilleton der Neuen Zürcher-Zeitung 1859 V. 9—10 geschriebenen Nekrolog.

4) «Discours prononcé à S. E. le comte de Lautrec le 1 Janvier 1738 à la tête des XXXIV députés de la bourgeoisie». — «Observations sur les écrits de quelques Savans incrédules, Genève 1762 in 8.» — Etc.

5) Vergl. I. 229—260.

6) In den Jahren 1766 und 1767 wurden bekanntlich von Zürich, Bern und Frankreich Gesandte in Genf gehalten, welche zwischen den Parteien zu vermitteln suchten. Bei der Zürcher-Gesandtschaft fungirte der nachmalige Bürgermeister Heidegger, dessen Leben Oberrichter Jakob Escher im Neujahrsblatte des Waisenhauses auf 1861 so trefflich geschildert hat.

tulé : *Observations sur les incrédules*, ouvrage très mal fagotté par les mains de cet horloger, et que quelques-uns de nos gens de lettres avaient revu et corrigé. Ce De Luc avait déjà été un des plus terribles opposans dans nos troubles de 1734 et 1737. Il a deux fils qui ont sucé sa démagogie et qui sont avec leur père à la tête du parti. L'aîné était fait pour de meilleures choses. Il a beaucoup cultivé la physique et l'histoire naturelle, et a composé sur les baromètres et sur les propriétés de l'air un grand ouvrage qui à été fort applaudi par l'académie des sciences. Il n'est pas encore imprimé ; l'auteur est trop occupé à écrire des brochures contre le gouvernement. Son baromètre est d'une nouvelle construction et il n'a pas les défauts des autres.» — Jean-André Deluc, ein Schüler der Cramer und Jallabert, ein Freund der Mallet und Lesage, machte gründliche naturwissenschaftliche Studien, aus denen unter Anderm das von Bonnet erwähnte, und sofort näher zu besprechende Werk resultirte; aber daneben nahm er allerdings in den 60ger Jahren, wie sein Vater, das lebhafteste Interesse an den politischen Streitigkeiten, und gehörte zu den eifrigen Repräsentanten, in deren Namen er 1768 in Bern und Paris Unterhandlungen führte. Später dagegen wünschte er selbst, ruhig der Wissenschaft leben zu können, und da dieß in Genf kaum möglich schien, so siedelte er, bald nachdem er 1770 zum Mitgliede des großen Rathes gewählt worden war, nach England über, wo er sehr gute Aufnahme fand, und unter den ehrenvollsten Verhältnissen in die Royal Society aufgenommen wurde [7]). «De Luc a été élu membre de la Société royale d'Angleterre», schrieb Bonnet am 7. Juli 1773 an seinen Freund Haller, «et avec une distinction remarquable. Le réglement portait qu'on n'élirait chaque année que deux membres. Deux secrétaires d'académies étrangères étaient en concurrence avec lui, et on ne pouvait les refuser : on ne voulait pas non

---

7) Deluc war auch Mitglied der Academien in Paris, Montpellier, Göttingen, Dublin, &c.

plus renvoyer De Luc: on a pris le parti de les élire tous trois.» Ungefähr gleichzeitig wurde er zum Vorleser der Königin ernannt, und dadurch so gestellt, daß er seine wissenschaftlichen Untersuchungen in aller Ruhe verfolgen konnte. Nach Galiffe war er mit Françoise Vieusseux verheirathet, die ihm einen Sohn Jean-François gebar [8]).

Es sind von mir in den bisherigen Biographien schon viele verdiente Physiker und Meteorologen geschildert worden, — ich erinnere an den Aargauer Sprüngli, den Appenzeller Mertz, die Basler Bernoulli, Dietrich, Euler, Fatio, Fürstenberger, Fuß, Haas und Socin, die Berner Béguelin, Benoit, Fueter, Studer und Trechsel, den Bündner Planta, die Genfer Argand, Chouet, Jallabert, Lesage, Micheli, Pictet, Prevost und Senebier, den Mühlhauser Lambert, den Neuenburger Guinand, den Sanct-Galler Bovelin, den Schaffhauser Spengler, die Waadtländer Allamand und Espinasse, die Zürcher Breitinger, Escher, Geßner, Gutmann, Horner, Hottinger, Ott, Scheuchzer, Sulzer und Waser, und den Zuger Stadlin, ꝛc.; aber noch wären manche Männer zu behandeln, welche sich um dieselben Wissenschaften verdient machten, oder doch wenigstens in einer vollständigen Geschichte derselben in unserm Lande erwähnt werden müßten, — ich erinnere an Bénédict Prevost von Genf [9]), einen Vetter des bei Lesage behandelten Pierre Prevost, der zuerst Graveur, dann Kaufmann werden sollte, schließlich aber, seinem Drange zum Studium folgend, 1777 die Stelle eines Erziehers bei der Familie Delmas zu Montauban annahm, dort in seinen Mußestunden Mathematik, Naturwissenschaften und Philosophie mit solchem Erfolge studirte, daß ihm 1784 die Nachfolge seines Vetters in Berlin

8) Escher spricht von einem Sohne Guillaume-Antoine, und sagt, dieser sei der Verfasser der «Histoire du passage des Alpes par Annibal, Genève 1818.»

9) Er wurde am 7. August 1755 zu Genf geboren, und starb am 6. Juni 1819 zu Montauban. Vergl. für ihn die «Notice de la vie et des écrits de Bénédict Prevost, par Pierre Prevost, Genève 1820 in 8.» — In Littrow's Uebersetzung von Whewell II. 508—509 werden Pierre und Benedict Prevost identificirt.

angeboten wurde, nichts desto weniger in Montauban blieb, wo er die Academie gründen half und 1810 die Professur der Philosophie übernahm, nebenbei den verschiedensten wissenschaftlichen Arbeiten lebend[10]), — an François-Charles Achard von Genf[11]), einen Schüler von Marggraf, der ziemlich frühe Mitglied der Berliner-Academie wurde und später seinem Lehrer als Director der physicalischen Klasse folgte, eine große Anzahl physicalischer und chemischer Abhandlungen und Werke schrieb[12]), und namentlich als Erfinder der Runkelrübenzucker-Fabrication gilt, welche er bis an seinen Tod auf dem ihm vom Könige zu Kunern im Regierungsbezirke Breslau zu diesem Zwecke geschenkten Landgute in großem Maaßstabe betrieb, — an Sigmund Friedrich Benteli von Bern[13]), der sich in Straßburg und Göttingen zu einem ausgezeichneten Chemiker und Pharmaceuten ausbildete, in seiner Vaterstadt eine Apotheke bewarb und später mit Hörning eine große Materialhandlung gründete, sehr gewandt im Glasblasen war, und dadurch besonders befähigt wurde, mit seinem Provisor

---

10) Von seinen schriftstellerischen Arbeiten sind, neben seinem bekannten «Mémoire sur la cause immédiate de la carie ou du charbon des blés, Paris 1807 in 4.», besonders seine in den Annales de Chimie erschienenen Abhandlungen «Divers moyens de rendre sensible à la vue les émanations des corps odorants, — Sur la rosée, — Sur la chaleur et sur l'action des corps qui l'interceptent, — etc.» zu erwähnen.

11) Er wurde dem III. 224 erwähnten Antoine Achard 1753 IV. 28 zu Berlin geboren, und starb 1821 IV. 20 zu Kunern.

12) Außer zahlreichen Abhandlungen in den Berliner-Memoiren, dem in Berlin erscheinenden Journal littéraire, &c. hat man von ihm zwei Sammlungen chemisch-physicalischer Abhandlungen, Berlin 1780 und 1784, — Vorlesungen über Experimentalphysik, 4 Bde., Berlin 1791—1792, — &c. Er hatte zur Zeit einen bedeutenden Ruf, obschon sich auch andere Stimmen vernehmen ließen, wie wir aus folgendem Briefe ersehen, den J. L. Spleiß am 25. Januar 1785 aus Petersburg an Jezler schrieb: „Man hat hier von dem Berliner-Physiker Hr. Achard bei weitem die große Meinung nicht, die man in Berlin von ihm hegt. Sein Mémoire sur l'électricité des glaces hat ihn besonders lächerlich gemacht. Er hat allem Anschein nach das Wort glace mißverstanden, und Spiegelglas und Eis mit einander verwechselt."

13) Er wurde in Bern 1755 II. 10 geboren und starb ebendaselbst 1803 XII. 10. Es wird ihm nachgerühmt, daß er sehr witzig und ein vortrefflicher Schachspieler gewesen sei. Mit Rengger, Bay, Kuhn, &c. sehr befreundet, blieb er nichts desto weniger ein Berner von altem Schrot und Korn, und war der helvetischen Regierung nichts weniger als grün.

Johann Heinrich Beck[14]) die beliebten Scalen-Aräometer zu construiren, durch welche die Namen Beck und Benteli[15]) weit bekannt geworden sind, — an den mit Hofrath Horner befreundeten und auch als Virtuosen auf der Flöte bekannt gewordenen Johann Jakob Metzger von Schaffhausen[16]), der nach guten Studien in Göttingen, als Pfarrer in Siblingen und Probst in Wagenhausen, viel zur Belehrung des Landvolkes that, in seinen Mußestunden sich mit Verbesserung optischer und elektrischer Apparate beschäftigte, und verschiedene betreffende Abhandlungen publicirte[17]), — an Jean-Louis Prevost von und in Genf[18]), der sich zwar zunächst als Physiologe und praktischer Arzt bekannt machte, sich aber auch durch verschiedene Abhandlungen[19]) um die Physik Verdienste erwarb, — an Beat Friedrich Tscharner von Bern[20]), der das Unglück hatte, auf seinem Gute in Hunziken einen Polizeidiener statt einem vermeintlichen Diebe zu erschießen, deßhalb verbannt und in Verwaltung seines Vermögens eingestellt wurde, und nun Energie und Kenntnisse genug besaß, um sich ganz selbstständig durch populäre physicalische Vorträge, welche er in Berlin, Hamburg 2c. hielt, eine reichliche Existenz und ein gut besetztes physicalisches Kabinet[21]) zu erwerben, 1830 begnadigt wurde, seine Vorlesungen in Bern fortsetzte, und endlich etwa 1835 zum

---

14) In seiner Vaterstadt Thun 1773 III. 14 geboren, starb er ebendaselbst im Dezember 1841, nachdem er von 1805 hinweg als Professor der Physik an der Berner-Academie gestanden hatte.

15) Oder Benteley, wie er gewöhnlich fälschlich citirt wird. Vergl. über diese Aräometer z. B. Band 9 von Tromsdorf's Journal der Pharmacie.

16) Er wurde 1763 III. 28 zu Schaffhausen geboren, und starb 1853 VI. 12 zu Wagenhausen. Vergl. für ihn Verh. der Schweiz. Musikges. 1854.

17) In den Verhandlungen der Schweiz. Nat. Gesellschaft, in Cotta's Morgenblatt und der Bibl. univ.

18) Er wurde 1790 IX. 1 zu Genf geboren, und starb ebendaselbst 1850 III. 14. Vergl. für ihn Bibl. univ. 1850, und Bd. 12 der Mémoires de Genève.

19) So z. B. durch seine «Note sur le développement d'un courant électrique qui accompagne la contraction de la fibre musculaire», — seine «Note sur l'aimantation d'aiguilles de fer dans leur contact avec les nerfs en action», — etc.

20) Er lebte von 1791 bis 1854, und publicirte 1830 zu Frankfurt ein „Handbuch der Experimentalphysik in 8."

21) Dasselbe wurde nach seinem Tode von der Familie an die Berner-Realschule geschenkt.

Prof. extraord. der Physik an der Berner-Hochschule ernannt wurde, — an Rudolf Schultheß von Zürich[22]), einen Sohn des bekannten Theologen Johannes Schultheß, der sich mit vielem Erfolge der Medizin, Botanik und Physik widmete, und bereits durch verschiedene Leistungen als Lehrer und Schriftsteller[23]) sich Bahn gebrochen hatte, als er auf einer Ferienreise nach Paris in einem Anfalle von Schwermuth sein junges Leben in der Seine beschloß, — denen noch manche Andere beigefügt werden könnten[24]), von denen nur einige wenige im Folgenden noch beiläufig Erwähnung finden werden. Ich glaubte jedoch die eine, noch offene Stelle für einen Physiker und Meteorologen unbedingt an Jean-André Deluc vergeben zu sollen.

Deluc würde meines Erachtens diese Bevorzugung schon verdienen, wenn er nur das in dem Briefe von Bonnet bereits rühmlich erwähnte Werk geschrieben hätte, — seine wahrhaft classischen «Recherches sur les modifications de l'atmosphère»[25]), deren Bedeutung Rathsherr Peter Merian[26]) in folgenden Worten resümirt hat: „In seinen in der Geschichte der Physik Epoche machenden Untersuchungen über die Modificationen der Atmosphäre, hat Deluc durch eine Reihe gründlicher Forschun-

---

22) Zu Zürich 1802 II. 23 geboren, verunglückte er zu Paris 1833 VII. 31.

23) Seine Schrift „Ueber die Natur, Ursachen und Heilung des Stammelns und Stotterns, Zürich 1830 in 8.", — seine von Gaudin öffentlich verdankte Beihülfe beim Drucke von dessen Flora Helvetica, — seine durch Hofrath Horner bevorworteten, und von einem Freunde mit einer Lebensskizze begleiteten „Drei Vorlesungen über Electromagnetismus, Zürich 1835 in 8." erhalten sein ehrenvolles Andenken auf allen drei Gebieten seiner wissenschaftlichen Thätigkeit.

24) Ich hätte hier allfällig auch den nur zu bekannten, 1793 VII. 13 von Charlotte Corday beseitigten Jean-Paul Marat anreihen können, da er 1743 V. 24 zu Boudry im Kanton Neuenburg geboren wurde; da jedoch seine physicalischen Schriften, deren Verzeichniß man z. B. bei Poggendorf findet, von keiner gar großen Bedeutung sind, und ich zu dem nicht sicher wußte, daß sich sein Vater Giovanni Mara, ein aus Cagliari in Sardinien stammender Arzt, der als Reformirter in die Schweiz ausgewandert war, wirklich in derselben einbürgerte, so konnte ich mich nicht dazu entschließen.

25) Genève 1772, 2 Vol. in 4. — Eine neue Ausgabe in 4 Octavbänden soll Paris 1784, eine deutsche Uebersetzung Leipzig 1776—1778 in 2 Octavbänden erschienen sein.

26) Siehe dessen Eröffnungsrede bei Versammlung der Schweizerischen Naturforschenden Gesellschaft zu Basel im Jahre 1838.

gen dem Thermometer den Grad von Zuverlässigkeit gegeben, den es gegenwärtig besitzt. Auf gleiche gründliche Weise vervollkommnete er die Konstruction des Barometers, und die Anwendung desselben zum Höhenmessen. Die erste genaue und experimentelle Ausmittlung der verschiedenen Angaben und der Vorsichtsmaßregeln, die nöthig sind, damit dieses Verfahren, eines der schönsten Ergebnisse der neuern Physik, mit Sicherheit angewendet werden kann, ist sein Werk, und die vielfältigen Forschungen der neuern Zeit haben nur wenig Wesentliches zu dem, was Deluc ermittelt hat, beizufügen vermocht." Ich glaube über dieses Werk noch folgende Einzelheiten beifügen zu sollen: Es zerfällt in sechs Hauptabschnitte, von denen der erste eine sehr interessante «Histoire du baromètre, des expériences qu'on a faites par son moyen, et des hypothèses qu'on a imaginées pour expliquer ces expériences» enthält, an deren Schluß Deluc Folgendes über das Entstehen seines Werkes berichtet: «En l'année 1754 je fis avec mon frère [27]) un voyage à la partie des Alpes la plus voisine de Genève, pour examiner de près ces masses énormes qu'il est si important de bien connoitre pour

---

27) Dem schon im Eingange erwähnten und im Folgenden ebenfalls noch vorkommenden Guillaume-Antoine Deluc, für welchen Bd. 49 der «Bibliothèque britannique, Sciences et arts» zu vergleichen. Er lebte von 1729 bis 1812 I. 26, verfaßte eine Reihe naturhistorischer Abhandlungen, die theils in verschiedenen Journalen, theils in den Werken seines Bruders erschienen, und vererbte seine Liebe zu den Naturwissenschaften auf seinen Sohn Jean-André (1763 X. 16—1847 V. 14), für dessen Schriften wie für diejenigen von Vater und Oheim auf Poggendorf (der übrigens den jüngern Jean-André fälschlich als einen Neffen von Guillaume-Antoine aufführt) verwiesen werden mag, hier nur als Curiosität beifügend, daß dieser jüngere Jean-André auch nicht den kleinsten Aufsatz schreiben konn'e, ohne einige Phrasen, wie z. B. «Les observations de *mon oncle* prouvent, — *mon oncle* parcourant, – etc. anzubringen. — Von Guillaume-Antoine erzählt die citirte Quelle: «Son goût prononcé pour la musique s'était tellement exalté dans ses derniers jours, que d'après son désir on avait établi auprès de son lit un piano, où sa fille passait une bonne partie de la journée. La veille de sa mort, voyant son père prêt à s'endormir: *Dois-je jouer encore?* lui dit-elle. *Beaucoup, beaucoup, ma fille*.... Il s'endormait effectivement, mais pour ne plus se réveiller ici bas.»

établir une bonne Théorie de notre Globe. Il étoit intéressant pour nous, de connaître à quelle hauteur nous pourions parvenir, et le seul moyen que nous eussions pour cela étoit le Baromètre. Nous savions en général que plusieurs Physiciens l'avoient employé; mais n'ayant pas examiné de bien près cette matière, nous pensions qu'il suffisoit d'avoir un de ces instruments, pour juger par son moyen de l'élévation à laquelle nous serions monté. — Nous portâmes donc un Baromètre, nous fimes des observations, et à notre retour nous en cherchames les conséquences dans les Auteurs qui avaient travaillé sur cette matière. Mais en les comparant, nous trouvâmes entr'eux tant de différence, que ne sachant à quelle méthode nous devions nous arrêter, nous ne pumes tirer aucun usage de nos expériences pour connaître la hauteur des lieux où nous les avions faites. — Cette incertitude piqua ma curiosité; et comme je m'occupais depuis longtemps des Baromètres, j'avais assez de lumières sur leur construction pour juger si ces Physiciens s'étaient servis de bons instruments: Je suivis de près leurs ouvrages, et je trouvai, soit dans leurs descriptions, soit même dans leur silence, des preuves du contraire; car il est tellement essentiel d'user de certaines précautions, que s'ils l'avaient fait, ils auraient senti la nécessité de l'indiquer pour prévenir les doutes. Je remarquai aussi, que tous ceux qui avaient travaillé sur cette matière, s'étaient contentés, d'un petit nombre d'observations dans des lieux différents; et que plusieurs d'entr'eux, entrainés par l'exemple ou par une théorie qu'ils croyaient solide, n'avaient fait que changer le coëfficient d'une même formule. Je pensai donc, que la diversité des résultats dans les expériences, venait en grande partie, de ce qu'on n'avait pas employé des instrumens convenables: Je vis aussi, que la confiance de chaque auteur dans sa méthode provenait en général de ce qu'il n'avait pas beaucoup observé: Enfin je crus reconnaître que le penchant naturel des hommes à l'imitation était causé de ce que plusieurs des auteurs dont j'ai parlé avaient suivi la même route. — *Je résolus donc de fermer les livres et de consulter la nature seule, en la suivant pas à pas aussi loin qu'elle voudrait me conduire.* Je me flattai, il est vrai, que par les corrections que j'avais faites au Baromètre, je viendrais aisément à bout d'un ouvrage qui me paraissait fort utile; c'est ce qui me fit entrer dans cette carrière avec confiance: mais au lieu de trouver un chemin court et facile, je m'enfonçai dans un labyrinthe dont je ne suis sorti qu'avec beaucoup de travail. *Quelquefois la réflexion m'a fait naître l'idée des expériences; mais plus souvent l'observation m'a ouvert les yeux.*» Deluc hätte dieser historischen Darlegung noch beifügen können[28]), daß ihn La Condamine bei seiner Durchreise durch Genf aufgemuntert habe, seine Untersuchungen der Pariser-Academie vorzulegen, — daß er den Haupttheil seines Werkes dann wirklich 1762 dieser gelehrten Körperschaft einsandte, — daß in deren Protokoll unter dem 30. Juli 1762 zu lesen ist: «Messieurs de La Condamine et de La Lande qui avaient été nommés pour examiner un Ouvrage intitulé *Recherches sur la loi des condensations de l'atmosphère et sur la manière de mesurer par le Baromètre la hauteur des lieux accessibles, par M. Jean-André De Luc*, ayant fait leur rapport; l'Académie a jugé, *que cet ouvrage pouvait être regardé comme un des meilleurs dont on ait enrichi la Physique depuis longtems*, et qu'il était très-digne d'être approuvé», — und daß er nachher noch an die 10 Jahre verwandte, seine Untersuchungen zu vervollständigen und sein Werk abzurunden, auch gleichzeitig einigen Bemerkungen zu genügen, welche ihm La Condamine und La Lande bei Anlaß der erwähnten Approbation machten. — Der zweite Hauptabschnitt bringt unter dem Titel «Expériences sur la construction et l'usage du Baromètre et du Thermomètre», Untersuchungen über den Einfluß der Wärme auf das Barometer, Vergleichungen mit verschiedenen Flüssigkeiten gefüllter Thermometer, Regeln zur Bestimmung der Fundamentalpunkte an letz-

28) Er holt es übrigens im sechsten Abschnitte theilweise nach.

tern Instrumente, ꝛc. — Im dritten Abschnitte «Préparatifs pour de nouvelles expériences du Baromètre» beschreibt Deluc sein Reisebarometer, gibt Rechenschaft über seine theils trigonometrische[29]), theils durch direktes Nivellement vorgenommene Höhenbestimmung von 15 Versuchsstationen am Salève bei Genf, ꝛc. — Im vierten Abschnitte, den «Expériences et recherches sur les moyens de connoitre la densité de l'air, en tout tems et en tout lieu; et d'appliquer cette connaissance à la mesure des hauteurs par le baromètre», gibt er eine für seine Zeit ganz ausgezeichnete Regel zur barometrischen Höhenberechnung[30]), — recapitulirt die bei Konstruction und Gebrauch des Barometers nothwendigen Vorsichtsmaßregeln, — erstattet über eine große Menge barometrischer Nivellements, welche er von 1755 an theils in den Alpen, theils von Genf aus nach Neuenburg, Bern, Beaucaire, ꝛc. und bis nach Turin und an das Meer bei Genua machte, Bericht, welche ihm z. B. die Höhe des Genfer-See's über dem mittelländischen Meere gleich 188 Toisen ergaben, — zeigt, wie man mit Hülfe von Niveau und Graphometer von Punkten aus, deren Höhe mittelst des Barometers schon bestimmt sei, die Höhen anderer unzugänglicher Punkte ermitteln könne, und führt z. B. als Resultat einer betreffenden Operation 2391 Toisen als Höhe des Montblanc's über dem mittelländischen Meere an, — ꝛc. — Im fünften

---

29) Er verwandte dazu einen 3füßigen Quadranten von Butterfield, den Fatio zur Zeit der Genfer-Bibliothek geschenkt hatte.

30) Ist x die Höhendifferenz der beiden Stationen in Toisen, so setzt Deluc

$$x = 10000^{t} (\log B - \log b)(1 + 0{,}001 \cdot a)$$

wo B dem Barometerstand an der untern, b demjenigen an der obern Station gleich ist, und a die Summe der Ablesungen an beiden Stationen an einem Quecksilber-Thermometer bezeichnet, das in thauendem Eis — 39 und in siedendem Wasser + 147 zeigt. Setzt man die Toisen in Meter, und die Temperaturen in Celsius um, so erhält man hieraus die Formel

$$x = 17970^{m} (\log B - \log b)[1 + 0{,}002 (T + t)]$$

wo T und t die Temperaturen der beiden Stationen sind, und für dieselben Bezeichnungen ergibt die Laplace'sche Formel

$$x = 18393^{m} (\log B - \log b)[1 + 0{,}002 (T + t)]$$

so daß sie also nur einen etwas größern Factor hat als die Deluc'sche, sonst genau gleich ist.

Abschnitte, betitelt «Considérations générales sur l'utilité des expériences du baromètre», ermittelt er unter Anderm gestützt auf seine Barometerregel, daß die Höhe der Atmosphäre von einer Stelle, wo der Barometer auf 27 Zoll stehe, bis zu einer, wo er nur noch 1 Linie zeige, 25105 toises = 11 lieues betrage, — spricht von dem Einflusse von Barometerstand und Temperatur auf die Refraction [31]), — 2c. — Im sechsten Abschnitte endlich, den «Recherches sur les variations de la chaleur de l'eau bouillante», beschreibt er namentlich die darüber auf verschiedenen Reisen angestellten Versuche, sucht daraus betreffende Gesetze abzuleiten, und schließt endlich mit der damals sehr zeitgemäßen Bemerkung: «Après le soin de perfectionner les observations, rien n'est plus nécessaire aux solides progrès de la Physique, que de chercher à déterminer les limites des erreurs qui peuvent rester dans les observations» [32]).

Wollte ich in gleicher Weise wie dieses Hauptwerk auch die übrigen zahlreichen meteorologischen, physicalischen, cosmologischen und geologischen Abhandlungen und Werke besprechen, welche Deluc während seines langen Lebens schrieb [33]), so würde ich den mir für ihn offen stehenden Raum weit überschreiten, und ich muß mich daher auf folgende Bemerkungen beschränken:

---

31) Ein später von ihm ausgearbeitetes «Mémoire sur les réfractions astronomiques» wurde 1780 den Mém. d. Sav. étrang. einverleibt.

32) Vergl. für Deluc auch die von Gautier 1843 in der Bibl. univers. gegebene «Notice historique sur les observations météorologiques faites à Genève.»

33) Von selbstständigen Werken führe ich noch an: «Lettres physiques et morales sur l'histoire de la terre et de l'homme, La Haye 1778—1780, 6 Vol. in 8. — Nouvelles idées sur la météorologie, Paris 1787, 2 Vol. in 8. — Lettres sur l'histoire physique de la terre adréssées à Blumenbach, Paris 1798 in 8. — Introduction à la physique terrestre par les fluides expansibles, Paris 1803, 2 Vol. in 8. — Abrégé de principes et de faits concernants la Cosmologie et la Géologie, Brunswic 1803 in 8. — Traité élémentaire sur le fluide électro-galvanique, Paris 1804, 2 Vol. in 8. — Traité élémentaire de géologie, Paris 1809 in 8. — Voyage géologique dans le Nord de l'Europe, Londres 1810, 3 Vol. in 8. — Voyage géologique en Angleterre, Londres 1811, 2 Vol. in 8. — Voyages géologiques en France, en Suisse et en Allemagne, Londres 1813, 2 Vol. in 8. — etc.» Außerdem finden sich von Deluc noch zahlreiche, namentlich auch hygrometrische, Abhandlungen in den Philos. Trans., in dem Journ. de Phys., etc.

Was zunächst die spätern meteorologischen Arbeiten Deluc's anbetrifft, so hat Merian zwar ganz Recht, wenn er sagt, daß sie, „so lehrreich sie in manchen Einzelnheiten sind, doch in Hinsicht ihrer Wichtigkeit für die Wissenschaft mit jenen ersten nicht in dieselbe Linie gestellt werden können"; aber immerhin ist, wenn man allfällig seinen Bemühungen um die Hygrometer keinen so großen Werth beilegen, und den von ihm mit Zylius und Andern ziemlich leidenschaftlich geführten Streit über die Theorie des Regens als etwas Abgethanes betrachten will, zum mindesten sein jenen spätern Zeiten zuständiges Verdienst um die Theorie der beständigen Winde oder Passate hervorzuheben, das Muncke[31]) in seinem betreffenden Artikel für Gehler's Wörterbuch in folgenden Worten resümirt: „Als der Urheber der in den neusten Zeiten gangbaren Theorie des Windes ist wohl De Luc zu betrachten, welcher übrigens die Vorarbeiten Halley's und Hadley's nicht unbenutzt ließ. Hiernach ist der jährliche und tägliche Lauf der Sonne in Folge der dadurch bewirkten Erwärmung der Luft Hauptursache der Winde, indem die erhitzten und ausgedehnten Luftmassen aufsteigen und oben abfließen, unten aber die kälteren an ihre Stelle treten. Die letztern kommen von den Polen her, und haben unter höhern Breiten eine weit geringere Rotationsgeschwindigkeit, als welche sie in der equatorischen Zone anzunehmen gezwungen werden; sie erhalten dadurch eine dieser Richtung entgegengesetzte Bewegung, und daher müssen die von den Polen zum Equator strömenden Massen nach Westen hin abfließen, mithin den nach dem Stande der Sonne modificirten beständigen Ostwind erzeugen. Die vom Equator in den obern Regionen nach den Polen übergeführten Luftmassen müssen aus dem nämlichen, hiebei umgekehrt wirkenden Grunde eine Richtung nach Osten annehmen, und hiedurch müssen Westwinde erzeugt werden." — Die physikalischen Arbeiten Deluc's beziehen sich, wenn von seiner etwas zweifelhaften Anwartschaft auf Erfindung der chemischen Harmonika und seiner

31) Nach Deluc's Note 33 citirten, mir aber augenblicklich nicht zugänglichen «Nouvelles idées», von denen 1788 zu Berlin eine deutsche Ausgabe erschien.

Ahnung der latenten Wärme abgesehen wird, zunächst auf die Electricität. Für's Erste hat er eine Theorie der elektrischen Erscheinungen gegeben, die, wie sich der verdiente Chr. Heinrich Pfaff in dem betreffenden Artikel des Gehler'schen Wörterbuches [35]) ausdrückt, „nicht bloß in einer vagen, mehr allgemein gehaltenen Idee besteht, sondern von dem sinnreichen Verfasser auf die Erklärung der wichtigsten elektrischen Phänomene mit Genauigkeit angewandt worden ist, und nur einen Zweig des Systems ausmacht, welches er über die Erscheinungen der sämmtlichen ausdehnbaren Flüssigkeiten entworfen, und auf die mechanisch-physischen Grundsätze seines berühmten Lehrers [36]) Le Sage gegründet hat. Diese Grundsätze, welche alles auf Stoß und Bewegung zurückführen, haben freilich ein sehr cartesianisches Ansehen, und können dem unbefangenen Physiker, dem es nach Newton's Beispiele mehr um erwiesene Thatsachen und Gesetze, als um willkürliche Hypothesen (zu thun ist), kein großes Interesse einflößen. Inzwischen ist nicht zu läugnen, daß De Luc durch eben diese mechanische Physik oft auf sehr scharfsinnige und bisweilen auffallend glückliche Erklärungen schwieriger Phänomene geleitet wird, — noch mehr, es ist sonderbar, daß seine aus einem so ganz mechanischen Anfange hergeleiteten Theorien dennoch eine für die chemische Untersuchung ungemein günstige Wendung nehmen. Die Hauptidee seiner Hypothese ist, daß er zwar nur eine elektrische Materie annimmt, diese aber als eine zusammengesetzte betrachtet, und in den elektrischen Phänomenen sich einerseits zersetzen, andererseits wieder aus ihren Bestandtheilen zusammensetzen läßt, wodurch er gleichsam in der Mitte zwischen dem Franklin'schen und dualistischen Systeme steht. Diese eine elektrische Materie sieht er als eine zur Klasse der Dämpfe oder Dünste gehörige an, und sucht ihre Natur durch Vergleichung mit dem Wasserdampfe in ein helleres Licht zu stellen.“ Und für's Zweite hat De Luc sich nicht nur um die Konstruction gewöhnlicher Elektrometer verdient gemacht, sondern [37]) ganz beson-

35) Wieder auf die Nouvelles idées gestützt.

36) Oder vielmehr Freundes.

37) Siehe Nicholson's Phil. Journ. 1810.

ders zuerst die glückliche Idee gehabt, eine sog. trockene Säule unter dem Namen «Colonne électrique» zu bauen, — eine Idee, welche einige Jahre später, und zwar eingestandener Maaßen auf Grund der Deluc'schen Arbeiten, der Italiener Zamboni noch weiter verfolgte. Die Deluc'sche Säule führt seither ungerechter Weise den Namen Zamboni's, und auch eine 1831 von P. Prevost zu Gunsten Deluc's erhobene Reklamation ist trotz ihrer vollen Berechtigung ohne Erfolg verhallt. «Il semble», schrieb derselbe damals in die Bibliothèque universelle, «que *la colonne électrique*, ou *l'électrophore aérien*, devoit conserver le nom que lui a donné l'inventeur, ou recevoir celui de cet inventeur lui-même. Je me sens d'autant plus disposé à réclamer en sa faveur, que, si le perfectionnement d'une invention doit suffire pour effacer le nom de l'inventeur, le thermomètre dit de *Réaumur* devroit sans contredit être, depuis long-temps, devenu le thermomètre de *De Luc.*» — Um die Kosmologie erwarb sich Deluc zunächst dadurch Verdienste, daß er seinen Freunden auf dem Continente wiederholt über die Arbeiten Herschels, mit dem er sehr befreundet war und zuweilen die Nachtwachen theilte, referirte[38]). Wie er sich dagegen nie mit der durch Lavoisier geschaffenen neuen Chemie befreunden konnte, und überhaupt einmal gefaßte Ansichten krampfhaft festhielt, so machte er sich durch die Leidenschaftlichkeit fast lächerlich, mit welcher er den cosmischen Ursprung der Meteorsteine bekämpfte. «Si quelqu'un me disait», sagt er z. B. in seinem Abrégé. «*Mais j'ai vu cette pierre quand elle est tombée!* je répondrai, comme quelqu'un que je ne me rappelle pas: *Je le crois, parceque vous me dites l'avoir vu, mais je ne le croirais pas si je l'avais vu.*» — Die geologischen Arbeiten Deluc's endlich haben im Verhältnisse zu ihrem Umfange keinen bedeutenden Einfluß auf die Entwicklung dieser Wissenschaft gewonnen. Zwar sagt Merian: „Auch die Geologie, welcher sich Deluc von früher Jugend an mit Eifer und Vorliebe widmete, verdankt

---

38) Ueber seine mit Herschel ziemlich übereinstimmende Ansicht von der Konstitution der Sonne siehe Nr. V meiner Mittheilungen über die Sonnenflecken.

ihm viele wichtige Beobachtungen"; dagegen urtheilt Studer: „Deluc hat Vieles über Geologie geschrieben, aber wenig und nicht anhaltend beobachtet. Er war in erster Linie Physiker, und seine Geologie war, im ältern Styl gehalten, erklärend, und nicht naturhistorisch beschreibend, vergleichend, zusammenfassend. Die Alpen kannte er wenig; seine speziellern Beobachtungen beziehen sich vorzüglich auf England und Hannover. In seinen spätern Jahren schrieb er geologische Streitschriften zur Vertheidigung der Mosaischen Schöpfungsgeschichte." Und dieses Letztere war in der That der Hauptgrund des geringen Erfolges seiner geologischen Arbeiten; denn er verlor sich nach und nach so in dieser Systemreiterei [39]), daß seine Fachgenossen maßleidig wurden, und ihn nicht mehr beachteten, wie er dieß selbst wenigstens theilweise empfand, als er 1797 schrieb [40]): «Avant la publication de mes Lettres sur l'Histoire de la Terre et de l'Homme, j'avais, comme Physicien, le suffrage de nos antagonistes, autant pour le moins que celui des amis de la Religion. Mais dès que les Incrédules me virent paroître comme champion de la Révélation, ils me tournèrent le dos; et sans entreprendre de m'attaquer en face, ils ont si bien joué leur jeu, par leurs ramifications diverses dans la société, qu'*ils sont parvenus à faire presque ignorer l'existence de mes Lettres physiques, et à produire l'indifférence sur ce que j'ai publié depuis.*» Doch gab er diesen Streit, der ihm Herzenssache war, nicht auf, und schrieb noch am 7. Mai 1804 aus Braunschweig an Daniel Huber: «Je demeurerai sur le champ de bataille aussi longtemps qu'il plaira à Dieu de m'y laisser, mais je le quitterai avec délice quand il jugera à propos de me retirer de ce monde. Par sa grâce le scepticisme ne s'est jamais glissé dans mon esprit, parce que j'ai eu confiance en ses enseignements directs dans l'Ecriture sainte.»

---

39) Escher hat diesen geologisch-theologischen Kämpfen in seinem Artikel in Ersch und Gruber viel Platz gewidmet.

40) Siehe das «Avertissement de l'éditeur» in den Note 33 erwähnten Briefen an Blumenbach.

Zum Schlusse mögen noch einige Worte über das zur Zeit berühmte Kabinet der Gebrüder Deluc, und über die spätern Lebensverhältnisse unsers Jean-André folgen. Was das Erstere anbelangt, so erzählt Wyttenbach, der dasselbe im Juli 1787 besuchte: „Die Herren Brüder Deluc haben auf ihren vielfältigen Reisen außerordentlich viele Gelegenheiten gehabt, ihre Sammlungen an Naturschätzen zu bereichern. Ihr größter Reichthum scheint in Versteinerungen und Conchylien zu bestehen, welche sie dadurch vorzüglich wichtig gemacht, daß sie sich insonderheit beflissen haben, die Urstücke der Versteinerungen aufzusuchen und in ihren Sammlungen dem forschenden Naturliebhaber nebst den Versteinerungen vorzulegen, wodurch gewiß sehr vieles in diesem Theile der Naturhistorie aufgeklärt wird", — ja Andreä schrieb schon 1763 in seinen bekannten Briefen aus der Schweiz, daß dieses in der Schweiz kaum seinesgleichen findende Kabinet allein schon für eine Reise nach Genf entschädige, und daß z. B. der in demselben befindliche Echinita mammillaris so merkwürdig sei[41]), daß ihn „nicht zu bewundern, so viel, als gar kein Kenner von Versteinerungen zu sein, heißen würde". In spätern Jahren, wo Jean-André Deluc meist landesabwesend war, fiel natürlich die Besorgung des Kabinets fast ausschließlich dem jüngern Bruder zu, welchem nachgerühmt wird, daß er ein großes Talent zum ordnen und beschreiben gehabt, — dagegen bedauert, daß er nicht einen «Catalogue raisonné de sa collection» angelegt habe: «On eût dit que satisfait de jouir de son trésor, il se persuadait que chacun des curieux qui venaient le visiter devait y apporter ou y recevoir, au simple aspect de cette collection, les idées qu'une constante méditation avait rassemblées dans sa tête.» Immerhin dürfte dagegen Jean-André gerade in den spätern Jahren, wo ihm theils seine Stellung als Vorleser der Königin, theils die später noch ohne weitere Verpflichtungen

---

41) Deluc's betreffende «Description d'un Silex, où l'on trouve un Echinite pétrifié avec ses piquans» wurde in den 4ten Band der Mémoires des Sav. étrang. aufgenommen.

für ihn hinzutretende Honorar-Professur der Philosophie und Geologie an der Universität Göttingen häufige Reisen und längere Aufenthalte in London, Berlin, Hannover, Braunschweig ꝛc. (nur nicht in Göttingen) erlaubten, das Kabinet durch Zusendungen vorzüglich geäufnet haben. Was seit dem Tode des jüngern Jean-André aus der schönen Sammlung geworden, wüßte ich nicht zu sagen, und auch über die letzten Tage des „Oncle“, dessen schönen Greisenkopf uns Wyall aufbewahrt hat, bin ich auf die kurze Notiz beschränkt, welche die Bibliothèque universelle kurz nach seinem am 7. Novembre 1817 erfolgten Tode veröffentlichte. «Le 7 de ce mois à dix heures du soir», heißt es in derselben, «le Doyen des physiciens et des géologues de l'Europe, le célèbre J. A. De Luc, de Genève, a passé de cette vie à une meilleure. La carrière des infirmités, qui avait commencé pour lui bien plus tard que pour beaucoup d'autres (il est mort à 91 ans presqu'accomplis), le retenait au lit depuis quatorze mois, lorsque sa delivrance est arrivée; il a conservé jusqu'aux huit derniers jours sa présence d'esprit, et sa voix non altérée; mais, à cette époque la décadence a été rapide; son agonie a duré deux jours. Il a été enseveli au village de Clewer (près de Windsor) qu'il habitait depuis l'époque, déjà ancienne, à laquelle il fut nommé Lecteur de S. M. la Reine d'Angleterre. Il est le dernier de cette période où l'on vit naître et s'illustrer en même temps, les Bonnet, les Trembley, les Lesage, les Saussure, les Senebier, dans cette ville classique, où les exemples ne manqueront pas à ceux qui voudront et qui sauront les imiter.»

Ferdinand Berthoud von Plancemont.

1727—1807.

Ferdinand Berthoud wurde am 19. März 1727 in dem zu der Pfarrei Couvet im Val Travers gehörigen kleinen Weiler Plancemont geboren, und sollte sich nach dem Wunsche seines Vaters, der Baumeister und Richter war, dem geistlichen Stande widmen [1]). Bereits besuchte er zu diesem Zwecke eine höhere Schule, muthmaßlich in Neuenburg, als ihm, etwa 1742, eine Uhr in die Hände fiel und plötzlich sein Talent für Mechanik so entschieden aufweckte, daß der Vater selbst für gut fand, seinen frühern Plan aufzugeben, den Sohn aus der Schule zurückzuziehen, und ihm durch einen geschickten Arbeiter die ersten Elemente der Uhrmacherkunst beibringen zu lassen. Der Name des ersten Lehrmeisters unsers jungen Berthoud kann leider nicht angegeben werden; dagegen mag hier eine kurze Geschichte der ersten Anfänge der gegenwärtig so großartigen Uhren-Industrie im Jura folgen: «Jusque vers la fin du dix-septième siècle», erzählt L. de Meuron [2]), «la seule industrie exercée dans ces montagnes couvertes de pâturages et de forêts, et peu peuplées

---

1) Ich benutze für Berthoud zunächst seine Werke und die von Delambre im Jahrgange 1808 der Mémoires de l'Institut gegebene «Notice historique sur la vie et les ouvrages de Ferdinand Berthoud». Einige andere Quellen werden im Verlaufe namhaft gemacht werden. — Berthoud selbst sagt in seiner Histoire de la mesure du temps, sein Vater sei «Bourgois de Neuchâtel et Vallengin» gewesen; ich glaube hierin mehr ein Landesbürgerrecht zu sehen, und, den gewöhnlichen Angaben folgend, Plancement dennoch als Heimathsgemeinde betrachten zu müssen.

2) In dem «Musée historique de Neuchâtel et Valangin, par G. A. Matile, Neuchâtel 1841 in 8.»

alors, se bornait à la fabrication de quelques instrumens d'agriculture, de faulx et de piques en fer: on n'y avait point encore vu de montre, lorsque le hasard fit tomber la première entre les mains de celui dont elle allait éveiller les talens et le génie. Daniel-Jean Richard, dit Bressel, naquit à la Sagne, en 1665; il montra de bonne heure un goût décidé pour la mécanique; dans son enfance il s'amusait à fabriquer, avec un couteau, de petits chariots en bois et d'autres machines plus compliquées: son père le voyait à regret s'occuper d'objets futiles et peu propres, selon lui, à lui faire gagner sa vie; cependant il apprit la profession de serrurier, et toute son habileté dans la mécanique s'exerçait à raccomoder les grossières horloges en fer qui étaient généralement en usage, lorsqu'en 1679, un marchand de chevaux, nommé Peter, passant par la Sagne, et ayant entendu vanter l'adresse du jeune Richard, lui fit voir une montre qu'il rapportait de Londres et qui s'était dérangée pendant le voyage. Le jeune homme l'examine et lui promet de la réparer: son père, présent à la conversation, tance vertement son fils, et lui reproche sa présomption qui lui fera gâter cette montre précieuse, qu'il ne serait en état ni de remplacer ni de payer; le jeune homme insiste, et le propriétaire de la montre, pour mettre d'accord le père et le fils, dit qu'il en fera le sacrifice, et qu'en attendant il la confie au jeune Richard pour l'examiner et essayer de la raccommoder, dût-il achever de la gâter. Richard, transporté de joie, l'emporte, se met aussitôt à l'ouvrage, et parvient à la faire marcher: encouragé par ce premier succès, il essaie d'en faire une semblable, et seul, sans outils d'horloger, sans modèle, à force de temps et de patience, il parvient au bout de six mois à en achever une, dont le mouvement, le cadran, la boîte et la gravure étaient de sa main: il était devenu horloger. Ces premières montres étaient à tourbillon, c'est-à-dire sans ressort spiral; pour y suppléer, le balancier faisait un grand nombre de vibrations; un bout de corde à boyau remplaçait la chaîne de fusée: la forme n'en était pas élégante; le mouvement était haut d'un pouce; le cadran en étain, de vingt lignes de grandeur, une seule aiguille marquait les heures; cependant elles étaient des objets de luxe, et leur débit n'était pas facile. On les portait en Franche-Comté, où on les vendait dans des couvens et à des prêtres du voisinage, pour le prix de vingt écus. Richard ne tarda pas à les perfectionner; il ajouta d'abord le quantième du mois, qu'on observait par un petit trou pratiqué dans le cadran; bientôt après il inventa la machine à fendre les roues, dont les procédés étaient aussi exacts que prompts. Au commencement du siècle passé, il quitta la Sagne pour aller s'établir au Locle; là il enseigna son art à ses cinq fils, et forma quelques élèves, parmi lesquelles se distinguèrent l'ancien Favre, Jonas Perret chez l'hôte, Prince, Jacob Brandt dit Grierin de la Chaux-de-fonds; il put jouir ainsi des progrès croissans de cette industrie, qui, après lui, devait devenir si florissante: bon père de famille, il lui laissa une marque de sa sollicitude en créant tous ceux qui la composaient membres-nés de la chambre de charité du Locle, dont il fut un des fondateurs en 1713: il mourut en 1741.» Durch Richard's Schüler dehnte sich die Uhrenfabrikation bald über einen großen Theil des Jura aus, und blühte außer Locle namentlich in Chaux-de-Fonds, Ferrières, etc. in solchem Maaße auf, daß schon in den 60ger Jahren des vorigen Jahrhunderts jährlich über 15,000 Uhren fabrizirt wurden [3]). Ueberdieß bildeten sich neben den gewöhnlichen Uhrmachern Einzelne zu wahren Künstlern in ihrem Fache aus, und versuchten sich mit Erfolg in Erstellung von Automaten verschiedener Art. Unter Letztern haben sich namentlich die Droz einen weit berühmten Namen erworben, besonders Pierre-Jacquet Droz und sein

3) Vergl. die von Venner Friedrich Osterwald 1764 im Journal helvétique gegebene «Description abrégé des montagnes qui font partie de la principauté de Neuchâtel» und die davon «Neuchâtel 1766 in 8.» herausgegebene zweite und vermehrte Auflage.

Sohn Henri-Louis-Jacquet Droz [4]): Pierre-Jacquet hatte bereits nach dem Wunsche seiner Eltern angefangen in Basel Theologie zu studiren, als er während einer Vacanz für die Arbeiten einer seiner Schwestern, die mit großem Geschicke Uhrmacherarbeiten betrieb, Interesse gewann, und dafür selbst so seltenes Talent entwickelte, daß ihm leicht die Erlaubniß wurde, ebenfalls diesen Beruf zu ergreifen. Bald zeichnete er sich durch eigene Erfindungen aus, und construirte um die Mitte des vorigen Jahrhunderts jene merkwürdigen Schaustücke, die in der berühmten Uhr, welche er zum Preise von 450 Louisd'or Philipp V. nach Madrid brachte, ihren Höhepunkt erreicht zu haben scheinen. «Cette pendule indique les heures, les minutes et les secondes», erzählt Osterwald, «sonne les heures et les quarts, et répète heures, quarts et demi-quarts. Au centre du cadran on voit l'équation, le signe du Zodiaque que le Soleil parcourt, un cadran solaire artificiel, etc. Au dessus se voit une voute céleste, où les étoiles paraissent et disparaissent au même instant que dans le ciel. Le Soleil et la Lune ont leurs cours selon le système de Ptolemée, — le Soleil s'incline selon les saisons, la Lune a ses phases. Ce même ciel se couvre en tems de pluie de nuages artificiels, qui disparaissent aussitôt que le ciel redevient serein. Après l'heure sonnée, on entend un carillon de neuf airs, dont une partie est jouée en écho. Une dame assise sur un balcon, tenant un livre à la main, accompagne par ses mouvemens la mesure de l'air qu'on joue; elle prend irrégulièrement une prise de tabac, — fait aussi une révérence avec grace a celui qui ouvre la glace de la pendule. Après le carillon un Canari artificiel siffle huit airs, — un Berger automate joue sa flute, — deux Amours ce balancent selon la mesure de l'air, — un chien garde un panier plein de fruits et aboie si quelqu'un en

---

4) Pierre-Jacquet wurde am 28. Juli 1721 zu Chaux-de-fonds geboren, und starb am 28. November 1790 zu Biel. Henri-Louis-Jacquet wurde am 13. October 1752 zu Chaux-de-fonds geboren, und starb am 18. Nov. 1791 zu Neapel.

emporte une pomme, etc.» Später verfertigte Pierre-Jacquet mit Hülfe seines Sohnes einen Automaten, der schreibt, die Feder eintaucht, Sand aufstreut, das Blatt umwendet, ꝛc., und ähnliche Kunstwerke führte auch der Sohn mit Hülfe eines vom Vater gebildeten Arbeiters Leschot [5]) aus, sowie überdieß zwei künstliche Hände, bei deren Prüfung der berühmte Vaucanson zu dem jungen Meister gesagt haben soll: «Jeune homme, vous commencez par où je voudrais finir!» Vater und Sohn ließen sich später in Genf nieder, und Grenus erzählt unter dem 24. Sept. 1785: «On a proposé d'admettre gratis à la Bsie. le Sr. Jaquet Droz, vu son mérite personnel, ses rares talens et l'utilité dont il peut être pour notre fabrique, et en considération de ce que ses automates montrés au profit des hôpitaux de Genève et de la Chaux-de-fond, ont produit 120 louis au premier, et 60 au second.» Und unter dem 1. October desselben Jahres: «Le Sr. Hri. Ls. fils de Pre. Jaquet Droz de la Chaux-de-fond, a été reçu Bs. gratis pour bonnes considérations.» Auch in Genf beschäftigten sie sich vorzüglich mit Automaten [6]), die ihnen viel Geld einbrachten, und man kann sich des Bedauerns nicht erwehren, daß diese Männer ihr außerordentliches Talent nicht dazu benutzten, der Konstruktion astronomischer Uhren Aufschwung zu geben; denn diese war, wie wir aus einem Briefe Tollot's an F. S. Wild erfahren, damals in der Schweiz noch nicht sehr ausgebildet. «J'ai pris», schrieb er ihm am 6. April 1787 aus Genf, «toutes les informations possibles pour la pendule à seconde et à compensation, mais notre ville n'est point le théatre de

---

5) Jean-Frédéric Léschot von Chaux-de-fonds (1747—1824). Er folgte den Droz auch nach Genf, wurde dort ebenfalls naturalisirt, und machte sich namentlich um die Musikdosenfabrikation, durch eine Räder-Schneidemaschine und seine künstlichen Glieder für Amputirte verdient. Vergl. für ihn den «Procès verbal de la 7e séance annuelle de la Société pour l'avancement des arts, Genève 1825 in 4.» — Es mag hier noch beigefügt werden, daß Jacques Frisard von St. Imier für Automaten fast eben so berühmt als die Droz war. Nach Lutz wollte er sich im Winter 1812 mit seinen Kunstwerken nach Konstantinopel begeben, erkrankte aber unterwegs und starb.

6) Die meisten derselben sollen später nach Amerika verkauft worden sein.

des sortes de pièces; c'est à la Chaud-de-fond, dans le comté de Neufchâtel qu'est la grande fabrique en ce genre et au meilleur compte possible. Il y a bien ici un ouvrier qui en a copié une telle que vous demandez, mais je doute qu'il ait les principes nécessaires pour l'exécuter avec la justesse que vous exigez. J'ai aussi les mêmes doutes sur ceux de Neufchâtel. Mr. *Jaques Droz* qui s'est fixé ici, serait bien en état de l'entreprendre, mais il ne travaille pas lui-même, étant riche, ce n'est donc qu'à Paris ou à Londres, que vous pouvez espérer d'en trouver de bien assurées.» Vielleicht übrigens, daß die Droz sich später auch noch dieser Branche zugewandt hätten, wäre nicht ihre Gesundheit durch die frühern anstrengenden Arbeiten so untergraben gewesen, daß weder ärztliche Hülfe den Vater, noch ein südliches Klima den Sohn mehr retten konnten, und beide unerwartet früh starben

«Ferdinand Berthoud vint à Paris en l'année 1745 pour se perfectionner dans l'Horlogerie et dans l'étude de la Méchanique», erzählt uns Berthoud selbst in seiner classischen Histoire de la mesure du temps par les Horloges [7]. «Les recherches et le travail qui, pendant plus d'un demi-siècle, l'ont occupé, et sans aucun relâche, sont consignés dans les ouvrages imprimés qu'il a publiés [8]), en sorte que nous devons nous dispenser de les rapporter ici: mais parmi ces recherches, il en est une qui, par son importance, mérite d'être citée; c'est celle qui a pour objet la détermination des longitudes en mer par les horloges. — Dès avant 1754, Ferdinand Berthoud étoit occupé de cette re-

---

7) Paris, 1803, 2 Vol. in 4. — Dieses Werk gilt für die wichtigste aller Schriften Berthoud's, und macht die übrigen fast entbehrlich.

8) Die wichtigsten dieser Werke werden in dem Folgenden nach und nach aufgeführt werden. Hier erwähne ich vorläufig das erste Werkchen unsers Berthoud «L'Art de conduire et de régler les pendules et les montres, à l'usage de ceux qui n'ont aucune connaissance de l'Horlogerie, Paris in 12.», 1759 und später, — und mache darauf aufmerksam, daß im Journ. helv. Mai 1752 eine sehr rühmliche Anzeige von einer «Pendule d'équation» zu lesen ist, welche Berthoud der Pariser-Academie zur Prüfung vorlegte.

cherche. En 1760, sa première horloge fut exécutée; il en donna les principes et la construction en 1763, dans son Essai sur l'Horlogerie [9]. En 1764, sa première montre marine fut éprouvée en mer. En 1768, il livra les deux horloges Nr. 6 et Nr. 8, qu'il avait construites et exécutées pour le Gouvernement: les épreuves en furent faites en 1768 et 1769, par MM. de Fleurieu et Pingré [10]. *L'épreuve a commencé le 10 novembre 1768, et fini le 21 du même mois de l'année suivante,* dit Mr. de Fleurieu. *Plusieurs coups de vent essuyés dans le cours de la campagne; des roulis presque continus, dont l'étendue passoit quelquefois 45 degrés; toutes les vicissitudes de la température de l'air, depuis le terme de la congélation jusqu'au 25e degré de chaleur du thermomètre de Réaumur; l'humidité pénétrante des brumes du grand Banc de Terre-Neuve, à travers lesquelles on a navigué pendant plusieurs jours consécutifs; enfin toutes les causes physiques qui peuvent contribuer à altérer la justesse des horloges marines, se sont combinées et réunies, dans le cours d'une année, pour éprouver la régularité de ces machines. Quatorze vérifications dans différens ports, ont prévenu les compensations d'erreurs, et nous ont fourni les moyens d'apprécier très-exactement la régularité absolue de chaque horloge pendant chaque période particulière. — Le moyen que ces machines offrent aux Marins pour déterminer les longitudes en mer* (à $\frac{1}{4}$° ou cinq lieues au plus, après une traversée de six semaines) *est susceptible d'une exactitude supérieure à ce qu'exige l'usage de la Navigation, et suffisante pour perfectionner la Géographie* [11]. — Depuis cette

---

9) Paris, 2 Vol. in 4. — 1786 erschien eine zweite Ausgabe, 1790 zu Meissen ein durch Chr. Fr. Vogel besorgter deutscher Auszug.

10) Die zu diesem Zwecke angeordnete Expedition ging von Rochefort nach Cadix, den canarischen Inseln, dem grünen Vorgebirge, nach St. Domingo und bis Neufundland hinauf. Unmittelbar vor der Rückkehr nach Rochefort wurde die ganze Schiffsartillerie noch mehrmals abgefeuert, um einen allfälligen Einfluß auf die Uhren zu constatiren; aber es zeigte sich keiner. — Die Beschreibung der Reise erschien 1773 zu Paris in zwei Quartbänden.

11) Neben der innern Befriedigung wurde Berthoud für die vorzüglichen Leistungen seiner Uhren mit dem Titel eines »Mécanicien de la marine« und einer Pension von 3000 Francs belohnt. Später erhielt er auch das Kreuz der Ehrenlegion.

époque, Ferdinand Berthoud n'a pas cessé de travailler à perfectionner et simplifier les horloges et les montres à longitudes, afin de rendre ces machines d'un usage général dans la Navigation: les ouvrages qu'il a publiés là-dessus en contiennent tous les détails [12]). — Une découverte importante pour la constante justesse des horloges et des montres à longitudes, est celle de l'isochronisme des oscillations du balancier par le spiral: *cette découverte est uniquement due à Ferdinand Berthoud*; il en a prouvé et établi la théorie dans son Traité des horloges marines [13]): il avait

12) Ein anderer Schweizer, der sich ebenfalls in der Konstruction von Längenuhren auszeichnete, war Armand, von dem ich leider nichts mittheilen kann, als eine auf ihn bezügliche Stelle aus einem Briefe von Bugge an Bode (s. des letztern Jahrbuch auf 1787). „Ein geschickter Uhrmacher Armand zu Rendsburg im Holsteinschen", schrieb Bugge am 29. Juni 1784, „hat zwei Seeuhren zu Stande gebracht. Ich habe sie anfänglich auf der k. Sternwarte zu Copenhagen untersucht, und nachher sind sie auf einer Seereise von Copenhagen nach Lisabon, nach der Insel Madera, St. Croix in Westindien und den azorischen Inseln mitgegeben und richtig befunden worden. Sie haben die Meereslänge bis auf einen halben Grad angegeben. Hr. Armand ist seiner Geschicklichkeit wegen vom Könige reichlich belohnt worden." Die Quelle, aus der ich früher (s. Bern. Mitth. 1854) erfuhr, daß Armand ein Schweizer war, weiß ich leider nicht mehr anzugeben.

13) Paris 1773 in 4. — Sonst wird häufig, so z. B. von Thurmann in s. Gagnebin, der geschickte Uhrmacher Jacques-Frédéric Houriet von Locle, der Neffe von Gagnebin, der Lehrer und Schwiegervater des berühmten Urban Jürgensen von Kopenhagen, als Erfinder des «spiral sphérique isochrone», der doch wohl mit der Berthoud'schen Erfindung wenigstens nahe identisch sein dürfte, genannt. Leider habe ich über Houriet, der auch die Chronometer-Fabrikation im Jura eingeführt und ein Metall-Thermometer erfunden haben soll, keine genauern Nachrichten auftreiben können, als daß er im Juni 1831 noch nicht lange todt war. Dagegen theile ich aus einem Briefe, den Aug. de Montmollin am 26. August 1815 aus Neuenburg an Linth-Escher schrieb, folgende zum Theil auch auf ihn bezügliche Stelle mit: «Jean-David Maillardet de Fontaine au Val de Ruz était d'abord un faiseur de pendules, intelligent, bon ouvrier, mais peu instruit. Depuis 30 ans il s'était occupé à faire des automates et à la recherche du mouvement perpétuel. Il y a deux ans qu'il me confiât qu'il était sur le point de résoudre ce grand problème: un mois après il fut obligé de m'avouer qu'il s'était trompé. Je n'en avais plus entendu parler dès lors, quand peu de jours après mon retour de Zurich on m'apprit que Maillardet était parvenu au but de ses recherches. J'y fis peu d'attention. Mais avanthier un Mr. Houriet artiste estimé et constructeur de chronomètres et de thermomètres métalliques vint m'assurer qu'il regardait comme certaine la découverte du mouvement perpétuel, et m'engagea à aller m'en convaincre par moi-même.» Montmollin theilt

annoncé cette recherche dans l'Essai sur l'Horlogerie; et si cette utile découverte n'a pas été autant célébrée que la cycloïde, elle a eu, plus que celle-ci, l'avantage d'être généralement adoptée et suivie. — A la suite d'un long travail constamment soutenu, et de recherches profondes, Ferdinand Berthoud est parvenu à établir des principes certains sur les régulateurs des machines qui mesurent le temps, des horloges astronomiques, des montres portatives, des horloges et des montres à longitudes. *Il a le premier établi et publié ces principes, dans l'Essai sur l'Horlogerie: ils étaient jusques-là ignorés.* Il a en conséquence construit, d'après sa théorie, ses horloges astronomiques à pendule composées à châssis, ses montres portatives à compensation, ses horloges et ses montres marines; et les ouvrages qu'il a publiés depuis 1763, ne sont que les développemens des premiers principes consignés dans l'Essai sur l'Horlogerie [14]). — Nous terminerons cette notice, en présentant les titres de quelques-unes des recherches de cet Auteur: Ses expériences sur les dilatations des divers métaux, etc.; elles ont été faites avec un pyromètre de sa composition, disposé pour éprouver un pendule à secondes, composé

---

im Weiteren mit, daß er die Maschine wirklich gesehen, aber sie nicht recht begriffen habe, und dieß geht auch wohl aus seinem Versuch einer Beschreibung hervor, den ich natürlich hier nicht wiederholen will; ich füge nur noch ein auch Montmollin frappirendes Factum bei, das uns zeigt, wie leicht man sich täuschen läßt: «Les montagnes de notre pays», schreibt Montmollin, «sont remplies d'artistes horlogers et mécaniciens intelligens, parmi lesquels il y en a qui ont véritablement le génie de leur état. Presque tous sont venus voir la nouvelle machine: ils y apportaient la prévention la plus défavorable: et tous sont retournés chez eux convaincus que le mouvement perpétuel est trouvé.»

14) Hier mag noch die von Berthoud als Supplement zu den frühern Publikationen herausgegebene Schrift «De la mesure du temps, Paris 1787 in 4.» angeführt werden, von welcher die Connaisances des temps für 1790 eine sehr günstige Anzeige enthält, aus der man unter Anderm erfährt, daß Berthoud damals schon 45 Längenuhren construirt hatte. Ferner sein «Traité des montres à longitudes, Paris 1792 in 4.», zu dem 1797 eine Fortsetzung erschien, bei deren Vorlage er bei der Academie beantragte, die mittlere Zeit in Paris einzuführen.

pour la correction de la température, et observer si cette correction est complète, et si la masse de la lentille n'affaise pas la verge du pendule. Ses expériences sur les divers moyens de suspendre un pendule, sur les résistances que le pendule éprouve de la part de l'air, etc. Ses expériences sur les diverses sortes d'échappemens, leurs frottemens, etc., au moyen de l'instrument qu'il a composé à cet effet. Sa théorie sur le balancier régulateur des montres, sur les frottemens de ses pivots, etc. Sa théorie sur les causes des variations des montres portatives, et des moyens de compenser les effets de la température dans ces machines. De l'instrument qu'il a composé pour faire les expériences sur les ressorts spiraux règlans des balanciers des montres, et parvenir à l'isochronisme des vibrations. Sa théorie sur l'isochronisme des oscillations du balancier par le spiral. Sa méthode de suspendre le balancier des horloges marines, par un ressort très-flexible qui en soutient le poids et réduit les frottemens à la plus petite quantité, constamment la même. — Nous n'indiquerons pas ici les diverses inventions de cet Artiste; ses horloges à équation, astronomiques, etc.; les divers échappemens de sa composition; l'échappement libre, etc.; divers instrumens destinés à perfectionner la main-d'oeuvre, à éprouver les horloges et les montres par diverses températures, etc.: nous renvoyons à ces ouvrages »

Dasselbe Werk, aus dem wir soeben Berthoud's eigene Arbeiten kennen gelernt haben, gibt uns auch von den Verdiensten einiger seiner Landsleute um die Uhrenmacherkunst Kenntniß. So spricht Berthoud nicht nur von den uns schon bekannten Dasypodius, Bürgi, Fatio und Daniel Bernoulli, sondern auch von Abraham-Louis Breguet von Neuenburg[15]), der (einer

15) Vergl. für ihn und seine Arbeiten die Nummern 7, 37, 42, 460, ꝛc. der Astron. Nachr., sowie die 1826 in der Bibl. univ. abgedruckte «Notice historique sur la vie et les ouvrages de Mr. Breguet», welche Fourier 1826 VI. 5 der

ursprünglich französischen Familie angehörend, welche sich vor den Religionsverfolgungen dahin geflüchtet und im neuen Vaterlande bald zu Ehre und Ansehen[16]) emporgeschwungen hatte) von 1763 hinweg in Paris durch Marie in die Mathematik eingeführt wurde, dort sich der Uhrmacherkunst widmete, von 1780 hinweg mit den Harrisson, Leroy und Berthoud in der Chronometerfabrikation wetteiferte, ja sie schließlich noch übertraf, da er sich eben so sehr durch eine bis auf ihn unerreichte Vollkommenheit der Ausführung als durch glückliche Ideen auszeichnete[17]), und auch als Mensch von Wenigen übertroffen worden sein dürfte, so daß ein Fourier im Hinblicke auf ihn ausrufen konnte: «Se placer au premier rang d'une profession difficile et nécessaire; inventer et perfectionner dans un art long-temps médité par Huygens, Leibnitz et Daniel Bernoulli; guider les navigateurs, donner aux sciences des instrumens nouveaux; créer sa fortune[18]) en la fondant sur l'utilité publique; jouir de l'amitié, ignorer l'ingratitude, échapper à l'envie, *c'est une heureuse et honorable destinée*», und ein Zahrtmann schreiben: «Je suis bien persuadé, que si même, comme je ne le crois pas, il y eut des personnes qui voudraient lui disputer l'honneur d'avoir été l'artiste le plus distingué, et d'avoir possédé le génie le plus fécond dans son art, jamais il n'en aura qui lui disputeront d'avoir

---

Pariser-Academie las, deren Mitglied Breguet gewesen war. — Breguet wurde 1747 I. 10 zu Neuenburg geboren, und starb 1823 IX. 17 (oder 26, wie Fourier sagt; doch scheint 17 richtiger, da Zahrtmann schon am 20. aus Havre die Todesnachricht an Schumacher überschrieb, s. Astron. Nachr. 42) zu Paris. Er war Uhrmacher der Marine und Mitglied des Bureau des longitudes, in welchen beiden Stellungen ihm sein Sohn Louis und sein Enkel Louis-François-Clement folgten, die überhaupt dem Namen Breguet den reinsten Klang zu erhalten wußten.

16) Holzhalb führt aus dem vorigen Jahrhundert mehrere Breguet an, welche zu Neuenburg im großen Rathe saßen und Aemter bekleideten. Ich darf dieß um so weniger unterlassen zu bemerken, als man aus Fourier's Bericht leicht schließen könnte, die Breguet seien nur vorübergehend und als Fremde in Neuenburg ansäßig gewesen.

17) Es mag hier auch noch an seinen Metallthermometer, an seine ressorts-timbres, etc., erinnert werden.

18) Die Arbeiten von Breguet wurden sehr theuer bezahlt, so daß Fourier sagen konnte: «Les posseder, est devenu une marque d'opulence.»

possédé le meilleur des coeurs et le plus noble des caractères», — von Josiah Emery von Neuenburg[19]), der sich in London etablirte, dort einer der berühmtesten Chronometermacher wurde, und von dem uns Zach in seiner Correspondence astronomique folgende charakteristische Einzelnheiten erzählt: «Feu M. Josiah Emery, le plus célèbre constructeur de chronomètres à Londres, lorsqu'un inconnu venait lui en demander un, avait la coutume de lui faire la question: *Mais, Monsieur, savez-vous ce que c'est qu'un chronomètre?* Si l'inconnu répondait en ignorant, il n'y avait pas de chronomètre pour lui. Si par hazard il avait encore le malheur de demander un chronomètre à répétition, avec la date du jour, ou le cours de la lune, etc., mon bon homme ne pouvait plus se contenir, et l'inconnu risquait d'être maltraité de paroles. J'ai souvent reproché cette brusquerie à M. Emery, qui était un homme fort doux pour le reste: *Comment?* me répondait-il tout aussi brusquement, *je ne puis suffire aux commandes des astronomes, des navigateurs, et des connaisseurs, et vous voulez que j'aille perdre mon tems à faire des chronomètres, à qui? à des gens qui en voudraient pour y voir, quoi? . . . l'heure de leur diner!* Les vendeurs de montres ordinaires amassent des fortunes, — les facteurs de bons chronomètres sont presque tous morts pauvres. On a trouvé à Emery une guinée après sa mort», — von Enderlin von Basel[20]), der sich in den 30ger Jahren des vorigen Jahrhunderts in Paris etablirte, in theoretischen und

---

19) Emery starb zu London 1794 VII. 2. Daß er ein Schweizer war, wird wiederholt gesagt, — Poggendorf gibt dagegen die nähere Auskunft, er sei von Neuenburg gebürtig gewesen. Ich habe troß aller Mühe nichts näheres erfahren können; Gautier, den ich unter Anderm anfragte, schrieb mir, daß der Name Emery in der Waadt häufig vorkomme, — aber in Lausanne wußte man wenigstens von diesem Emery auch nichts. Eben so vergeblich erkundigte ich mich in Genf und Lausanne über den geschickten Uhrmacher Vulliamy in London, der ebenfalls ein Schweizer gewesen sein soll.

20) Leider habe ich weder Vorname, noch Datum von Geburt und Tod finden können. Daß Enderlin von Basel war, weiß ich aus dem Nekrologe des Zürcher-Stadtuhrenmachers Salomon Heß, der ihn etwa 1733 in Paris kennen lernte.

praktischen Kenntnissen gleich bewandert war, mehrere schöne astronomische Uhren construirte, für den von Thiou 1741 zu Paris herausgegebenen «Traité d'Horlogerie pratique» mehrere werthvolle Abhandlungen schrieb, und den Berthoud in seinem Werke als «habile et savant artiste-méchanicien» bezeichnet, während er in einem Briefe vom 18. Mai 1753[21]) von ihm sagte: L'Horlogerie à fait une perte réelle à sa mort; si l'on doit juger par ce qu'il a fait de ce qu'il eût pû faire, *il aurait été unique dans son genre»*, — von Jean Jodin von Genf[22]), den Berthoud als «habile artiste-horloger établi à Paris» bezeichnet, und der sich namentlich durch einen 1754 zu Paris publicirten «Traité des échappemens» ein dauerndes Andenken gesichert hat, — von Pierre-Joseph de Rivaz von St. Gingolph im Unter-Wallis[23]), der zu Chambray studirte, sich mit großem Talent und seltener Erfindungsgabe[24]) der Mathematik und Mechanik widmete, etwa 1749 der Pariser-Academie neben andern Erfindungen eine «Horloge d'un an, à court pendule et à lentille pesante, dont le pendule, qui est formé par un canon, contient un métal qui, se dilatant plus que le cuivre, opère la correction entière des effets du chaud et du froid» vorlegte und dafür von derselben privilegirt wurde[25]), schließlich 1760 unter vortheilhaften Be-

21) Siehe Journal helvétique, Mai 1753.

22) Er wurde 1715 zu Genf geboren und starb ebendaselbst 1761. Senebier und Poggendorf legten ihm im Gegensatze zu Berthoud den Vornamen Pierre bei. Die Mém. de Paris von 1754 enthalten von ihm eine «Observation sur une montre à deux balanciers»

23) De Rivaz wurde 1711 III. 29 zu St. Gingolph geboren, und starb 1772 VIII. 6 zu Moutiers in der Tarantaise. Er soll auch in Literatur, Geschichte, &c. schöne Kenntnisse besessen haben, wovon als Probe seine «Eclaircissemens sur l'histoire de la Martyre de la Légion Thébéenne» angeführt werden, welche 1749 im Journal helvétique erschienen.

24) Ueber mehrere seiner Entdeckungen in Beziehung auf Uhren, Brennspiegel, Mikroskope, Teleskope, &c. vergl. Journal helvétique, Mai et Juillet 1739. Die Mém. de Paris von 1749 enthalten von ihm eine «Observation sur une pendule differente des autres par le poids de sa lentille et par la petitesse des arcs, que décrit le pendule dans sa vibration.»

25) In dem sich über diese Erfindung zwischen De Rivaz und mehreren Pariser-Uhrenmachern entspinnenden langen Streite, erschien unter Andern eine «Réponse

dingungen die Direction der Salzwerke in der Tarantaise erhielt, — und von **Jean Romilly** von Genf[26]), einem geschickten in Paris etablirten Uhrmacher, dem man unter Anderm eine Louis XV. präsentirte Uhr «allant un an sans être remontée», und die meisten der die Uhrenmacherkunst betreffenden Artikel der Encyclopädie verdankt.

Ueber die Berthoud vor allen seinen Fachgenossen auszeichnende wissenschaftliche Bedeutung lasse ich noch einen der competentesten Richter sprechen: «Sa vie toute entière est dans les monumens qu'il a laissés», sagt Delambre in seiner Lobrede auf Berthoud; «mais ces monumens fragiles n'étaient pas destinés à lui survivre long-temps, *s'il n'avait su leur donner une existence plus durable dans les écrits nombreux où il à déposé l'histoire de ses pensées, de ses tentatives et de ses succès.* — Si Ferdinand Berthoud n'eût été qu'un artiste habile, comme tous ceux que les Etats de l'Europe possèdent maintenant en assez grand nombre, s'il se fût borné à perfectionner les montres et les horloges communes par des inventions telles que celles qui ont marqué ses premiers pas, par des échappemens nouveaux, par des méthodes particulières pour les pendules et montres à équation, ou par une perfection plus grande dans la main-d'oeuvre, il

---

du Sieur De Rivaz, à un mémoire publié contre ses découvertes en Horlogerie, Paris 1751 (96 S.) in 4.», in welcher De Rivaz ein vom 13. Dez. 1740 datirtes Certificat von Daniel Bernoulli beibringt. Nach Berthoud (s. seine Histoire II. 152) hatte übrigens diese Erfindung keine großen praktischen Folgen. Vergl. auch Berthoud's, Note 21 citirten, jene Réponse als «très savant» bezeichnenden Brief, aus dem ich noch folgende Stelle gebe: «De Rivaz possède parfaitement la théorie et les principes de son art, et sans exécuter lui-même, il pousse le méchanisme à la perfection. Il a inventé plusieurs choses et le privilège exclusif qu'il a obtenu du Roi, pour ses pendules, qui vont un an sans monter, n'est pas seulement le prix de la faveur, le mérite et son savoir y ont la meilleure part.

26) Romilly wurde 1714 zu Genf geboren, und starb im Februar 1796 zu Paris. Berthoud erzählt von ihm: «Il s'est occupé, vers 1768, de la construction d'une montre marine qu'il avait mise au concours du prix de l'Académie; un Astronome mal-adroit la fracassa: sa construction est demeurée inconue.» Die Mém. de Paris von 1755 enthalten von Romilly eine «Observation sur une montre avec plusieurs nouveaux changemens.»

aurait eu des droits sans doute à l'estime et à la confiance de ses concitoyens, à la considération personelle, et même à une fortune beaucoup plus grande que celle dont il a joui; mais il n'eût pas été appelé à l'Institut à la première formation de ce corps [27]), son nom n'eût pas marqué, comme il l'a fait dans l'histoire de l'art, à laquelle échappent inévitablement les perfectionnemens de détail.» Und wieder, nachdem er die uns bereits bekannten Verdienste Berthoud's um die Längenuhren auseinandergesetzt: «Jamais F. Berthoud n'eût la faiblesse de redouter les émules; jamais il n'a fait mystère de ses procédés; au contraire, on le voit en tout temps donner l'histoire exacte de ses diverses tentatives, de ses succès plus ou moins heureux; et pour éviter aux autres des tâtonnemens toujours longs et souvent infructueux, pousser l'attention jusqu'à rapporter, avec un soin extrême, les dimensions, les poids et les rapports des diverses pièces dans celles de ses horloges dont il était le plus content.» — Zum Schlusse füge ich noch bei, was uns Delambre über den Charakter und das spätere Leben unsers berühmten Landsmannes aufbewahrt hat: «M. Berthoud», erzählt er, «sans cesse occupé de ses travaux et de ses projets, vivait en solitaire. Il était naturellement sérieux; mais dans les circonstances rares, où il se livrait à la société, il oubliait entièrement ses idées de mécanique, et montrait une gaité franche. — Sa vie était uniforme et réglée [28]). — En 1767 il avait acquis un bien à Groslay, vallée de Montmorenci; et depuis cette époque il y passa les trois quarts de l'année. Là, par sa bienfaisance, il se concilia l'estime et l'attachement de ses voisins. Il avait établi dans sa

---

27) Berthoud war auch Mitglied der Royal Society.

28) Berthoud hatte sich zweimal verheirathet; aber beide Ehen waren kinderlos geblieben. Dagegen hatte er später einen Neffen, Louis Berthoud (1753—1813 IX. 17) zu sich genommen, und es war ihm gelungen, denselben so in seine Arbeiten einführen zu können, daß er ihm später als Uhrmacher der Marine, ja, als Mitglied des Instituts folgen konnte. Louis Berthoud schrieb einen «Entretien sur l'horlogerie à l'usage de la marine, Paris 1812.»

maison des secours contre les incendies, que pouvaient réclamer en tout temps tous ceux qui étaient à portée d'en profiter. — Humain et compâtissant, il se montra le meilleur des maîtres, et le prouva par le soin qu'il prit de ses domestiques, et surtout d'une jardinière infirme et paralytique. — En janvier 1807, il fut attaqué d'une hydropisie de poitrine qui ne l'empêcha pas de conserver, jusqu'au dernier jour, ses facultés intellectuelles et son goût pour les arts. Deux jours avant sa mort, qui arriva le 20 juin, il s'occupait encore du plan d'une montre. — Peu de mois auparavant il avait publié un supplément à son Traité des horloges à longitude. *Sa vie fut pleine, heureuse et tranquille, et sa mémoire doit être chère aux amis des arts et de l'humanité.»*

Johann Rudolf Schellenberg von Winterthur.

1740 — 1806.

Johann Rudolf Schellenberg wurde im Jahre 1740 von Anna Katharina Huber zu Basel geboren, wo damals ihr Mann, der Maler Johann Ulrich Schellenberg von Winterthur, bei ihrem Vater, dem berühmten Maler Johann Rudolf Huber von Basel, lebte [1]. Da Vater und Großvater die Kunst mit Enthusiasmus liebten, so wurde natürlich der kleine Sprößling schon in der Wiege zum Künstler bestimmt, und als er etwas zu erwachen begann, war es die größte Freude Huber's, wenn sein Enkel, auf seinen Knieen sitzend, leichte Skizzen, die er ihm vormalte, nachzuahmen suchte, oder, noch etwas später, seine Schulhefte, nicht ohne Talent zu verrathen, mit Federzeichnungen beklekste. „Nach dem Tode des alten Huber's zog sich der Vater", erzählt uns Hegner, „mit Weib und Kind nach Winterthur zurück, und ihm folgte eine beträchtliche Sammlung von Gemälden, Handzeichnungen und Gypsabgüssen, die ihm aus Huber's Verlassenschaft allein zu Theil geworden waren. Huber hatte in seinem Leben und in der Kunst die Pracht geliebt, und einen großen Theil seines Vermögens auf diese Kunstsachen, die er in Italien und Deutschland zusammengebracht, verwandt. Alles ward nun sorgfältig auf einen Wagen gepackt, und kam glücklich nach Win-

---

1) Ich benutze für Schellenberg hauptsächlich die von Ulrich Hegner für das Neujahrstück der Künstlergesellschaft auf 1807 geschriebene Biographie, — einige ihn betreffende Briefe von Clairville und Andreas Biedermann, — verschiedene durch gütige Vermittlung des Herrn Professor Johannes Scherr direct aus Winterthur verschriebene Notizen, ꝛc. — Der Großvater Huber lebte von 1668 bis 1748, — der Vater Schellenberg, der später Rathhausmeister in Winterthur wurde, von 1709 bis 1795.

terthur, und schon freute sich Schellenbergs Vater, da er den Schatz gegen sein Haus anrücken sah, als noch in der Wendung der letzten Gasse der Wagen umwarf, und die kostbaren, bey uns so schwer anzuschaffenden Gipssachen in tausend Stücken zerbrachen. Schellenberg hatte noch lange hernach die Trümmer dieser Zerstörung in einer besondern Kammer aufbewahrt, und oftmals nach seiner scherzhaften Laune und lebhaften Einbildungskraft bald ein Schlachtfeld, bald ein jüngstes Gericht daraus gemacht, nur bis zur wirklichen Auferstehung konnte er es nie bringen, wie er sagte." In Winterthur mußte Schellenberg natürlich die Schule besuchen, scheint aber nicht gerade zu den fleißigsten Schülern gezählt zu haben, sonst hätte wohl nicht die strenge Mutter für nöthig befunden, ihn zuweilen an den Fuß des Stubenofens anzubinden, bis er sein Schulpensum auswendig gelernt habe; dagegen übte er sich freiwillig mit Fleiß im Zeichnen nach Handrissen aus des Großvaters Sammlung, und nahm, da er besonders dessen eigene Zeichnungen auswählte, dessen Manier an. „Nachdem er", erzählt Hegner, „der Schule entronnen, unter Anleitung seines Vaters, der zwar selbst kein vorzüglicher Meister war, aber doch das Praktische des Unterrichts gut verstand, fleißig in dem Gewöhnlichen sich geübt, nach der Natur gezeichnet und gemalt hatte, und mit Porträtiren sich einigermaaßen durchbringen konnte, sollte er nun sein Glück in der Fremde versuchen; allein hieran wurde er durch einen schweren Fall von einer Schaukel herunter verhindert[2]) und auf Jahre lange zurückgesetzt, denn der Sturz auf den Kopf hatte ihn so verletzt, daß er Monate lang ohne Besinnung lag, und sein Gedächtniß war so gänzlich zu Grunde gerichtet, daß er wieder anfangen mußte, wie ein Kind lesen und schreiben zu lernen; nur, was doch merkwürdig ist, das Zeichnen vergaß er nicht, sondern war im Stande, so bald es seine physischen Kräfte erlaubten, damit fortzufahren, und es war sogar eine Zeit lang,

2) Biedermann sagt abweichend hievon, Schellenberg selbst habe ihm erzählt, ein Zimmermann habe ihm ein schweres eichenes Bret auf den Kopf fallen lassen, und dieß habe ihm die Hirnschaale gespaltet; er habe ihm auch wirklich die Spalte gezeigt, und ihn den Finger in dieselbe legen lassen.

bis er der Sprache wieder mächtig war, das einzige Mittel, wodurch er sich den Seinen verständlich machen konnte, er mußte es aber mit der linken Hand thun, weil die Rechte geraume Zeit von dem Fall gelähmt blieb. Als es endlich seine Genesung wieder erlaubte, und ihm gegen alle Erwartung von seinem Fall keine Folge mehr geblieben war, als eine Schwäche des Gedächtnisses, die ihn aber lebenslänglich nicht mehr ganz verließ, begab er sich nach Basel, wo nun sein eigentliches Kunstleben anging. Geübt für alles zeichnete und malte er auch alles, was ihm in den Wurf kam, bald Porträte, bald historische Kompositionen, bald Landschaften." Studien an Bauern und Bauernmädchen gelangen ihm am besten, und wurden von Fremden gern gekauft. Ein Engländer schlug ihm vor, mit ihm als Zeichner nach Italien zu reisen; aber es sollte nicht sein, — eine Krankheit, die ihn am Abend vor der beabsichtigten Abreise überfiel, hielt ihn fest. Er kehrte dann nach Winterthur zurück, und verfertigte nun spielende Kinder, ländliche Scenen, &c., die meist ins Ausland gingen. „Um diese Zeit war es", erzählt Hegner, „da er bei dem gelehrten Canonicus Joh. Geßner in Zürich [3]) sich mehrere Monate zu Verfertigung naturhistorischer Zeichnungen aufhielt, wo eine neue Liebhaberei in ihm erwachte, die ihm durch sein ganzes Leben blieb, nämlich die Liebhaberei für die Naturgeschichte, besonders aber für die Kenntniß der Insekten. Es war gerade der Zeitraum, wo Rösels Insektenbelustigungen unser Publikum belustigten, und dieß Studium eine Zeit lang zur Mode machten; auch Schellenberg wurde davon eingenommen, er blieb aber nicht bloß bey der Belustigung, sie aufzuspießen und erbauliche Betrachtungen über die Wunder der Natur an den armen Schächern anzustellen, stehen, sondern zeigte sich bald als einen mitwirkenden Beförderer dieser Wissenschaft, indem er sie unter Geßners Anleitung förmlich studirte, und eine Sammlung entomologischer Zeichnungen in Wasserfarben begann."

Es sind in den vorhergehenden Cykeln manche Männer ge-

---

3) Vergl. I. 321—332, und speziell 347.

schildert worden, welche sich um die Zoologie überhaupt oder um spezielle Zweige derselben verdient machten, — ich erinnere an die Allamand, Bonnet, Geßner, Pool, Sprüngli, Studer, Trembley, &c., an die sich sogar eine Frau, die Merian von Basel, anschließt; aber doch schien es mir um so nothwendiger, auch in diesem letzten Cyclus noch eine Stelle für einen Zoologen zu bestimmen, als in ihm nur noch einige wenige, der um dieses Gebiet verdienten und bisher nicht genannten Schweizerischen Naturforscher gelegentliche Erwähnung finden werden [4]), und doch gar manche derselben eine solche Berücksichtigung beanspruchen dürften, — ich erinnere an Jean Huber von Genf [5]), den hauptsächlich durch seine launigen Zeichnungen [6]) und seinen Umgang mit Voltaire bekannten, aber auch um die Naturgeschichte der Raubvögel und verschiedener Hausthiere verdienten [7]) Maler, von dem uns Bridel in seinem Conservateur Suisse unter Anderm erzählt: «Moins savant qu'homme de génie, il a peu écrit, mais tout ce qui est sorti de sa plume porte l'empreinte de la finesse, de la réflexion, et de cette originalité de caractère qui fit dire un jour à Voltaire, *c'est donc Huber qu'on vient voir à Ferney, et non pas moi!* Quant à sa manière de voir et d'observer les animaux, on ne peut mieux le comparer dans l'histoire naturelle

---

4) So namentlich Steinmüller bei Salis.

5) Er wurde 1721 zu Genf geboren und starb 1786 zu Lausanne. Seine Voreltern stammten von Schaffhausen.

6) Senebier erzählt: «Huber a fait des découpures plus énergiques que beaucoup de tableaux: on ne se présente pas aisément en quoi consiste ce genre de peinture; mais on s'en fera une idée si l'on se transporte à l'heure du crépuscule, et si l'on se peint alors les objets placés entre le spectateur et le fond qui est légèrement éclairé. Avec ces ressources, on ne peut exprimer que les contours des figures; mais le génie sait les animer et former des tableaux pour des momens que les plus habiles coloristes ne sauraient jamais imiter. Huber a fait des tableaux de Voltaire qui peignent mieux la vie domestique de ce grand homme que tous les écrits qu'on a publiés sur ce sujet.»

7) Er gab «Observations sur le vol des oiseaux de proie, Genève 1784 (54 S.) in 4.» heraus, — konnte dagegen eine «Histoire» dieser Vögel, für die er bereits zahlreiche Zeichnungen gemacht hatte, nicht mehr vollenden. Er soll auch viele Zeichnungen zur Geschichte des Pferdes, &c. hinterlassen haben.

qu'à la Fontaine dans la fable, et entre les petites pièces echappées de son porte-feuille, ni Buffon, ni Sterne, ne désavoueraient son *Apologie des chiens*,» — an Jakob Hettlinger von Winterthur[8]), der früher Generaldirector der Bergwerke in Nieder-Navarra, später Director der Porcellanfabrik in Sèvres bei Paris, daneben aber ein eifriger Naturforscher war, wie sich z. B. aus einem Schreiben zeigt, das er an die Redaction des Journal de Physique über das Vergnügen richtete, welches die Betrachtung der Insekten verschafft[9]), — an Joh. Heinrich Sulzer von Winterthur[10]), der in Tübingen Medizin studirte, später als Stadtarzt in seiner Vaterstadt lebte, nebenbei aber mit Vorliebe dem Studium der Insekten oblag, und als der erste deutsche Naturforscher bezeichnet wird, welcher das Linné'sche System für diesen Zweig speziell bearbeitete[11]), — an Joh. Kaspar Füßli von Zürich[12]), einen Sohn des verdienten Malers und Rathschreiber Joh. Kaspar Füßli[13]), der Buchhändler war, aber nebenbei mit eben so großer Liebe als Sachkenntniß Entomologie trieb, und mehrere betreffende werthvolle Schriften

---

8) Er wurde 1734 zu Winterthur geboren, und starb 1803, — ob in Frankreich oder in der Heimath, weiß ich nicht. Er soll Mitglied der Academie zu Lissabon gewesen sein.

9) Ein Auszug aus demselben wurde 1786 in die Monatlichen Nachrichten aufgenommen.

10) Er wurde 1735 zu Winterthur geboren, und starb daselbst 1814.

11) Es wird über seine Schriften unten noch einiges mitgetheilt werden.

12) Er wurde 1743 zu Zürich geboren, und starb daselbst im April 1786. Ueber seine Sammlungen vergl. III. 398.

13) Er wurde 1706 zu Zürich geboren, und starb daselbst 1782. — Mehr als durch eigene Kunstwerke, machte er sich durch seine „Geschichte der besten Künstler in der Schweiz, Zürich 1769—1779, 5 Bde. in 8.", und andere literarische Arbeiten verdient. Er hatte unter Künstlern und Schriftstellern viele Freunde, und bei Anlaß von Schwendimanns Medaille auf Raphael Mengs schrieb er (Mon. Nachr. 1780) an einen Freund in Luzern: „Es sind allbereits 74 Jahre verflossen, daß ich auf der Oberfläche dieser Erde herumkrieche; 17 Jahre davon habe ich mit reisen zugebracht, und in solcher Zeit das seltene Glück gehabt, mit Männern von erlauchter Geburt — mit großen Gelehrten — und den vornehmsten Künstlern unsers Zeitalters Bekanntschaft und Freundschaft zu errichten. — Von den erstern habe ich alle, bis auf den einzigen von Firmian in Mayland verloren. Von den zweyten mußten Kleist und Winkelmann, beyde meine Busenfreunde, durch mörderische Hände umkommen, und bleibt mir nur Bodmer und Klopstock übrig. Von den letztern sind mit dem unsterblichen Mengs alle dahin."

und Sammelwerke herausgab [14]), — an Hieronymus Bernoulli von Basel, einen Enkel von Johannes I. Bernoulli's jüngstem Bruder Hieronymus [15]), der sich wie Großvater Hieronymus und Vater Nicolaus dem Apothekerberufe widmete, nebenbei aber große Liebhaberei für Naturwissenschaften besaß, und sich durch Reisen und ausgebreitete Handelsverbindungen ein reiches Naturaliencabinet anlegte, das nach seinem Tode durch Schenkung an den Staat überging, — an François Huber von Genf [16]), einen Sohn des oben erwähnten Jean Huber, der, obgleich schon mit 17 Jahren blind geworden, sich den trefflichsten Beobachtern jeder Zeit an die Seite stellte, und namentlich mit den Augen seines Bedienten François Burnens und seines sofort zu erwähnenden Sohnes Pierre Huber den Haushalt der Bienen gründlicher erforschte und beschrieb [17]), als es je vor und nach ihm von einem Sehenden geschah, — an Louis Jurine von Genf [18]), der in Paris Medizin studirte, dieselbe in Genf mit seltenem Erfolge practicirte und durch verschiedene Preisschriften und Abhandlungen förderte [19]), nebenbei aber mit Vorliebe die Ento-

---

14) Es wird unten über seine Publikationen noch einiges mitgetheilt werden.

15) Rathsherr Nicolaus Bernoulli hatte 11 Kinder: Gertrud (1647—1679), Maria (1649—1654), Margaretha (1652—1652), Anna (1653—1653), Jakob I. (1654—1705; Vater von Verena und dem Kunstmaler Nicolaus 1687—1769), Anna Margaretha (1657—1660), Susanna (1660—1661), Nicolaus (1662—1716, Vater von dem uns längst bekannten Nicolaus I., von Magdalena, der Mutter von Joh. Jak. d'Annone, und mehreren andern Kindern), Emanuel (1665—1680), Johannes I. (1667—1748, Vater von dem uns bekannten Nicolaus II., Daniel und Johannes II.), und Hieronymus (1671—1760, Vater des Apotheker Nicolaus 1704—1786, und Großvater des hier erwähnten Apotheker Hieronymus 1745—1829).

16) Er wurde 1750 VII. 2 zu Genf geboren, und starb 1831 XII. 22 zu Lausanne. — Vergl. für diesen «clairvoyant aveugle» namentlich die von De Candolle 1832 der Bibl. univ. einverleibte «Notice».

17) Namentlich in seinen «Nouvelles observations sur les abeilles, Genève 1792 in 8.», und in mehrern der Bibl. univ. einverleibten Aufsätzen.

18) Er wurde in Genf 1751 II. 6 geboren, und starb ebendaselbst 1819 X. 21. — Senebier, und nach ihm Holzhalb, nennen ihn fälschlich Pierre.

19) Mémoire sur cette question: Déterminer quels avantages la médecine peut retirer des découvertes modernes sur l'art de connaître la pureté de l'air par les différents eudiomètres (qui a remporté le prix de la Société de Médecine de Paris; Mém. de la Soc. de Méd. de 1798). — Mémoire sur le croup, qui a partagé le prix extraordinaire de 12000 fr.

mologie und Ornithologie bearbeitete[20]), und eine Sammlung anlegte, welche zu den schönsten in Europa gezählt wurde, — an Georg Leonhard Hartmann von St. Gallen[21]), der erst Maler war, dann sich verschiedenen öffentlichen Beamtungen und namentlich dem Erziehungswesen in seinem Heimathkanton widmete, besonders aber als historischer und zoologischer Forscher und Schriftsteller Anerkennung fand[22]), — an Daniel-Alexandre Chavannes von Vevey[23]), der zuerst Theologie studirte, dann aber sich auf Zoologie legte und einen Lehrstuhl derselben an der Academie in Lausanne bekleidete, Mitstifter der Schweizerischen Naturforschenden Gesellschaft war und dieselbe 1818 und 1828 bei ihren Versammlungen in Lausanne präsidirte, und eine Menge verdienstvoller Arbeiten in der lange Jahre von ihm redigirten Feuille d'agriculture niederlegte[24]), — an Pierre Huber von Genf[25]), den Sohn des oben erwähnten François Huber, der nicht nur den Vater in seinen Arbeiten unterstützte und die künstlerischen Talente des Großvaters besaß, sondern auch selbst-

---

fondé par le gouvernement impérial, Genève 1810 in 8. — Mémoire sur l'Angine de Poitrine (qui a remporté le prix de la Soc. de Méd.), Genève 1815 in 8. — Etc.

20) Nouvelle méthode de classer les Hyménoptères et les Diptères, Paris 1807 in 4. — Histoire générale des Monocles qui se trouvent aux environs de Genève, Genève 1820 in 4. — Viele Abhandl. in den Mém. de la Soc. d'hist. nat. de Genève, der Bibl. univ., etc.

21) Hartmann wurde 1764 III. 19 zu St. Gallen geboren, und starb daselbst 1828 V. 16. Vergl. für ihn die Verh. der Schweiz. Naturf. Ges. von 1828.

22) Hartmann publicirte 1795 eine Beschreibung des Bodensee's, von der 1808 (St. Gallen in 8.) eine neue und vermehrte Ausgabe erschien, — 1798 in einer Wochenschrift für den Kanton Sentis ein Verzeichniß der Vierfüßer und Vögel seines Kantons, — 1818 eine sehr geschätzte Geschichte der Stadt St. Gallen, — 1827 eine Helvetische Ichthyologie (Zürich in 8), ꝛc. Außerdem lieferte er verschiedene werthvolle Beiträge für die Alpina, ꝛc.

23) Chavannes, für den die Verh. der Schweiz. Nat. Ges. auf 1848 zu vergleichen, wurde 1765 VII 21 zu Vevey geboren, und starb 1846 X. 29. Die 1798 geborene, verdiente Schriftstellerin Herminie Chavannes (vergl. z. B. II. 430) ist seine Tochter.

24) Auch der die Zoologie betreffende Abschnitt von Vuillemin's Gemälde der Waadt hat Chavannes zum Verfasser.

25) Huber, für den Bd. 10 der Mém. de Genève zu vergleichen, wurde zu Genf 1777 I. 23 geboren, und starb zu Yverdon 1840 XII. 22. Seine Frau, Louise Burnand von Yverdon, malte viele Insekten für ihn.

ständig schöne wissenschaftliche Arbeiten ausführte, die zum Theil meteorologische, hauptsächlich aber entomologische Fragen beschlugen[26]), — an Franz Wyder von Bettigen in Baselland[27]), der lange Jahre als Postkontroleur in der Waadt lebte, seine Muße aber mit Erfolg der Botanik, Hortikultur und Zoologie zuwandte, und namentlich durch seinen 1823 erschienenen «Essai sur l'histoire naturelle des serpens de la Suisse» verdient und bekannt wurde, — an Heinrich Rudolf Schinz von Zürich[28]), der sich in Zürich, Würzburg, Jena und Paris zum Arzte ausbildete, längere Zeit als Bezirksarzt und Lehrer am medizinischen Institute in Zürich wirkte, später als Professor der Naturgeschichte an der Kantonsschule und Hochschule lehrte, von 1834 bis 1846 die Naturforschende Gesellschaft präsidirte, durch zahlreiche naturhistorische und voraus zoologische Werke und Monographien sich in der Wissenschaft einen weit bekannten Namen erwarb[29]), ganz besonders aber sich um die Ordnung und Aeufnung des zoologischen Museums so verdient machte, daß man ihn als den eigentlichen Schöpfer desselben zu betrachten hat, und wohl nicht länger anstehen wird, ihm in demselben ein würdiges Denkmal zu errichten, — an Johann Peter Scheitlin von St. Gallen[30]),

---

26) Von seinen Schriften sind die «Recherches sur les fourmis indigènes, Genève 1810 in 8.» am berühmtesten. Ein der Pariser-Academie vorgelegtes «Mémoire sur la chenille du hamac» wurde so günstig aufgenommen, daß er zum korrespondirenden Mitglied ernannt werden sollte, — eine Ehre, die der gute Sohn auf seinen blinden Vater überzutragen wußte. Die Bibl. univ., die Mém. de Genèv., etc. enthalten zahlreiche und gediegene Arbeiten von ihm.

27) Er starb zu Anfang der 30ger Jahre, 57 Jahre alt geworden; die Nachfrage nach genauern Daten bei seinem in Zürich lebenden Sohne blieb ohne Erfolg. Vergl. für ihn Verh. der Schweiz. Nat. Ges. von 1832.

28) Er wurde zu Zürich 1777 III. 30 geboren, und starb ebendaselbst nach langem Siechthum 1861 III. 8.

29) Ich erwähne beispielsweise seine „Beschreibung und Abbildung der Eyer und künstlichen Nester der Vögel, welche in der Schweiz und Deutschland brüten, Zürich 1819—1829, 13 Hefte in 4.", — seine „Naturgeschichte und Abbildungen des Menschen und der Säugethiere, der Vögel, Reptilien und Fische, Schaffhausen und Zürich 1833—1836 in Fol", — sein „Kanton Zürich in naturgeschichtlicher und landwirthschaftlicher Beziehung, Zürich 1842 in 8.", — seine „Monographien der Säugethiere, Zürich 1843—1845, 8 Hefte in 4.", — ꝛc.

30) Er wurde zu St. Gallen 1779 III. 4 geboren, und starb ebendaselbst 1848 I. 17.

erst Pfarrer in Kerenzen, dann Professor der Philosophie und Dekan in St. Gallen, der neben sonstiger segensvoller Wirksamkeit in Kirche, Schule und Haus, auch für die Naturwissenschaften thätig war, und, neben anderer nicht unbedeutender literarischer Thätigkeit, sich namentlich durch seinen „Versuch einer Thierseelenkunde“ [31]) ein schönes Denkmal setzte, — an Laurenz Oken von Offenburg bei Freiburg i/B. und Wipkingen bei Zürich [32]), den berühmten Philosophen und Naturforscher, der in Jena, München und Zürich lehrte, die jährlichen Versammlungen der deutschen Naturforscher und Aerzte ins Leben rief, lange Jahre die Isis redigirte, zahlreiche Abhandlungen und Werke schrieb [33]), wesentlich zur Wiedereinsetzung der mikroskopischen Beobachtung in ihre Rechte beitrug, und sich überhaupt entschiedene Verdienste um die Naturwissenschaften erwarb, welche Häser in folgenden Worten resümirte: „Von den Schülern Schelling's bewahrte Oken den ursprünglichen Standpunkt seines Meisters am treusten. Mit aller Energie seines Charakters und mit der ganzen Fülle seiner Phantasie wendete sich Oken, nachdem er die erste durchaus poetische Phase seiner Entwickelung überwunden hatte, zu der Durchführung des Gedankens von der All-Einheit des Naturlebens, und der speziellen Nachweisung des Gesetzes von der Entwicklung des Höheren aus dem Niederen. Im Besonderen ist Okens Bemühung darauf gerichtet, die einzelnen Formen des thierischen Lebens als die Glieder eines großen ideellen Ganzen zu schildern, das in ihnen wie in einzelnen Bruchstücken zur Anschauung kommt, dann aber das ganze Thierreich wiederum als das Vorgebilde des Menschen, als den in seine Glieder auseinandergelegten Menschen zu betrachten. So Vieles auch in der Durchführung dieser Lehre der Willkür und der Phantasie seinen Ursprung verdankt, so unbestritten sind

31) Stuttgart 1840, 2 Bde. in 8.

32) Oken, der eigentlich Okenfuß geheißen haben soll, wurde zu Offenburg 1779 VIII. 3 geboren, und starb zu Zürich 1851 VIII. 11.

33) Ich führe beispielsweise an: Lehrbuch der Naturphilosophie, Jena 1809, 1831 und Zürich 1843 in 8., — Lehrbuch der Naturgeschichte, Leipzig 1813 — Weimar 1826, 3 Bde. in 8., — Allgemeine Naturgeschichte, Stuttgart 1833—1841, 14 Bde. in 8. und Atlas in 4., — ꝛc.

doch die großen Verdienste, welche sich Oken um die wissenschaftliche Auffassung der Zoologie, vor Allem um die Entwickelungsgeschichte, erworben hat, und es braucht statt vieler Beispiele nur auf die zuerst von ihm angeregte Auffassung des Thierskelets als eines aus dem Urwirbel sich Entwickelnden, auf die von ihm gegebene Nachweisung der Entstehung des Darmkanals aus dem Nabelbläschen u. s. w. hingewiesen zu werden," — an Hieronymus von Salis-Soglio [34]), der als Oberst in Holländischen und Neapolitanischen Diensten, und später als Bundespräsident, seine Mußezeit und sein Malertalent der Ornithologie zuwandte, und eine Hauptstütze der naturforschenden Gesellschaft Graubündens war, — an Jakob Bremi von Zürich [35]), der, schon im 11ten Jahre durch eine Krankheit des Gehörs beraubt [36]), sich zum Drechsler ausbildete, aber von frühester Jugend auf bis an sein Lebensende sich mit seltener Liebe und Ausdauer der Naturforschung und speziell der Entomologie hingab, ein großes Talent für genaues und allseitiges Beobachten entwickelte, reiche Naturschätze und namentlich eine „unvergleichliche biologische

---

34) Er wurde 1786 zu Chur geboren, und starb 1828 XII. 10 ebendaselbst. Er gab auch auf Verlangen der Regierung eine „Anleitung zur Behandlung der Wälder" heraus. Der 1818 II. 22 zu Mastricht geborene Ingenieur Adolf Anton Valentin v. Salis ist ein Sohn von ihm.

35) Er wurde 1791 V. 25 zu Dübendorf, wo sein Vater, der wackere Dekan Heinrich Bremi (1748—1832), als Pfarrer lebte, geboren, — brachte auch, mit Ausnahme der Lehrjahre, seine ersten 40 Jahre dort zu, — zog dann in die Stadt, und starb in derselben 1857 II. 27. — Vergl. für ihn die einläßliche und sehr gelungene Biographie, welche Prof. Menzel für das Neujahrsblatt der Naturf. Ges. in Zürich auf 1858 schrieb.

36) Merkwürdiger Weise besaß Zürich schon früher einen geschickten Maler Rudolf Bremi (1581—1611), der sogar von Geburt auf taubstumm war, aber es dennoch dazu brachte, sich in Kunst und Wissenschaft auszuzeichnen, und 1603 folgendes Gedicht niederschrieb:

„Dem höchsten Gott zu lob und ehr,
Der mich ein stum begabt hat sehr,
Daß ich liß. schryb und rächnen kan,
In Geometrie ich auch bestahn.
Astronomie, auch kupfer etzen,
Flachmalens ich mich auch ergetzen.
Darumb, o mensch, an Gott zag nicht,
Dar ein gnad nimbt, und vil dargibt,
Ob mir schon gnommen red und ghör,
Sey doch dem höchsten Gott lob ehr."

Auch Jakob Bremi fühlte sich bei seiner Gehörlosigkeit keineswegs unglücklich, siehe sein betreffendes Gedicht in den Alpenrosen 1814, oder noch besser in dem erwähnten Neujahrsblatte.

Sammlung" zusammenbrachte und studirte, mit unübertroffener Gefälligkeit nach allen Seiten hin belehrte und mittheilte, leider aber, als er gerade an die schließliche Ausarbeitung seiner Studien gehen wollte [37]), durch eine schwere aber mit dem ihn durch's ganze Leben begleitenden Gottvertrauen ertragenen Krankheit, der Wissenschaft und seinen zahlreichen Freunden entrissen wurde, — an Joh. Rudolf Rengger von Brugg [38]), einen Neffen des bei Escher von der Linth zu berührenden Ministers Rengger, der in Tübingen und Paris Medizin studirte, dann seinem Triebe zu naturwissenschaftlichen Entdeckungsreisen folgend, mit Dr. Longchamp nach Paraguay ging, dieses Land von 1819 bis 1825 nach allen Richtungen durchforschte, nach seiner Rückkehr, so weit es ihm die praktische Ausübung seines Berufes in Aarau und eine für seine Gesundheit verhängnißvolle Reise nach Italien erlaubten, die gesammelten Materialien zu ordnen und zu veröffentlichen begann [39]), leider aber vor Abfassung einer vollständigen Reisebeschreibung aus diesem Leben abgefordert wurde, — an Johann Georg Schläpfer von Trogen [40]), der, nach schönen Studien in St. Gallen und Tübingen, sich als Arzt in seiner Heimath setzte, später noch verschiedene wissenschaftliche Reisen nach Italien, Frankreich, &c. unternahm, als naturhistorischer Schriftsteller nicht unbedeutend war [41]), und namentlich eine be-

---

37) Selbstständig gab Bremi nur einen „Katalog der schweizerischen Coleopteren, Zürich 1856 in 8." heraus. Dagegen finden sich manche kleinere Mittheilungen von ihm in den Verhandl. der Schweiz. und Zürich. Naturf. und der technischen Gesellschaft, in Regel's Gartenflora, in der Stettiner entomolog. Zeitung, &c., sowie in den Schriften mancher seiner Freunde.

38) Rengger wurde 1795 I. 21 zu Baden, wo sein Vater Samuel Pfarrer war, geboren, und starb 1832 X. 9 zu Aarau. Vergl. für ihn die Verhandl. der Schweiz. Naturf. Gesellschaft auf 1833.

39) „Historischer Versuch über die Revolution von Paraguay, Aarau 1827 in 8., — Naturgeschichte der Säugethiere von Paraguay, Basel 1830 in 8." — Aus früherer Zeit mag noch seine Doktor-Dissertation „Physiologische Untersuchungen über die thierische Haushaltung der Insekten, Tübingen 1817 in 8." erwähnt werden.

40) Er wurde zu Trogen 1797 II. 6 geboren, und starb daselbst 1835 IV. 8. Vergl. den Jahrgang 1835 des Neuen Nekrologes der Deutschen.

41) Versuch einer naturhistorischen Beschreibung des Kantons Appenzell, Trogen 1829 in 8. — Naturhistorische Abhandlungen, St. Gallen 1833 in 8. — Außer-

sonders für Zoologie werthvolle Naturaliensammlung anlegte [42]), — an Joh. Jakob Hagenbach von Basel [43]), der schon als Knabe ein eifriger Entomologe war, in Bonn aber so gründliche naturwissenschaftliche Studien machte, daß er sich dadurch den Weg zu der eben so ehrenvollen als einträglichen Stelle eines Conservator's des k. Museums in Leyden bahnte, in der er aber leider durch übertriebenen Eifer seine Kräfte rasch aufzehrte [44]), — an Friedrich Meyer von Bern [45]), der sich in Berlin, Paris und Genf die schönsten naturwissenschaftlichen Kenntnisse angeeignet hatte, nach seiner Rückkehr sich um das Museum seiner Vaterstadt große Verdienste erwarb, und bei seinem frühen Tode die Realschule, an der er mehrere Jahre als Lehrer der Naturgeschichte gearbeitet hatte, zu seinem Haupterben einsetzte, mit der Bestimmung, daß die Zinsen des bei 50,000 Franken betragenden Legates zu naturhistorischen Preisen und Reisen für die ältern Schüler zu verwenden seien, — denen sich noch manche andere verdiente Männer anschließen dürften [46]). Wenn ich diese letzte Stelle schließlich Schellenberg bestimmte, so geschah es um der besondern Bedeutung willen, die er sich in seiner Verbindung mit Füßli und Sulzer, oder eigentlich durch die schon in ihm selbst vorhandene seltene Verbindung von vorzüglicher Beobach-

---

dem verschiedene Abhandlungen in dem Naturw. Anzeiger und den Annalen der Schweiz. Nat. Ges., in der Neuen Alpina, 2c., sowie eine nicht unbedeutende Anzahl belletrischer und polemischer Schriften, die in der Note 40 angeführten Quelle verzeichnet sind.

42) Verzeichniß der Naturkörper aus allen drei Naturreichen, welche Joh. Georg Schläpfer in seiner Sammlung aufbewahrt, St. Gallen 1827 in 8.

43) Er wurde zu Basel 1802 geboren, und starb ebendaselbst 1825 IX. 1. Vergl. Lutz, moderne Biographien.

44) Er publicirte nur einige Kleinigkeiten, so z. B. einen ersten Fascikel einer «Symbola faunae Insectorum Helvetiae, Basil. 1822 in 8.»

45) Er wurde 1806 I. zu Bern geboren, und starb daselbst 1841 VI. 5. Vergl. Verhandl. der Schweiz. Naturf. Gesellschaft von 1841.

46) Gerne würde ich hier auch des lange Jahre als Prof. der Naturgeschichte in Bern lebenden Karl August Friedrich Meisner's (Ihlefeld in Hannover 1765 I. 6 — Bern 1825 II. 12) gedenken, der sich um die Naturgeschichte der Schweiz so große Verdienste erwarb. Da er sich aber leider nicht in der Schweiz einbürgerte, (erst sein Sohn Karl Friedrich, der in Basel als Prof. der Botanik lebt, bürgerte sich 1847 daselbst ein), so muß ich mich darauf beschränken, auf den Nekrolog in den naturw. Annalen hinzuweisen.

tungsgabe mit entsprechender künstlerischer Begabung erwarb, von der wir sofort zu sprechen haben werden.

Wie schon oben bemerkt wurde, zeichnete und malte Schellenberg schon in Zürich und dann ebenso nach seiner Rückkehr in die Vaterstadt alle Insekten, deren er habhaft werden konnte, mit großem Interesse, genauer Sachkenntniß und geschickter Hand. So entstand eine immer größer werdende Sammlung, welche sich durch charakteristische Zeichnung und ausnehmende Wahrheit in den Farben auszeichnete, und so bedeutend wurde, daß sie, obschon Schellenberg einmal bei 2000 Blätter um eben so viele Gulden an den Churfürst Theodor von Bayern verkaufte, bei seinem Tode doch noch bei 6000 Blätter zählte. „Bei einigen dieser Zeichnungen", schrieb der nachmalige Schulherr Andreas Biedermann im August 1806 an Leonhard Keller über diesen Nachlaß, „ist bloß der Vogel, bei andern Raupe und Vogel, oder sogar Raupe, Puppe und Vogel gezeichnet; bei vielen nebst diesem die Kennzeichen vergrößert; bei kleinern ist das Insekt in natürlicher Größe und vergrößert. Sie sind nach Fabricius System benannt; jedoch finden sich sehr viele darunter, die nicht in Fabricius stehen, und die Schellenberg noch gar nirgends erwähnt oder beschrieben gefunden hat. Die Schnecken sollen vollständiger seyn als nirgends. Was diese Zeichnungen vor allen auszeichnet, die mir schon zu Gesicht gekommen, ist die Wahrheit und Natürlichkeit. Wer die Insekten einmal gesehen, kennt sie auf den ersten Blick. Sie sind wie lebendig, man glaubt sie gehen zu sehen. Die großen Schmetterlinge und Nachtvögel sind kleine Gemälde; die Zeichnung so treu, die Farben so lebhaft; nicht minder schön sind die Spinnen, die sehr zahlreich sind. Die Sammlung [47]) ist so groß, daß sie außer dem Verfasser, Fabricius und etwa Hrn. v. Clairville [48]), noch

---

47) Sie wurde in der neusten Zeit für die Stadtbibliothek in Winterthur angekauft.

48) Joseph-Philippe de-Clairville (1742—1830 VII. 31), der schon bei Pool genannt wurde, und uns bei Schellenberg noch wiederholt begegnen wird, scheint ein französischer Emigrant gewesen zu sein, und hielt sich die letzten 40 Jahre seines Lebens fast ununterbrochen in Winterthur auf.

niemand ganz durchgesehen hat. Sie ist einzig in ihrer Art, glaube ich." Dabei ist hervorzuheben, daß Schellenberg die meisten dieser Insekten nicht nur nach der Natur zeichnete und malte, sondern dieselben, wo es nur irgend anging, selbst zog, um sie auch im Leben und in allen ihren Verwandlungen studiren zu können. — Als der oben erwähnte Joh. Heinrich Sulzer seine noch jetzt geschätzten Werke: „Die Kennzeichen der Insekten" [49]) und die „Abgekürzte Geschichte der Insekten" [50]), ausarbeitete, verfertigte Schellenberg die Kupfertafeln für dieselben, und es sollen noch jetzt einzelne durch ihn selbst ausgemalte Exemplare von vorzüglicher Schönheit vorhanden sein. „Die Kennzeichen", sagt Hegner, „waren das erste Werk, worin Schellenberg zwar noch mit furchtsamer Radirnadel, aber als Kenner und charakteristischer Zeichner in diesem Fache öffentlich auftrat. Schon da verrathen die vielen dem Geist des Buchs entsprechenden Vignetten, womit es angefüllt ist, seinen Hang zu komischen und satyrischen Vorstellungen, dem er sich nachwärts so gern überließ." — Später lieferte er viele Tafeln zu Füßli's Magazin und Archiv [51]), zu Römer's «Genera Insectorum» [52]), zu Clairville's Helvetischer Entomologie [53]), zu Herbst's Naturgeschichte der Krabben und Krebse, ꝛc. Dann ging er zu eigenen Arbeiten über, gab zunächst eine illustrirte Schrift über „das Geschlecht der Land- und Wasserwanzen" [54]) heraus, dann ein ebenfalls mit Tafeln von seiner Arbeit ausgerüstetes, sich zunächst auf von ihm neuentdeckte Insekten beziehendes Heft „Entomologische Beiträge" [55]), zuletzt sein mit 42 Tafeln geschmücktes und auch in's Französische übergetragenes Werk über die „Gattungen der Flie-

---

49) Zürich 1761 in 4.

50) Winterthur 1776, 2 Theile in 4.

51) Magazin für Liebhaber der Entomologie, Zürich 1778—1779, 2 Bd. in 8. — Neues Magazin, Zürich 1781—1786, 2 Bde. und 3ten Bds. erstes Stück. — Archiv der Insektengeschichte, Zürich 1781—1786, 8 Hefte in 8.

52) Vitod. 1789 in 4. — Ich werde auf Römer bei Decandolle zurückkommen.

53) Zürich 1798—1807, 2 Theile in 8. Vergl. III. 402.

54) Zürich 1800 in 8.

55) Winterthur 1802 in 4.

gen" [56]). — Man sollte kaum erwarten, daß Schellenberg neben diesen vielen und zeitraubenden entomologischen Arbeiten noch Zeit zu andern gefunden hätte, und doch bleiben uns nur auf dem Gebiete der auf Naturwissenschaften angewandten Kunst noch viele zu erwähnen übrig. Namentlich hat sich Schellenberg auch mit der Natur und Darstellung der Pflanzen und Früchte vertraut gemacht, und nicht nur eine Menge botanischer Tafeln zu den Magazinen und Annalen von Römer und Usteri [57]), zu Wildenow's «Historia amaranthorum», zu Clairville's «Collection choisie de plantes et arbustes [58]), etc. ausgeführt, sondern auch für sich eine bei 200 Stücke enthaltende Sammlung von äußerst schönen und treuen Abbildungen der bei uns einheimischen Obst- und Getreidearten angelegt, und schließlich diese Studien auf die Herstellung eigentlicher naturhistorischer Gemälde mit Erfolg verwendet. „Schellenberg fing an", erzählt uns Hegner, „Frucht- und Blumenstücke in Wasserfarben zu verfertigen, zuerst kleine, dann erheblichere Kompositionen in der natürlichen Größe der Gegenstände, welche er schildern wollte. Wohlgeordnet und mit malerischer Hinsicht auf Farben stellte er Blumen und Früchte zusammen, und ließ Insekten zwischen und an denselben herumkriechen, gerade so heimlich und untergeordnet dem Ganzen, wie man sie in der Natur manchmal mit leichtem Schrecken erblickt, wenn man eine Blume pflücken will. Eine Arbeit, die er bis an sein Ende fortsetzte, und die vielen Beifall fand, so daß er selten ohne dergleichen Bestellung war."

In frühern Jahren beschäftigte sich Schellenberg fast ausschließlich mit naturhistorischen Darstellungen, und war dabei königlich vergnügt, da ihm seine Kunst Unterhalt und Ruhm, — seine Laune, von der noch viele Proben in satyrischen Zeichnungen und Gedichten vorhanden sein sollen, fröhliche Gesellschaft verschaffte. Als er dann aber, wie er selbst zu sagen pflegte, d e n

---

56) Zürich 1803 in 8.

57) Ich werde auf diese Sammelschriften und ihre Herausgeber bei Decandolle zurückkommen.

58) Zürich 1796 in 4.

Weg alles Fleisches ging, d. h. sich verheirathete, und in Folge davon Haushaltungssorgen über ihn kamen, mußte er sich nach reichlicherem Erwerb umsehen, und so sich zum Unterrichtgeben entschließen[59]), und überhaupt manche Arbeiten übernehmen, an die er sonst kaum gedacht hätte: So entstanden, außer einzelnen selbstständigen Productionen[60]), die vielen Tafeln, welche er zu Füßlin's Geschichte der Schweizerkünstler, zu Andreä's Briefen aus der Schweiz, zu Basedow's Elementarwerke, zu Lavater's Physiognomik, 2c. lieferte, und die seinen Namen auch in Kreisen bekannt machten, welche seinen wissenschaftlichen Arbeiten ferner standen. «Je regarde Mr. Schellenberg», schrieb z. B. Johannes III. Bernoulli in seinen Lettres sur différens sujets, «comme étant un des artistes les plus ingénieux de nos jours; il a un talent singulier aussi pour les caricatures, j'en ai vû de lui chés son ami Mr. Chodowieki à Berlin de singulièrement plaisantes; ceux qui connaissent les Elémens de Mr. Basedow et les Physionomies de Mr. Lavater auront trouvé dans ces ouvrages beaucoup d'estampes dessinées et gravées par le même artiste, qui s'occupe aujourdhui plus de la gravure tant au burin qu'à l'eau forte, que de la peinture.» Aber reich wurde Schellenberg auch durch diese Arbeiten nicht, sondern schrieb unter ein Verzeichniß der von ihm in den Jahren 1763 bis 1806 gemachten

---

59) Ein Schüler von Schellenberg war unter Andern Joh. Jakob Sulzer von Winterthur (1781—1828), der später Stadtrath und Lehrer der Naturgeschichte, der Physik und des Zeichnens wurde, und für den das Winterthurer-Neujahrsblatt auf 1836 zu vergleichen ist. Sulzer war theils in Winterthur, theils in Bern Schüler von Schellenberg, Freudenberg und Sonnenschein, da seine Eltern ihn zum Maler ausgebildet wünschten. Er selbst hatte mehr Liebe zur Mathematik, und suchte sich später zum Ingenieur auszubilden, wozu ihm seine Bekanntschaft mit Feer zu statten kam. Die von ihm geleiteten Korrectionen an der Töß untergruben seine Gesundheit. Als Schulmann wirkte er auf die uneigennützigste Weise zur Hebung des mathematischen und Zeichnungsunterrichtes. Auch stellte er die astronomische, bei 300 Jahre alte, aber bei einem halben Jahrhundert still gestandene Uhr wieder her.

60) Es mögen hier beispielsweise 25 Kupfertafeln mit Text erwähnt werden, welche er 1785 zu Winterthur unter dem Titel „Freund Heins Erscheinungen in Holbeins Manier" publicirte.

Arbeiten: Von allem diesem habe ich Nichts, als das Bewußtsein, gearbeitet zu haben. Wenn er jedoch auch nicht an Glücksgütern reich war, so war er um so reicher an Gutmüthigkeit, Gefälligkeit, Uneigennützigkeit, und einer durch keine Widerwärtigkeiten zu erschöpfenden Laune. Nur Ein Mal in seinem Leben verlor er auf kurze Zeit seine köstliche Gemüthsruhe, — es war bei dem Einmarsche der Franzosen im Jahre 1798, von dem er, wie so viele seiner Zeitgenossen, ein großes Heil für die Schweiz erwartete. «Schellenberg n'a pas fait la révolution», schrieb am 16. Juli 1798 der vor seinen Landsleuten nach Tuttlingen geflohene Clairville an den gemeinsamen Freund Pool, «mais il a eu la sottise d'y concourir autant qu'il était en lui, aveuglé et conduit par ses fils, les plus ardens *patriotes* de ce temps là. Je l'ai vu courir toute la ville et passer son temps à aller de maison en maison pour opérer ce qu'il appellait *la réforme des Magistrats*. Il venait quelquefois me raconter ses promesses, dont j'étais bien loin d'être admirateur. Son ardeur était si grande qu'il pouvait à peine respirer, tant ses poumons étaient échauffés et gonflés. Il ne faisait plus attention à rien autre. Il se promenait à grands pas dans la salle, marchant sur les pieds de ma femme, ou la coudoyant rudement sans s'en appercevoir et sans faire la moindre excuse. En un mot il paraissait entièrement hors de lui. Je n'avais qu'à gémir sur son état et le malheur qu'il était assez étourdi d'attirer sur son pays et sur lui même.» Bald hatte jedoch Schellenberg seine Fassung wieder gewonnen, seine Täuschung eingesehen, und war wieder der Alte geworden, — und auch geblieben, als schwere Leiden über ihn kamen, denen er am 6. August 1806 zu Töß, wo er seine letzten Tage zubrachte, erlag. «L'ami Schellenberg est depuis le printems dans le plus facheux état», schrieb Clairville am 1. August 1806 an Pool. «Il a commencé par un coup de paralysie des paupières, qui n'ayant plus de ressort pour l'ouvrir ont rendu notre pauvre malade presqu'aveugle. A peine paraissaient-elles reprendre un peu d'activité que d'autres coups de paralysie, peu violens à la vérité, lui ont successivement oté l'usage d'un bras et d'une main, mis la bouche de travers, relaché les glands intérieurs au point qu'il ne pouvait presque rien avaler. Hélas, il n'y a presqu'aucune espérance de guérison.» Und wirklich erholte sich auch Schellenberg nicht wieder. „Er, der so rastlos thätige Mann", schrieb Biedermann kurz nach seinem Tode an Keller, „mußte nun so unthätig da sitzen, und die ihm kostbarste Zeit des Jahres unbenutzt verstreichen lassen. Endlich schwachte er nach und nach ab, und starb des sanftesten Todes in den Armen seiner jüngsten Tochter. Die Heiterkeit und Munterkeit seines Geistes verließ ihn keinen Augenblick. Oft sagte er: an seinem Hause sey nichts mehr gut, als die Winde. An dem Tage seines Todes ermunterte er seine versammelten Kinder, sie sollten etwas mit einander spielen, er mache den letzten Stich." — Schließen wir mit den Worten von Clairville: «Notre pauvre Schellenberg», schrieb er am 22. August 1806 an Pool, «est mort le 6 Aoust vers dix heures du matin. Nous avons bien de le regretter de plusieurs manières, et *l'histoire naturelle perd en lui un peintre qui sera difficile à remplacer.*»

Horace-Bénédict de Saussure von Genf.

1740 — 1799.

Horace-Bénédict de Saussure wurde am 17. Februar 1740 von Renée de La Rive, der Frau des Kastellan von Jussy, des durch mehrere ökonomische Schriften verdienten Nicolas de Saussure, zu Genf geboren [1]). Er erhielt durch seine sehr gebildete und geistreiche Mutter eine vortreffliche Erziehung. «Elle ne vit point dans son fils», sagt Senebier, un être chéri, qu'il faut rendre heureux pendant les premiers momens de son existence, pour le faire mourir de peines pendant le reste de sa vie; mais voulant en faire un homme utile et heureux, elle l'accoutuma de bonne heure aux privations qui sont une partie de l'histoire de l'espèce humaine, elle l'endurcit contre les maux produits par les fatigues du corps et l'intempérie des saisons; elle lui apprit à supporter sans murmures les inconvéniens qu'on ne peut éviter, et à sacrifier gaiement le plaisir au devoir.» — In den Schulen machte Saussure rasche Fortschritte, und vom sechsten Jahre an, wo er sich «le prix de la lecture» erwarb, bis zum Jahre 1759, wo er mit einer «Dissertatio physica de igne» seine philosophischen Studien abschloß [2]), wußte er immer

---

1) Ich benutze für Saussure zunächst das einläßliche «Mémoire historique sur la vie et les écrits de Horace-Bénédict Desaussure, par Jean Senebier, Genève IX. (1801) in 8.», die Korrespondenz von Haller und die Werke von Saussure. Andere Quellen werden gelegentlich näher bezeichnet werden. — Der Vater Nicolas de Saussure lebte von 1709 bis 1792. Von seinen Schriften führe ich beispielsweise an: «Essai sur la cause de la disette du bled, Genève 1776 in 12., — Essai sur la taille de la vigne et sur la rosée, 1780 in 8., — etc.»

2) Diese von Senebier in seiner Hist. littér. nicht aufgezählte Jugendarbeit Saussure's wurde zu Genf 1759 in 4. gedruckt, und findet sich z. B. auf der Bibliothek in Basel.

den ersten Rang zu behaupten. — Sehr großen Einfluß auf seine geistige Entwicklung übte die Bekanntschaft mit Bonnet und Haller aus. Mit Bonnet war er durch dessen 1756 erfolgte Heirath mit der Schwester seiner Mutter verbunden worden, hatte durch ihn einen eben so treuen als einsichtigen Mentor gewonnen[3]), und verdankte ihm viele interessante Bekanntschaften[4]). Mit Haller wurde er 1758 bekannt, als er seine Mutter, welche den berühmten Arzt zu consultiren wünschte, nach Roche begleitete, und wenn Saussure mit Bewunderung an den fast universellen Gelehrten hinaufstaunte, so fand dieser hinwieder an dem strebsamen jungen Genfer solches Gefallen, daß er ihm fortan seine Freundschaft und Korrespondenz schenkte[5]), — eine Verbindung, welche damals in der beidseitigen Liebe zur Botanik um so reichere Nahrung fand, als bei Saussure sich bereits der Trieb zu Er-

---

3) Vergl. III. 286–287. — Ich benutze diese Gelegenheit zu einem kleinen Nachtrage über die Weise, wie Bonnet nach seinem Tode von seinen Mitbürgern geehrt wurde: 1793 V. 27 stellte der Bürger Salomon Anspach in der Assemblée nationale die Motion, «que l'Assemblée Nationale consigne dans ses régistres l'expression de ses regrets sur la perte de ce Citoyen célèbre, et que l'Administration soit invitée à faire graver sur la porte de sa maison, cette inscription simple et modeste comme lui: *Ici est mort Charles Bonnet, Auteur de l'Essai analytique sur l'Ame.*» Sie wurde einstimmig zum Beschluß erhoben, und in Folge davon VIII. 8 feierlich an dem Hause die Inschrift angebracht: *Ici est né Charles Bonnet le 13 Mars 1720*, bei welcher Gelegenheit Anspach eine entsprechende Rede und Desaussure sein «Eloge historique» vortrug, das nachher (VII. und 22, s. l. et a.) gedruckt, und mir neulich von Hrn. Großrath Lauterburg in Bern aus seiner reichen Sammlung mitgetheilt worden ist. Ich füge aus diesem Eloge noch beispielsweise folgende Stelle bei: «Par une rencontre aussi heureuse que singulière, Bonnet a trouvé dans les insectes, dans le premier objet de ses gouts philosophiques, le plus bel embléme du sort que la Révélation nous annonce. La Révélation nous apprend, qu'après nous être dépouillés de ce corps mortel et grossier, nous ressusciterons avec un corps incorruptible et glorieux. Notre corps actuel est la chenille; l'état intermédiaire entre la mort et la résurrection c'est la chrysalide, et le corps glorieux c'est le papillon.»

4) So z. B. wohl später diejenige unsers berühmten Geschichtschreibers Johannes von Müller (Schaffhausen 1752 VI. 3 — Kassel 1809 V. 29). Gewiß ist, daß Müller (für welchen ich auf seine zahlreichen Biographien durch Wachler, Heeren, Heyne, Döring, rc., und vor Allem auf seine sämmtlichen Werke, Stuttgart 1831—1835, 40 Thl. in 12. verweise) und Saussure sich in Genf und Genthod zuweilen sahen, und sich gegenseitig zu schätzen wußten.

5) Vergl. auch II. 142—143.

cursionen in die Alpen gehörig zu entwickeln begann. «Mon neveu de Saussure», schrieb Bonnet 1760 VIII. 12. an Haller, «ne trouvera plus de montagnes assez hautes et des rochers assez escarpés pour mettre des bornes à la passion qu'il a de vous être utile et de concourrir à vos travaux botaniques.» Und Saussure selbst schrieb z. B. am 17. Januar 1764 an Haller: «J'attends avec impatience le retour du printems pour étudier avec une nouvelle ardeur l'histoire naturelle et surtout la botanique. J'avais bien dessein d'étudier les mousses cet hiver, j'avais même acheté dans ce dessein Vaillant et Micheli, mais mes leçons publiques et mes autres affaires m'occupent au point qu'il ne me reste pas un moment de libre.» Ferner am 28. Februar 1764: «Je suis bien éloigné de penser à quitter la botanique; les plantes me manqueront plutôt que je ne leur manquerai. Je médite de grandes courses sur nos Alpes pour l'été prochain. La vie active de naturaliste des montagnes me plaît singulièrement. Les plantes, les minéraux, les animaux extraordinaires semblent naître sous ses pas. Les faits qui intéressent la physique générale pourraient seuls y attirer des observateurs. La pureté de l'air, la température agréable, la beauté du spectacle suffiraient pour me déterminer à les parcourir très souvent.» Und noch am 10. März 1767: «De grace, ne dites pas que vous m'accablez en me donnant vos commissions botaniques, vous ne sauriez me faire plus de plaisir. Je destine tout ce printemps et tout cet été à cette étude chérie, et puis-je la cultiver plus agréablement qu'en m'attachant aux parties qui voûs intéressent. D'ailleurs je suis bien aise que vous me donniez beaucoup de commissions, parceque sur le nombre au moins quelqu'une réussira. — Dès que la neige sera fondue aux montagnes j'irai étudier leurs Mousses et leurs Lichens, et quand j'aurai fini cette étude, j'espère que vous voudrez bien permettre que je vous envoye ma récolte pour qu'en y jettant un coup d'œil vous jugiez si je ne me suis point trompé sur les noms.» — Daß übrigens

Saussure die Botanik nicht etwa nur trieb, um einen plausibeln Vorwand zu Excursionen zu erhalten, oder aus Gefälligkeit für Haller, sondern daß er mit wahrem Interesse in sie einzubringen suchte, und Zeug für einen ausgezeichneten Botaniker hatte, das hat er durch mehrere betreffende Arbeiten schlagend bewiesen: Die 1762 publicirten und Haller gewidmeten «Observations sur l'écorce des feuilles et des pétales» sollen sehr delikate Beobachtungen aus der Pflanzen-Anatomie enthalten, und werden von dem competenten Senebier «un chef-d'oeuvre de patience, d'exactitude et d'adresse» genannt, — und Cuvier[6]) sagt darüber: «C'était un beau supplément au livre de son oncle sur les feuilles[7]), et *ce petit ouvrage seul a placé honorablement de Saussure parmi les botanistes.*» Und noch 1798, wenige Monate vor seinem Tode, las er der Genfer-Gesellschaft, der er schon früher einige botanische Notizen und ein «Mémoire sur la rouille des bleds» vorgelegt hatte, sehr interessante «Conjectures sur la cause de la direction constante de la tige et de la racine au moment de la germination.»

Wie als Botaniker, so hätte Saussure gewiß auch als Mathematiker Erhebliches geleistet, wenn ihm im Frühjahr 1761 die durch den Abgang von Louis Necker[8]) erledigte Professur der Mathematik zugefallen wäre; denn auch diese Wissenschaft kannte und liebte er, und ließ sich von seinen Verwandten leicht bereden, um ihren Lehrstuhl zu concuriren. Er unterlag aber nebst seinem Freunde und Altersgenossen Mallet[9]) dem etwas ältern, und damals schon vom Schüler Eulers zum Mitglied der Berliner-Academie emporgestiegenen Louis Bertrand[10]), — erhielt dagegen im folgenden Jahre eine um so größere Auszeichnung. «Mon neveu», schrieb Bonnet am 11. Dezember 1762 aus Genf an Freund Haller, «a obtenu aujourd'hui l'appro-

---

6) Recueil des éloges historiques lus dans les Séances publiques de l'Institut de France par G. Cuvier. I. 284.

7) Siehe III. 276—278.

8) Siehe I. 446.

9) Siehe II. 249—268.

10) Vergl. I. 416—421.

bation de ses juges de la manière la plus glorieuse. Ils lui ont donné la chaire de Philosophie qui était vacante et je ne doute pas que l'estime dont vous l'honorez n'ait influé sur ce choix. Le voilà au comble de ses désirs dans un âge où l'on est encore écolier.» Saussure, der zuerst über seinen Erfolg, welcher ihn verpflichtete, Studenten von nahe seinem Alter vorzutragen, fast erschrak, trat die Stelle am 1. October 1763 mit einer Inauguralrede an. «J'avais pris pour sujet», schrieb er zwei Tage später an Haller, «l'Analyse des qualités nécessaires pour former un philosophe et l'éducation qu'il faudrait donner aux enfants pour faire naître chez eux ces qualités. Vous pensez bien, Monsieur, que je ne fis pas l'éloge de l'éducation usitée chez nous et ailleurs, et que je ne recommandai pas l'étude du grec et du latin pour perfectionner l'entendement.» Der junge Professor hatte abwechselnd über Physik, Logik, Naturgeschichte, Metaphysik, 2c. vorzutragen, fand sich aber überall so zu Hause, daß er fast sofort zu den beliebtesten Docenten gehörte. «La clarté de ses instructions», sagt Senebier, der muthmaßlich selbst unter seine ersten Schüler gehörte, «sa méthode lumineuse, les graces de son élocution, les charmes de son éloquence, sa présence d'esprit pour résoudre les objections, ses travaux continuels pour perfectionner ses leçons par ses découvertes et celles des autres, son jugement sain pour démêler le vrai et le faux des théories qu'il exposait, la richesse de ses moyens pour écarter l'erreur et faire briller la vérité, ses soins scrupuleux pour établir avec solidité les principes de la physique générale, son attention continuelle pour appliquer ses enseignemens à la pratique des arts et aux usages de la vie[11]), rendirent toujours ses leçons la première occupation et le premier

---

11) Saussure war 1776 auch einer der Stifter der Genfer Société pour l'encouragement des arts, stand ihr längere Zeit als Präsident vor, und erfreute sie mit vielen Vorträgen. Die dankbare Gesellschaft stellte später zu seinem Andenken sein von dem berühmten Saint-Ours gemaltes Porträt in ihrem Sitzungssaale auf.

plaisir de ses jeunes auditeurs: aussi pendant les 24 ans qu'il enseigna, il eut le rare avantage de répandre dans les familles et les atteliers les lumières d'une saine philosophie, et de créer les hommes qui se distinguent aujourdhui par la profondeur de leur savoir et la beauté de leurs ouvrages, comme Jean Trembley, les deux frères Pictet, Pierre Prevost, Lhuilier, Argand, Odier, Butini, Vieusseux, Jurine, Vaucher et tant d'autres. Quand on a rempli si long-tems de cette manière l'auguste emploi d'enseigner ses compatriotes, on a bien mérité de la patrie; chaque année on lui a offert des citoyens dignes de la servir, des magistrats pour la gouverner, des militaires pour la défendre, des négotians pour l'enrichir, des savans pour l'éclairer, et des artistes pour multiplier les jouissances de la vie.» Wie beliebt Saussure sowohl als Lehrer, als auch als Schulvorsteher war, mögen nachfolgende zwei Stellen aus den von Grenus veröffentlichten Acten beweisen. Unter dem 26. Sept. 1776 liest man: «On accorde à Sp. Hor. Ben. de Saussure sa démission de la place de Recteur, en applaudissant à la manière distinguée dont il l'a remplie et aux services importans[12]) qu'il a rendus à l'Académie, au Collège et à la Bibliothèque.» Und unter dem 31. Januar 1786: «Sp. Hor. Ben. de Saussure Prof. de Philos. ayant demandé et obtenu sa démission, vu l'état de sa santé, on a vu avec beaucoup de peine la retraite d'un membre de cette académie, aussi distingué et aussi utile, et on a rappelé que le dit Sp. de Saussure que son mérite distingué et ses rares talens avoient fait nommer à la place de Professeur à l'âge de 21 ans, l'avoit occupé pendant 24 ans avec un applaudissement universel, et avoit fait honneur à notre Académie, tant au dedans qu'auprès des étrangers, et que des ouvrages savans avoient beaucoup ajouté à sa

---

12) Unter diese gehört unter Anderm sein 1774 publicirtes und viel Aufsehen erregendes «Projet de réforme pour le Collège de Genève,» obschon es augenblicklich keinen ersichtlichen Erfolg zu haben schien.

célébrité.» — Und so glücklich Saussure als Lehrer war, so glücklich war er auch als Gatte und Vater. Er verheirathete sich 1765 mit Albertine-Emilie Boissier, mit der er bis an sein Lebensende in ungetrübtem Glücke lebte, und drei Kinder zeugte: Albertine-Adrienne, Nicolas-Théodore und Alphonse-Jean-François [13]), die er großentheils selbst unterrichtete, und von denen ihm namentlich die zwei ältern viele Freude und Ehre machten: Albertine [14]), die schon als Kind sehr liebenswürdig war [15]), und von der später Frau von Stael, deren Vetter Jaques Necker sie geheirathet hatte [16]), sagte: «Ma cousine a tout l'esprit, qu'on me suppose», zeichnete sich nicht nur in gesellschaftlichen Kreisen aus, sondern erwarb sich durch ihre «Notice sur le caractère et les écrits de Mme de Staël» und andere Schriften auch einen geehrten literarischen Namen. Théodore [17]), der von 1788 an der beständige Begleiter seines Vaters auf seinen Alpen-

---

13) Alphonse de Saussure (1770—1853) half als Knabe zuweilen dem Vater in seinen Versuchen; aus späterer Zeit wird von ihm nur erwähnt, daß er das Geschlecht fortgepflanzt habe. Muthmaßlich ist der durch seine naturhistor. Reisen nach Mexiko, seine Monographie über die Wespen, rc. bekannte und verdiente Henri de Saussure ein Sohn von ihm.

14) Sie lebte von 1766 bis 1841 IV. 13. Das Magasin pittoresque (A. 1845 p. 349) soll eine sehr gute Notiz über sie gebracht haben. Hier mag nur noch beigefügt werden, daß Albertine Saussure auch in den exacten Wissenschaften nicht unbewandert war, und daß sie z. B. noch als Madame Necker für ihren Vater hypsometrische Rechnungen ausführte.

15) Saussure nahm die damals etwa 6jährige Albertine auf seine unten in Note 24 zu erwähnende Reise nach Italien mit. „Der damalige Papst Ganganelli", wird unter dem 12. Juni 1802 in den Gemeinnützigen Helvetischen Nachrichten erzählt, „fand die junge Genferin so artig und liebenswürdig, daß er sich nicht enthalten konnte, sie väterlich zu umarmen. Als er kurz darauf mit ihr seinem Beichtvater begegnete, sagte er zu diesem: «Il faut que je me confesse à Votre Eminence, car je viens d'embrasser une jolie fille.» Bei einem Besuche, den Saussure bald nach seiner Wiederkunft aus Italien zu Ferney machte, wurde ganz natürlich auch des päpstlichen Segenskusses ehrenvolle Erwähnung gethan, worauf Voltaire die Kleine ebenfalls mit den Worten in die Arme schloß: «Comme vous avez embrassé le Pape, il est bien juste, que vous embrassiez aussi l'Anti-Pape.»

16) Vergl. I. 116. — Der bekannte Geologe Louis-Albert Necker de Saussure ist ein Sohn von Albertine.

17) Er wurde zu Genf 1767 X. 14 geboren, und starb ebendaselbst 1845 IV. 18. Vergl. die von Macaire 1845 in die Bibl. univ. eingerückte «Notice sur la vie et les écrits de Théodore de Saussure.»

weisen war, schon damals eine schöne selbstständige Beobachtungsreihe über die von Bouguer bezweifelte Proportionalität der Luftdichte mit dem Luftdrucke anstellte [18]), 1802 Professor der Mineralogie und Geologie in Genf wurde, 1804 seine klassischen «Recherches chimiques sur la végétation» publicirte [19]), für welche ihn auf einen Bericht von Bertholet hin das Pariser-Institut zum Korrespondenten ernannte, später noch verschiedene Pflanzen-physiologische Abhandlungen, ein Mémoire sur l'influence des fruits verts sur l'air avant leur maturité, eine sehr schöne Reihe eudiometrischer Versuche, 2c. veröffentlichte [20]), und 1842 die seltene Ehre erlebte, als Ausländer zum Präsidenten des zu Lyon versammelten Congrès scientifique ernannt zu werden.

Die meisten Arbeiten von Horace-Bénédict de Saussure hängen mehr oder weniger mit seinen vielen und großen Alpenreisen zusammen, die er zum größten Theile in seinen klassischen «Voyages dans les Alpes» [21]) selbst beschrieben hat. Es dürfte

18) Siehe Journal de physique 1790.

19) Vergl. III. 278.

20) Siehe Bibl. britan. et univ., Mém. de Genève, etc.

21) Neuchâtel 1779—1796, 4 Vol. in 4. Die zwei ersten Bände wurden 1803—1804 ebendaselbst nochmals abgedruckt, und 1780—1796 auch eine Octavausgabe in 8 Bänden veranstaltet. Ueber Wyttenbachs deutsche Bearbeitung der zwei ersten Bände s. I. 370. — Saussure schenkte ein schön gebundenes Exemplar seiner Reisen dem ihm befreundeten Jean-Samuel Clément, Pfarrer im Val d'Illiers, der eine Bibliothek von 8000 Bänden und eine reiche Sammlung von Pflanzen, Insekten und Mineralien besaß, — wäre aber bald ein Opfer seiner Freigebigkeit geworden. «Le Vicaire Clément du Val d'Illiers», wird im 40ten Bande des Conserv. Suisse erzählt, «ne sachant plus où mettre ses livres dans son petit presbytère de bois, s'avisa d'en faire l'alcove du lit destiné à ses hôtes: feu le professeur de Saussure étant venu visiter le naturaliste Vallaisan et occupant ce lit, se réveilla au milieu de la nuit sous le poids littéraire de l'alcove, qui s'était écroulée, on ne sait par quel accident: Clément accourt au bruit, débarasse son ami des livres épars sur sa couche et voit qu'il saigne au front, atteint par un pesant in-quarto relié en bazane: il prend le livre coupable dont le coin était ensanglanté, voit que c'est un des volumes du voyage dans les Alpes de De Saussure lui-même, et se met à lui dire avec humeur: *Voilà une des suites du luxe affreux de vous autres Genevois; si vous me l'aviez envoyé tout bonnement broché, il ne vous eut pas blessé; mais avec sa belle et inutile reliure il a risqué de vous percer la tempe... c'est bien votre dam.* Le savant Genevois aimait à

daher am zweckmäßigsten sein, jene Arbeiten mit einer Uebersicht dieses Hauptwerkes zu verweben, und dieser Uebersicht das zur Ergänzung nöthige einfach anzuschließen oder einzuschalten. — Saussure unterzeichnete die meisterhaft geschriebene Vorrede zu den zwei ersten Bänden seiner Alpenreisen am 28. November 1779. «Tous les hommes qui ont considéré avec attention les matériaux dont est construite la terre que nous habitons», sagt Saussure im Eingange derselben, «ont été forcés de reconnaître que ce Globe a essuyé de grandes révolutions, qui n'ont pû s'accomplir que dans une longue suite de siècles. On a même trouvé dans les traditions des anciens peuples, des vestiges de quelques-unes de ces révolutions. Les Philosophes de l'antiquité exercèrent leur génie à tracer l'ordre et les causes de ces vicissitudes; mais plus empressés de deviner la Nature, que patients à l'étudier, ils s'appuyèrent sur des observations imparfaites, et sur des traditions défigurées par la poésie et par la superstition; et ils forgèrent des cosmogonies, ou des systèmes sur l'origine du monde, plus faits pour plaire à l'imagination, que pour satisfaire l'esprit par une fidèle interprétation de la nature. Il s'est écoulé bien du temps avant qu'on ait su reconnaître que cette branche de l'Histoire naturelle, de même que toutes les autres, ne doit être cultivée que par le secours de l'observation; et que *les systèmes ne doivent jamais être que les résultats ou les conséquences des faits.* — La science qui rassemble les faits qui seuls peuvent servir de base à la théorie de la terre, ou à la *géologie*, c'est la géographie physique, ou la description de notre globe, c'est surtout l'étude des montagnes qui peut accélérer les progrès de cette théorie. Les plaines sont uniformes; on ne peut y voir la coupe des terres et leurs différens lits, qu'à la faveur des excavations peu fréquentes et peu éten-

---

raconter cette anecdote; il trouvait très-plaisant le couroux du Vicaire, ennemi déclaré de toute espèce de luxe, et il ajoutait: *Comme je fus grondé par ce bon ecclésiastique, et quel plaisir me fit cette scène digne de la plume de Sterne et du pinceau d'Hogarth!»*

dues qui sont l'ouvrage des eaux ou des hommes. Les hautes montagnes, au contraire, présentent au grand jour des coupes naturelles d'une très-grande étendue, où l'on observe avec la plus grande clarté, et où l'on embrasse d'un coup d'œil, l'ordre, la situation, la direction, l'épaisseur et même la nature des assises dont elles sont composées, et des fissures qui les traversent. En vain pourtant les montagnes donnent-elles la facilité de faire de telles observations, si ceux qui les étudient, ne savent pas envisager ces grands objets dans leur ensemble, et sous leurs relations les plus étendues. L'unique but de la plupart des voyageurs qui se disent Naturalistes, c'est de recueillir des curiosités; ils marchent, ou plutôt ils rampent, les yeux fixés sur la terre, ramassant çà et là de petits morceaux, sans viser à des observations générales. Ils ressemblent à un Antiquaire qui graterait la terre à Rome, au milieu du Panthéon ou du Colisée, pour y chercher des fragmens de verre coloré, sans jeter les yeux sur l'architecture de ces superbes édifices. Ce n'est point que je conseille de négliger les observations de détail; je les regarde, au contraire, comme l'unique base d'une connaissance solide; *mais je voudrais qu'en observant ces détails, on ne perdit jamais de vue les grandes masses et les ensembles, et que la connaissance des grandes objets et de leurs rapports, fut toujours le but que l'on se proposât en étudiant leurs petites parties.»* Nachdem dann Saussure die Gefahren und Mühen, aber auch die Freuden und Früchte ächter Alpenreisen mit beredten Worten geschildert, kömmt er auf seine eigene leidenschaftliche Liebe für dieselben zu sprechen. «Je me rappelle encore», sagt er, «le saisissement que j'éprouvai la première fois que mes mains touchèrent le rocher de Salève, et que mes yeux jouirent de ses points de vue. A l'âge de 18 ans (en 1758) j'avais déjà parcouru plusieurs fois les montagnes les plus voisines de Genève. L'année suivante j'allai passer quinze jours dans un des chalets les plus élevés du Jura, pour visiter avec soin la Dole et les montagnes des environs; et la même année, je montai sur le Môle, pour la première fois. Mais ces montagnes peu élevées, ne satisfaisaient qu'imparfaitement ma curiosité; je brûlais du désir de voir de près les hautes Alpes, qui, du sommet de ces montagnes, paraissent si majestueuses; enfin, en 1760, j'allai seul et à pied, visiter les glaciers de Chamouni, peu fréquentés alors, et dont l'accès passait même pour difficile et dangereux [22]). J'y retournai l'année suivante, et dès-lors je n'ai pas laissé passer une seule année sans faire de grandes courses, et même des voyages pour l'étude des montagnes [23]). Dans cet espace de tems, j'ai traversé quatorze fois la chaîne entière des Alpes, par huit passages différens; j'ai fait seize autres excursions jusqu'au centre de cette chaîne; j'ai parcouru le Jura, les Vosges, les montagnes de la Suisse, d'une partie de l'Allemagne, celles de l'Angleterre, de l'Italie, de la Sicile et des Isles adjacentes [24]); j'ai visité les anciens Volcans de

---

22) Saussure erzählt, daß sich erst von 1741 hinweg einige Engländer in diese fast verrufene Gegend gewagt haben, und daß noch 1760 im Chamouni kein Wirthshaus zu finden gewesen sei. — Da übrigens der Ingenieur Pierre Martel von Genf (1718—17..) den Ritter Windham in das Chamouni begleitete, und 1744 in London, wohin er Windham's Einladung gefolgt war, einen «Account of the Glaciers in Savoy» publicirte, so dürfte immerhin dieser Genfer, der später als Ingenieur auf Jamaika gestorben sein soll, den Weg zum Montblanc geöffnet haben, und somit verdienen, als Vorläufer von Bourrit und Saussure genannt zu werden.

23) In dem, erst 1786 vollendeten 2ten Bande benutzte Saussure auch noch mehrere spätere Reisen.

24) Saussure besuchte 1768 zu seiner Belehrung Paris, hörte chemische und naturhistorische Vorlesungen, und frequentirte die vorzüglichsten Gelehrten. Er schrieb am 24. April 1768 über diesen Aufenthalt an Haller: «Je vois fort souvent le célèbre de Jussieu, le père des Botanistes français; c'est le meilleur homme du monde, son âme parait être de la plus parfaite sérénité; il a une mémoire incompréhensible surtout dans un âge aussi avancé. — J'ai vû aussi assez souvent Mr. de Buffon; il a beaucoup de bonhomie et d'ouverture dans la conversation, qualités bien rares dans ce pays où presque tous ces demi-savans craignent qu'on ne leur dérobe le germe d'une découverte qu'ils se croyent prêts à faire. — En général j'aime mieux les savants de Paris que les beaux esprits; ceux-ci sont d'un orgueil insupportable sans aucun respect humain ni divin, calomniant impitoyablement tout ce qui leur est contraire, et exerçant dans la

l'Auvergne, une partie de ceux du Vivarais, et plusieurs montagnes du Forez, du Dauphiné et de la Bourgogne. *J'ai fait tous ces voyages, le marteau du mineur à la main*, sans aucun autre but que celui d'étudier l'Histoire naturelle, gravissant sur toutes les sommités accessibles qui me promettaient quelqu'observation intéressante, et emportant toujours des échantillons des mines et des montagnes, de celles, surtout, qui m'avaient présenté quelque fait important pour la théorie, afin de les revoir et de les étudier à loisir. *Je me suis même imposé la loi sévère de prendre toujours sur les lieux, les notes de mes observations*, et de mettre ces notes au net, dans les vingt-quatre heures, autant que cela était possible.» Nachdem dann Saussure noch hervorge-

---

conversation un despotisme insupportable, au lieu que les savants, du moins ceux que j'ai vus sont aussi modestes que le peuvent être des Français. Les uns et les autres donnent très peu de temps au cabinet et sont par conséquent peu profonds, les plaisirs, les femmes et surtout la passion de voir les grands et de leur faire la cour absorbent la meilleure partie de leur temps. Aussi ont-ils souvent le plaisir de faire des découvertes parcequ'ils ignorent ce que l'on a trouvé avant eux. Je trouve pourtant ici bien de sources d'instruction, la bibliothèque du Roi, le jardin du Roi, de beaux cabinets d'histoire naturelle, quelques Académiciens vraiment dignes de l'être sont pour moi des choses de grand prix, et puis le spectacle de cette grande ville est toujours intéressant pour quelqu'un qui se plait à étudier les hommes.» Nachher besuchte Saussure Holland, wo er z. B. seinen Landsmann Allamand kennen lernte, — dann England, wo er mit dem vortrefflichen Franklin, dem unübertroffenen Garrick, den berühmten Reisenden Banks und Solander, &c. bekannt wurde, — und kehrte erst zu Anfang 1769 nach Genf zurück. — Zu einer Reise nach Italien im Jahre 1772 gab zunächst seine angegriffene Gesundheit Veranlassung. «Ma santé est meilleure», schrieb er zwar am 9. Sept. 1772 aus Genf an Haller, fügte aber doch bei: «mais comme le froid me fait toujours du mal, je suis déterminé à aller passer l'hiver à Naples et à faire ainsi entre cet automne et le printemps prochain le tour de l'Italie. Je pars au commencement d'Octobre. Si vous aviez, Monsieur, quelques commissions à me donner ou quelques amis à qui vous pussiez me recommander, soit à Bologne, Florence, Naples, Venise, vous me rendriez un grand service.» Der Hauptzweck der Reise wurde glücklich erfüllt, und überdieß gewann Saussure eine große Menge neuer Anschauungen und machte einige interessante Bekanntschaften, wie z. B. die von Boscovich. Er kehrte erst Ende August 1773 nach Genf zurück. — Saussure wurde auf beiden Reisen von seiner Frau, auf der letztern auch von seinem Töchterchen begleitet, vergl. Note 15.

hoben, wie keine solche Reise ohne die nöthige Vorbereitung angetreten werden sollte[25]), gibt er eine kurze Uebersicht seines Werkes, hebt die Hülfe hervor, welche er den Bourrit, Mallet und Pictet zu verdanken gehabt[26]), und sagt dann zum Schlusse: «Quant à mon style, je n'en ferai point l'apologie; je connais ses imperfections; mais plus exercé à gravir contre des rochers, qu'à tourner et à polir des phrases, je ne me suis attaché qu'à rendre clairement les objets que j'ai vus, et les impressions que j'ai senties. Si leur description donnait à mes Lecteurs une partie du plaisir que j'ai goûté en les observant; mais surtout *si elle pouvait allumer chez quelques-uns d'entr'eux le désir de les étudier, et de perfectionner une science dont je souhaite ardemment les progrès, je serais bien satisfait et bien récompensé de mes travaux.*» — Das Werk selbst

---

25) Unter dieser Vorbereitung verstand Saussure namentlich auch das Studium betreffender Schriften. Er scheute sich nicht zu diesem Zwecke, und zwar namentlich um Gruner's Eisgebirge lesen zu können, noch in vorgerückten Jahren die deutsche Sprache zu erlernen, und schrieb so am 30. Januar 1770 an Haller: «La quantité d'excellens ouvrages en tout genre que l'on publie actuellement en allemand m'a déterminé à l'apprendre et je m'y suis mis avec un si grand zèle que quoiqu'il n'y ait pas plus de six semaines que j'ai commencé à apprendre et connaître les caractères, je puis pourtant déjà lire avec plaisir des ouvrages faciles.»

26) Vergl. III. 374. — Marc-Théodore Bourrit von Genf (1739—1819 X. 7) war ursprünglich Maler, und erwarb sich schon jung Ruf im Email. Im Jahre 1761 bestieg er einen Berg in der Nähe von Genf, und wurde beim Anblicke der Alpen und namentlich der damals noch als «Montagnes maudites» bezeichneten Montblanc-Kette so begeistert, daß er beschloß, von da an nur den Alpen zu leben, und um dieß thun zu können, die Cantorstelle an der Genfer-Kathedrale annahm, zu der ihn musikalische Anlage und schöne Stimme befähigten. Im Jahre 1773 eröffnete er mit seiner, bald in verschiedenen Sprachen aufgelegten «Description des glaciers de Savoye», Genève in 8.» seine schriftstellerische Laufbahn, die er erst 1808 mit einer neuen Ausgabe s. schon 1791 erschienenen «Itinéraire de Genève, Lausanne et Chamouni; Genève in 12.» schloß. Mehrere seiner Schriften, denen unbestritten das Verdienst zukömmt, den Sinn für die Naturwunder der Alpenwelt mächtig geweckt zu haben, so z. B. die 1781 und später erschienene «Description des Alpes pennines et rhétiennes, Genève, 2 Vol. in 8.», eignete er Louis XVI. zu, verschaffte sich dadurch eine Pension von 600 Fr., und erlebte überdieß die Ehre, daß Marie-Antoinette ihr Cabinet mit verschiedenen Originalzeichnungen von ihm schmückte. Der Geschichtschreiber der Alpen, wie sich Bourrit zu unterzeichnen liebte, soll Rousseau's Augen, und ein seltenes Talent zum Reden und Improvisiren besessen haben.

zerfällt in acht Hauptabschnitte. In dem ersten, dem etwa ⅔ des ersten Bandes beschlagenden «Essai sur l'histoire naturelle des environs de Genève», hebt Saussure zuerst das Interesse hervor, das diese Gegend dem Naturforscher gewähre, und das z. B. die großen Botaniker Johannes Bauhin (1564), John Ray (1665) und Albrecht von Haller (1728 und 1736) längere Zeit in ihr festgehalten habe, — dann beschreibt er den Genfersee, erwähnt die Verdienste, welche sich die Fatio, Mallet, Pictet, Deluc, Jallabert, Bertrand, ꝛc. um dessen Kenntniß erworben, und gibt von seinen eigenen Versuchen über dessen Tiefe und Temperatur [27]) Nachricht, Versuche, welche er später auch auf die Seen im und am Jura ausdehnte, — gibt einläßliche physicalische und naturhistorische Beschreibungen theils der Hügel um Genf, theils der etwas fernern Berge Salève, Mole [28]), Dole, ꝛc., namentlich über die Mineralien und Gebirgsarten um Genf, die Grotten und Petrefakten am Salève, ꝛc. weitläufig eintretend, — spricht von einigen durch ihn und Tingry [29])

---

27) Saussure verwendete zu diesen Bestimmungen namentlich einen von Micheli construirten, aber von Pictet auch noch mit einer Réaumur-Scale versehenen Weingeistthermometer, und gibt die Notiz: «Feu M. Micheli du Crest, connue par sa méthode d'un thermomètre universel, m'avait donne par sa dernière volonté, les instrumens relatifs à la construction des thermomètres, et les thermomètres déjà construits, qui se trouvoraient à son décès.»

28) Bei Beschreibung des Mole kömmt Pag. 201 u. f. die über III. 386 aufklärende Stelle vor: «C'est sur le sommet du Môle que je fis, le 29 Juin 1766, une expérience intéressante sur l'électricité. M. Ami Lullin, digne Membre d'un de nos Tribunaux de judicature, m'avait prié de présider à des Thèses qu'il voulait soutenir sur l'électricité. Il était alors étudiant en philosophie, et ses succès dans les études annonçaient déjà ce que sa patrie devait attendre de son zèle et de ses talens. Pour que nos Thèses ne fussent pas une simple compilation, nous fîmes ensemble des recherches nouvelles sur l'électricité. Nous en fîmes en particulier sur l'électricité de l'air, au sommet des montagnes.» Für die Versuche selbst, die hinwieder andern im Kabinete mit Wasserdämpfen, ꝛc. riefen, muß ich auf das Werk selbst verweisen, und bemerke nur noch hinsichtlich Ami Lullin, daß er nach Galiffe 1748 geboren und 1814 zum ersten Syndik ernannt wurde.

29) Pierre François Tingry wurde 1743 zu Soissons geboren, dann aber Bürger von Genf, und Demonstrator der Chemie bei der Société pour l'avancement des arts. Er besaß ein schönes Mineraliencabinet, machte sich durch verschiedene Wasseranalysen, eine gekrönte Abhandlung «Sur la construction des fourneaux propres à préserver les doreuses des vapeurs du mercure»,

untersuchten Mineralquellen, — ꝛc. — In dem zweiten Abschnitte, der den Rest des ersten und den ganzen zweiten Band füllenden «Voyage autour du Montblanc», zählt er in der Einleitung die jetzt allgemein bekannten Wunder des damals noch für unersteiglich gehaltenen Montblanc und seiner Umgebung kurz auf, — sagt: «Tous ces objets réunis m'ont donné pour cette partie des Alpes une prédilection qui m'a engagé à l'étudier avec le plus grand soin; j'y ai consacré bien du tems et de grands travaux. J'ai fait dans la seule vallée de Chamouni huit différens voyages, en 1760, 61, 64, 67, 70, deux en 76, et le dernier en 78. Le voyage que je publie aujourdhui, le tour du Montblanc par l'Allée blanche, je l'ai fait trois fois: la première en 1767 avec quelques amis, la seconde, seul, en 1774, dans l'intention de l'écrire et de le publier dès mon retour; mais quand je vins à le rédiger, je trouvai encore bien des vuides et des doutes. C'est pour remplir ces vuides et lever ces doutes, que je fis ce voyage pour la troisième fois l'année dernière 1778. J'eus pour compagnons de voyage deux amis: M. Jean Trembley se chargea d'observer le magnétomètre [30]), et M. Marc-Auguste Pictet prit pour son département toutes les observations géographiques et barométriques», — und gibt als seinen auf dieser letzten Reise in 22 Tagen durchgeführten Reiseplan: «De Genève aller à Chamouni; pénétrer le plus haut et le plus avant possible dans la grande vallée de glace; monter sur le glacier de Buet, etc. De Chamouni passer à St. Gervais par le Col de Balme; de St. Gervais traverser la haute chaîne des Alpes, et venir à Cormajor par le Bon-Homme, le Col de la Seigne, et l'Allée-Blanche. De Cormajor monter au Cramont, et descendre delà jusqu'à l'entrée des

---

ein ausgezeichnetes Werk «Sur la composition et l'emploi des vernis», etc. verdient, starb 1821, und wurde noch 1832 von De Candolle in seiner Eröffnungsrede der Schweiz. Naturf. Gesellsf. mit den Worten gefeiert: «Tingry, qui, né étranger, a donné un bel exemple d'amour pour sa patrie adoptive, en dotant Genève d'un enseignement de Chimie.»

30) Vergl. das unten darüber Mitgetheilte.

plaines du Piémont, revenir sur ses pas jusqu'à la Cité d'Aoste; retraverser la chaîne centrale des Alpes par le St. Bernard, y faire quelque séjour pour des observations de divers genres, et de là revenir à Genève.» Die zahlreichen Notizen Saussure's über die vorkommenden Gebirgsarten und Petrefacten, die Lage und Form der Schichten, die Kulturen, Pflanzen, Insekten, Gletscher, Höhlen, Echo's, ꝛc., die vielen eudiometrischen, hygrometrischen und überhaupt meteorologischen Versuche und Beobachtungen, die verschiedenen Analysen von Quellen und Mineralien [31]), ꝛc., können hier natürlich nicht einzeln aufgeführt werden, so wenig als die von ihm benutzten Mittheilungen der Murith [32]), Deluc, Bourrit, Höpfner [33]), ꝛc., und ich muß mich darauf beschränken, einige Spezialarbeiten hervorzuheben, welche Saussure seiner Berichterstattung einverleibte. So nahm er z. B. in dieselbe eine Abhandlung «Nouvelles recherches sur l'électricité atmosphèrique» auf,

---

31) Kopp erzählt im 2ten Bande seiner Geschichte der Chemie, daß Saussure das Löthrohr auf seinen Alpenreisen zur schnellen Erkennung der Mineralien vielfach gebraucht, und sich neben Gahn um die Verbreitung und Behandlung desselben verdient gemacht habe.

32) Vergl. II. 294 und „Lutz, Moderne Biographien". Murith war von St. Branchier gebürtig, und beschloß sein Leben als Probst des Klosters auf dem Großen St. Bernhard.

33) Joh. Georg Albrecht Höpfner von Biel (1759 I. 20 bis 1813 I. 16) studirte bei den beiden Struve in Lausanne Chemie und Pharmacie, bereiste nachher noch Deutschland, erwarb sich in Leipzig (wo er bei Weiße wohnte, und von ihm „in das Heiligthum der Musen" eingeführt wurde) den mediz. Doctorhut, und kam 1781 nach Bern, wo sein Vater Georg Albrecht Höpfner als Apotheker lebte. Als sein Vater 1785 starb, übernahm er dessen Apotheke, verwendete das ererbte Vermögen zum Ankaufe einer schönen Bibliothek, legte sich eine ziemlich reiche botanische und mineralogische Sammlung an, freute sich unbemittelte talentvolle Leute unterstützen zu können, war Mitstifter der Nat. Ges. in Bern (s. I. 375), und erwarb sich namentlich durch Herausgabe des „Magazin für die Naturkunde Helvetiens, Zürich 1787—1789, 4 Bde. in 8." entschiedenes wissenschaftliches Verdienst. Dabei kam er jedoch ökonomisch immer mehr rückwärts, gab 1800 seinen Beruf auf, gründete ein Lesekabinet, und suchte sich als Publicist Geltung zu verschaffen, was ihm zwar mit den im Juli 1801 begonnenen „Gemeinnützigen Helvetischen Nachrichten" ziemlich gut gelang, obschon keines dieser spätern Unternehmen mehr im Stande gewesen zu sein scheint, seine finanzielle Lage gründlich zu verbessern. In den spätern 80ger Jahren stand Höpfner als Stadt-Apotheker in Biel; dagegen scheint die Angabe, daß er auch schließlich dort gestorben sei, unrichtig zu sein.

in welcher er sein bekanntes Luftelektrometer und die damit angestellten Versuche beschreibt, dabei an verschiedene entsprechende Erscheinungen und Beobachtungen anknüpfend, welche er während seinen Reisen auf dem Brévent, dem Passage des fours, etc. gesehen und gemacht hatte[34]). In dieser Hinsicht war namentlich die Reise von 1767, deren Programm er Haller von Genf aus am 10. Juli mit den Worten: «Je ferai des expériences sur le froid et le chaud, sur la pesanteur de l'air, sur l'électricité, sur l'aiman et sur la génération des Animalcules, outre l'histoire naturelle à laquelle je donnerai mes plus grands soins. Je voudrais bien rapporter quelque chose, qui vous fit plaisir» mittheilte, von Interesse, wie uns z. B. folgender Brief zeigt: «Je me fais un singulier plaisir», schrieb er am 21. Juli au chalet de Flianpra à 3500 pieds au-dessus de Chamouni an Haller, «de vous donner des nouvelles d'un voyage entrepris sous vos auspices. Nous partîmes[35]) samedi dernier de Genève et nous arrivâmes le lendemain au soir à Chamouni. Hier matin nous gravîmes une montagne extrêmement élevée qui est à l'opposite des glacières, afin d'en avoir le spectacle entier et de pouvoir en lever des plans et des dessins. Le sommet de cette montagne, qui s'appelle le Brevanne est tout d'un granit très dur mêlé d'un mica extrêmement brillant. Tous ces sommets sont ruinés et couverts de pierres entassées sans

---

34) Saussure machte sich auch um die Verbreitung der Blitzableiter verdient, und ging namentlich mit gutem Beispiele voran. So schrieb er am 29. Nov. 1771 aus Genf an Haller: «J'ai fait élever au Sud-Ouest de la maison que j'habite en ville un mat de 96 pieds de haut, surmonté d'une verge de fer pointue de 42 pieds de long, avec des fils de fer qui communiquent jusqu'à terre, pour écarter le danger du tonnerre et observer l'électricité de l'air. Plusieurs personnes s'en sont effrayées et pour les rassurer en les instruisant, j'ai fait imprimer et répandre un petit écrit de 9 pages in 4.: *Exposition abrégée de l'utilité des conducteurs électriques*, où j'explique leurs usages et réponds aux objections, en proposant quelques idées pour le Magazin à poudre. J'ai eu le bonheur de réussir et de tranquilliser presque tout le monde.» Eine deutsche Uebersetzung des eben erwähnten Schriftchens erschien 1772 zu Zürich.

35) Saussure, Louis Pictet (s. II. 253), François Jallabert (s. IV. 451) und die nöthige Bedienung.

ordre qu'on dirait y être roulées de plus haut, si ce sommet n'était pas le plus élevé de toute la chaine dont il fait partie. Comme nous étions sur le point d'avoir un orage et que nous étions fort attentifs aux phénomènes de l'électricité, Mr. Pictet en levant le doigt pour montrer une pointe qui était vis-à-vis de nous, entendit au bout de son doigt un bruissement très vif, exactement semblable à celui que fait une forte aigrette électrique; il nous avertit, nous levâmes tous nos doigts et nous aperçumes le même phénomène; tous nos domestiques et nos guides qui trouvaient cela très singulier et très plaisant levaient aussi leurs doigts en l'air et entendirent de temps en temps le craquement de petites étincelles qui leur piquaient même légèrement les doigts. Mr. Jallabert qui avait un chapeau bordé entendait tout autour de son chapeau et surtout vis-à-vis du bouton un bruit très vif et presque inquiétant. Enfin comme cela allait en augmentant nous craignimes quelqu'éclat de tonnerres et nous fimes retirer tous nos gens et nous retirâmes nous-mêmes au dessous de la pointe. L'orage ne passa pas sur la pointe, mais sur le Montblanc qui est vis-à-vis où il fut très vif. Quand il fut passé j'essayai une machine électrique que j'avais portée en haut et je trouvai l'électricité plus forte qu'elle n'est même dans la plaine.» Ferner die Abhandlungen «Des causes du froid qui règne sur les montagnes, — De la hauteur à la quelle cesse la fonte des neiges, — Des Crétins et des Albinos, — Histoire des tentatives que l'on a faites pour parvenir à la cime du Montblanc[36]), etc.», denen er noch eine von Jean Trembley bearbeitete «Analyse de quelques expériences faites pour la détermination des hauteurs par le moyen du baromètre» beifügte. Die speziell hygrometrischen

36) Saussure hatte schon bei seinem ersten Besuche des Chamouni den Wunsch gehegt, den Montblanc besteigen zu können, und hatte Preise auf gelungene Versuche ausgesetzt; aber es wollte Niemand gelingen, und auch die von Saussure und dem dafür eben so eifrigen Bourrit selbst unternommenen waren fehlgeschlagen. Wir werden unten auf das endliche Gelingen zurückkommen.

Arbeiten benutzte Saussure für seinen zwischen den beiden ersten Bänden der Reisen erschienenen «Essai sur l'hygrométrie» [37], in dem er nicht nur sein bekanntes Haarhygrometer [38]) sehr einläßlich behandelte, sondern durch den er der Meteorologie einen ihrer interessantesten Abschnitte so zu sagen neu beifügte, indem er, wie Cuvier resumirt, «Ses belles observations sur la dilatation de l'air à mesure qu'il se charge d'humidité, — sur les rapports de l'humidité avec la pression, — sur la nature des vapeurs vésiculaires ou des brouillards qui sont suspendus dans l'air comme autant de petits ballons, — et sur beaucoup d'autres points tous plus ou moins nouveaux pour la science à l'époque où il publia son ouvrage» enthält. Die speziell magnetischen Beobachtungen wollte Saussure ebenfalls in einem «Mémoire séparé» bearbeiten [39]), und man muß bedauern daß er seinen Vorsatz nicht ausführte, da das Wenige, was er darüber gelegentlich mittheilt, großes Interesse erregt. «Il me parut intéressant d'éprouver», sagt Saussure unter Anderm, «si la direction de l'aimant ne serait point différente sur les cimes des montagnes, et si la force attractive ne diminuerait point comme la gravité, et peut-être plus rapidement encore, en s'éloignant de la surface de la terre. Pour la direction, je n'eus pas de peine à me satisfaire. Je pris une boussole munie d'une alidade; et d'un point de la plaine, aisé à distinguer du haut d'une montagne, je visai à un point distinct et accessible de la cime de cette même montagne, et je notai l'angle que faisait l'aiguille aimantée avec cette direction. Ensuite, portant ma boussole sur le point de la montagne auquel j'avais d'abord visé, je la dirigeai à la station de la plaine; et retrouvant l'aiguille exactement dans la même position,

---

37) Neuchâtel 1783 in 8. Eine deutsche Ausgabe veranstaltete Titius 1784 zu Leipzig.

38) Die erste Idee zu demselben datirt von 1775, — die definitive Konstruktion vom Winter 1780/1781.

39) Er spricht im 2ten und wieder im 4ten Bande seiner Reisen von dieser Absicht.

je jugeai que l'aimant conservait sur la cime de la montagne, la même direction que dans la plaine. J'ai pourtant quelquefois trouvé des différences; et la raison de ces différences était vraisemblablement dans des mines de fer, situées à droite ou à gauche de la ligne qui joint les deux stations.» Nachdem dann Saussure mitgetheilt, wie es ihm mehr Schwierigkeit gemacht habe die anziehende Kraft zu messen, und wie sich mehrere dafür ausgesonnene Apparate schließlich als unpraktisch erwiesen haben, beschreibt er seinen neuen Magnetometer mit den Worten: «Je pensai qu'une balle de fer, fixée au bas d'une verge de pendule très-légère et bien mobile sur son axe, serait détournée de la ligne verticale par un aimant placé a une distance convenable de cette balle; et que comme l'effort nécessaire pour détourner cette balle, augmente à mesure qu'on lui fait parcourir de plus grands arcs, les variations de la force attractive de l'aimant, se feraient connaître par celles de ces mêmes arcs», — und fügt dann noch bei, daß ihm der geschickte Mechaniker Paul in Genf[40]) diesen Apparat so vollkommen ausgeführt habe, daß z. B. schon die durch ½° Temperaturänderung bewirkte Variation deutlich sichtbar werde. — In dem dritten Abschnitte, der den größten Theil des dritten Bandes füllenden «Voyage de Genève à Gênes par le Mont-Cénis et retour par la côte de Gênes et par la Provence», ist, mit Benutzung früherer und späterer Reisen, hauptsächlich diejenige beschrieben, welche Saussure im Herbst 1780 mit M. A. Pictet unternahm. Da Zweck und Behandlung dieselben sind wie im zweiten Abschnitte, so hebe ich, um mich nicht zu wiederholen, nur hervor, daß unsere Reisenden in Mailand die Bekanntschaft der Frisi, Cesaris, Oriani, etc. machten, und daß Saussure diesem Abschnitte interessante «Recherches sur la température de la mer, des lacs et de la terre à différentes profondeurs» einverleibte. — Der vierte Abschnitt, die den Schluß des dritten und den Anfang des vierten Bandes einnehmende «Voyage de Genève au lac Majeur

---

40) Jaques Paul von Genf, 1733 daselbst geboren.

par le Grimsel, le Griës et la Furca del Bosco, et retour à Genève par le Saint Gothard», behandelt zunächst eine von Saussure im Sommer 1783 ohne weitere Begleitung unternommene Reise, in der zugleich der Arbeiten und Sammlungen der Tralles, Morel[41]), Wyttenbach, Gruner, Haller, Müller[42]), Exchaquet, Scheuchzer, Jurine, Struve, Pfyffer[43]), Meyer[44]), ꝛc. mit gebührender Anerkennung gedacht, und eine «Lithologie du Saint Gothard» versucht wird. Von Einzelnheiten mag z. B. angeführt werden, daß Saussure von der Nacht vom 10/11. Juli 1783, welche er auf der Grimsel zubrachte, Folgendes erzählt: «Cette nuit sera à jamais mémorable dans notre pays par le terrible orage et par les tonnerres qui éclatèrent presque sans interruption. Personne ne passa la nuit dans son lit, chacun se tenait prêt à fuir, croyant à chaque instant voir écraser ou embraser la maison qu'il habitait. Sur le Grimsel, la nuit fut calme et sereine; cependant lorsque je regardais au couchant, du côté de Genève, je voyais à

---

41) Karl Friedrich Morell von Bern (1759 IX. 6. bis 1816 III. 24.), ein Sohn des Landschreiber Abraham Morell in Wangen und Bipp, in dessen Besitz zur Zeit das Bad Schinznach gehörte, — faßte durch das Landleben und einige Alpenreisen große Liebe zur Botanik, und legte sich ein schönes Herbarium an. Als Beruf wählte er sich, vielleicht durch Schinznach veranlaßt, den eines Apothekers, und machte sich namentlich durch seine „Chemische Untersuchung einiger Gesundbrunnen und Bäder der Schweiz, Bern 1788 in 8.", für welche er von der Berner-Regierung mit einer Medaille belohnt wurde, vortheilhaft bekannt. Auch seine Verdienste bei Gründung der Naturforsch. Gesellschaft, des medizinischen Institutes, des botanischen Gartens, ꝛc. sind nicht zu vergessen.

42) Landammann Joseph Anton Müller von Schmiedigen im Urserthal (1764 —-179.) besaß nach Saussure eine der schönsten Kristallsammlungen.

43) Siehe II. 234. — Saussure spricht mit Bewunderung von der Energie, mit der Pfyffer alle Schwierigkeiten überwunden habe, die sich der Erstellung des Reliefs entgegenstellten, und fügt bei: «Si l'on joint à cela les difficultés morales, résultant dè l'esprit de défiance des paysans des petits cantons, toujours disposés à croire qu'on ne mesure un angle, ou qu'on ne dessine un point de vue, que pour envahir leur liberté; et qui d'aprés cette défiance ont été plusieurs fois sur le point d'attenter à sa vie: on s'étonnera encore d'avantage qu'il ait pu exécuter un pareil projet.»

44) Saussure reiste 1791 expreß nach Aarau, um Meyer's Relief zu sehen. Der größte Theil des von ihm Weiß gespendeten Lobes gehört aber, wie wir schon wissen, Müller, s. II. 234—243.

l'horizon quelques bandes de nuages et des éclairs qui en sortaient, mais je n'entendais absolument aucun bruit; ils ressemblaient à ceux qu'on appelle communément *des éclairs de chaleur*, et que le peuple croit n'être pas accompagnés de tonnerres. Franklin avait combattu ce préjugé, et cette observation vient bien à l'appui de son opinion.» Ferner erzählt Saussure, daß, als er in Cevio in der Nähe des landvögtlichen Sitzes eine Barometer-Beobachtung gemacht habe, der gestrenge Herr Landvogt[45]) zu ihm heruntergekommen sei, und ihn eingeladen habe, bei ihm einzutreten. «Je n'avais pas de temps à perdre», sagt er, «mais comme depuis plusieurs jours je n'avais aucune nouvelle des pays habités, j'entrai dans l'espérance d'en apprendre. Quelle ne fut pas ma surprise, quand le Baillif me dit qu'il n'avait depuis longtems aucune lettre de l'autre côté des Alpes, mais que pourtant il répondrait à toutes les questions qui pourraient m'intéresser. En même tems il me montra un vieux cachet noir, et c'était là l'oracle qui répondait à toutes ses questions. Il tenait à la main un fil à l'extrémité duquel était attaché le cachet; et il tenait ainsi ce cachet suspendu au milieu d'un verre à boire; peu à peu l'ébranlement de la main imprimait au fil et au cachet un mouvement qui lui faisait frapper des coups contre le verre; le nombre de ces coups indiquait la réponse à la question dont était occupée la personne qui tenait le fil. Il m'assura avec le sérieux de la conviction intime, qu'il savait par ce moyen, tout ce qui se passait chez lui, toutes les élections du conseil de Bâle, et le nombre des suffrages qu'avait eu chaque candidat. Il me questionna sur le but de mon voyage, et après l'avoir appris, il me montra sur son almanach l'âge que donne au monde la chronologie vulgaire, et il me demanda ce que j'en pensais. Je lui dis que

45) Nach Holzhalb's Verzeichniß der Landvögte in der Val Maggia muß es Samuel Bächlin von Basel gewesen sein, von dem die folgende leider für uns nur zu heimelige Geschichte handelt.

l'observation des montagnes conduisait à croire le monde un peu plus ancien. *Ah! me dit-il*, d'un air de triomphe, *mon cachet me l'avait bien dit; car l'autre jour j'eus la patience de compter ses coups en pensant à l'âge du monde, et je le trouvai de quatre ans plus vieux qu'il n'est marqué sur cet almanach.* Cet heureux accord dans le fruit de nos recherches lui inspira beaucoup d'intérêt pour moi; il eut la bonté de me donner la moitié d'un de ces pains que nous appellons en Suisse *pains de ménage*, dont je n'avais pas vu depuis long-tems, et de me conduire lui-même, malgré la chaleur, qui était extrême, à un bac où je passai la Maggia, à un quart de lieu au-dessous de Cevio.» Von seinem Besuche des Hospizes auf dem Gotthard erzählt endlich Saussure unter Anderm: «Je trouvai les Capucins toujours officieux et empressés envers les étrangers. Ils commencent à s'accoutumer à voir des étrangers qui étudient les montagnes. Dans mon premier voyage, en 1775, ils crurent que c'était chez-moi une espèce de folie. Ils dirent à quelqu'un de ma connaissance, qui passa chez eux peu de tems après moi, que je paraissais d'un bon caractère, mais qu'il était bien malheureux que j'eusse une manie aussi ridicule que celle de ramasser toutes les pierres que je rencontrais, d'en remplir mes poches et d'en charcher des mulets.» — In dem 80 Seiten beschlagenden fünften Abschnitte gibt Saussure seine berühmte und zunächst seine Popularität bewirkende «Relation d'un voyage à la Cime du Mont-Blanc en Août 1787». In der Einleitung zu derselben erzählt er, wie Jaques Balmat, nach einer am 9. Juni 1786 mit einigen Andern vergeblich versuchten Besteigung, seine Kameraden verloren habe, durch ein ihn überfallendes Unwetter gezwungen worden sei, die Nacht auf den 10. Juni im Schnee zu passiren, dann aber, sich klar über den auf den Gipfel führenden Weg geworden, am 8. August desselben Jahres Dr. Paccard von Chamouni wirklich glücklich hinaufgeführt habe. Aus der Beschreibung seiner eigenen Reise erfährt man sodann, daß Saussure in dem folgenden Jahre 1787, nach langem Warten in Chamouni, am ersten August mit Jaques Balmat, 17 andern

Führern und einem Bedienten die Reise nach dem Montblanc antrat, und nach zwei unter einem Zelte zugebrachten Nächten am 3. August um 11 Uhr glücklich die Spitze erreichte. «Mes premiers regards furent sur Chamouni», erzählt Saussure, «où je savais ma femme et ses deux sœurs, l'œil fixé au télescope [46]; suivant tous mes pas avec une inquiétude, trop grande sans doute, mais qui n'en était pas moins cruelle; et j'éprouvai un sentiment bien doux et bien consolant, lorsque je vis flotter l'étendard, qu'elles m'avaient promis d'arborer, au moment où me voyant parvenu à la cime, leurs craintes seraient au moiens suspendues. Je pus alors jouir sans regret du grand spectacle que j'avais sous les yeux. Une légère vapeur suspendue dans les régions inférieurs de l'air me dérobait à la vérité la vue des objets les plus bas et les plus éloignés, tels que les plaines de la France et de la Lombardie; mais je ne regrettai pas beaucoup cette perte; ce que je venais voir, et ce que je vis avec la plus grande clarté, c'est l'ensemble de toutes les hautes cimes dont je désirais depuis si long-tems de connaître l'organisation. Je n'en croyais pas mes yeux, il me semblait que c'était un rêve, lorsque je voyais sous mes pieds ces cimes majestueuses, ces redoutables Aiguilles, le Midi, l'Argentière, le Géant, dont les bases mêmes avaient été pour moi d'un accès si difficile et si dangereux. *Je saisissais leurs rapports, leur liaison, leur structure, et un seul regard levait des doutes que des années de travail n'avaient pu éclaircir.*» Saussure blieb bis 3½ Uhr Nachmittags auf seiner hohen Warte, und benutzte die ihm zugemessene Zeit, so weit es nur immer die beengend dünne Luft gestatten wollte, zu wissenschaftlichen Betrachtungen und Beobachtungen [47]. Von Erstern haben wir schon oben aus seiner eigenen

---

46) Auch der Sohn Theodor, der gerne den Vater begleitet hätte, war auf dessen Wunsch in Chamouni zurückgeblieben.

47) Leider haben die Wenigsten, welche nach Saussure den Montblanc bestiegen, seinen wissenschaftlichen Sinn mit auf diese Höhe genommen, sondern meist nur ihre eigene Neugierde zu befriedigen, oder den Ruhm eines Montblanc-Bestei-

Feder eine Andeutung erhalten. Letztere bezogen sich zunächst auf die Barometerhöhe, und ergaben im Vergleich mit den korrespondirenden Beobachtungen, welche Senebier in Genf und der Sohn Saussure in Chamouni machten, für den Montblanc eine muthmaßliche Meereshöhe von 2450 Toisen; ferner auf die Lufttemperatur, die Feuchtigkeit, die Siedehitze, 2c., und endlich auf die Farbe des Himmels, welche er mit einer Farbenscale verglich, aus der später sein Cyanometer hervorging, der von weiß bis schwarzblau 51 Stufen hält, deren 39ste der Farbe des Himmels auf dem Montblanc entspricht. Diesen Beobachtungen schloß sich noch eine interessante Wahrnehmung der Führer an. «La grande pureté et la transparence de l'air», erzählt Saussure, «produisent vers le haut du Mont-Blanc un singulier phénomène, c'est que l'*on peut y voir les étoiles en plein jour*; mais pour cela il faut être entièrement à l'ombre, et avoir même, au-dessus de sa tête, une masse d'ombre d'une épaisseur considérable; sans quoi, l'air trop fortement éclairé fait évanouir la faible clarté des étoiles. L'endroit le plus convenable pour faire cette observation le matin, était la montée qui conduit à l'épaule du Mont-Blanc; quelques-uns des guides ont assuré avoir vû de-là des étoiles; pour moi, je n'y songeai pas: ensorte que je

---

gers zu erwerben gesucht, — wird ja sogar von einem Engländer erzählt, daß er den ganz in Nebel und Wolken gehüllten Gipfel mit vollkommener Befriedigung verlassen habe, nachdem ihm seine Führer eidlich bezeugt hatten, daß er wirklich auf der höchsten Spitze gestanden sei. Ueber die bekannte Besteigung der Französin d'Angeville füge ich aus einem Briefe, welchen der jüngere Deluc am 25. Januar 1839 an Fischer von Oberhofen schrieb, folgende Anekdote bei: «L'héroïque Demoiselle Henriette d'Angeville, après avoir surmonté toutes les difficultés, est arrivée à la cime du Mont-Blanc à une heure de l'après-midi du 4 septembre 1838, avec un thermomètre à 8 degrés au-dessous de zéro; là deux de ses guides lui ont demandé la permission de l'embrasser, en lui disant qu'elle était la première Dame qu'ils avaient conduite jusque là et qu'ils méritaient bien cette faveur; elle y consentit de grand cœur; elle assure que ces baisers furent si bien appliqués qu'on aurait pu les entendre de Chamouni, quoiqu'on prétende qu'on entend à peine un coup de pistolet tiré sur la cime du Mont-Blanc. L'un des guides la prit par la taille et la souleva, en lui disant: Mademoiselle, vous êtes dans ce moment plus haute que le Mont-Blanc.»

n'ai point été le témoin de ce phénomène; mais l'assertion uniforme des guides ne me laisse aucun doute sur sa réalité.» Die Rückreise vom Montblanc nach Chamouni wurde bis um den Mittag des 4. August glücklich beendigt, und Saussure hatte die Freude, seine ganze Reisegesellschaft wohlbehalten zurückzuführen. «Notre arrivée», erzählt er, «fut tout à la fois gaie et touchante: tous les parents et amis de mes guides venaient les embrasser et les féliciter de leur retour. Ma femme, ses sœurs et mes fils, qui avaient passé ensemble à Chamouni un tems long et pénible, dans l'attente de cette expédition, plusieurs de nos amis qui étaient venus de Genève pour assister à notre retour, exprimaient dans cet heureux moment leur satisfaction, que les craintes, qui l'avaient précédé, rendaient plus vive, plus touchante, suivant le degré d'intérêt que nous avions inspiré. Je passai encore le lendemain à Chamouni pour quelques observations comparatives, après quoi nous revînmes tout heureusement à Genève[48]), d'où je revis le Mont-Blanc avec un vrai plaisir, et sans éprouver ce sentiment de trouble et de peine qu'il me causait auparavant.» — Die Abschnitte sechs bis acht endlich behandeln drei Reisen auf den Col du Géant, wo Saussure im Juli 1788 volle sechszehn Tage zubrachte, — um den Mont-Rose im Juli und August 1789, — und an den Mont-Cervin im August 1792. Auch auf diesen Reisen, und ganz besonders auf dem Col du Géant, wurden neben naturhistorischen Daten viele meteorologische Beobachtungen gesammelt, namentlich auch über die Verdunstung, die Farbe des Himmels, die Scintillation, die tägliche Variation der Magnetnadel, ꝛc., — und mit welchem hohen Ernste Saussure nicht nur darauf Bedacht nahm, seine Reisen überhaupt möglichst fruchtbar zu machen, sondern auch seinen Nachfolgern ein Weiterführen derselben zu erleichtern, zeigt eine den Schluß des

48) Vergl. I. 388, wo übrigens die Jahrzahl 1788 offenbar falsch ist. — In einer andern handschriftlichen Notiz sagt Wyttenbach: „Saussure erzeigte mir immer viele Freundschaft. Auffallend war es an dem Manne, daß er auch bei Kleinigkeiten, die man ihm erzählte, immer sprach: *«C'est prodigieux!»*

vierten Bandes bildende «Agenda, ou Tableau général des observations et des recherches dont les résultats doivent servir de base à la théorie de la terre», in der an 3½ Hundert Fragen, Regeln, xc. aus den verschiedenen Gebieten der Naturwissenschaften zusammengetragen sind, welche dem Naturforscher beständig gegenwärtig sein sollen, damit er keine Gelegenheit versäume, die Natur zu befragen. — Resümiren wir zum Schlusse dieses etwas lang gewordenen Rapports über Saussure's Alpenreisen noch mit Cuvier die Hauptergebnisse derselben: «Chaque pas qu'il faisait dans les montagnes», sagt unser berühmte Gewährsmann in seiner Lobrede auf Saussure, «lui découvrait quelque vérité nouvelle, mettait de l'ordre dans la série de celles qu'il possédait déjà, ou y remplissait quelque lacune. Il serait intéressant de suivre toutes les métamorphoses qu'essuya le système de ses idées; mais le temps ne nous le permet pas: contentons-nous de tracer un résumé rapide des principales acquisitions qui résultent en dernière analyse de ses voyages, pour la théorie de la terre. — *Il a détruit l'idée que l'on s'était faite jusqu'à lui d'un feu central*, d'une source de chaleur placée dans l'intérieur de la terre: ses expériences prouvent même que l'eau de la mer et des lacs, est d'autant plus froide qu'on la puise plus profondément. — *Il a constaté que le granit est la roche primitive par excellence*, celle qui sert de base à toutes les autres; il a démontré qu'elle s'est formée par couches, par cristallisations, dans un liquide, et que, si ces couches sont aujourd'hui presque toutes redressées, c'est à une révolution postérieure qu'elles doivent leur position. *Il a montré que les couches des montagnes latérales sont toujours inclinées vers la chaîne centrale*, vers la chaîne de granit; qu'elles lui présentent leurs escarpements comme si leurs couches se fussent brisées sur elle: il a reconnu que les montagnes sont d'autant plus bouleversées, et que leurs couches s'éloignent d'autant plus de la ligne horizontale, qu'elles remontent à une formation plus ancienne. Il a fait voir qu'entre les montagnes de différents ordres il y a toujours des amas de fragments, de pierres roulées, et tous les indices de mouvemens violents. Enfin, il a développé l'ordre admirable qui entretient et renouvelle dans les glaces des hautes montagnes les réservoirs nécessaires à la production des grands fleuves. — *S'il eût donné un peu plus d'attention aux pétrifications et à leurs gisements, on peut dire qu'on lui devrait presque toutes les bases qu'a obtenues jusqu'ici la géologie*[49]; mais, sans cesse occupé des grandes chaînes primitives et des épouvantables catastrophes qui ont dû bouleverser leurs énormes masses, il semble qu'il ait un peu méprisé ces collines dont le repos n'a point été troublé, et qui recèlent encore ces restes des époques les plus nouvelles de l'histoire du globe. — Avec des matériaux si nombreux et si importants, il fallait bien du courage pour résister à la tentation de faire un système. *De Saussure eut ce courage, et nous en ferons le dernier trait et le trait principal de son éloge.* Son esprit était trop élevé pour ne pas embrasser en quelque sorte d'avance tout le champ de la science, et pour ne pas sentir à quel point elle était encore pauvre, malgré tous les faits dont il l'avait enrichie; et c'est par une indication de tout ce qu'il laisse encore à chercher après lui, qu'il termine ses voyages. Un si bel exemple n'a pas détourné ses successeurs d'accumuler comme auparavant les systèmes les plus romanesques; mais c'est une raison de plus pour que nous insistions sur un genre de mérite aussi rare.»

Noch könnte Saussure's reicher Bibliothek und Naturaliensammlung gedacht werden, — seiner ausgedehnten Korrespondenz, und der zahlreichen Besuche, welche sich mit seinem Rufe immer

49) Bei dieser Stelle ist nicht zu vergessen, daß Cuvier sein Eloge der Academie am 3. Januar 1810 vorlegen ließ. — Uebrigens sagte Merian noch 1848: „Saussure's Beschreibungen der Alpen werden lange ein Muster vorurtheilsfreier und gründlicher geologischer Beschreibungen bleiben. Hätte der Begriff einer geologischen Formation, welcher durch Werner so folgereich für die Wissenschaft geworden ist, ihn frühe geleitet, und hätte er die von ihm mit so großer Gründlichkeit ermittelten geologischen Thatsachen auf Karten zusammengestellt, so würden manche Ergebnisse der neuern Geologie unter seinen Augen sich entwickelt haben."

steigerten, — der vielen gelehrten Gesellschaften, welche sich beehrten, ihn unter ihren Mitgliedern aufzuzählen, bis 1790 die Pariser-Academie ihn sogar zu einem ihrer acht auswärtigen Mitglieder ernannte, — rc.; aber ich muß mich darauf beschränken noch Einiges, auf seine letzten Tage und seine Charakteristik Bezügliches mitzutheilen, wofür ich seinem ersten Biographen folge: «Desaussure mena une vie heureuse jusques en 1791,» sagt Senebier; «il était dans une situation qui ne lui laissait d'autres désirs que celui de la conserver, en jouissant de son bonheur et de celui qu'il procurait, lorsque des chagrins violens l'assaillirent; il perdit en peu de tems la plus grande partie de sa fortune; les secousses politiques de notre ville, qui devenaient tous les jours plus fortes, navrèrent son coeur. Il crut avoir assez de ressources en lui-même pour lutter seul contre l'orage, il voulut dévorer sa douleur; mais celui qui avait résisté à tant de fatigues, qui avait bravé tant de dangers, qui avait montré tant de forces d'esprit, fut terrassé par le chagrin qui renaissait pour lui chaque jour.» Saussure wurde ernstlich krank, und weder Arzneien, noch verschiedene Badekuren in Aix, Plombières, rc. vermochten seine Uebel zu heben, sondern im Gegentheile wurde sein Zustand immer leidender, bis er nach vier Jahren ernster Prüfung am 22. Januar 1799 von demselben erlöst wurde. Die allgemeine Trauer um ihn war groß und verdient: Die Gelehrtenrepublik fühlte, daß sie mit ihm eine ihrer größten Zierden, — die Familie und die arbeitende Klasse, daß sie einen vortrefflichen Vater verloren hatten. «La confiance que ses compatriotes avaient dans ses lumières», sagt Senebier, «leur fit rechercher ses conseils sur tout ce qui interessait les sciences et les arts; comme il ne croyait point que son savoir et son expérience lui appartinssent, exclusivement, il se fit un devoir de les rendre utiles à ceux qui pouvaient en avoir besoin; il a souvent interrompu ses études pour entreprendre des recherches difficiles, dans le but unique d'éclairer ceux qui le consultaient. — Il avait une taille haute et bien proportionnée, sa physionomie agréable exprimait avec intérêt les mouvemens de son âme, ses yeux vifs et pénétrans annonçaient l'activité de son esprit et la force de son attention; souvent on lui voyait cet air d'abandon qui gagne la confiance et enchaîne les coeurs. Véritablement éloquent, il exprimait avec la plus grande clarté; il savait donner du mouvement et des couleurs à ses pensées sans nuire à leur transparence; la chaleur de ses sentimens, sa conviction intérieure répandues sur tous ses traits, entraînaient presque malgré eux, ceux qui paraissaient d'abord avoir des idées opposées aux siennes; sa conversation solide et animée était toujours séduisante par la vérité et l'abondance de ses idées comme par la justesse et la vie de ses expressions. — *La mort de Saussure rappellera toujours à Genève l'idée déchirante de la perte qu'elle a faite en lui d'un des plus beaux génies qu'elle ait produit, d'un de ses savans qui l'a le plus illustrée, et d'un des hommes qui s'était le plus constamment employé au bonheur de ses compatriotes.*

Giuseppe Piazzi von Ponte.

1746 — 1826.

Giuseppe Piazzi wurde am 16. Juli 1746 zu Ponte in dem damals Bündnerischen Veltlin von Francesca d'Artaria, der Frau des Bernardo Piazzi geboren[1]). Beide Eltern gehörten wohlhabenden und angesehenen Familien an, und ließen es an nichts fehlen, was ihnen zur Erziehung des Sohnes nothwendig schien. Nachdem Giuseppe in dem Collegium Calchi zu Mailand den ersten Unterricht empfangen, hörte er an der Brera die berühmten Tiraboschi und Beccaria[2]), und trat dann 1764, auf ein von seiner Familie an der Collegiatkirche zu Sondrio gestiftetes Beneficiat verzichtend, in den Orden der Theatiner. Nachher wurde er zu weiterer Ausbildung nach Turin und Rom gesandt, zeigte immer mehr Vorliebe für die mathematischen Wissenschaften, und erwarb sich bald das Zutrauen der P. P. Jacquier und Leseur in so hohem Grade, daß sie ihn zur Verifi-

1) Ich benutze für Piazzi zunächst theils seine, in dem mir durch Herrn Brügger gütigst verschafften «Epitome delle vite di dieci sommi Italiani. Compilate dal Capitano Bernardino Parea, Milano 1826 in fol.» enthaltene Biographie, theils den betreffenden Artikel von De Angelis und Alby in den Suppl. zur Biogr. univ., — dann die periodischen Schriften von Bode, Zach, Schumacher, ꝛc. Einige andere Quellen werde ich bei Anlaß ihrer Benutzung namhaft machen, und füge hier nur noch zwei Bemerkungen bei: Für's erste habe ich zu bedauern, daß mir nur die wenigsten, der schon bei Leben Piazzi's außerordentlich seltenen Werke dieses Mannes vorliegen. Für's zweite habe ich mitzutheilen, daß im 6. Bande der von Lindenau und Bohnenberger herausgegebenen Zeitschrift für Astronomie aus angeblich guter Quelle die Geburt Piazzi's auf den 19. März 1746 gesetzt, und als Mutter Antonia Artaria aufgeführt wird. Letztere Angabe findet sich auch in dem Anhange des zu Sondrio erschienenen «Omaggio poetico pel Centennario natale del chiarissimo P. Giuseppe Piazzi di Ponte addì 16 luglio 1846», wo dagegen der 16. Juli 1746 als Geburtstag festgehalten wird.

2) Letztern wohl erst in Turin.

cation ihrer mathematischen Arbeiten verwendeten. Nach erfolgter Consecration wurde Piazzi 1769 zum Lehrer der Philosophie in einem Kloster in Genua ernannt, war jedoch, da ihn die Dominicaner wegen einigen Thesen zu verfolgen begannen, froh, im folgenden Jahre einem Rufe als Professor der Mathematik an die Universität Malta zu folgen. In dieser Stellung verblieb er jedoch nur zwei Jahre, da der neue Großmeister Ximenes jene hohe Schule aufhob, und wurde sodann zum Professor der Philosophie und Mathematik, sowie zum Director des für die jungen Adeligen in Ravenna bestehenden Collegiums ernannt. Aber auch hier war seines Bleibens nicht, da die Theatiner bald darauf auf die Administration jenes Collegiums verzichteten: Er wurde zunächst als Prediger in Cremona verwendet, und dann als Lector der dogmatischen Theologie in ein Kloster nach Rom versetzt, wo er sich an den P. Barnaba Chiaramonti, den nachmaligen Papst Pius VII., so innig anschloß, daß die gegenseitige Freundschaft bis zum Tode fortdauerte. Im Jahre 1780 entschloß sich endlich Piazzi auf den Rath des P. Jacquier den Lehrstuhl der höhern Mathematik an der Academie zu Palermo zu übernehmen, reformir tedort den Unterricht, und wußte sich binnen Kurzem ein solches Ansehen zu verschaffen, daß, als der den Wissenschaften günstige Ferdinand IV.[3]) bald darauf beschloß in Palermo eine Sternwarte anzulegen, er sofort in Piazzi den Mann erkannte, dem die Direction derselben gebühre. Dieß war der Wendepunkt in dem Leben des bisdahin außer Italien unbekannten Mannes.

Obschon die Schweiz, etwa mit Ausnahme der Genfer-Sternwarte, in früherer Zeit keine Anstalt besaß, auf der die praktische Astronomie in etwas ausgedehnterer Weise betrieben werden konnte, und obschon sich erst in der allerneusten Zeit durch den Bau der schönen Sternwarte in Neuenburg, die Anordnung des Baues einer Sternwarte am eidgenössischen Polytechnicum in Zürich[4]),

---

3) Nach andern Quellen würde das Verdienst mehr dem Vicekönig von Sicilien, dem Fürsten von Caramanico zukommen, den Piazzi für Astronomie zu interessiren wußte.

4) Das Zusammenwirken der Bundesbehörde und der Zürcher-Regierung zum Bau einer neuen Sternwarte für das Polytechnicum wurde theils durch das wirkliche

und die Gründung eines Sternwarte-Fonds für die Basler-Hochschule, die Verhältnisse in dieser Hinsicht etwas günstiger gestaltet haben, übten doch manche Schweizer theils von theoretischer oder literarischer Seite her, theils als Beobachter auf Privatsternwarten oder Directoren ausländischer Observatorien und Expeditionen auf die Entwicklung der Astronomie einen nicht unbedeutenden Einfluß aus; ich erinnere an die Aargauer Haßler und Saxer, die Basler Bernoulli, Euler, Fatio, Grynäus, Huber, Megerlin, Münster, Wenz und Wursteisen, die Berner Graffenried, König, Rosius, Trechsel und Wild, die Genfer Eynard, Gautier, Gringalet, Mallet, Maurice, Pictet und Prevost, den Glarner Zingg, die Luzerner Cysat und Schumacher, den Mühlhauser Lambert, den Neuenburger Reynier, die St. Galler Bürgi und Scherrer, die Schaffhauser Hollander, Rüger, Spleiß und Ulmer, den Schwyzer Paracelsus, den Thurgauer Dasypodius, die Waadtländer Loys de Cheseaux und Molerius[5]), die Zürcher Eschmann, Fäsi, Feer, Geßner, Hirzel, Hirzgarter, Horner, Lavater, Leemann, Scheuchzer,

---

Bedürfniß und das beständige Drängen des Verfassers, theils aber auch dadurch befördert, daß es Letzterm gelang durch Vermittlung seines Jugendfreundes Emil Escher von den Kunz'schen Erben ein Legat für die Sternwarte auszuwirken, und es dürfte daher am Platze sein hier einen kurzen Auszug aus dem Nekrologe von Oberst und Spinner-König Kunz einzurücken, der in der Neuen Zürch. Zeit. vom 16. bis 18. October 1859 erschien: Heinrich Kunz wurde am 4. März 1793 in Oettweil geboren, wo sein Vater ein kleines Bauerngut besaß und die Baumwolltuchfabrikation betrieb. In einem Institut in Männedorf etwas gebildet, trat er als Handelslehrling in eine Baumwollenspinnerei zu Gebweiler im Elsaß, machte sich dort auch mit der Spinnerei bekannt, und ruhte nun nicht bis sein Vater 1811 einige Handspinnstühle aufstellte, deren Betrieb er hierauf selbst übernahm, und sich dann auch das Wasser dienstbar machte. Bald floß der Gewinn reichlich, so daß er es wagen durfte bei Uster eine große Spinnerei zu bauen, — dieser folgten später andere, und schließlich spann er mit circa 150,000 Spindeln, beschäftigte über 2000 Arbeiter, und war der größte Spinner auf dem Continente. Bei seinem Tode am 21. August 1859 hinterließ er ein Vermögen von mehr als 20 Millionen Franken ohne Hinterlassung eines letzten Willens. Seine Erben vergabten zu seinem Andenken ¾ Millionen, darunter 400,000 an eine Irrenanstalt und 25,000 an eine neue Sternwarte.

5) Vergl. III. 245—246. Nach einer mir seither durch Herrn Professor Dufour verschafften Notiz hieß er eigentlich Elie de Molery und war der Sohn eines aus dem Breisgau stammenden Moïse de Molery. «Il était qualifié bourgeois et principal régent du collège de Lausanne lorsqu'il épousa, à Moudon, le 14 Nov. 1594 Marie ff. honorable Jean Valier, châtelain d'Aubonne.»

Schleusinger, Simmler, Wagner und Waser, denen noch manche Andere beigefügt werden könnten, wie z. B. der auch als Theologe und Geschichtsforscher nicht unverdiente Bartholomäus Wägelin von St. Gallen[6]), der eine „Anleitung zum Gebrauch des Globi Armillaris," eine „Kurze Nachricht von den vornehmsten Systematibus der Welt insgemein, und von den Fix-, Irr- und Kometsternen," rc. herausgab, — der Autodidact Ulrich Sturzenegger von Trogen[7]), der sich durch geschickte und unverdrossene Benutzung seiner Mußestunden, von einem einfachen Bauer zu einem ganz kenntnißreichen Mathematiker und Astronomen aufschwang, von 1746 hinweg einen beliebten Kalender herausgab, für welchen er die Finsternisse, rc. selbst berechnete, und später sich ebenfalls selbst eine eigene Buchdruckerei einrichtete, um nicht ferner an fremde Pressen gebunden zu sein, — der ursprünglich von Nimes gebürtige, aber durch seinen Vater, einen flüchtigen reformirten Geistlichen, in Lausanne eingebürgerte und erzogene Antoine Court de Gébelin[8]), welcher später in Paris als königlicher Censor lebte, und dort das als Zeugniß von stupender Gelehrsamkeit bewunderte Werk «Le monde primitif analysé et comparé avec le monde moderne»[9]) ausarbeitete, — rc. Gewiß ist aber, daß bis jetzt kein anderer Schweizer eine nur annähernd so hohe Stufe in der praktischen Astronomie erstieg als Piazzi, mit dessen astronomischen Arbeiten wir uns in dem Folgenden zu beschäftigen haben.

Als Piazzi die Einladung erhielt die Direction der für Palermo beschlossenen Sternwarte zu übernehmen, verlangte er vor Allem aus Urlaub um sich auf fremden Observatorien mit der

---

6) Er lebte 1683 bis 1750, und war von 1740 hinweg Pfarrer, von 1743 hinweg Professor der Geschichte und Theologie in St. Gallen, wo die im Texte erwähnten Schriften 1734 und 1736 erschienen.

7) Er lebte von 1714 bis 1781 XI. 22, und wurde später Rathsherr.

8) Er lebte von 1725 oder 1727 bis 1784 V. 10. Nach Paris ging er 1760 oder 1763, und spielte dort nach Bungener's «Trois Sermons sous Louis XV.» auch als eine Art Central-Agent der Französischen Protestanten eine bedeutende Rolle.

9) Paris 1773—1784, 9 Vol. in 4. Der vierte Band enthält eine «Histoire du Calendrier.»

praktischen Astronomie bekannt zu machen und die nöthigen Instrumente zu bestellen. Sobald ihm derselbe bewilligt war, reiste er nach Paris, und installirte sich daselbst am 28. Januar 1787 bei Lalande, der damals für einen der vorzüglichsten Beobachter gehalten wurde, und ihn überdieß mit Bailly, Delambre, Pingré, ꝛc. bekannt machte. Im folgenden Jahre ging Piazzi nach England, wo er mit Maskelyne, Herschel, ꝛc verkehrte, zu Greenwich die Sonnenfinsterniß vom 3. Juni 1788 beobachtete[10]) und sich mit den Englischen Beobachtungsmethoden genau vertraut machte, namentlich aber viele Zeit bei Ramsden zubrachte, bei dem er in der richtigen Ueberlegung, daß ein Vollkreis dem damals noch fast allgemein gebräuchlichen Monstre-Quadranten weit vorzuziehen sei, einen 5füßigen Verticalkreis bestellt hatte, der über einem 3füßigen Azimuthalkreis aufgestellt, und wie dieser mit mikroskopischer Ablesung versehen werden sollte. Ramsden war ein ebenso sonderbarer als talentvoller Mann, und hatte so z. B. die Schwäche jede Bestellung anzunehmen, wenn er auch nicht daran denken konnte sie auszuführen; es wird erzählt, daß er alle Bestellungen in ein Buch eingetragen habe, dieses aber schon bis zur Hälfte angefüllt gewesen sei, ehe er nur alle auf der ersten Seite verzeichneten Instrumente abliefern konnte. Wäre es Piazzi nicht gelungen Ramsden für sich einzunehmen, und speziell seinen Ehrgeiz dadurch zu kitzeln, daß er in das Journal des Savans in Form eines Briefes an Lalande eine Lobrede auf den großen Englischen Künstler und seine Arbeiten einrücken ließ, er hätte wohl auch ohne sein Instrument nach Sizilien zurückkehren können; so aber brachte er es zuwege, daß er schon im Sommer 1789 nicht nur seinen großen Verticalkreis, sondern noch ein Passageninstrument und mehrere Hülfsapparate abgeliefert erhielt, und sie nach Palermo einschiffen konnte. Er selbst kehrte nach Frankreich zurück, und kam bei dieser Gelegenheit,

---

10) Piazzi stellte die Greenwich'er Beobachtungen mit denen anderer Observatorien zusammen, und so entstand seine in den Phil. Trans. von 1789 publicirte Abhandlung «Result of calculations of the observations made at various places of the eclipse of the Sun, which happened on Juni 3, 1788.»

wie Zach erzählt[11]), „gerade zu der Zeit nach Calais, wo die drei von der Regierung beauftragten Astronomen Cassini, Méchain und Legendre mit der bekannten trigonometrischen Verbindung der beiden Sternwarten Paris und Greenwich beschäftigt waren, wozu man sich französischer Seits des Borda'schen Multiplications-Kreises, eines damals noch ganz neuen und wenig bekannten Instruments, bediente. Sehr wünschte Piazzi jener Operation beiwohnen zu dürfen, allein die genannten drei Astronomen glaubten diesen Wunsch nicht gewähren zu sollen, und Méchain übernahm den Auftrag, ihn unter dem Vorwand, daß jene Operation eine von dem Gouvernement veranstaltete sei, zu der man keinen Fremden zulassen dürfe, zurückzuweisen. Die Empfindlichkeit die bei Piazzi auch späterhin wegen dieses sonderbaren Benehmens gegen Méchain zurückblieb, war wohl sehr natürlich." In Paris scheint sich Piazzi dann auch nicht mehr lange aufgehalten zu haben, da er schon am 4. September 1789 in Palermo anlangte, wo er seine Instrumente, aber noch keine Vorbereitungen zu ihrer Aufstellung vorfand. Letztere wurden erst im folgenden Jahre unter seiner Leitung auf einem Thurme des königlichen Palastes getroffen; aber nun mit solcher Energie, daß schon am 11. Mai 1791 die regelmäßigen Beobachtungen in dem neuen Uranientempel beginnen, und bereits im Laufe von 1792 ihre ersten Resultate nebst einer Beschreibung des Observatoriums publicirt werden konnten[12]). Piazzi betrachtete übrigens diese erste Beobachtungsreihe, aus der er unter Anderm die Breite seiner Sternwarte und die mittlern Refractionen mit großer Schärfe herleitete, nur als eine Vorbereitung zu einer großen Arbeit, welche er sich als Lebensaufgabe gesetzt hatte, — zu einer Revision des Himmels. Er brachte dieselbe in den folgenden 10 Jahren so weit zum Abschlusse, daß er 1803 seinen ersten

---

11) Monatl. Corresp. Jan 1810.

12) »Della specola astronomica di Palermo libri quattro. Palermo 1792 in fol.« Zwei folgende Bücher erschienen 1794 und 1806, und befaßten sich theils mit dem von Piazzi's Gehülfen Cariotti am 10. Jan. 1793 entdeckten Kometen 1792 II., theils mit den von Piazzi aus seinen eigenen Beobachtungen abgeleiteten Elementen für neue Sonnentafeln, theils mit den unten zu besprechenden Fundamentalsternen, 2c.

Sterncatalog herausgeben konnte[13]), über dessen Bedeutung sich 1810 einer der competentesten Zeitgenossen, der Baron von Zach, in folgenden Worten ausließ: „An Größe, Ausdehnung und Genauigkeit, vorzüglich in Hinsicht der Declinationen, läßt dieser Sterncatalog alle andern weit hinter sich zurück. Die La Lande'schen Verzeichnisse enthalten zwar noch eine größere Anzahl von Sternen, allein eines Theils sind sie noch nicht sämmtlich reducirt, dann auch oft nur durch eine einzige Beobachtung bestimmt, während Piazzi's Angaben durchgängig auf den genau reducirten Resultaten aus mehreren Beobachtungen beruhen. Es ist und wird vielleicht das größte astronomische Werk bleiben, was das gegenwärtige Jahrhundert aufzuweisen hat[14]). Die Zahl der darin enthaltenen Stern-Positionen beläuft sich auf 6748. Von diesen kommen 1118 in Wollaston's und 969 in La Lande's Stern-Verzeichnissen vor, die übrigen sind ganz neu bestimmt. Die Einleitung zu diesem Werk enthält interessante Erörterungen über alle ältere und neuere Stern-Verzeichnisse, eine Untersuchung über Präcession, über scheinbare Größe der Sterne, Vergleichungen seiner Sternbestimmungen mit denen früherer Astronomen, und besonders eine sehr lehrreiche Darstellung aller Vorzüge und Mängel des hauptsächlich zu Entwerfung dieses Stern-Verzeichnisses gebrauchten fünffüßigen Kreises. Das sehr prächtig, und wahrscheinlich auf Kosten des Königs gedruckte Stern-Verzeichniß selbst enthält allemal auf zwei Folio-Seiten 20 Sterne, die nach ihren geraden Aufsteigungen geordnet sind Für jeden Stern sind 16 Rubriken vorhanden. Die eine Seite enthält in 9 Columnen Namen, Buchstaben und Größe der Sterne, dann gerade Aufsteigung in Zeit und Bogen, Abweichung, jährliche Aenderung in Rectas-

---

13) Praecipuarum stellarum inerrantium positiones mediae, ineunte seculo XIX ex observationibus habitis in specula Panormitana ab anno 1792 ad annum 1802. Panormi 1803 in fol.

14) Wenn auch jetzt, nach den großartigen Arbeiten der Bessel, Struve, Argelander, rc., dieses Urtheil nicht mehr in gleicher Form gefällt werden dürfte, so hatte es doch zu jener Zeit vollen Sinn, — und eine Arbeit muß immer von einem gleichzeitigen Standpunkte aus beurtheilt werden.

cension und Declination und Zahl der Beobachtungen, wodurch der Sternort bestimmt wurde. Die zweite Folioseite in 7 Rubriken, gibt die Vergleichung der Piazzi'schen Bestimmungen in Rect. und Decl. mit Flamsteeds, de la Caille und Mayers Stern-Verzeichnissen, und in einer besondern Columne verschiedene Bemerkungen über Doppel-Sterne, eigne Bewegung, ꝛc. Ein Supplement enthält Untersuchungen über vermißte Sterne und eigne Bewegung, nebst Rectificationen früherer Bestimmungen. Wir haben diese den Astronomen längst bekannten Details aus dem Grunde ausgehoben, um unsern Lesern einen Begriff von der ungeheuern Arbeit zu geben, die dieses Werk gekostet haben muß. Bessere Ausbildung und Fortschritte in unserer Sonnen-, Monds- und Planeten-Theorie, werden wir zum größern Theil diesem Werke verdanken, geographische Ortsbestimmungen werden dadurch gesichert und erleichtert; nicht leicht wird ein heller Abend vergehen, wo der Beobachter nicht in diesem Werk Hülfe und Rath suchen müßte, und man kann mit Recht behaupten, daß durch dieses Stern-Verzeichniß, was dem Astronomen noch unentbehrlicher als logarithmische Tafeln ist, Piazzi sich und der sicilianischen Astronomie ein wahrhaft unvergängliches Denkmal gestiftet hat. Nur die wenigsten Freunde der Wissenschaften, die gerade nicht selbst an numerischen Rechnungen eignen Antheil nehmen, ahnen es, was für eine Masse von Arbeiten in einem Werk enthalten ist, was wie das vorliegende Stern-Verzeichniß nichts als End-Resultate enthält, und in der Ueberzeugung, daß es diesen angenehm sein muß, eine solche Arbeit richtig würdigen zu können, wollen wir es versuchen, das Detail einer Sternbestimmung in gedrängter Kürze hier anzugeben. Die Bestimmung zerfällt in Beobachtung und Rechnung. Der Ort eines Sterns wird erhalten durch gerade Aufsteigung und Abweichung. Piazzi beobachtet die erstern am Mittags-Fernrohr, die letztern am Kreis. Da alle Bestimmungen nicht auf einer, sondern auf wiederholten Beobachtungen beruhen, so wollen wir annehmen, daß jedes Resultat auf 5 Beobachtungen beruhte. Jede Beobachtung am Passageninstrument, erfordert außer der Bezeichnung des Sternes noch das Aufschreiben von 12—16 Zahlen, die Decl. 8—10. Wegen atmosphärischer Correction der Refraction muß ferner Baro- und Thermometer-Stand notirt werden, und wir können daher ohne Hinsicht auf die zu absoluter Zeitbestimmung, zu Berichtigung des Instrumentes, &c. erforderlichen andern Beobachtungen annehmen, daß jede isolirte Sternbeobachtung wenigstens einen Zeitraum von 4 Minuten, und hiernach die fünfmalige Beobachtung 20 Minuten erfordert. Die unmittelbare Beobachtung allein aller 6748 Sterne nahm also einen Zeitraum von 2250 Stunden weg. Rechnet man ferner die mit Stellen des Instrumentes, mit Ablesen, und während der nothwendigen Beobachtungs-Intervalle verbrachte Zeit, so kann sehr füglich für die ganze zu Beobachtung jener Sterne erforderliche Zeit das dreifache oder 6748 Stunden angenommen werden. Mehr als 180 beobachtungsfähige Nächte können im mittlern Durchschnitte auf ein Jahr nicht gerechnet werden, und macht man dann die gewiß starke Annahme, daß jede Nacht fünf Stunden beobachtet werde, so erforderte die bloße Beobachtung der in jenem Sterncatalog enthaltenen 6748 Sterne, eine ununterbrochene Arbeit während 1350 heitern Tagen, die also nach der obigen Voraussetzung nur in einem Zeitraum von beinahe acht Jahren vollendet werden konnte. Noch zeitraubender sind die zu Verfertigung eines solchen Stern-Verzeichnisses erforderlichen Rechnungen. Die Beobachtung gibt nur den scheinbaren Ort, das Verzeichniß den mittlern, und jener muß daher auf diesen mittelst Anbringung der gehörigen Correctionen wegen Vorrückung der Nachtgleichen, Abirrung des Lichtes und Schwanken der Erdaxe reducirt werden. Da für nahe an einander liegende Beobachtungen dieselbe Reduction beibehalten werden kann, so wollen wir annehmen, daß für jeden Stern diese zweimal zu rechnen ist. Zu den vorher erwähnten Reductionen kömmt noch Correction der Decl. wegen Refraction hinzu, und rechnet man ferner alle die Untersuchungen, die bei jedem Stern durch die oben angegebenen 16 Rubriken nothwendig werden, und endlich die unvermeidlichen Rechnungs-Irrungen, Sternverwechslungen, &c., hinzu, so ist die Annahme, daß für jeden Sternort, völlig so reducirt und verglichen, wie er in jenem Stern-Verzeichnisse angegeben ist, ein und eine halbe Stunde erforderlich gewesen ist, gewiß noch zu gering. Hiernach erforderte die Reduction aller 6748 Sterne über 10000 Stunden; und nehmen wir, da für die Beobachtung täglich 5 Stunden gerechnet wurden, für die Rechnung deren 6 täglich an, so konnte die Arbeit nur in einem Zeitraum von beinahe 5 Jahren vollendet werden. Nach einem sehr mäßigen Ueberschlag finden wir, daß die ganze Bearbeitung dieses Stern-Verzeichnisses wenigstens das Niederschreiben von 30 Millionen Zahlen gekostet haben muß. Wer lernt nicht bei dieser kurzen Uebersicht, die wir von Piazzi's Arbeit gegeben haben, dessen Werk bewundern? Tage, Wochen, einen Monat lang angestrengt arbeiten, das können alle Menschen; aber Jahre lang mit rastloser ununterbrochener Thätigkeit seine ganze Zeit immer nur einer und derselben Arbeit weihen, das erfordert mehr Kraft und Enthusiasmus für die Wissenschaft, als dem größern Theil des Menschengeschlechts gewöhnlich zu Theil zu werden pflegt." Piazzi's Arbeit wurde auch von allen Astronomen mit Dank und Bewunderung aufgenommen und von der Pariser-Academie gekrönt; aber nichts desto weniger hielt er sie nicht für abgeschlossen, sondern entschloß sich die Grundlagen derselben noch einmal zu prüfen. Bis dahin hatte er nämlich die von Maskelyne bestimmten Rectascensionen von 36 Fundamentalsternen seinem Kataloge zu Grunde gelegt, aber dabei gefunden, daß sich kleine Differenzen ergeben, je nachdem er von dem einen oder andern jener Sterne ausgehe. Dieß veranlaßte ihn in Verbindung mit seinem ausgezeichneten Schüler und Gehülfen Nicolò Cacciatore selbstständig eine Reihe directer Vergleichungen zwischen Sternen und der Sonne vorzunehmen, und so ergab sich schließlich eine Reihe von 120 Fundamentalsternen, und diese legte er einem neuen Sterncataloge zu Grunde, welchen er 1814 publicirte, ihn zugleich auf 7646 Sterne ausdehnend[15]). Auch diese neue Arbeit hatte sich einer ausgezeich-

15) Praecipuarum stellarum inerrantium Positiones mediae ineunte saeculo XIX ex observationibus habitis in Specula Panormitana 1792—1813. Panormi 1814 in 4.

neten Aufnahme zu erfreuen, und wurde von der Pariser-Academie mit der von Lalande gegründeten Medaille bedacht. Es mag noch beigefügt werden, daß durch die verdienstvollen Bemühungen des jüngern Littrow in den letzten Jahren die Original-Beobachtungen Piazzi's veröffentlicht worden sind[16]), welche nicht nur das seinen Katalogen zu Grunde liegende Material, sondern auch eine große Menge der für sie nicht benutzten Beobachtungen von Fixsternen, Planeten, Kometen, Finsternissen, rc. enthalten.

Um die Darstellung der Hauptarbeit Piazzi's nicht zu unterbrechen, ist bis jetzt von einer durch sie veranlaßten Entdeckung nicht gesprochen worden, durch die der Name unsers Landsmannes ganz besonders populär geworden ist, — von der Entdeckung der Ceres. Als nämlich Piazzi am 1. Januar 1801 den von La Caille in seinem Cataloge der Zodiakalsterne unter Nr. 87 verzeichneten Stern des Stiers beobachten wollte, sah er demselben einen Stern achter Größe vorausgehen, und als er an den folgenden Abenden nach seiner Gewohnheit die Beobachtung wiederholte, bemerkte er, daß der kleine Begleiter seine Stellung gegen den Stern merklich verändert hatte. Es blieb also kein Zweifel übrig, daß da ein neuer Wandelstern vorliege, — sei es ein Planet, oder ein Komet. Natürlich setzte Piazzi seine Beobachtungen fort, so lange es die immer störendere Annäherung an die Sonne und seine schwankende Gesundheit erlaubte, — dagegen versäumte er allerdings nach unsern gegenwärtigen Begriffen eine sofortige Anzeige seiner Entdeckung an andere Astronomen zu machen, damit auch diese die Beobachtungen aufnehmen können[17]). Erst nach Mitte Januar (Jan. 23. und 24.) machte er an Oriani und Bode Mittheilung von seinem Funde, denselben zunächst als Kometen bezeichnend, aber doch in ersterem Briefe beiläufig bemerkend, es könnte vielleicht noch eher ein Planet

16) Storia celeste del R. Osservatorio di Palermo dal 1792 al 1813. Vienna 1845—1849, 2 Vol. (Annalen der Wiener-Sternwarte Bd. 24—32) in 4.

17) Piazzi selbst gab über seine Entdeckung zwei Schriften heraus: »Risultati delle osservazioni della nuova stella scoperta il primo gennajo 1801 nell' osservatorio di Palermo, Palermo 1801 in 4, — Della scoperta del nuovo pianeta Cerere Ferdinandea, Palermo 1802 in 8.« Von der erstern Schrift gab Seyffer 1801 zu Göttingen eine deutsche Ausgabe heraus.

sein, — aber also doch immerhin spätestens drei Wochen nach der Entdeckung, und auch diese kleine Verzögerung hatte ihren Grund in Zufälligkeiten und keineswegs in einer Geheimniß-krämerei Piazzi's, wie uns folgendes Schreiben Dr. Thomson's beweist. «On fait Piazzi bien du tort dans quelques feuilles Anglaises», schrieb er am 10. November 1801 aus Neapel an Pictet, «en disant qu'il a tenu cette découverte secrète pendant six semaines pour en conserver à lui seul toute la gloire. Cela est faux — j'étois alors auprès de lui, et je puis témoigner que non-seulement il en parla à tous ses amis mais qu'il leur communiqua même son soupçon avant qu'il l'eût converti en certitude. L'annonce de cette découverte parut dès les premiers jours dans la gazette de Palerme. Je me fais un plaisir de justifier un de vos presque compatriotes (il est Grison) auprès de vous, qui lisez plus souvent les papiers Anglais que la gazette de Palerme.» Ebensowenig verschuldete natürlich Piazzi die damalige schlechte Briefspedition in Folge welcher Bode seinen Brief erst am 20. März, Oriani den seinigen sogar erst am 5. April erhielt, — also beide zu einer Zeit, wo es schon ganz unmöglich geworden war den neuen Wandelstern am Himmel aufzufinden. Immerhin schöpften Oriani und Bode aus den Piazzi'schen Beobachtungen die feste Ueberzeugung, daß hier kein Komet, sondern ein Planet vorliege, — und zwar ein Planet, der zwischen Mars und Jupiter einzureihen sei, also die Lücke ausfülle, auf welche schon Titius aufmerksam gemacht hatte[18], und welche Schröter, Zach, rc. im Jahre 1800 veranlaßte eine Gesellschaft zu constituiren, um unter den telescopischen Sternen des Thierkreises nach einem Planeten zu suchen, oder, wie Quetelet sich einst ausdrückte, «à chercher une aiguille dans une botte de foin.» Ehe jedoch ihre Ansicht in's Publikum drang, fand der nachmals berühmte Philosophe Hegel gerade noch Zeit zu Jena eine Habilitations-Dissertation auszugeben[19]), in der er mit philosophi-

---

18) Vergl. III. 283.

19) Dissertatio philosophica de orbitis planetarum. Ienae 1801 in 8.

scher Gründlichkeit nachwies, daß eigentlich zwischen Mars und Jupiter gar keine Lücke vorhanden sei, — und zwar so schlagend, daß der gelehrte Herzog Ernst II. von Sachsen-Gotha die Hegel'sche Schrift mit dem Ehrentitel schmückte: Monumentum insaniae saeculi decimi noni[20]). Gewiß wäre es übrigens Hegel leichter geworden seine Gründe gegen in Gründe für den Planeten umzuwandeln, als es den Astronomen wurde den Planeten wieder am Himmel aufzufinden: Der in den Piazzi'schen Beobachtungen vorgelegte Bogen der Bahn war so klein, daß die damals bekannten Methoden für ihre Berechnung sich als unzureichend erwiesen, und keine etwas sichere Ephemeride berechnet werden konnte, um die Auffindung zu vermitteln, — und wenn nicht schließlich der unvergleichliche Gauß neue Methoden entwickelt hätte, die er später in seiner classischen Theoria motus weiter ausführte, so wäre muthmaßlich Piazzi's Wandelstern wieder ganz verloren gegangen. So aber gelang es Gauß die Stelle des Himmels ziemlich genau zu bezeichnen, wo man zu suchen hatte, und wirklich fanden nun nicht nur Zach am 7. December 1801, und Olbers am 1. Januar 1802 den flüchtigen Stern wieder auf, sondern es wurde möglich in der Folge aus den Beobachtungen der verschiedenen Sternwarten eine so schöne Reihe zusammen zu stellen, daß Gauß nachträglich eine genaue Bahn berechnen konnte, durch welche Piazzi's Planet definitiv in jene scheinbare Lücke zwischen Mars und Jupiter eingereiht wurde. Piazzi, der das Verdienst von Gauß aufrichtig anerkannte, und unter Anderm an Zach schrieb: «Faites, je Vous en prie, mes complimens et mes remercimens à Mr. Gauss, qui nous a épargné beaucoup de peine et de travail, et sans lequel peut être il ne m'aurait réeussi de vérifier ma

20) Vergleiche die von Aug. Beck herausgegebene Schrift „Ernst der Zweite, Herzog zu Sachsen-Gotha und Altenburg, als Pfleger und Beschützer der Wissenschaft und Kunst, Gotha 1854 in 8." — Es mag hier erwähnt werden, daß der vortreffliche Herzog Ernst (1745—1804) ein großer Freund der Schweiz war, sich schon 1768 bei Diderot unter dem Namen „Herr Ehrlich aus der Schweiz" einführte, ja später wiederholt daran dachte zu resigniren und sich in die Schweiz zurückzuziehen. Den Besuchern des Rigi ist die oberhalb dem Klösterli seinem Andenken gewidmete Tafel bekannt.

découverte», wünschte seinen Planeten Ceres Ferdinandea zu nennen, während ihn z. B. Bonaparte, der sich sehr für die Entdeckung interessirte, Juno geheißen wissen wollte, Lalande aber, der auch Uranus immer als die Planète d'Herschel bezeichnete, auf dem Namen Piazzi bestand. Obschon aber Letzterer mit der ihm eigenthümlichen Anmaßung an Zach schrieb: «Je ne consentirai jamais à ôter à cette planète le nom de mon élève *Piazzi*, pour y mettre *Ceres*, qui n'est rien pour moi. Les divinités payennes étaient quelquechose autrefois, ce n'est plus rien aujourdhui. Les noms avaient quelques fondemens, ils n'en ont plus du tout», — wurde dennoch schließlich die vom Entdecker vorgeschlagene und zu den frühern Planetennamen passende Bezeichnung allgemein angenommen, — der Name Juno aber später dem zweiten der drei Gefährten zugelegt, die Ceres in den Jahren 1802 bis 1807 durch Olbers und Harding erhielt, während der erste und dritte Pallas und Vesta genannt wurden. Wenn schon Zach in Anerkennung der Folgen der Piazzi'schen Entdeckung ausrief: «Sans Céres point de Pallas, de Junon, de Vesta», — so haben wir jetzt, wo durch die Entdeckungen der letzten Dezennien der merkwürdige Asteroiden-Ring zwischen Mars und Jupiter für uns zu Tage getreten ist, mit doppelter Dankbarkeit an den Mann zurückzudenken, durch dessen beharrliche Arbeit der erste Grund zu dieser neuen Erkenntniß gelegt worden ist, zumal wir dadurch auch an dessen seltene Bescheidenheit[21]) und Liebe zu der Wissenschaft

---

21) Ein Zeugniß für Piazzi's Bescheidenheit legt auch der Umstand ab, daß er nie erlauben wollte sein Porträt aufzunehmen, und daß dieses förmlich erschlichen werden mußte, indem, wie in der Note 4 erwähnten Zeitschrift berichtet wird, Piazzi's Gehülfe Giuseppe Pilati einen jungen Maler Farina unter verschiedenen Vorwänden wiederholt zu ihm führte, bis es diesem gelungen war die Züge des berühmten Astronomen ganz naturgetreu festzuhalten. Ueber das Bild selbst, das in London gestochen worden sein soll, wird gesagt: „Piazzi sitzt in diesem Bilde an seinem gewöhnlichen Schreibtische; links sieht man seine Bände über die Palermo-Sternwarte, rechts die Tafeln der Maaße und Gewichte, den Plan von Palermo, das Leben von Ramsden, ꝛc. Dicht neben ihm steht die Himmelskarte, und während er in tiefes Nachdenken versunken sitzt, und sein Zeigfinger auf der Stelle des Stieres, wo er die Ceres entdeckte, ruhen zu wollen scheint, zeigt sich ihm Urania, die ihn aus seinem Staunen weckt, indem sie auf die Ceres deutet, welche in der

erinnert werden; denn als Piazzi erfuhr, daß König Ferdinand zu Ehren von dieser Entdeckung die Prägung einer goldenen Medaille anordnen wolle, erbat er sich, daß dieß unterbleibe und der Werth des Schaustückes auf Anschaffung eines Equatorials für die Sternwarte verwendet werde.

Noch könnte von verschiedenen andern wissenschaftlichen Arbeiten Piazzi's gesprochen werden, von der eine kurze Geschichte der Astronomie enthaltenden Rede, mit der er 1790 seine astronomischen Vorlesungen eröffnete[22]), — von dem durch ihn entworfenen Lehrbuche der Astronomie[23]), — von seinen Beobachtungen der Kometen von 1807 und 1811[24]), welche wohl Bode's Behauptung[25]) etwas entkräften, Piazzi habe die Beobachtung der Kometen stets für etwas Nutzloses angesehen, — von mehreren wichtigen Abhandlungen über die Präcession, die Länge des tropischen Jahres, die eigene Bewegung und die Parallaxe der Fixsterne, ꝛc., welche er den Mailänder-Ephemeriden, den Memoiren des Italienischen Institutes, ꝛc. einrückte, — von der durch ihn ausgeführten Reform des Sicilianischen Maaß- und Gewichtssystemes[26]), — von der durch ihn eingeleiteten, aber nicht mehr vollendeten Vermessung Siciliens, — ꝛc.; aber das Vorstehende dürfte genügen die wissenschaftliche Bedeutung Piazzi's

---

Ferne aus ihrem von Schlangen gezogenen Wagen hinauszustreben scheint, um sich dem Astronomen zu offenbaren." Ich habe dieß Bild nie gesehen, sondern kenne nur das von Zach im 21. Band s. Corresp. gegebene Brustbild, und eine Art Büstenbild, welches in dem Note 1 erwähnten Epitome vorkömmt.

22) Discorso recitato nell' aprirsi la prima volta la cattedra d'Astronomia. Palermo 1790 in 4.

23) Lezioni elementari di astronomia all' uso del regio osservatorio di Palermo. Palermo 1817, 2 Vol. in 8. — Eine Deutsche, mit einigen Zusätzen versehene, und mit einem Vorwort von Gauß gezierte Ausgabe, gab Joh. Heinrich Westphal 1822 zu Berlin.

24) Ueber den letztern Kometen schrieb er eine eigene Abhandlung «Della Cometa di 1811, Palermo 1812 in 8», welche er dem Prinzen Leopold widmete, der den Kometen zuerst gesehen und der Sternwarte verzeigt hatte. Er soll darin die Ansicht verfechten, daß die Kometen eine den Feuerkugeln entsprechende Natur haben, und den Planeten weder an Alter, noch an Dauer gleich kommen.

25) Siehe dessen Jahrbuch auf 1829.

26) Sistema metrico per la Sicilia, Palermo 1808 in 8. — Codice metrico siculo diviso in due parti, Catanea 1812 in 4. — Etc.

zu charakterisiren, und ich glaube vorziehen zu sollen, zum Schlusse noch einiges über Piazzi's späteres Leben und seine Persönlichkeit mitzutheilen. Vor Allem mag der Anhänglichkeit gedacht werden, welche Piazzi für sein zweites Vaterland hegte, und die sich ganz besonders im Jahre 1802 zeigte, wo ihn Oriani in höherm Auftrage anzufragen hatte, ob er einen höchst ehrenvollen und vortheilhaften Ruf als Director der Sternwarte in Bologna annehmen würde. „So sehr mich einerseits Ihr verbindlicher Brief vom 29. November erfreut hat", antwortete Piazzi[27]) am 24. Dezember 1802 aus Palermo seinem Freunde, „so sehr hat er mich auf der andern Seite mit Betrübniß erfüllt. Sie zeigen mir die schönste Gelegenheit und die anlockendste Aussicht, meine Tage auf die ruhigste, glücklichste und ehrenvollste Weise im Schooße meines Vaterlandes zu verleben. Ja, theuerster Freund, ich fühle ganz das Ruhmvolle und alle die Vortheile, die mir ein solcher Ruf gewähren wird, und ich erkenne hieraus die Größe Ihrer mir unschätzbaren Freundschaft; allein aus Pflicht und aus Dankbarkeit muß ich Ihnen, wiewohl mit schwerem Herzen, eine abschlägige Antwort geben. Die Palermer Sternwarte ist mein Werk; es ist aber noch nicht zu seiner Vollständigkeit gediehen, denn ich erwarte aus London einen Aequatorial-Sector und aus Paris einen Bordaischen Kreis. Verlasse ich meine Sternwarte, so ist alles verloren und vielleicht die Astronomie in Sicilien auf immer dahin; denn diese Wissenschaft hat hier zu Lande noch keine tiefen Wurzeln geschlagen. Auf der andern Seite hat der König mich stets ausgezeichnet, geehrt und belohnt. Ich will Ihnen nur einen Zug von ihm erzählen, der aus meinem Herzen unvertilgbar sein wird. Als der König ganz unversehens von Neapel hieher kam, so wurde jedermann ohne Ausnahme, selbst der Vicekönig, aus dem Palazzo delogirt; ich allein behielt meine Wohnung und alle Stuben, die ich bewohnte, auf seinen ausdrücklichen und schriftlichen Befehl. Wie sollte ich je eine solche Behandlung vergessen, mit Undank vergelten und sie meinen eigenen

27) S. Zach's monatl. Correspondenz, Band 7.

Vortheilen aufopfern können. Sie selbst, ich bin es versichert, mein verehrungswürdigster Freund, würden jeden andern Entschluß mißbilligen, und ich müßte befürchten, mich dadurch Ihrer Freundschaft, mit welcher Sie mich so ausgezeichnet beehren, unwürdig zu machen."

Piazzi blieb auch Sicilien treu, als ihn Murat nach Neapel berief, um dort den Bau einer Sternwarte zu leiten und ihr neben derjenigen von Palermo vorzustehen. Wohl ordnete er das Nöthige an[28]), übergab dann aber die unmittelbare Leitung seinem Zöglinge Cacciatore und kehrte nach Palermo zurück, um dort thätigen Antheil an den Arbeiten einer Commission zu nehmen, die den öffentlichen Unterricht in Sicilien zu ordnen hatte. Nichtsdestoweniger sollte er in Neapel sterben: Er war Ende 1825 oder Anfang 1826 dahin gereist um eine das Maaß und Gewicht betreffende Vorlage zu machen, und, vielleicht in Folge dieser für einen 80jährigen Mann doch immerhin anstrengenden Reise, krank geworden. Scheinbar erholte er sich bald wieder, so daß Biela noch am 7. Juni 1826 aus Neapel an Bode schrieb, er sei wieder ganz genesen, beifügend: „Piazzi ist im 81. Jahr, aber nur ein Greis an Körper, sein Geist ist noch immer jugendlich." Allein kurze Zeit darauf erkrankte er neuerdings, verlangte nach den Tröstungen der Religion, welche ihm ein alter Freund, der Erzbischof Capece-Latro von Tarent, gab, und starb am 22. Juli 1826. Die Weise, mit der die Kunde von dem Hinschiede des verehrten Greisen im In- und Auslande aufgenommen wurde, entsprachen dem großen Ansehen, das er bei Leben genoß. «Ce savant jouissait,» liest man in der Biographie universelle, «d'une considération légitimement acquise par ses immenses travaux. *Delambre a dit, que l'astronomie lui devait plus qu'à tous les astronomes depuis Hipparque jusqu'à nos jours.* Piazzi était directeur-général des observatoires de Naples et de Palerme, membre de la commission de l'instruction publique en Sicile, président de l'Académie des sciences

28) Vergl. s. «Ragguaglio dell osservatorio di Napoli eretto sulla collina di Capodimonte, Napoli 1824 in 4.»

de Naples, membre de celle de Turin, Goettingue, Berlin, Saint-Pétersbourg, et *associé étranger de l'Institut de France*, de la Société royale de Londres, membre ordinaire de la Société italienne, correspondant de l'Institut de Milan, etc. Doué d'une imagination ardente et d'un esprit pénétrant, il a souvent trouvé, par la force seule de sa pensée, des vérités qui ne semblaient devoir être que le fruit d'une longue expérience. Ces avantages, joints à une patience inaltérable dans le travail, expliquent les progrès vraiment extraordinaires qu'il fit faire à la science. Dans les relations de la vie privée, il était d'une franchise un peu rude, visiblement ombrageux et sujet à des accès de colère qui, une fois passés, ne laissaient point de trace. Il s'épanchait difficilement dans la conversation; mais, quand cela lui arrivait, sa figure pâle, maigre et commune, brillait tout-à-coup du feu de l'inspiration et ses yeux s'animaient d'un éclat inusité. — Les dernières dispositions de Piazzi furent une nouvelle preuve de son amour pour la science: il légua sa bibliothèque et ses machines à l'observatoire de Palerme, en y ajoutant une somme annuelle pour l'entretien d'un élève.»

Karl Ulysses von Salis-Marschlins.

1760—1818.

Karl Ulysses von Salis wurde am 28. September 1760 auf dem Schlosse Marschlins in Bünden von Barbara Nicola von Rosenroll, der Frau des Ulysses von Salis, des nachmaligen Französischen Ministers in Bünden, geboren[1]). Vater Ulysses, am 25. August 1728 geboren, war der älteste Sohn des 1795 im Alter von 98 Jahren zu Marschlins verstorbenen Johann Gubert Rudolf von Salis, der bis 1712 Besitzer der damals an General Werdmüller übergegangenen Herrschaft Elgg war, und als solcher das Bürgerrecht von Zürich besaß, — studirte in Basel Philologie, Geschichte und Recht, — ging dann auf Reisen und hielt sich namentlich in den Niederlanden längere Zeit auf[2]). Von 1749 an trat er in den Staatsdienst, — vertrat wiederholt sein Hochgericht am Bundestage, — war Podestat von Tiran in Veltlin, — half bei den Grenzbereinigungen gegen die Lombardei, rc., — hatte aber auch frühe große Anfeindungen zu erleiden, und nahm hauptsächlich um sich vor den-

---

1) Ich benutze für Salis außer den dürftigen Notizen in Holzhalb, Meißner, Lutz, rc und einigen wenigen mir von Herrn Brügger aus dem Familien-Archive verschafften Notizen, hauptsächlich seine Werke, die Briefe Steinmüllers an Linth-Escher, rc. Weder sein, lange Jahr vor und nach seinem Tode beständig landesabwesender Sohn, der noch lebende und als Botaniker nicht unverdiente Ulysses Adalbert von Salis-Marschlins (1795 geb.), noch andere Bündner, an welche ich mich wandte, wußten mir Näheres mitzutheilen. — Die Mutter Rosenroll starb 1793. — Als Geburtstag von Salis wird sonst häufig 1762 IX. 28 angegeben; ich glaube jedoch der Angabe aus dem Familien-Archive folgen zu sollen.

2) Ich benutze für Vater Salis hauptsächlich die Biographie, welche der Sohn Karl Ulysses dem von ihm herausgegebenen dritten Bändchen der „Bildergallerie der Heimwehkranken, Zürich 1798—1802, 3 Bde. in 8° des Vaters beifügte. Die in neuerer Zeit von Mohr gegebene Biographie habe ich nicht gesehen.

selben sicher zu stellen, 1768 die Stelle eines k. Französischen Ministers in Bünden an. Als 1773 die sog. Reichenauer-Convention dem Lande Ruhe brachte, wirkte Salis für Verbesserung der Straßen, für Einführung des neuen Kalenders, rc., und führte daneben die Oeconomie der von Planta und Nesemann geleiteten Erziehungsanstalt, welche er schon 1771 in sein Schloß aufgenommen hatte[3]). Durch den Tod Planta's, den ihm von Basedow empfohlenen Bahrdt, rc. fiel die Anstalt 1777, nachdem Salis einen bedeutenden Theil seines Vermögens dem philantropischen Zweck geopfert. Salis zog nun mit seiner Familie nach Castion ins Veltlin, wo er einen Sumpf austrocknete, die Rebgelände wieder in Ordnung brachte, rc. Als zwischen Veltlin und Bünden Streitigkeiten ausbrachen, wurde er in dieselben verwickelt, — dann folgten die Streitigkeiten zwischen Frankreich und Oesterreich, und er sah ein, daß er seinem Vaterlande schuldig sei, die ihm von Frankreich zugemuthete Rolle nicht zu spielen und seine Stelle als Minister niederzulegen. Nun gingen die Intriguen gegen ihn wieder los, — er wurde 1794 verbannt, und ging hierauf nach Zürich, wo er bei Höngg Landwirthschaft trieb. Unterdessen wurden 1797 alle Güter der Bündner im Veltlin confiscirt, und Salis selbst, der den Revoluzern ein Dorn im Auge war, wurde 1798 und 1799 sogar von Zürich aus verfolgt, bis sich endlich Lavater seiner annahm. Bünden war zu jener Zeit bald von den Franzosen, bald von den Oesterreichern besetzt; wenn letztere Herren im Lande waren, durfte

---

3) Vergleiche für das Philanthropin die Biographie Planta's in II. 193—206. — Von dem 194 erwähnten Joseph von Planta (Castasegna 1744 II. 21 — London 1827 XII. 3) gab Karl Falkenstein 1829 in den Zeitgenossen eine ziemlich ausführliche Biographie. — Der 205 erwähnte ältere Dr. Amstein, dem Aeppli und Scherb im 4. Bande des Museums der Heilkunde und Joh. Ulrich von Salis-Seewis (vergl. für ihn die letzten Hefte des von Conradin v. Moor herausgegebenen Archives für die Geschichte der Republik Graubünden) im 5. Bde. des neuen Sammlers ein „Denkmal" setzten, hatte von seiner Frau Hortensia von Salis, einer Schwester des Minister Ulysses, zwei Söhne: Den Dr. Joh. Georg Amstein den Jüngern (1778—1818), den Verfasser der Biographie Martin Planta's — und den noch jetzt in Malans lebenden Major Joh. Rudolf Amstein (geb. 1770), der sich als Entomologe bekannt gemacht hat. Er selbst wurde am 11. November 1744 zu Hauptweil im Thurgau geboren, wo sein Vater Joh. Jakob damals als Chirurg lebte.

Salis wagen nach Marschlins zu gehen, — aber wie die Franzosen wieder kamen, so mußte er das Weite suchen, und wurde sogar in Höngg einmal von ihnen aufgegriffen, und nur wieder frei, weil sie in dem Minister einen Geistlichen gefangen zu haben glaubten. Im Spätsommer 1800 entschloß sich Salis sein unfreiwilliges Exil zu einer Reise nach Wien zu benutzen, um dort persönlich bei dem Kaiser die Auswechslung der Deportirten zu betreiben, für die er sich früher schon vergeblich verwendet hatte, und so glühende Kohlen auf das Haupt seiner Feinde zu sammeln; die Reise strengte aber den alten, gebeugten Mann zu sehr an, — er wurde zu Wien vom Nervenfieber ergriffen, und erlag demselben am 6. October 1800. So endete dieser edle und für das wahre Wohl seines Landes unermüdliche, von Johannes v. Müller und andern edeln Schweizern hochverehrte Mann auf fremder Erde; aber sein Andenken wird noch jetzt gesegnet, wo die meisten seiner Verfolger längst vergessen sind, und seine Werke, unter denen besonders die „Fragmente der Staatsgeschichte des Thals Veltlin und der Grafschaften Kleven und Worms, aus Urkunden“[4]) von bleibendem Werthe sind, werden seinen Namen auf alle Zeiten erhalten.

Karl Ulysses von Salis erhielt, wie sein älterer Bruder Johann Rudolf[5]), den ersten Unterricht in dem Philantropin, und nach dem Falle dieser Anstalt brachte der Vater beide Söhne auf die Academie zu Dijon, von wo sie dann später noch andere hohe Schulen des Auslandes besucht zu haben scheinen. Karl Ulysses studirte das Recht, machte sich aber daneben auch mit den verschiedenen Branchen der Naturwissenschaften bekannt, — bereiste nach seiner Rückkehr wiederholt die verschiedenen und damals noch so wenig bekannten Thäler und Berge des schönen Bündnerlandes, — gab in dem „Sammler“ Nachrichten über

---

4) 1792 (s. l.), 4 Bände in 8. Gleichzeitig erschien auch eine Italienische Ausgabe.

5) Joh. Rudolf von Salis wurde am 26. Juli 1756 geboren. Man verdankt ihm unter Anderm langjährige meteorologische Beobachtungen, über die der Neue Sammler zu vergleichen ist. Einige öconomische Aufsätze von ihm finden sich schon im ältern Sammler.

diese Reisen und einige andere Mittheilungen, so wie in Höpfner's Magazin „Beiträge zur Naturgeschichte der Gemsen und Bären in Bündten und Veltlin", — und sammelte sich Bücher und Naturalien. — Die Jahre 1788 und 1789 brachte Salis in Neapel und Sizilien bei seinem Oheim Gubert Rudolf Anton v. Salis[6]) zu, der damals als Generalinspector der Sizilianischen Truppen in k. Neapolitanischen Diensten stand. Er publicirte nach seiner Rückkehr zwei durch diese Reise veranlaßte Schriften: Zuerst erschienen seine „Beiträge zur natürlichen und öconomischen Kenntniß des Königreichs beider Sizilien"[7]), in welchen er zunächst in Briefform die Reise beschreibt, welche er im Sommer 1788 im Gefolge seines Oheims von Neapel aus um Sicilien machte. Der General verfügte über eine vom Könige eigens für diese Reise bestimmte Corvette; der erste Aufenthalt wurde in Messina gemacht, von wo aus Calabrien besucht wurde, — dann ging es nach Catanea, auf die Inseln der Cyclopen und den Etna, — nachher noch nach Syracus, Trapani, zu Lande nach Palermo, und von da aus zu Schiff nach Neapel zurück. Neben vielen interessanten Bemerkungen über Land, Leute, Agricultur, Antiquitäten, ꝛc., enthalten diese Briefe auch manche mineralogische und geologische Notizen, und von den verschiedenen Anhängen dürfte namentlich die sehr ausführliche „Beschreibung des im Jahr 1783 erfolgten Erdbebens in Kalabrien" noch jetzt von Interesse sein. Dann gab Salis noch einen ersten Band seiner „Reisen in verschiedene Provinzen des Königreichs Neapel"[8]) heraus, in welchem er die Reisen beschreibt, welche er im Sommer 1789 von Neapel aus, zum Theil in Gesellschaft des Erzbischof Capece Latro von Tarent und des Naturforschers Abbate Fortis

---

6) Er lebte von 1732 II. 24 bis 1812 XI. 16.

7) Zürich 1790, 2 Bde. in 8.

8) Zürich 1793 in 8. — Zwei andere, ebenfalls unserm Salis zugeschriebene Schriften aus jener Zeit, welche ich aber nicht selbst gesehen habe, sollen folgende sein: „Briefe zweier ausländischer Mineralogen über den Basalt. Uebersetzt nebst einem Anhang. Zürich 1792, 64 S. in 8. — Ueber unterirdische Electrometrie, nebst einigen sie betreffenden, in Italien und den Alpen vorgenommenen Versuchen. Aus dem Französischen frei übersetzt, mit erläuternden Anmerkungen. Zürich, 1794, 130 S. in 8."

von Neapel, nach Molfetta, Taranto, Gallipoli, Paestum, Capua, Avezzano, Sulmona, rc. und an den See Fucino machte, überall auf die Merkwürdigkeiten aus den drei Naturreichen eben so sehr aufmerkend, als auf das den gewöhnlichen Reisenden ausschließlich beschäftigende topographische und historische Detail; das anhangsweise beigefügte und mit einigen Abbildungen versehene „Verzeichniß der Konchilien, welche mir aus dem das Königreich Neapel umgebenden Meere vorgekommen sind,“ verleiht diesem Bande besondern Werth. — Die wissenschaftlichen Arbeiten, muthmaßlich auch die Fortsetzung des eben besprochenen Reisewerkes, hatten natürlich keinen Fortgang, als die Revolutionsstürme Bündten zerrissen, und überdieß nach dem Tode der Mutter und der Verbannung des Vaters die Verwaltung des Gutes Marschlins ganz dem Sohne und seiner jungen Frau, einer Anna Paula von Salis-Seewis[9]), zufiel. Und als vollends die Franzosen in das Land einfielen, begnügten sie sich nicht das Schloß Marschlins zu plündern, und demselben vom März 1799 bis Dezember 1800 nach und nach bei 10,000 Mann und über 3000 Pferde als Einquartirung aufzulegen, sondern Salis selbst mußte unfreiwillig auf Reisen gehen. „Den zweiten April 1799“, erzählt er im Vorberichte zu seinen Streifereien durch den französischen Jura während den Jahren 1799 und 1800[10]), „wurde ich auf Befehl des Generals Massena durch französisches Militär angehalten, um etliche Tage darauf nebst andern Mitbürgern deportirt zu werden. Man schleppte uns zuerst auf Aarburg, nach einigen Wochen von dort auf Belfort. und endlich einen Monat nachher auf Salins, einer der größten Städte des Departements des Jura. Hier mußten wir bis zum 26. August 1800 verharren.“ Dann sagt er in Beziehung auf das Werk, welches die literarische Frucht seiner langen Trennung von Frau und Kindern war: „Nachdem wir ungefähr zwei Monate auf dem Schlosse St. André ob Salins zugebracht

---

9) Salis erhielt von ihr außer dem Note 1 erwähnten Sohne zwei Töchter Barbara Jakobea (1793) und Wilhelmine Katharina (1805).

10) Winterthur 1805, 2 Bde. in 8.

hatten, wurde uns vergönnt in der Gegend um die Stadt ziemlich weitläufige Spaziergänge vorzunehmen. Diese Begünstigung brachte mich auf den Gedanken, Nachrichten über ein Land zu sammeln, welches noch ziemlich unbekannt ist. Es fehlte nicht an Personen in der Stadt, welche mir zu diesem Vorhaben auf die freundschaftlichste Art Hülfe leisteten. So kam ich in den Stand mir sowohl über die Naturgeschichte und Landwirthschaft, als über die berühmten Salzwerke dieses Landes einige Kenntnisse zu verschaffen. Auch benutzte ich jede Gelegenheit, um nähere Umstände, die Revolution betreffend, in Erfahrung zu bringen. Meine Bemühungen sind nicht unbelohnt geblieben, und ich sah mich bei unserer Abreise im Besitz eines kleinen Schatzes von Bemerkungen über dieses Land." Zum Schlusse gibt er noch eine Uebersicht von der benutzten Literatur, und führt die im Jahre IX. der Französischen Republik zu Paris in zwei Octavbänden erschienene «Voyage pittoresque et physico-économique dans le Jura, par J. M. Lequinio, Agent forestier», als dasjenige Werk an, das er vorzugsweise benutzt habe. Die Schrift von Salis selbst liest sich angenehm und mit Nutzen; man wird durch sie nicht nur mit Salins, sondern auch mit der Departements-Hauptstadt Lons-le-Saulnier, mit Dôle, Polygny, &c. bekannt, erfährt manches über Agricultur und Weinbau, über die Hüttenwerke der Franche-Comté, &c., — kurz man könnte sich über Deportationen freuen, wenn sie keinen andern Erfolg hätten, als das Erscheinen solcher Bücher.

Salis wurde 1801 von dem Bezirke Unter-Landquart in die Kantonaltagsatzung, 1803 zum Mitgliede des Bündnerischen Oberappellationsgerichtes, und 1805 zum ersten Präsidenten des neu aufgestellten Sanitätsrathes gewählt, war auch einige Zeit Landammann der V Dörfer, und trug somit seine Schuld gegen den Staat reichlich ab; sonst aber hielt er sich in seinem lieben Marschlins auf, und bethätigte sich da theils als praktischer Landwirth, theils mit literarischen und naturwissenschaftlichen Arbeiten. Auf Letztere wirkte das freundschaftliche Verhältniß sehr belebend ein, das sich zwischen ihm, dem Ornithologen und

Pädagogen Joh. Rudolf Steinmüller[11]), und dem in der zweitfolgenden Biographie zu behandelnden Joh. Konrad Escher von der Linth immer fester knüpfte. Steinmüller überließ er schon 1803 seine zoologischen Collectaneen, und erhielt dafür von ihm landwirthschaftliche Mittheilungen. Mit Escher brachte ihn seine, namentlich an Bündnerischen Mineralien und vulcanischen Produkten reiche Sammlung zusammen; sie besuchten sich wiederholt gegenseitig, und machten gemeinschaftliche Bergreisen, so z. B. in das Münsterthal und Engadin. Noch inniger wurde die Verbindung mit Beiden, als Salis 1804 den Plan zu einer „der genauern

11) Joh. Rudolf Steinmüller von Glarus (1773 III. 11—1835 I. 27) studirte in Tübingen und Basel Theologie, und wurde zuerst Pfarrer in Mühlehorn und dann in Kerenzen. An letzterm Orte fand er Zeit seiner Liebhaberei für Naturgeschichte zu leben, trat von 1796 hinweg mit Linth-Escher in Korrespondenz wegen Bestimmung von Mineralien, welche er den Erben eines Herrn Pfarrer Tschudi in Schwanden abgekauft hatte, — eine Korrespondenz, die erst mit dem Tode erlöschte, und durch gegenseitige Besuche und gemeinschaftliche Ausflüge bald in innige Freundschaft überging. Nicht unbedeutende Noth, welche er während den ersten Revolutionsjahren bei den beständigen Truppendurchzügen in dem ohnehin armen Kerenzen erlitt, machte ihm einen Ruf als Pfarrer in das hablichere Gais erwünscht, wo er jedoch später die Revolutionsfreuden auch kosten konnte, aber Trost bei seinen zoologischen Studien fand. „Ich freue mich immer mehr," schrieb er am 16. August 1802 an Escher, „daß mich das Studium der unvernünftigen Thiere den Unsinn der vernünftig sein sollenden vergessen macht." Sehr viel Freude machte ihm der Verkehr mit dem l. Escher, dem er häufig ein schönes Stück Gemsfleisch auf den Tisch lieferte, und dafür wissenschaftliche Gegengrüße erhielt. „Die Kiste mit den schönen Siebensachen," schrieb er z. B. Escher am 25. October 1804, „erhielt ich richtig. Sowohl für die schönen Mineralien, Bücher, &c., als aber für die Mühe alles einzupacken, danke ich dir vielmal. Als die Schätze dieser Kiste in meiner Stube vor mir lagen, — Menschen- und Steinbockschädel, Mineralien und Bücher &c. war ich so glücklich wie meine Kinder, wenn sie die Glarner-Geschenke auf den St. Niklaustag auspacken." Aber auch zur Aufklärung seiner Gemeinde reute ihn keine Anstrengung, und so wußte er z. B. die Blitzableiter zu accreditiren. „Meine Donner- und Blitzpredigt," schrieb er am 30. Juli 1804 an Escher, „hat gewürkt, und auf die Kirche und Pfarrhaus und auf etwa 8 andere Häuser im Dorfe sollen Blitzableiter kommen." Im Jahre 1805 übernahm Steinmüller die Pfarrei Rheineck, und erhielt so unter Anderm den gemeinützigen Laurenz Custer (1755 III. 16—1828 I. 24) zum Pfarrkind, der Helvetischer Finanzminister gewesen war, schon bei Leben großartige Stiftungen für eine Lesebibliothek, für Hebung der Schulfonds und Lehrergehalte, &c., machte, und noch testamentlich 89,500 fl. zu wohlthätigen Zwecken verordnete (vergl. I. 430). Für seine Verdienste um Kirche und Schule, die er sich als Dekan und Erziehungsrath erwarb, seine Stiftung der naturforschenden und der landwirthschaftlichen Gesellschaft, &c., wurde er mit den Bürgerrechten von Rheineck und St. Gallen

Kenntniß der Alpen" gewidmeten Zeitschrift unter dem Namen Alpina entwarf, Steinmüller zum Mitredactor[12]) und Escher wenigstens zum Mitarbeiter gewann. Der Plan wurde 1805 im Anhange zu den oben besprochenen „Streifereyen" publicirt, — 1806 erschien der erste Band, in dem Salis selbst einen „Versuch einer Uebersicht der besten literarischen Hülfsmittel zur bisherigen Kenntniß der Alpen," eine Beschreibung der „Landschaft Davos," Steinmüller „Beschreibungen einiger Säugethiere und Vögel des Schweizerlandes," Escher eine „Geognostische Uebersicht über die Alpen in Helvetien" und mehrere kritische Arbeiten lieferte, der Beiträge von Gruner, Hartmann, Rösch[13]), 2c. hier nicht weiter zu gedenken, — 1807 folgte der zweite Band, von Salis „Fragmente zur Entomologie der Alpen," und einen „Versuch einer Beschreibung der Gebirge der Republik Graubünden"

---

beschenkt, und sein Tod am 27. Januar (oder nach Andern am 28. Februar) 1835 wurde allgemein betrauert. Die Verdienste Steinmüllers um die Ornithologie, voraus um die Alpenvögel, sind nicht gering anzuschlagen, — ebenso das was er zur Beförderung der Landwirthschaft im Allgemeinen, und der von ihm practisch betriebenen Pomologie im speziellen that, seiner „Beschreibung der Schweizerischen Alpen- und Landwirthschaft, Winterthur 1802, 2 Bde. in 8° nicht zu vergessen. Auch als Schulmann machte er sich sehr verdient, und wenn er etwas schroff gegen den großen Zürcher-Pädagogen Heinrich Pestalozzi (1746—1827) auftrat, so hing dieß wohl großentheils mit dem allerdings nicht immer zu billigenden Gebahren der sog. Pestalozzianer zusammen, — mit Pestalozzi selbst hätte er sich wohl bald verstanden, denn er hatte mit ihm dasselbe Streben. «Pestalozzi a été, avant tout», schrieb Vuillemin 1858 in der Biblioth. univ., «un homme de la nature. Ses institutions ont passé; le mécanisme de ce que plusieurs ont nommé sa méthode a été réduit à sa valeur réelle; mais l'enthousiasme qu'il a inspiré lui a survécu. Il a porté dans l'enseignement une vie nouvelle; il a appris à l'instituteur à considérer l'esprit de l'enfant, non comme un vase à remplir, mais comme un germe à développer; à s'adresser moins à la mémoire du jeune âge qu'à son intuition, à son esprit d'invention et à son coeur.» Pestalozzi's Schriften „Lienhard und Gertrud," — „Wie Gertrud ihre Kinder lehrt," — 2c., haben unendlich viel Gutes gewirkt. Von den zahlreichen Schriften über ihn werden von der Familie die Blochmann's und Pompée's als die Besten betrachtet. Vergleiche für ihn auch Neujahrstück der Chorherren auf 1847, — Zürcher-Taschenbuch auf 1859, — und das pag. 46—47 erwähnte Werk von Mörikofer.

12) Die zuweilen vorkommende Darstellung, als ob Salis gewissermaßen nur untergeordneter Redactor der Alpina gewesen sei, ist ganz unrichtig; im Gegentheil schrieb Steinmüller an Escher, daß Salis die Redaction ganz allein besorge.

13) Damals Hauslehrer bei Salis.

enthaltend, von Steinmüller einen Aufsatz „Ueber die Gemsenjagd in der Schweiz," von Escher „Geognostische Nachrichten über die Alpen," und „Materialien zu einer Geschichte des Bergbaus von Trachsellauinen," überdieß Beiträge von Rösch, Hartmann, Zollikofer, rc., — 1807 der dritte Band mit Escher's „Bemerkungen eines schweizerischen Wanderers über einige der weniger bekannten Gegenden der Alpen," Salis „Beiträgen zur Untersuchung der Ueberbleibsel erloschener Vulcane innert dem Gebiete der Alpen," und anderweitigen Aufsätzen von Gaudin, Bansi, Daniel Meyer, rc., — 1809 endlich der vierte Band mit verschiedenen Bearbeitungen und Recensionen durch Salis und Escher, und mit Beiträgen von Gaudin, Leopold von Buch, Rösch, rc.[14]). Ganz abgesehen von dem wissenschaftlichen Werthe der von Salis für die Alpina bearbeiteten Beiträge, denen sich noch gleichzeitig viele gemeinnützige Aufsätze für den „Neuen Sammler" anschlossen[15]), von denen ich z. B. diejenigen „Ueber die Nothwendigkeit die Landstraßen in Bünden in bestmöglichen Stand zu stellen," „Ueber den Schaden des Weidganges auf den eigenthümlichen Gütern und über die Mittel denselben ein Ziel zu setzen, rc." hervorheben will, — hat sich Salis durch die Anregung, welche er der Schweizerischen Naturgeschichte durch die Erstellung eines tüchtigen Organes gab, so große Verdienste um dieselbe erworben, daß er schon um dieser willen eine Ehrenstelle unter den Schweizerischen Naturforschern verdienen würde. Schade daß es ihm nicht gelang noch eine verwandte Idee zur Ausführung zu bringen, die Gründung einer «Académie helvétique

14) Nach längerm, angeblich durch die Kriegszeiten, eigentlich aber durch Schwierigkeiten mit dem Verleger veranlaßtem Unterbruche und erst nach dem Tode von Salis, gab Steinmüller die „Neue Alpina. Eine Schrift der Schweizerischen Naturgeschichte, Alpen- und Landwirthschaft gewidmet. Winterthur 1821—1827. 2 Bde. in 8" heraus, in welcher er selbst außer dem III. 411 erwähnten Aufsatze hauptsächlich „Anmerkungen und Zusätze" zu „Joh. Jakob Römers und Heinrich Rudolf Schinzens Naturgeschichte der in der Schweiz einheimischen Säugethiere, Zürich 1809," und zu „Fr. Meißners und H. Rud. Schinzens Vögel der Schweiz, Zürich 1815" gab, von Escher „Beiträge zur Naturgeschichte der freiliegenden Felsblöcke in der Nähe der Alpen" erhielt, rc.

15) Der „Neue Sammler" wurde von der öconomischen Gesellschaft Graubündens, welcher Salis mehrere Jahre als Präsident vorstand, herausgegeben.

correspondante für Naturgeschichte und die damit verwandten Wissenschaften, Physik, Chemie und Mathematik," über die er 1806, veranlaßt durch einen Brief von Zschokke mit ähnlichen Plänen, mit Escher correspondirte, und sie schon damals als einen Wunsch bezeichnete, den er bereits viele Jahre gehegt, aber der vielen Schwierigkeiten wegen immer wieder in sein Herz verschlossen habe. Die neun Jahre später durch Gosse und Wyttenbach gegründete Schweizerische Naturforschende Gesellschaft hätte Salis dann allerdings einiger Maßen Ersatz für das Nichtzustandekommen seines Projektes bieten können, und sie war auch wirklich von ihm freudig begrüßt worden[16]; aber leider war es ihm wenigstens 1816, obschon er sich damals in die Gesellschaft aufnehmen ließ, nicht möglich ihrer Versammlung in Bern beizuwohnen, wie wir aus einem Briefe von ihm ersehen. „Seit demjenigen," schrieb er nämlich am 26. Dezember 1816 aus Marschlins an Wyttenbach, „was Sie mir, Wohlehrwürdiger Herr und Freund, und Herr Professor Meisner von der Zusammenkunft der Naturforscher unserer Schweiz gefälligst gemeldet haben, muß ich es erst recht bedauern, daß meine Umstände mich in die Unmöglichkeit versetzt hatten, dabei zu sein. Mit Verlangen sehe ich dem herauskommenden Bulletin entgegen[17]), um doch auch etwas zu besitzen; das mir diesen Verlurst einigermaßen ersetzen kann." Und auch im October 1817, wo ihn die Versammlung in dem ihm stets heimischen Zürich gewiß noch besonders angezogen hätte, scheint er, wie aus dem folgenden hervorgehen dürfte, verhindert gewesen zu sein dem an ihn ergangenen Rufe zu folgen.

---

16) Vergl. II. 316.

17) Auf dieses 1816 in Bern beschlossene Bulletin, den von Meisner redigirten „Naturwissenschaftlichen Anzeiger der allgemeinen Schweizerischen Gesellschaft für die gesammten Naturwissenschaften," mußte Salis noch ziemlich lange warten, da die erste Nummer desselben erst am 1. Juli 1817 herausgegeben wurde. Dieser Anzeiger wurde dann übrigens bis 1823 in monatlichen Nummern fortgesetzt, und bildet in Verbindung mit den nachher von Meisner bis zu seinem Tode (s. pag. 238) fortgeführten „Annalen" eine Hauptquelle für die Geschichte der ersten Jahre der Schweiz. naturf. Gesellschaft.

In spätern Jahren war nämlich Salis, wie ich einem Briefe Steinmüllers an Escher entnehme, nicht nur durch öconomische Verhältnisse und die Gemüthskrankheit seiner Frau etwas gedrückt, sondern auch seine eigene Gesundheit begann zu wanken, — ja es entwickelte sich nach und nach eine sehr langwierige und seine Geduld auf eine harte Probe stellende Brustkrankheit, deren Opfer er dann auch schließlich am 13. Januar 1818[18]) in einem Alter wurde, das sonst noch zu den schönsten Hoffnungen berechtigt. Aber so lange es ihm die Kräfte nur irgendwie erlaubten, verharrte er in seiner gemeinnützigen Thätigkeit. „Noch in den letzten Jahren seines Lebens," erzählt Lutz in seinen Modernen Biographien, „vollendete er theils eine ausführliche Geschichte der romanischen Sprache, nebst anziehenden Proben ihrer verschiedenen Dialekte, ein Werk, dessen Druck durch die Unbill der Zeiten bis jetzt noch unterbleiben mußte[19]); theils die Uebersetzung der Denkwürdigkeiten des Marschall Ulysses von Salis-Marschlins, aus der italienischen Urschrift. Wenige Wochen vor seinem Tode begann er mit einer kurzen Geschichte der bündnerschen Reformation sich zu beschäftigen, in der Absicht dieselbe bei der damals bevorstehenden Jubelfeier an's Licht treten zu lassen"; aber der Tod überraschte ihn vor der Vollendung. — „Nach meiner Ansicht," schrieb mir Ulysses-Adalbert von Salis am 21. Mai 1860 aus Marschlins, als ich ihm meine Absicht mitgetheilt hatte, seinem Vater ein kleines Denkmal in meinen Biographien zu errichten, „würde dem Verstorbenen eher eine Stelle unter den gemeinnützigen

---

18) Nach der Notiz im Familien-Archive, — nach andern Nachrichten dagegen erst am 16. Januar, der vielleicht der Begräbnißtag sein dürfte.

19) Im Jahre 1816 war es bei Sauerländer in Aarau auf Subscription angekündigt worden, — aber wie es scheint ohne in jener Hungerzeit die nöthige Theilnahme zu finden. Aus dem Programm ersieht man, daß ein Herr Pfarrer Conrad zu Andeer Mitarbeiter war. — Im gleichen Jahre 1816 schrieb Salis an Wyttenbach, daß er angegangen worden sei für die in Halle erscheinende Encyclopädie den Artikel Alpen zu bearbeiten; er scheint jedoch diese Aufgabe, die er in Arbeit genommen und noch 1817 mit Linth-Escher besprochen hatte, nicht mehr beendigt zu haben; denn der in dem 1819 erschienenen dritten Bande enthaltene Artikel Alpen ist von Freiesleben geschrieben, dagegen derjenige Alpenwirthschaft von Steinmüller.

Männern der Schweiz, als unter den Naturforschern zuzuerkennen sein. Seine Liebhaberei für Mineralogie und Entomologie war allerdings ein großer Trost und eine Erholung für einen Mann, der den bittern Kelch des Unglücks so vielfach zu kosten bekam. Was ich an ihm ewig verehren werde ist, daß er trotz der gedrückten öconomischen Lage in der er sich befand, trotz der traurigen Erfahrungen, die er über den Undank der Republikaner sowohl an sich selbst als an seinem Vater gemacht, immer unermüdlich war mit Rath und That für Hebung von Schulwesen, Armenanstalten u. s. f. sein Möglichstes zu thun und mit edlen Männern anderer Kantone darüber correspondirte. In seiner Kleidung, Trank und Speise einfacher als viele unserer Bauern, Winter und Sommer Morgens zwischen 4 und 5 aufstehend und unendlich viel am Schreibtisch arbeitend (was in Bünden von jeher zu den größten Raritäten gehörte) war er eben einer jener schlichten Republikaner die immer seltener werden, welche allerdings für den Fortschritt nach Kräften wirken wollen aber nur mit Mitteln deren sich ein Ehrenmann nicht zu schämen braucht."

Christoph Girtanner von St. Gallen.

1760 — 1800.

Christoph Girtanner wurde am 7. November, oder nach andern Nachrichten am 7. Dezember 1760 einem wohlhabenden Kaufmann zu St. Gallen geboren, der ihn seinem Geschäfte zu widmen wünschte.[1]) Der zartgebaute, aber sehr fähige Knabe zeigte jedoch schon frühe eine große Vorliebe für die Studien und hatte eine seltene Wißbegierde. „Sie war so groß", erzählt Schlichtegroll, „daß er oft die ihm zum Vergnügen vergönnte Zeit wider den Willen seines Vaters zum Lesen anwendete; und wenn seine Geschwister und Kameraden sich auswärts durch muntere Spiele erholten, so theilte er oft Geschenke unter sie aus, damit sie ihn nicht neckten und störten, wenn er das in der Tasche mitgebrachte Buch still in seiner Ecke sitzend las." Es blieb schließlich nichts Anderes übrig als ihn gewähren zu lassen, und als er die Schulen seiner Vaterstadt absolvirt hatte, wurde er in das Philanthropin nach Marschlins geschickt, um sich dort auf die Universitätsstudien vorzubereiten. Diese begann er 1780 in Göttingen und warf sich mit so anhaltendem Fleiße auf das Studium der Physik, Chemie und Medizin, daß er schon im Spätjahr 1782 mit Auszeichnung promoviren konnte.[2]) Nach St. Gallen zurückgekehrt, trat er daselbst als practischer Arzt auf und hatte namentlich viele Kinderkrankheiten zu be-

---

1) Ich benutze für Girtanner vorzüglich das Lebensbild, welches Schlichtegroll in seinem „Nekrolog auf das Jahr 1800" von ihm gab, — ferner den ihn betreffenden Artikel von Chaumeton in der Biographie universelle, — die historischen Werke von Häser, Kopp, ꝛc., — die Correspondenz von Horner und einige später zu nennende Quellen.

2) Er schrieb damals eine geschätzte «Dissert. inaug. de terra calcarea cruda et calcinata. Gott. 1782 in 4.

handeln, deren Beobachtung ihm später Stoff für ein eigenes betreffendes Werk gab.[3]) Den Sommer benutzte er zu Fußreisen durch alle Theile der Schweiz, wobei er eine Menge naturhistorischer Beobachtungen sammelte, und namentlich den Steinbock und das Murmelthier genau zu studiren suchte; im Winter verarbeitete er diese Studien zu Mittheilungen in das Journal de physique und in Voigts Magazin, — verfaßte mehrere chemische Aufsätze für die Sammelwerke von Lichtenberg und Crell, — schrieb sehr beifällig aufgenommene „Fragmente über J. J. Rousseau's Leben, Charakter und Schriften"[4]), ꝛc., kurz beschäftigte sich literarisch auf die mannigfaltigste Weise. Im Jahre 1784 ging er nach Frankreich, hielt sich längere Zeit in Paris auf, sandte von da, an seinen Lehrer und Freund Blumenbach „Medicinische Neuigkeiten aus Frankreich", besuchte später die Krankenhäuser der Weltstadt London, und machte einen längern Aufenthalt in Edinburg, theils seine chemischen Studien fortsetzend, theils sich an einer, eine etwelche practische Anwendung derselben erlaubenden industriellen Unternehmung zur Fabrication des Salzes zum Einpöckeln der Häringe betheiligend.

Im Vergleiche mit den meisten andern Wissenschaften wurde die Chemie in der Schweiz in den frühern Zeiten wenig bearbeitet, und unter den bis jetzt behandelten Gelehrten dieses Landes hat nur der eine Paracelsus eine hervorragende Stellung als Chemiker eingenommen, — wenn sich auch die Achard, Beck, Benteli, Gosse, Höpfner, König, de La Rive, Morell, Struve, Thurneisser[5]), Tingry, ꝛc. einzelne Verdienste um die Scheide-

---

3) Ueber die Krankheiten und die physische Erziehung der Kinder, Göttingen 1794 in 8. — Eine italienische, mit einem Artikel über das Impfen vermehrte Ausgabe soll 1801 zu Genua in zwei Bänden erschienen sein.

4) Sie erschienen zuerst in Lichtenbergs Magazin und dann separat, Wien 1782 in 8.

5) Bei Anlaß Thurneissers, des einzigen bedeutendern Alchymisten, den meines Wissens die Schweiz besaß, mag noch eines Opfers der Alchymie gedacht werden, des von Neunforn im Thurgau stammenden, durch seine „Geistlichen Gesänge, Zürich 1589 in 8." und verschiedene theologische Schriften bekannten Raphael Egli (Frauenfeld 1559 XII. 28 — Marburg 1622 VIII. 20), der nach tüchtigen Studien in Chur, Basel und Genf 1583 zu Zürich ins Predigtamt aufgenommen wurde, dann verschiedene Schuldienste in Sondrio und Winterthur versah, 1588 „als ein

kunst erwarben. Immerhin könnten noch manche andere Schweizer genannt werden, welche in der Geschichte der Chemie eine gewisse Rolle beanspruchen dürfen, — ich erinnere an Théodore Turquet de Mayerne von Genf[6]), der in Montpellier und Paris mit solchem Erfolge Chemie und Medizin studirte, daß er am letztern Orte zum Professor der Chemie und zum Leibarzte von Henri IV ernannt wurde, in der Geschichte der Chemie als Entdecker der Entzündlichkeit des sich aus Eisen und verdünnter Schwefelsäure entwickelnden Gases, der Präparation des schwarzen Schwefelquecksilbers, ꝛc. genannt wird, einer der Hauptvertheidiger der chemischen Arzneimittel und speziell der Spießglanzarzneien war, darum 1603 von der medizinischen Facultät zu Paris ausge-

---

erfahrener Schulmann und geübter Theologus zum Zuchtherren im alten Hof zu Zürich" erwählt wurde, und dann nach und nach daselbst zum Chorherrn und Professor der Theologie vorrückte, als Prediger, Lehrer und Schriftsteller immer sehr beliebt, bis er plötzlich im Jahre 1605 ökonomisch zu Grunde ging und in Folge dessen auch seine Stellen verlor. „Um das Jahr 1604", erzählt Eßlinger in seinem Conspectus, „hat sich Egli neben Andern (darunter der berühmte Chymicus Angelus Sala, Vincentius, Dr. Nüscheler ꝛc.) auf die Alchymie und zwar auf eine so unglückliche Weise gelegt, daß Er nicht nur sein eigen, sondern auch ander leuten gut in dem Rauch so verzehrt, daß er im Nov. 1605 Schulden wegen sich von Zürich entfernen müssen." Egli irrte nun längere Zeit in großem Mangel herum, bis ihm endlich der Landgraf von Hessen eine Professur der Theologie in Marburg anvertraute, ihm dabei aber bemerkend: „Hr. Doctor Egli, eure hohe gelehrte ist weit berühmt, darum vertrau ich euch diese Profession auf meiner hohen Schule, in deren getreuer Bedienung ihr großen Nutzen schaffen könnt, darum ich euch auch eine ehrliche Unterhaltung verschaffe; werdet ihr aber eure Gelehrte mit vor diesem angewohnten Thorheiten widerum vermischen, und einiches alchymisches Feuer anblasen, will ich euch am Leben strafen." Diese kräftige Warnung, verbunden mit den bitteren Erfahrungen, half: Egli blieb bis an das Ende seines Lebens in Ehre und Ansehen, und wurde sogar, „der erste Zürcher sint der Reformation", mit dem Doctorhute der Theologie beehrt, bei welcher Gelegenheit er ausgesprochen haben soll: «Jam sum Doctor sed non doctior.»

6) Turquet de Mayerne (Genf 1573 IX. 28 — Chelsea 1655. III. 15) war ein Sohn des französischen Geschichtschreibers Louis de Mayerne, der sich vor den Religionsverfolgungen 1572 nach Genf geflüchtet hatte, und einer Türkin, weßwegen ihm der Name Turquet beigelegt wurde. Théodore de Bèze hob ihn aus der Taufe. — Turquet's von dem mit ihm befreundeten Rubens gemaltes Portrait soll sich noch auf der Bibliothek in Genf befinden. — Von seinen Schriften bezeichnet Kopp namentlich die «Pharmacopoea» als reich an neuen Beobachtungen. — Senebier erzählt: «Le mappemonde qu'on voit sur le plancher de la tour orientale de l'observatoire de Paris est faite sur un dessin de Mayerne, qui fut présenté au Roi de France en 1648.

stoßen wurde, nichtsdestoweniger einer der beliebtesten Aerzte in Paris blieb, bis er 1611 einem Rufe als Leibarzt von James I. nach England folgte, dieselbe Stelle auch unter seinem Nachfolger bekleidete, von den Universitäten zu Cambridge und Oxford zum Mitgliede ernannt wurde, und neben seiner großen, ihm beträchtliche Reichthümer verschaffenden Praxis sich auch noch später wissenschaftlich beschäftigte, sowie seinem Landsmann Jean Petitot[7]) zur Bereitung der Farben für die Email-Malerei mit solchem Geschicke behülflich war, daß er sogar häufig als Erfinder der Letztern bezeichnet wird, — an Christoph Glaser von Basel[8]), der in Paris studirte, daselbst Apotheker von Louis XIV. und 1661 Demonstrator der Chemie am Jardin des plantes wurde, als Paracelsist galt, die Bereitung des lange unter dem Namen Sal polychrestum Glaseri bekannten schwefelsauren Kali's lehrte, neben Anderm ein Lehrbuch der Chemie schrieb[9]), das nach Kopp zu den besten Werken damaliger Zeit gezählt werden darf, später aber in den berühmten Vergiftungsprozeß der Marquise de Brinvilliers verwickelt wurde und Frankreich verlassen mußte, — an Jean Jacques Manget von Genf[10]), der Theologie studiren sollte, aber Medizin studirte und darin 1678 zu Valence promovirte, in seiner Vaterstadt eine ausgezeichnete Praxis hatte, aber doch noch Zeit fand sich eine große Erudition zu sammeln, eine sehr ausgedehnte Correspondenz zu führen, und zahlreiche, theils chemische, theils medizinische voluminöse Werke zu schreiben[11]), — an Joh. Georg Stockar von Neuforn von Schaff-

---

7) Von diesem geschickten Genfer Maler (1607—1691), den Bossuet trotz aller von Haft unterstützten Beredsamkeit nicht zu convertiren vermochte, sollen sich nur im Louvre 56 wundervolle Email-Porträte finden.

8) Leider habe ich keine genaueren Daten über Glaser, den z. B. Herzog in seinem Anhange zu den Ath. Raur. gar nicht aufführt, auffinden können.

9) Traité de chimie, Paris 1663 in 12. und später wiederholt. Auch deutsch (Jena 1684 und später) und englisch aufgelegt.

10) Er lebte von 1652 VI 19. bis 1742 VIII. 15.

11) So z. B. eine «Bibliotheca medico-practica, Genevae 1695—1698, 4 Vol. in fol.,» — eine «Chemica curiosa, Genevae 1700, 2 Vol. in fol.,» — eine «Bibliotheca pharmaceutico-medica, Genevae 1703, 2 Vol. in fol.», — ein «Theatrum anatomicum, Genevae 1717, 2 Vol. in fol.,» — eine «Bibliotheca chirurgica, Genevae 1721, 4 Vol. in fol.,» — eine «Bibliotheca medicorum scriptorum, Genevae 1731, 4 Vol. in fol.», — etc.

hausen[12]), einen Schüler Johannes Geßners, der in Leyden studirte, in seiner Inauguraldissertation[13]) gründliche Untersuchungen über die Bernsteinsäure veröffentlichte, später als Arzt in seiner Vaterstadt lebte und sich ein schönes Naturaliencabinet, namentlich ein reiches Herbarium, anlegte, — an Alexandre Marcet von Genf[14]), der zuerst die kaufmännischen Geschäfte seines Vaters fortführen sollte, 1794 aber, um den bürgerlichen Unruhen auszuweichen, mit Gaspard de la Rive nach England ging, in Edinburg Chemie und Medizin studirte, nach ehrenvoller Promotion sich in London als Arzt setzte und zugleich am Guy-Hospital chemische Vorträge hielt, sich in Mary Haldimand[15]), der Tochter eines reichen in London etablirten Kaufmanns aus Yverdon, eine in allen Beziehungen ausgezeichnete Frau beilegte[16]), neben sehr geschätzten physiologisch-medizinischen Abhandlungen in den Philosophical Transactions und andern englischen Sammelwerken ganz vorzügliche chemische Untersuchungen über das Wasser des todten Meeres, über eine Mineralquelle der Insel Wight, über das Meerwasser, ꝛc. veröffentlichte, die nach ihm benannte Gasblaselampe construirte, mit seinem Freunde Berzelius den Schwefelkohlenstoffdampf untersuchte, nach 1814 sich in seine Vaterstadt zurückzog, schließlich aber unerwartet auf einer Reise nach England in London von dieser Welt abgerufen wurde, — an Anton Pfluger von Solothurn[17]), der nach beendigter Lehrzeit bei Apotheker Gendre in Freiburg seine

---

12) Er wurde 1736 X. 7. geboren. Ueber seinen Tod habe ich keine Angabe gefunden.

13) Specimen chem. med. inaug. de succino in genere et specialim de succino fossili Wisholzensi. Lugd. Bat. 1760 in 4.

14) Vergl. für Marcet (Genf 1770 — London 1822 X. 19.) Bd. 21 der Bibl. univ. Sciences et Arts.

15) Vergl. für Mary Haldimand (London 1769 — London 1858 VI. 28) ebenfalls die Note 14 verzeigte Quelle.

16) Ihre «Conversations on chemistry, London 1806, 2 Vol. in 12, — Conversations on vegetable physiology, London 1822 in 12, — etc.» erlebten zahlreiche Auflagen und Uebersetzungen, und troß diesen schriftstellerischen Arbeiten war sie auch eine ausgezeichnete Gattin, Mutter und Hausfrau.

17) Vergl. für Pfluger (Solothurn 1779 X. 5 — Solothurn 1858 X. 5) die Verhandlungen der Schweiz. Nat. Ges. von 1860, in welche Prof. Fr. Lang einen Nekrolog von ihm einrückte.

wissenschaftlichen Studien in Jena fortsetzte, nach seiner Rückkehr in Solothurn ein chemisches Laboratorium für pharmaceutische Präparate gründete und eine Apotheke ankaufte, eine große Anzahl von Mineralquellen analysirte, 1823 mit Hugi und Roth die naturforschende Gesellschaft in Solothurn gründete und derselben wiederholt werthvolle physikalische, chemische und technologische Vorträge hielt[18]), und der Schweizerischen naturforschenden Gesellschaft, welcher er schon 1816 beitrat, in den Jahren 1825, 1836 und 1848 bei ihren Versammlungen in Solothurn vorstand, — an Joh. Samuel Friedrich Pagenstecher von Bern[19]), der als sehr beschäftigter Apotheker daselbst lebte, nebenbei aber noch Muße fand viele geschätzte chemische Untersuchungen in den Journalen von Tromsdorff, Buchner, &c. zu veröffentlichen, und 1844 in den Berner-Mittheilungen eine interessante Untersuchung „Ueber die Brunnen und Quellen Berns und seiner nähern Umgebung“ zu geben, — an Johann Ludwig Falkner von Basel[20]), der als praktischer Arzt daselbst lebte, und sich in seinen Mußestunden mit Stöchiometrie beschäftigte[21]), — an Karl Fueter von Bern[22]), der sich in der Chemie bei Thénard und Orfila in Paris ausbildete, sich nach Bereisung von England und Deutschland in Bern als Apotheker etablirte, durch sein 1851 erschienenes «Pharmacopoea Bernensis Tentamen» den Doctortitel, durch seinen 1828 gedruckten „Versuch einer Darstellung des neuern Bestandes der Naturwissenschaften im Kanton Bern“ den Dank der Naturforschenden Gesellschaft erwarb, und ein merkwürdiges Talent für Gelegenheitsgedichte besaß, von dem z. B. sein 1839 bei Versammlung der Schweiz. Naturf. Gesellschaft in Bern produzirtes „Gespräch zwischen Niesen und Stockhorn“ eine köstliche Probe ist, — und an Matthias

18) Siehe die gedruckten Verhandlungen dieser Gesellschaft.

19) Er lebte zu Bern von 1783 X. 12 bis 1856 XII. 7.

20) Er lebte etwa von 1787 bis 1834.

21) Ueber die Verhältnisse und Gesetze, wonach die Elemente der Körper gemischt sind, Basel 1819 in 8. — Beiträge zur Stöchiometrie und chemischen Statik, Basel 1824 in 8.

22) Er wurde 1792 VIII. 6 zu Bern geboren und starb 1852 IX. 24 in den Bädern zu Evian. Vergl. für ihn d. Verh. der Schweiz. Naturf. Ges. von 1856.

Eduard Schweizer von Zürich[23]), einen jüngeren Bruder des bekannten Astronomen Gottfried Schweizer in Moskau, der sich mit großem Erfolge auf Chemie legte, 1842 Assistent von Löwig und Lehrer der Chemie an der Industrieschule und 1855 überdieß auß. Professor derselben an der Zürcher Hochschule wurde, verschiedene Lehrbücher schrieb[24]), in den Journalen von Poggendorf, Erdmann, &c. viele Untersuchungen veröffentlichte, und namentlich in den letzten Jahren seines Lebens durch seine merkwürdigen Mittheilungen über die Eigenschaften des Kupferoxyd-Ammoniaks verdientes Aufsehen erregte. — Wenn ich den letzten Platz, den ich in meinen Biographien an einen Chemiker vergeben konnte, Girtanner bestimmte, so geschah es weniger, weil ich ihn den eben genannten Gelehrten vorzog, als weil ich gerne noch einen St. Galler ausführlicher behandeln wollte, und Girtanner mir um seiner Vielseitigkeit willen von besonderm Interesse erschien.

Aus England zurückgekehrt, siedelte Girtanner nach Göttingen über, für das ihm aus seiner Studienzeit eine große Anhänglichkeit geblieben war, und wo er auch, da ihn im Jahre zuvor die dasige Academie zum correspondirenden Mitgliede gewählt hatte, wußte, hinwieder gerne gesehen zu werden. Nachdem er sein großes und classisches Werk über die venerischen Krankheiten ausgearbeitet[25]), eine neue Reise nach England, Holland und Frankreich gemacht und in Paris den Ausbruch der Revolution beobachtet hatte, entschloß er sich definitiv in Göttingen zu bleiben, seine Zeit zwischen Politik und Naturwissenschaften zu theilen, und neben dem ihm verliehenen Titel eines Sachsen-Meiningenschen Geheimen Hofraths keine weitere öffentliche Stellung anzunehmen. — Die großen Begebenheiten in Frankreich, deren Verständniß ihm durch seine verschiedenzeitigen Aufenthalte bedeutend erleichtert wurde, beschäftigten Girtanner nachhaltig,

---

23) Er lebte in Zürich von 1818 VIII. 7 bis 1860 X. 23.

24) Namentlich eine „Anleitung zur Ausführung quantitativ-chemischer Analysen, Chur 1848 in 8."

25) Abhandlung über die venerischen Krankheiten, Göttingen 1788—1789, 3 Bde. in 8., — zweite Auflage 1793, — Holländische Uebersetzung, Leyden 1796, — Italienische Uebersetzung, Venedig 1804.

und er begnügte sich nicht ihnen durch fortgesetztes Studium der Französischen Tageslitteratur zu folgen, sondern versuchte auch seine Landsleute durch seine „Historischen Nachrichten und politischen Betrachtungen über die Französische Revolution[26])" fortwährend damit vertraut zu erhalten. Außerdem gab er noch mehrere betreffende Spezialwerke heraus, so 1793 eine „Schilderung des häuslichen Lebens, des Charakters und der Regierung Ludwig XVI.," 1796 einen „Almanach der Revolutions-Charaktere," rc. — Nichtsdestoweniger fand er, obschon körperliche Leiden, namentlich Krampfanfälle, ihn zuweilen arbeitsunfähig machten, noch hinlängliche Zeit, seine wissenschaftlichen Arbeiten fortzusetzen, und, ohne verschiedener Journalartikel zu gedenken, oder auch nur Anspruch auf vollständige Aufzählung aller seiner Separatwerke zu machen, führen wir noch folgende Schriften Girtanners auf: Im Jahre 1791 publicirte er unter dem Titel „Neue chemische Nomenclatur für die Deutsche Sprache" ein dünnes Octavheftchen, aus dessen Vorrede man sieht, daß er bei seinem Aufenthalte in Paris durch die Lavoisier, Berthollet, rc. selbst in die neuere Chemie eingeführt worden war, und den entscheidenden Versuchen über die Wasserbildung, namentlich den von Joseph Franz von Jacquin unternommenen, persönlich beigewohnt hatte. Ueber die von Girtanner vorgeschlagene Nomenclatur sagt Chaumeton: Elle prouve la sagacité de l'auteur, ainsi que la richesse et le génie de l'idiome germanique, qui tire de son propre fonds tous les termes de sciences et d'arts, que nous sommes forcés d'emprunter aux langues grecque et latine. Un bon bourgeois de Paris ne comprend absolument rien aux mots *hydrogène*, *oxigène*, *azote*, qui, traduits en allemand, offrent un sens très intelligible au simple artisan de Leipzig, de Berlin et de Vienne. Toutefois la version de Girtanner est inexacte à plusieurs égards. Nommer les oxides des demi-acides (Halbsäure), c'est se montrer traducteur infidèle; car l'eau, qui est un oxide,

---

26) Sie erschienen von 1791—1803 zu Berlin in 17 Octavbänden, und fanden soviel Beifall, daß die ersten 8 Bände nochmals aufgelegt werden mußten.

ne laisse pas apercevoir la plus légère trace d'acidité: la dénomination diverse des acides, plus ou moins oxigénés, est imparfaite, puisqu'elle n'indique point suffisamment leur véritable nature. Il serait aussi facile que superflu de signaler d'autres taches.» Gewiß ist, daß Girtanner's Vorschlag nicht ohne Folgen war, und daß viele der von ihm vorgeschlagenen Bezeichnungen in allgemeinen Gebrauch gekommen sind. — Im folgenden Jahre publicirte Girtanner, wie er es in dem vorhergehenden Schriftchen versprochen hatte, seine „Anfangsgründe der antiphlogistischen Chemie,[27])" die noch mehrmals aufgelegt werden mußten und ungemein viel zur Verbreitung der neuen Chemie in Deutschland beitrugen, wo dieselbe anfänglich mit großem Mißtrauen betrachtet worden war. Auch Kopp muß dieses Verdienst Girtanners offen anerkennen, und wenn er im Weitern sagt: „In der Chemie wußte Girtanner besser durch Zusammenstellung fremder Beobachtungen die Wissenschaft zu verbreiten, als durch eigenes Arbeiten sie zu fördern. Keck in gewagten Schlußfolgerungen, die er nur durch Versuche Anderer unterstützen konnte, ließ er sich zu sehr unrichtigen Behauptungen verleiten", und Letzteres z. B. damit belegt, daß Girtanner unter Anderm noch 1800 ausgesprochen habe, der Stickstoff sei aus Wasserstoff und Sauerstoff zusammengesetzt, so ist dieß am Ende noch keine Todsünde, hat ja noch fast ein halbes Jahrhundert später der berühmte Chemiker Schönbein verwandte Ideen ausgesprochen.[28]) — Im Jahre 1796 ließ Girtanner zu Göttingen eine Abhandlung „Ueber das Kantische Prinzip für die Naturgeschichte, ein Versuch, diese Wissenschaft philosophisch zu behandeln", erscheinen, welche von Kant selbst in seiner Anthropologie „mit Beifall und Hochachtung" erwähnt worden sein soll. — In den Jahren 1797 und 1798 gab er zu Göttingen in zwei Octavbänden eine „Ausführliche Darstellung des Brown'schen Systems der practischen Medizin", und ließ dieser endlich im folgenden Jahre zwei weitere Bände über das

---

27) Göttingen 1792 in 8, — dann 1795 und 1801. Die späteren Auflagen enthalten ein Portrait Girtanners.

28) Siehe Berner-Mittheilungen 1844, pag. 109–111.

Darwin'sche System folgen. Diese beiden Werke erlitten eine sehr verschiedene Beurtheilung; die Darstellung selbst wurde zwar im Allgemeinen gerühmt, dagegen namentlich die Kritik des Brown'schen Systems, in der er sich als entschiedener Gegner desselben erklärte, als oberflächlich bezeichnet. Diese Kritik war in der That etwas auffallend, da Girtanner, der Brown's System in England selbst kennen gelernt hatte, 1790, aber ohne Brown zu nennen, dessen Theorie, „deren Grundlage er auf scharfsinnige Weise mit der Lehre vom Sauerstoff verband," auf eine beifällige Weise in zwei Abhandlungen öffentlich besprochen hatte.[29]) „In der ersten dieser gegenwärtig zu neuem Interesse gelangten Abhandlungen", sagt Häser, dessen Geschichte auch das eben mitgetheilte Urtheil entnommen wurde, „zeigte Girtanner, daß die Iritabilität das Prinzip aller Erscheinungen in der organischen Natur sei; in der zweiten Abtheilung versuchte er zu beweisen, daß dieselbe auf dem Sauerstoffe beruhe, indem dieser sich mittelst des Athmens durch den ganzen Körper verbreite, mit der organischen Faser verbinde, und durch seine normale Menge, Anhäufung oder Verminderung die Zustände der Gesundheit, der Anhäufung und Erschöpfung der Reizbarkeit bedinge. Die äußeren Einflüsse, Reize, wirken nur durch ihre Verwandtschaft zum Sauerstoff der Faser, denselben entweder unverändert lassend, oder zu viel (Erschöpfung) oder zu wenig (Anhäufung) Sauerstoff entziehend. (Nahrungsmittel, — brennbare, kohlenstoffhaltige Substanzen, — Säuren, Metalloxyde.) Die Wirkung jeglichen Reizes wird deßhalb lediglich durch seine Verwandtschaft zu dem Sauerstoff der organischen Faser bedingt." Wenn aber auch die spätere ungünstige Kritik mit der früheren Anpreisung etwas sonderbar contrastirte, so soll man doch nicht jeder Sinnesänderung ohne Weiteres schlechte Motive unterschieben, und es will mir fast scheinen, daß Chaumeton unsern Girtanner denn doch, namentlich auch im Hinblick auf das von Häser hervorgehobene reelle Verdienst, etwas zu stark anfiel und sich verleiten ließ, auf Kosten der Wahrheit der bei Französischen Biographen nicht seltenen Effekthascherei zu fröhnen, wenn er

---

29) Siehe Rozier, Journal de physique, Vol. 36: I. 442, II. 439.

bei Besprechung des späteren Werkes sagte: «Durant son séjour en Ecosse, Girtanner trouva, dans la doctrine Brownienne, une mine qu'il crut pouvoir exploiter à son profit; il en modifia légèrement les principaux points, les entremêla de quelques paradoxes chimico-physiologiques, et composa de ces pièces empruntées un tableau zoonomique qui était, à l'en croire, le fruit de ses recherches et de ses méditations. Deux *Mémoires sur l'irritabilité considérée comme principe de vie dans la nature organisée*, insérés en 1790 dans le *Journal de Physique* de l'Abbé Rozier, annoncèrent la prétendue découverte, qui bientôt fut reconnue pour un plagiat mal déguisé. Furieux d'avoir été démasqué, le docteur suisse déchira impitoyablement celui qu'il avait effrontément dépouillé.»

Johann Kaspar Horner schrieb am 25. Dezember 1797 aus Göttingen nach Hause: „Hofr. Girtanner, welchem ich einen Besuch gemacht hatte, hat mich letzten Sonntag zu einem Souper eingeladen; es ist ein kleines, schwächliches Männchen, aber voll Geist und Witz.“ In einem spätern Briefe vom 2. Februar 1798 schrieb er: „Unser Landsmann, Hofr. Girtanner, ist auf die Nachricht von der Entschlossenheit der Schweizer auf seinem Kanapee in aller Krankheit bei unserm Besuche in einen vaterländischen Eifer gerathen, der alle Franzosen erschreckt hätte, obschon er sonst mit den Aristokraten in der Schweiz nicht zufrieden ist.“ — Diese wenigen Worte geben uns ein so klares Bild von Girtanner's Charakter und politischer Anschauung, daß wir begreifen können, wie es ihn angreifen mußte, als er im Sommer 1799 bei einem Besuche in St. Gallen sich mit eigenen Augen über die damaligen Zustände der Schweiz unterrichtete, und wie er im Herbst, anstatt gestärkt von der heimischen Luft, nur noch leidender nach Göttingen zurückkehrte.[30] „Er hatte den Winter hindurch,“ erzählt Schlichtegroll, „mit vielen Anfällen seiner gewohnten Beschwerden zu kämpfen und hoffte auf Linderung durch den

30) Veranlaßt durch diese Reise schrieb er sein letztes Werk: „Vormaliger Zustand der Schweiz zum Aufschluß über die neuesten Vorfälle in der Schweiz, Göttingen 1800 in 8.“

herannahenden Frühling; völlige Genesung schien er selbst nicht mehr zu hoffen. In den ersten Tagen des Monats Mai 1800 fuhr er mit seiner Gattinn täglich spazieren; selbst noch am siebenten. Am neunten Mai litt er viel von anhaltenden Brustkrämpfen, welche aber Nachmittags wieder aufhörten; sogleich stellte sich auch seine gewöhnliche Heiterkeit wieder ein, und niemand ahnte eine Veränderung. Am folgenden Morgen machte er sich, nach einer guten Nacht, früh mit Eifer an seine Arbeiten, indem er sagte, er habe sich diesen Tag viel zu beendigen vorgenommen. Als er die zweite Tasse Kaffee nehmen wollte, setzte er sie schnell mit den Worten nieder: Es wird mir nicht wohl. Er forderte von der Medizin, die er am verflossenen Tage genommen hatte; man reichte sie ihm, er gab sie aber mit dem Ausruf zurück, er werde jetzt sterben, — ein Ausruf, den man schon öfters bei heftigen Anfällen von ihm gehört hatte. Seinen eintretenden Arzt Osiander empfing er mit denselben Worten; mit Mühe erhielt dieser die Vergünstigung von ihm, einige Mittel zu verschreiben, und Girtanner bestimmte selbst die Dosis, die man ihm geben sollte. Er wiederholte, daß sein Tod nahe sei, zeigte den Umstehenden das in sein Taschentuch gespuckte Blut, und verwies sie auf sein Röcheln. So endete dieser nicht gemeine Gelehrte um neun Uhr dieses Tages (10. Mai 1800) in noch nicht vollendetem vierzigsten Jahre durch einen Stick- und Schlagfluß seine Tage, bei vollkommenem Bewußtsein bis zum Moment des Verscheidens. Eine ihm ergebene Gattinn mit zwei unmündigen Töchtern und vielen Freunden betrauerten seinen frühen Verlust. Bei seiner Thätigkeit, seinen vielen Kenntnissen, seinem Scharfsinn und der ausgezeichneten Gabe eines klaren und beredten Vortrags büßten die Wissenschaften und ihre Cultur in Deutschland durch seinen Tod viel ein."

Johann Konrad Escher von Zürich.

1767 — 1823.

Johann Konrad Escher wurde am 24. August 1767 zu Zürich von Anna Landolt, der Tochter des Bürgermeisters Hans Kaspar Landolt und der zweiten Frau des Kaufmanns Hans Kaspar Escher, geboren [1]) Der Vater Escher gehörte einer Familie an, die schon im 14. Jahrhundert von Kaiserstuhl gekommen war, sich bald zu den angesehensten Zürichs zählen durfte, und seit langen Jahren in zwei Hauptstämmen florirte, den adelig gewordenen Escher vom Luchs und den bürgerlich gebliebenen Escher vom Glas. Zu dem ersten Stamme, von dem ein Hauptzweig 1825 mit der 91jährigen Elisabetha Escher, der jüngsten Tochter des Statthalter Hans Kaspar Escher zu Bubikon, erlosch, gehörte auch Hans Erhart Escher [2]), der nach mehrjährigen Studien in Genf und Grenoble mit schönen mathematischen und naturhistorischen Kenntnissen in seine Vaterstadt zurückkehrte, auch als Maler und Feuerwerker nicht unerhebliches leistete,

---

[1]) Ich benutze für Escher zunächst die vortreffliche Schrift „Hans Konrad Escher von der Linth. Charakterbild eines Republikaners von J. J. Hottinger, Zürich 1852 in 8", und die mir von seinem Sohne und meinem hochverehrten Freunde Arnold Escher gütigst anvertraute, umfangreiche Correspondenz. Dann die Neujahrstücke der Hülfsgesellschaft auf 1824 und der Stadtbibliothek auf 1826, die Correspondenz von Horner, 2c. — Vater Escher lebte von 1729 bis 1805, war zuerst mit Elisabeth Escher verheirathet und dann mit Anna Landolt, die bis 1817 lebte. Er hatte außer Joh. Konrad noch mehrere Söhne, namentlich den nachmaligen Spitalpfleger Johannes (1754—1819), der das Gut in der Schipf besaß und Vater des Gründers der Neumühle, des Joh. Kasp. Escher (1775—1859; s. II. 284), war, — auch einige Töchter, von denen Dorothea (geb. 1773) noch am Leben ist.

[2]) Er lebte von 1656 III. 10 — 1689 XI. 27.

und bei seinem frühen Tod eine nachmals[3]) gedruckte „Beschreibung des Zürich-Sees“ hinterterließ, die zwar etwas Leichtgläubigkeit und mangelhaften Styl zeigt, aber für Topographie und Geschichte ganz werthvoll ist. Zu dem zweiten Stamme, der noch in der neuesten Zeit Zürich mehrere seiner hervorragendsten Staatsmänner und Industriellen geliefert hat, gehörte auch die engere Familie unseres Joh. Konrad Escher, und so z. B. sein Großvater, der Statthalter Heinrich Escher, an den durch seine zweite Frau, eine Tochter des Bürgermeister Kaspar Hirzel, die an der thurgauischen Gränze liegende Herrschaft zu Kefikon und Islikon gelangt war, welche zunächst an den ältern Sohn, den um die Gründung des Zürcher Waisenhauses hochverdienten Oberst und Statthalter Joh. Heinrich Escher[4]), nnd nach dessen kinderlosem Absterben an den Konstafelherrn Joh. Kasp. Escher, den Vater unsers Joh. Konrad, überging.

Des Vaters wohlwollender Ernst, die Frömmigkeit und Güte der Mutter, und die trauliche Unterhaltung mit einem Privatlehrer[5]) entwickelten den muntern und kräftigen Hans Konrad nach allen Richtungen auf das Beste. Aber während er schon frühe großes Interesse für die Naturschönheiten und die Geschichte seines Vaterlandes an den Tag legte, und gerne sich im Zeichnen und Illuminiren versuchte, wollte es dagegen anfänglich in der Schule nicht recht vorwärts gehen. „In meinem neunten Jahre,“ liest man in einem von Escher 1814 niedergeschriebenen Aufsatze, „kam ich in die erste Klasse der lateinischen Schule, an welcher ein alter sehr unphilosophischer Lehrer stand, bei dem ich die lateinische Grammatik mit unsaglicher Mühe und Abneigung auswendig lernen mußte. Wortgedächtniß schien ich keines zu haben und Begriffe wurden mir nicht nachgewiesen. So saß ich dann meist an einer der untersten Stellen, und die im Hersagen der für mich sinnlosen lateinischen Zeitwörter begangenen Fehler wurden meist mit empfindlichen Streichen auf die Hände gebüßt.

3) Zürich 1692 in 8.

4) Vergl. für Joh. Heinrich Escher (1713 V. 6 — 1777 IX. 4) das Neujahrstück der Chorherren auf 1835.

5) Salomon Hirzel von Zürich (1753—1837), nachmals Pfarrer zu Maur.

Nach zwei mühevollen Jahren war ich kümmerlich in die zweite Klasse befördert worden, wo nun die für mich noch viel abstoßendern griechischen Sprachelemente neben den lateinischen gelehrt wurden. Der Erfolg blieb auch unter jüngern und in besserm Ruf stehenden Lehrern derselbe. Ich saß auf der letzten Bank, bekam Schläge, aber keine Begriffe und aller Anstrengungen ungeachtet doch kein Gedächtniß für die todten Worte. Keiner meiner Lehrer konnte Anlagen bei mir entdecken. Nur in den allzuseltenen Schreib- und Rechnungsstunden war ich einer der bessern Schüler, und die wenigen uns von Lehrern der Kunstschule[6]) ertheilten Unterrichtsstunden in Geometrie und Zeichnen ließen mich wieder Zutrauen zu mir selbst fassen. — In der Herbstprüfung des Jahres 1779 saß ich gewohntermassen auf der letzten Bank in meiner Klasse der lateinischen Schule, aus der ich nun von meinen Lehrern als ein schwacher Knabe ohne Anlagen und ohne Fleiß mit Vergnügen (nach dem Willen meines Vaters) an die Kunstschule übergeben ward. Hier wandte sich auf einmal alles anders. Ein deutlicher und zweckmäßiger Unterricht in der Arithmetik und Geometrie, der zwar etwas weniger vorzügliche in Geschichte und Erdbeschreibung, die Anfangsgründe der französischen Sprache und die Anleitung zum Zeichnen nahmen nicht nur meine Aufmerksamkeit und Thätigkeit in der Schule in Anspruch, sondern auch alle für dieselbe aufgegebenen Arbeiten wurden sorgfältig und vollständig geliefert. Breitinger's[7]) mathematische Lehrstunden zogen mich am meisten an. In ihrem zweiten Kurse wurden die Anfangsgründe der Mechanik, Hydrostatik und Hydraulik gründlich vorgetragen und ich faßte ihre Lehrsätze mit solcher Bestimmtheit auf, daß ich im Stande war, die dahin einschlagenden Erscheinungen im Gebiete der Natur und Kunst ziemlich richtig zu beurtheilen. Das Zeichnen ward mir nun immer mehr Liebhaberei. Neben den Schulstunden erhielt ich darin bei Professor Bullinger[8]) noch

6) Sie wurde 1773 für die Bildung von Kaufleuten, Künstlern und Handwerkern errichtet, und ging 1832 in der untern Industrieschule auf.

7) Vergl. I. 306.

8) Joh. Balthasar Bullinger von Zürich (1713—1793), ein beliebter Landschafter.

Privatunterricht, so daß ich während der Ferienzeit bisweilen ganze Tage in Arbeit und angenehmem Gespräch bei ihm zubrachte, und unter seiner Anleitung Landschaften nach der Natur zu zeichnen anfing, was ich von da an allezeit fortgesetzt habe. Drei Jahre hindurch besuchte ich nun die Kunstschule, und verließ dann dieselbe mit einem Zeugnisse, das ebenso günstig war, als dasjenige übel gelautet hatte, womit ich aus der lateinischen Schule getreten war: Man erklärte mich für einen fähigen und fleißigen Knaben, der besonders für angewandte Mathematik viele Anlagen zeige. — Mit mir war zugleich Heinrich Lavater, der Sohn unseres berühmten Joh. Kaspar Lavater, welcher in der lateinischen Schule ebenfalls geringe Fortschritte machte, in die Kunstschule übergetreten[9]). Mit ihm entspann sich die erste wirkliche Jugendfreundschaft. Sein lebhafter Geist regte meinen ruhigern auf und seine Wißbegierde war der meinigen ähnlich. Durch ihn ward ich mit dem damals allgelesenen Siegwart bekannt, der mir einen köstlichen Genuß verschaffte und dabei in Verbindung mit dem aufrichtigen Tagebuch vieles beitrug, mich auf der Bahn der Sittlichkeit zu erhalten und vor den Gefahren erwachender Sinnlichkeit zu bewahren. — Eine zweite Jugendfreundschaft schloß ich mit einem durch stille Bescheidenheit und Fleiß mir näher verwandten Mitschüler Konrad Weber[10]). Wir stifteten unter den fleißigern Schülern unserer

---

9) Für Joh. Heinrich Lavater (1768 V. 21 — 1819 V. 20) vergl. den Anhang des seinen Vater behandelnden Neujahrstückes der Chorherren auf 1820. — Er studirte nachmals, durch seinen Oheim dafür vorbereitet, in Göttingen Medizin, war dann von 1791—1794 Gehülfe von Hotze in Richtenschweil, und practicirte schließlich in seiner Vaterstadt, sich dabei namentlich Verdienste um die Einführung des Impfens erwerbend, welchem er auch in einem vorzüglichen Schriftchen „Abhandlung über die Milchblattern oder die sog. Kuhpocken, Zürich 1800 u. 1801 in 8.“ das Wort sprach. Er hatte ein großes Interesse für Mineralogie, verkehrte noch später oft mit Freund Escher darüber, und lieferte mehrere Aufsätze in Leonhards mineralogisches Taschenbuch.

10) Von Konrad Weber, dem Sohn eines Fabrikanten ab der Landschaft habe ich nichts genaueres erfahren können; er scheint früh gestorben zu sein, wenigstens bedauert die Mutter Escher in einem Briefe von 1790 den Tod „des jungen Weber.“ Dagegen mag hier an den originellen Zinngießer und nachmaligen Amtmann zu Rüti, Daniel Weber von Zürich (1751—1828) erinnert werden, der sich in dem von Chorherr Bremi veröffentlichten „Neli, der Kannengießer, Zürich 1822 in 8“ so köstlich geschildert hat.

Klasse eine Abendgesellschaft, worin die Lehrfächer erörtert, Aufsätze gelesen und Reden vorgetragen werden sollten; aber nach einigen Wochen schon waren die beiden Stifter allein übrig geblieben. An einem Sonntage, als meine Eltern einen Besuch auf dem Lande machten, unternahm ich, ohne dafür erhaltene Bewilligung, mit meinem Freunde eine Wanderung nach Greifensee, wo damals der bekannte Obrist Landolt[11]) Landvogt war. Auf dem Hinweg erzählten wir uns die spaßhaften Anekdoten, welche von seiner Regierungsweise im Umlauf waren[12]), und schwatzten über die Möglichkeit, daß er uns festsetzen ließe. Als wir nun Nachmittags dem Schlosse gegenüber, um dasselbe zu zeichnen, am Seeufer saßen, bemerkte uns der Landvogt und ließ uns ins Schloß rufen. Wir zitterten an Leib und Seele, mußten aber gehorchen. Wir wurden vom Schloßherrn und seiner Gesellschaft aufs Beste empfangen und gut bewirthet. Herr Landolt lud uns ein, bei ihm zu bleiben, um mit ihm einen Wasserfall in einiger Entfernung vom Schlosse zu zeichnen. Wir stellten aufs lebhafteste vor, daß unsere Eltern uns auf den Abend zurückerwarteten (daß ich heimlich ausgerissen sei, durfte ich nicht sagen); es half aber nichts. Er behauptete, man werde zu Hause sich wohl vorstellen, daß er uns bei sich behalten habe. Aller Widersprüche ungeachtet mußten wir auf den Weg zum Wasserfall mitgehen. Mir ward todesangst beim Gedanken an die Heimath. Die Gesellschaft war ziemlich

---

11) Salomon Landolt von Zürich (1741 XII. 10 — 1818 XI. 26), für den sein von David Heß entworfenes „Charakterbild, Zürich 1820 in 8." zu vergleichen ist, — der bekannte originelle Scharfschützenoberst und Landvogt zu Greifensee und Eglisau, der auch als Schlachten- und Jagdmaler nicht unbedeutend war.

12) Das in Note 11 erwähnte Werk enthält diese wirklich komischen Geschichtchen und andere charakteristische Anecdoten zu Dutzenden. So z. B. ließ er in Greifensee, um die Bauern zur Stallfütterung, 2c. aufzumuntern, mit großen Buchstaben über seine Stallthüre schreiben: Mist geht über List. — Als er bemerkte, daß einer seiner Knechte sein Reitpferd gewöhnlich während dem Fressen striegelte, paßte er ab bis der Knecht einst am Essen saß, ging sachte von hinten auf ihn zu, fing ihn an zu kämmen, und sagte dann dem über das seltsame Beginnen verwunderten Mann: Gelt, du Schwernothskerl! Das möchtest du auch nicht leiden, täglich beim Essen frisirt zu werden. Es ist eine Hagelsmode, daß du mein Pferd immer striegelst, wenn es ruhig fressen sollte. Thue dergleichen nie mehr! Das wirkte. 2c.

groß und in munterem Gespräche begriffen. Wir gezwungene Begleiter schlichen hintennach. Bei einem Scheidewege gab ich meinem Gefährten ein Zeichen zum Desertiren und nun gings in strengstem Lauf über Fällanden den Zürichberg hinauf, wo wir vor Verfolgung uns gesichert achtend und auf den anmuthigen Greifensee zurückschauend, ausruhten und nach glücklich bestandenem Abentheuer den Berg hinunter getrost nach Zürich zogen." — Zu Ende des Jahres 1782 aus der Kunstschule entlassen, trat Escher vorerst als Gehülfe in die Seidenflorfabrik des Vaters ein, wurde aber schon im April 1783 von demselben zu weiterer Ausbildung zu einem Herrn Pfarrer Guer nach Morges gebracht. In dieser in allen Beziehungen etwas dürftigen kleinen Erziehungsanstalt befand sich jedoch Escher nicht sehr wohl, da er sich in manchen Kenntnissen nicht nur seinen zum Theil jüngern Mitschülern, sondern sogar seiner Wohlehrwürden überlegen fand, und auch die für einen Jungen von seinem Alter nicht unwichtige Beköstigung nicht gerade am Besten war, so daß er z. B. einmal an seine Mutter schrieb: „Ich wünschte letzten Sonntag in Zürich zu sein, um Zungen und Sauerfleisch zu essen, — wir hatten einen Rindfleischbraten auf dem Tisch, er wurde aber nicht angehauen und wir mußten mit sog. Saubohnen vorlieb nehmen." Obschon daher Besuche im Schlosse, und einige andere Bekanntschaften außerhalb der Anstalt, unter denen namentlich die mit Kasthofer [13]) erwähnt zu werden verdient, etwas nachhalfen, war doch Escher sehr froh, als der Vater im Spätjahr 1784, nachdem der Confirmations-Unterricht absolvirt war, einwilligte ihn nach Genf zu versetzen. Er fand daselbst bei einem dort niedergelassenen Deutschen Kaufmann

13) Gottlieb Rudolf Kasthofer von Bern und Aarau (1768—1823), später successive Kanzleivorsteher unter Minister Rengger, Regierungsstatthalter von Bern und Staatskanzler vom Aargau, — ein Mann, der sich durch Charakter und Kenntnisse auch in den aufgeregtesten Zeiten allgemeine Achtung zu erhalten wußte. Er ist nicht zu verwechseln mit dem Regierungsrath und Forstmeister Albert Karl Ludwig Kasthofer von Bern (1777—1853 I. 22), der sich durch seine schriftstellerische Thätigkeit, namentlich durch seinen „Lehrer im Walde, Bern 1828—1829, 2 Th. in 8.", einen europäischen Ruf erwarb, und für sein engeres Vaterland als practischer Forstmann und Führer der Nationalen ebenfalls viel leistete.

Bürlin eine passende Versorgung, und an einem jungen Geistlichen, Jean-Pierre-Etienne Vaucher[44]), einen Privatlehrer, der bald zum Herzensfreunde wurde und als eifriger Botaniker seinem Zöglinge bei verschiedenen Excursionen auf den Salève, Môle, &c. ebenfalls Liebe für die Pflanzenkunde beizubringen wußte. Im Sommer 1785 sollte Escher nach Hause zurückkehren, erhielt jedoch vom Vater die Erlaubniß bei dieser Gelegenheit das Faucigny, Wallis und Berner-Oberland zu besuchen. «Comme c'est peut-être la seule occasion, dans votre vie de voir le Vallais,» schrieb ihm der Vater, «je consens de faire ce voyage; mais en cas que vous fussiez le seul pour le faire, je vous recommande de prendre un homme fidèle avec vous, qui connait les principaux torrens, afin de ne jamais vous exposer trop,» und am Schlusse des Briefes wiederholt er nochmals: «Je vous prie de n'aller jamais seul, mais de vous servir où vous le pouvez d'une voiture publique ou de prendre un cheval avec un domestique, car outre que l'on n'est pas sûr, ce qui peut arriver en route, il est fort indécent de courir ainsi le monde sans avoir quelqu'un par compagnie.»[45]) Diese Reise, auf deren erstem, namentlich auf den Col de Balme und den Buet führenden Theile, Vaucher seinen jungen Freund begleitete, machte Escher große

---

44) Vaucher (1763 IV. 27 — 1841 I. 5), der Sohn eines in Genf etablirten, aber von Fleurier im Val-Travers gebürtigen Zimmermeisters, wurde später Pfarrer in Genf und Professor, gab gleichzeitig Vorlesungen über Kirchengeschichte und Botanik, und erwarb sich theils durch seine Abhandlungen in den Genfer Memoiren, theils durch verschiedene selbstständige Werke, seine «Histoire des conferves d'eau douce, Genève 1803 in 4.», seine «Histoire physiologique des plantes d'Europe, Paris 1841, 4 Vol. in 8.», etc. einen nicht unbedeutenden wissenschaftlichen Ruf. Seinem Freunde Escher widmete er in der Bibl. univ. Sciences. Vol. 21 einen Nachruf, der manches Interessante enthält.

45) Man sieht, daß die Schweizerreisen damals noch anders angesehen wurden als jetzt, und daß Vater Escher noch keine Ahnung von den zahllosen Exkursionen hatte, die der Sohn schon in den nächsten Dezennien unternehmen sollte. Berichtet ja auch Ludwig Meyer von Knonau (s. Zürcher Taschenbuch): „Escher von der Linth erzählte mir wenig Jahre vor seinem Tode, als er im Sommer nach seiner ersten Schweizerreise wieder von einer solchen zu sprechen angefangen habe, sei sein Vater betroffen gewesen und habe ihm geantwortet: Du hast ja deine Schweizerreise schon gemacht."

Freude, und glücklich langte er am 31. August 1785 im väterlichen Hause an, wo er nun sofort wieder ins Geschäft einzutreten hatte, und folgende Tagesordnung getroffen wurde. „Neben den Morgenstunden," erzählt Hottinger, „welche Escher in den Gewerbszimmern dem Vater und den zwei ältern Brüdern zur Seite zubrachte, und wo jetzt die Austheilung der rohen und die Abnahme der bearbeiteten Stoffe seine besondere Aufgabe ward, füllten einige die weitere Ausbildung bezweckende, aber wenig planmäßig geordnete Studien und mancherlei Liebhabereien die übrigen Stunden. Auf fast täglichen Spaziergängen wurden theils für ein Herbarium Pflanzen gesammelt, theils Landschaften gezeichnet, von diesen auch einzelne hinwieder in Kupfer geäzt. An diese einfache Beschäftigung schloß sich der Unterricht in der Italienischen Sprache und das Lesen von Reisebeschreibungen, aus denen der Jüngling Auszüge machte. Zu Erfüllung der bürgerlichen Pflichten erfolgte sowohl die Aufnahme in die väterliche Zunft zur Konstafel, als der Eintritt in die Kantonsmiliz." Die Herbstfreuden wurden in Kefikon genossen; im Winter gab es Konzerte, Assembleen mit obligatem Boston und einige Tanzparthien. — Im Sommer 1786 bot eine Handelsreise des ältern Bruders nach Paris Gelegenheit, Escher in die größere Welt einzuführen. Er blieb dort etwa zwei Monate, um sich mit den Merkwürdigkeiten der Weltstadt und ihrer Umgebung bekannt zu machen, fand auch Gelegenheit mit den dort sich immer breiter machenden Weltverbesserern Mirabeau, d'Espagnac, 2c. zusammenzukommen und dadurch sich ziemlich abzukühlen. Dann ging er mit dem nachmaligen Zeughausinspector Breitinger[16]) über Havre und Portsmouth nach London, wo er wieder etwa zwei Monate blieb, und unter Anderm einer Sitzung der Royal Society beiwohnte, wo eben Herschel einen Vortrag hielt, dem er aber nicht folgen konnte, während er dagegen mit großem Interesse das Observatorium des berühmten Mannes in Slough besuchte. Nach Holland übergeschifft, zog Escher Göttingen zu, wo ihn sein Jugendfreund Lavater[17]) erwartete, und wo er nun mit ihm,

16) Vergl. I. 366.
17) Siehe Note 9.

den Zürchern Usteri[18]) und Landis[19]), den Bernern Gruber[20]), Lüthard[21]), Rengger[22]), ꝛc. zwei lehrreiche und genußreiche Semester verlebte, — bei Lichtenberg Physik, bei Beckmann Technologie und Mineralogie, bei Gmelin Chemie und bei Heyne ein Privatissimum über Deutsche Sprache hörte, — und auf verschiedenen Ferienausflügen theils den Harz bereiste, theils in Hamburg Klopstock und Claudius, in Bremen Stolz[23]) und den Rathhauskeller[24]), in Hildesheim Beroldingen[25]), in Hannover Zimmermann[26]), in Berlin Herzberg[27]), in Dresden Graf[28]) ꝛc. besuchte. Zum Schlusse ging Escher im Frühjahr 1788 über Wien und Venedig nach Neapel, Rom und Florenz, wo ihn Natur, Alterthümer und Kunstschätze im höchsten Grade fesselten, während dagegen der kirchliche Pomp, der sich z. B. in Rom am

---

18) Auf Paul Usteri werde ich in der folgenden Biographie zurückkommen.

19) Ein nachmals sehr beliebter Arzt in Richtenschweil.

20) Samuel Abraham Gruber von Bern (1765—1835), nachmals Staatsschreiber, — und sein Bruder, der nachmalige Forstmeister Gruber.

21) Vergl. II. 420.

22) Albrecht Rengger von Brugg (1764—1836), unter der Helvetik Minister des Innern und später durch seine „Beiträge zur Geognosie, Stuttgart 1824 in 8.", und verschiedene Abhandlungen auch um die Wissenschaft verdient, s. «Laharpe, Albert Rengger, Lausanne 1836 in 8.» und „Wydler, Leben und Briefwechsel Albrecht Renggers, Zürich 1847, 2 Bde. in 8." — und sein Bruder Samuel, nachmals Pfarrer in Baden, vergl. pag. 237.

23) Siehe I. 432.

24) Bei dem Besuche von Hamburg, Bremen, ꝛc. war Escher in Gesellschaft seines Freundes Lavater, der um des Vaters willen außerordentlich gefeiert wurde, so daß sich unter Anderm auch die verborgensten Räume und Fässer des Bremer-Rathhauskellers vor ihnen öffneten.

25) Franz von Beroldingen, aus dem alten Urnerischen Freiherrngeschlechte am Seelisberg (St. Gallen 1740 X. 11 — Walshausen 1798 III. 8), damals Domcapitular zu Hildesheim, später zu Osnabrück. Er beschäftigte sich viel mit Mineralogie und Geologie, und seine Werke: „Beobachtungen, Zweifel und Fragen die Mineralogie und ein natürliches Mineralsystem betreffend, 2 Versuche, Hannover 1778—1794, 2 Bde. in 8., — Die Vulkane älterer und neuerer Zeit, Mannheim 1791, 2 Bde. in 8. — ꝛc." sind nicht ohne Verdienst, wenn sie auch, wie z. B. über die Nagelfluh, zum Theil sonderbare Ansichten enthalten.

26) Siehe pag. 46—47.

27) Zu Berlin wohnte Escher unter Anderm einer öffentlichen Sitzung der Academie bei, in welcher der gute Böguelin die Versammlung mit einer philosophisch-mathematischen Abhandlung über die Kontinuität, in der die Seele mit einer mathematischen Linie verglichen wurde, so gelangweilt habe, daß ihn der Präsident vor dem Schlusse ersuchen mußte, abzubrechen.

28) Siehe III. 305.

Petersfeste vor ihm entfaltete, sehr wenig Eindruck auf ihn machte. „Noch nie hatte ich in Rom," schrieb er am 12. Juni 1788 an seine Mutter, „so lange Zeit als an dem Petersfest: Des Morgens las der Papst Messe, und mußte vorher ein paar dutzendmal ausgezogen und wieder anderst angekleidet werden; alle Augenblicke setzte man ihm eine andere Grenadierkappe auf, so daß mir erbärmlich langweilig dabei wurde. Ich war ganz dichte bei ihm und konnte ihn recht gut sehen: Er hat ein äußerst ehrwürdiges, ernsthaftes und schönes Ansehen; singen kann er wie ich und weiß insonders gut den Segen auszuspendiren, — ich bekam auch ein Mund voll davon, mußte mir aber dafür die Kniee beinahe wund knieen. Abends war großes Konzert in der Peterskirche, folglich hatte ich Langeweile, und mit Einbruch der Nacht ward die äußere Façade mit dem Platz illuminirt und ein Feuerwerk abgebrannt; freilich ist dieses ziemlich schön, aber es ist ja leicht sich eine mit Fackeln überhangene Kirche mit einem runden Thurm vorzustellen, — braucht man deßwegen nach Rom zu kommen?" Die Rückreise hatte über Mailand, Turin, den Mont-Cenis und das liebe Genf statt, und am 21. September 1788 betrat Escher glücklich wieder sein Vaterhaus, sein Reisetagebuch mit dem Ausrufe schließend: „Und nun auf immer dein, o Vaterland!" — Zunächst trat Escher nun wieder in das väterliche Handelsgeschäft ein, ohne jedoch seine Studien zu vernachlässigen. „Der kaufmännische Beruf," sagt Hottinger, „ließ ihm in der Weise, wie er zu jener Zeit betrieben ward, bedeutende Muße übrig. Ihm waren in der Regel die drei Stunden unmittelbar vor dem Mittagessen gewidmet. Vier andere Morgenstunden, denn Escher hatte sich gewöhnt um fünf Uhr bei der Arbeit zu sein, nahmen die Geologie, welche immer mehr sein Lieblingsstudium wurde, nebst ihren Hülfswissenschaften, der Briefwechsel mit Freunden und das Frühstück im Kreise der Seinigen in Anspruch. Der Nachmittag gehörte dem Studium der Mathematik, der Philosophie und der Staatswissenschaften; der spätere Abend, wenn er nicht in gemeinnützigen Gesellschaften[29]), oder für Arbeiten solcher Art ver-

29) Escher war z. B. einer der beliebtesten Aufseher der Knabengesellschaft.

wendet wurde, dem Lesen von Tagesblättern.“ Einige Abänderung mochte dann freilich zuweilen diese Tagesordnung erleiden, nachdem sich Escher 1789 mit Regula von Orell verlobt und verehelicht hatte, und der glücklichen Ehe eine Schaar lustiger Mädchen[30]) entsprang, denen sich, um das Glück voll zu machen, und für einen frühern Verlust zu trösten, am 7. Juni 1807 auch ein lebenskräftiger Knabe anschloß[31]), der, wie es schon bei der Geburt, des Vaters heißester Wunsch war, „die Freude, Stütze und Ehre“ der Familie geworden ist, und zwar in einer Weise, daß ein Hausfreund, Dr. Zwingli[32]), wirklich Recht behielt, als er bei Anlaß dieser Geburt Escher launig zurief: „Nun haben Sie einmal in Ihrem Argument absque gemacht!“

Es kann sich hier um so weniger darum handeln Eschers öffentliches Wirken vor, während und nach der Revolution einläßlich zu schildern, als dieses Pensum bereits durch Hottinger auf das trefflichste gelöst worden ist; sondern ich muß mich darauf beschränken ihn als Geologen und Präsidenten der Linthcommission etwas genauer zu betrachten, und seine übrige Wirksamkeit nur als Einleitung hiezu in kurzen Worten so weit zu berühren, als es zur Vervollständigung des Bildes absolut nothwendig ist. — Vor der Revolution diente Escher seinem engern Vaterlande theils kurze Zeit als Mitglied des Stadtgerichtes, theils als Oberlieutenant bei einer Freikompagnie des Trülliker-Quartiers, mit der er 1792 nach Basel[33]) und 1796 nach

---

30) Eines dieser Mädchen, die 1794 geborne Juliane, verheirathete sich 1818 mit Joh. Kaspar Hirzel von Zürich (1792—1851), der später Lehrer der Mineralogie am technischen Institute und Regierungsrath wurde, seinen Schwiegervater auf verschiedenen Reisen begleitete, und sich sowohl durch Beiträge zur Neuen Alpina, als durch seine „Wanderungen in weniger besuchte Alpengegenden der Schweiz und ihre nächsten Umgebungen, Zürich 1829 in 8.“ in der Wissenschaft ein ebenso ehrenvolles Andenken gesetzt hat, als durch seine Gemeinnützigkeit in den Herzen seiner Mitbürger.

31) Arnold Escher von der Linth, gegenwärtig Professor der Geologie am Eidgenössischen Polytechnicum und Präsident der naturforschenden Gesellschaft in Zürich.

32) Dr. Balthasar Zwingli von Zürich (1765—1817), Schwiegervater von Professor Locher, früher Militärarzt in Holländischen Diensten.

33) Ein von ihm damals verfertigter Plan über die Kantonsgränzen machte

Schaffhausen zum Schutze der Gränze abgeordnet wurde, — theils als Lehrer, indem er von 1793 hinweg öffentliche Vorlesungen über Politik und Staatswirthschaft hielt, welche als gelungene Vorläufer des ein Jahrzehend später gegründeten „Politischen Instituts“ zu bezeichnen sind, an welchem sich Escher als Stifter und bis 1815 als Professor der Statistik und des Kameralwesens ebenfalls bethätigte. — Ein weiteres Feld der Wirksamkeit eröffnete sich Escher während der Revolution. Er gehörte wie seine Freunde Usteri, Rengger, 2c. zu den entschiedenen Liberalen, welche den von den Städten ausgeübten Zunftzwang, die z. B. im Stäfner Handel bewiesene Rücksichtslosigkeit gegen die Landbewohner, die zum Theil gewissenlose Ausbeutung der gemeinen Herrschaften, 2c., längst mißbilligten, die wohlthätigen Folgen der Französischen Revolution über der grauenhaften Durchführung derselben nicht vergaßen, 2c., zeichnete sich aber durch größere Leidenschaftslosigkeit in politischen Dingen, sowie durch den Schutz aus, den der von der neuen Zeit bedrohte einfache Volksglaube bei ihm fand. So sehr Escher jedoch der Ansicht war, daß die in seinem engern Vaterlande nothwendigen Reformen „von oben herunter angebahnt, nicht ertrotzt von unten herauf“ werden sollten, so verhehlte er sich die kommenden Stürme nicht, und in seiner Rückschau auf das Jahr 1797, welche er am Sylvester auf dem Uetliberg vornahm und am folgenden Tage niederschrieb, sagte er unter Anderm: „Des finstern Himmels ungeachtet war die Gegend nicht ohne Anmuth und im Gegensatze zu dem wilden Charakter meines Standpunktes stellte sich mir das Thal von Zürich reizend dar; aber fürchterlich heulte der Wind in den Wipfeln der Bäume über die Kante hin, und es bedurfte einiger Entschlossenheit, um die beschneite Kuppe vollends zu ersteigen. Es ist dieses das Bild — sagte ich zu mir selbst — der gegenwärtigen und noch bevorstehenden Zeit, und ich faßte den Entschluß, wie dem jetzigen Windsturm, so auch allen andern, die vielleicht meiner warten möchten, Stand zu halten, jede Pflicht gegen das Vaterland treu zu er-

---

zuerst die Basler Regierung etwas stutzig wurde dagegen nachträglich von ihr unter Beilegung einer goldenen Denkmünze bestens verdankt.

fühlen und in dieser Pflichterfüllung stets Trost und Stärkung zu finden." Die Stürme ließen noch weniger lang auf sich warten, als Escher damals dachte: Im März war bereits die alte Eidgenossenschaft gefallen, und die im Februar nach Zürich berufene Landesversammlung, in die auch Escher von der Konstafel gewählt worden war, hatte ebenfalls bald ausgespielt. Dafür war eine helvetische gesetzgebende Behörde in Aarau zusammengetreten, der Escher gegen seinen Wunsch auch beiwohnen, und sie sogar nach ihrer successiven Uebersiedlung nach Luzern und Bern wiederholt präsidiren mußte, — nebenbei gab er mit Usteri, der Mitglied des Senates war, den Schweizerischen Republikaner heraus.[34]) Trotz dem immer wachsenden Ansehen Eschers fühlte sich dieser aber nicht wohl, als die Partheiwogen immer höher gingen, und er war sehr froh, als er im Sommer 1801 in die Heimath zurückkehren konnte, und lehnte die bald nachher auf ihn fallende Wahl in den Vollziehungsrath entschieden ab. Als er jedoch nach Neujahr 1802 nochmals einen

34) Escher wurde natürlich während diesen Zeiten auch mit dem Befreier des Waadtlandes, dem bald verfluchten, bald vergötterten Frédéric-César de La Harpe von Rolle (1760—1835), dem Lehrer Alexanders und zeitweiligen Director der Helvetischen Republik, bekannt. Ich muß natürlich hier darauf verzichten, das bewegte und mit unserer Geschichte vielfach verschlungene Leben La Harpe's zu beschreiben, und beschränke mich eine einzelne, weniger bekannte Episode aus demselben zu berühren: La Harpe machte im Sommer 1815 einen Aufenthalt in Meilen, um dort in ländlicher Stille auszuruhen und wurde von Escher daselbst besucht; drei Tage nachher (am 3. Juli 1815) schrieb er Escher, daß ihm vom Statthalter verdeutet worden sei, man sehe diesen Aufenthalt nicht gerne, und daß er natürlich sofort abreisen werde, fügte aber bei: J'ai cru bonnement qu'un Suisse pouvait résider partout en Suisse, quelle que fût sa couleur, en respectant les loix et ceux qui sont chargés de leur exécution. En terre étrangère j'ai trouvé azyle, protection, égards, de la part de ceux mêmes, qui différaient d'opinion avec moi; mais il parait qu'on à d'autres principes dans notre patrie. Que devient pourtant le plus beau pays de la terre, si l'on ne peut l'habiter en paix, sans renoncer à la virilité, sans être sourd ou muet? Je quitte donc Meilen et les bords enchanteurs de votre lac, où pendent 12 jours j'ai trouvé repos, tranquillité et bien-être de toute espèce. Je comptais m'y délasser au milieu d'occupations louables, mais cela n'est plus possible. Je vais faire un nouvel essai en Argovie, et voir si après avoir été forcé de figurer parmi les Grands, le premier et le plus ardent de mes voeux sera exaucé, celui de terminer ma carrière en simple citoyen, en homme libre, sur une terre qui passe pour être le sol de la liberté.»

Ruf in den, an die Stelle des Vollziehungsrathes tretenden Kleinen Rath erhielt, und von allen Seiten aufgefordert wurde ihm zu folgen, ließ er sich bewegen, und hatte nun mit Frisching das Kriegswesen zu besorgen, bis er nach der Revolution vom 17. April 1802 sich wieder zurückzog. Es folgte nun die Abstimmung über die helvetische Verfassung, die Belagerung von Zürich durch General Andermatt, der allgemeine Aufstand gegen die helvetische Regierung, die Vermittlung Napoleons, und im April 1803 die Wahl der neuen Kantonalbehörden. Zu seiner großen Freude wurde Escher bei dieser letztern übergangen und erst nachträglich in den Erziehungsrath und die Aufsichtsbehörde der Kunstschule gewählt.[35]) So blieb er während der ganzen Dauer der Mediation von Regierungsgeschäften frei und konnte sich seiner Handlung und den im Folgenden zu besprechenden Arbeiten ungestört hingeben; aber 1814 wurde er in den Zürcherischen Großen Rath gewählt, und von diesem in den Kleinen Rath, wo er als Mitglied der Finanz- und Forstpolizei-Commission, des Erziehungs- und Bau-Departements, sowie des Staatsrathes seinem Lande bis zu seinem Tode immerfort große Dienste leistete, — mancher speziellen Aufträge und der vielen von ihm eingeforderten Gutachten über Wasser-, Straßen- und Bergbau nicht einmal spezieller zu gedenken.

Es sind in dem Vorhergehenden schon zahlreiche Schweizer aufgeführt worden, die sich durch Reisen und Schriften um Topographie, Mineralogie und Geologie verdient gemacht haben, — ich erinnere an die Aargauer Meyer[36]) und Rengger, die

---

35) Bei dieser Gelegenheit mag erwähnt werden, daß Escher auch für das Armenerziehungswesen großes Interesse hatte, — mit Philipp Emanuel von Fellenberg von Bern (1771 VI. 27 — 1844 XI. 21), dem berühmten Gründer von Hofwyl und nachmaligem Landammann des Kantons Bern, für den unter Anderm Lauterburg's Biographie in seinem Taschenbuch auf 1855 zu vergleichen ist, darüber correspondirte, — als langjähriger Präsident der Aufsichtscommission sich um die Anstalt auf dem Bläsihofe, „einer Tochter der landwirthschaftlichen Armenschule in Hofwyl," für welche unter Anderm das Neujahrstück der Hülfsgesellschaft auf 1825 verglichen werden kann, große Verdienste erwarb, zc.

36) Der bei Meyer II. 240 erwähnte Joh. Jakob Scheuermann von Aarburg (1771—1844) wurde in Bern geboren, wo sein Vater als Kupferhammerschmied lebte, und erlernte daselbst seinen Beruf bei Kupferstecher Eichler aus Augsburg.

Basler d'Annone, Bruckner, Merian und Münster, die Berner Altmann, Engel, Gagnebin, Gruner, Höpfner, Rebmann, Studer, Thurmann, Wild und Wyttenbach, die Bündner Banst, Pool, Salis, a Spescha[37]), die Genfer Bourrit, Deluc, Mallet und Saussure, die Glarner Loriti und Tschudi, die Luzerner Capeller, Lang und Pfyffer, die Neuenburger Bourguet, Garein und Osterwald, den Solothurner Wallier, den St. Galler Vadian, den Unterwaldner Müller, den Urner Beroldingen, die Waadtländer Bertrand, Erchaquet, Plantin und Struve, die Zürcher Ammann, Fäsi, Geßner, Hottinger, Scheuchzer, Simmler, Stumpf und Wagner, &c.; aber noch könnte eine nicht unbeträchtliche Anzahl ebenfalls um diese Zweige verdienter Schweizer namhaft gemacht werden, — ich erinnere an Joh. Wilhelm Schlatter von Zürich[38]), der in Rußland von 1722 bis 1760 vom Bergprobirer und Münzwardein bis zum wirklichen Staatsrath und Präsidenten des Bergcollegiums und Münzdepartements emporstieg, im Probiren und Scheiden von Erzen ein Meister war, 1748 den Bau des silbernen Denkmals des heil. Alexander Newsky in dem ihm geweihten Kloster zu St. Petersburg dirigirte, und auch als Schriftsteller mit Erfolg aufgetreten ist[39]), — an Joh. Rudolf Schinz von Zürich[40]), der Theologie studirte und später als Pfarrer zu Uitikon lebte, aber mit besonderer Liebe Naturwissenschaften und Agricultur pflegte, die Schweiz und einen großen Theil von Ita-

---

Von ihm an Meyer empfohlen, zog er 1796 nach Aarau, bürgerte sich daselbst 1806 ein und lebte dort bis zu seinem Tode.

37) Für Placidus a Spescha ist auch „G. Theobald, das Bündner Oberland, Chur 1864 in 8." zu vergleichen.

38) Er wurde 1708 zu Berlin geboren, wo sich damals sein Vater Heinrich aufhielt, begleitete ihn als dieser 1719 in Russische Dienste übertrat, und starb 1768 I. 28 zu Petersburg. Sein jüngster Sohn Joh. Wilhelm (1734—1780) trat in seine Fußstapfen.

39) So z. B. gab er zu Petersburg einen „Ausführlichen Unterricht zur Kenntniß des Bergbaues, 1760, 4 Theile in Fol.," eine „Ausführliche Beschreibung des Schmelz- und Hüttenwesens, 1763—1767, 7 Theile in Fol.," &c. heraus.

40) Vergl. für Schinz (1748—1790 I. 12) Felix Nüschelers „Denkmal auf Joh. Rud. Schinz, Zürich 1791 in 8." und das Neujahrstück der Nat. Ges. auf 1801. Der pag. 234 erwähnte Heinrich Rudolf Schinz war sein Sohn.

lien bereiste, Naturalien sammelte und der Naturforschenden Gesellschaft in Zürich, deren langjähriger Secretär er war, schenkte, so wie sich durch Bekanntmachung mancher Ergebnisse seiner Reisen verdient machte[41]), — an Johann Gottfried Ebel von Züllichau und Zürich[42]), der nach in Frankfurt a. O. und Wien beendigten medizinischen Studien, im Jahre 1790 nach der Schweiz ging, sie während drei Jahren nach allen Richtungen durchzog, dann in Frankfurt a. M. seine allgemein bekannte, in verschiedenen Sprachen aufgelegte und vielfach ausgebeutete, auch naturwissenschaftliche Studien enthaltende „Anleitung auf die nützlichste und genußvollste Art die Schweiz zu bereisen[43])“ ausarbeitete, nachher einen mehrjährigen Aufenthalt in Paris machte, von dort aus in Briefen an verschiedene Schweizerische Magistrate nicht ohne eigene Gefährdung das Land seiner Zuneigung vor dem drohenden Untergang zu warnen und zu schützen suchte, 1801 in Folge dessen das Helvetische Bürgerrecht und später das Zürcher Stadt-Bürgerrecht erhielt, 1803 seine classische Schrift „Ueber den Bau der Erde im Alpengebirge[44])“ publicirte, von 1810 hinweg aber bis an seinen Tod als Hausfreund der Familie Escher im Brunnen in Zürich lebte und sich dort, ohne seine wissenschaftlichen Arbeiten hintanzusetzen, durch Unterstützung alles Edeln und Gemeinnützigen[45]) den Himmel auf Erden und den wärmsten Dank seines

---

41) Beiträge zur nähern Kenntniß des Schweizerlandes, Zürich 1783—1787, 5 Hefte in 8.“

42) Vergl. für Ebel (Züllichau 1764 X. 6 — Zürich 1830 X. 8) die Verh. der Schweiz. Naturf. Ges. von 1832, das Neujahrstück der Stadtbibl. auf 1833, und vor Allem die von Escher für die Verhandl. der Schweiz. gemeinnützigen Gesellschaft von 1835 geschriebene ausführliche Biographie.

43) Zürich 1793, 2 Bde. in 8., — 1804 bis 1805, und 1809 bis 1810 ebendaselbst, je 4 Bde. in 8. — Ihr folgten Leipzig 1798 und 1802 zwei Bände „Schilderungen der Gebirgsvölker der Schweiz.“

44) Zürich, 2 Bände in 8.

45) So flossen durch ihn während den Hungerjahren 1816 und 1817 bei 11000 Gulden aus dem nördlichen Deutschland in die Gebirgskantone, — so half er einem talentvollen aber armen Knaben aus Bürglen (Imhof) zu Dannecker und nach Rom, xc. — Der Kuriosität wegen mag auch angeführt werden, daß in Ebels Ausgabenbuch die Note vorkommen soll: „Den Uetliberg um 6 Fuß höher gemacht à 10 Franken, macht 60 Franken,“ — und daß daher die zahlreichen Besucher dieses Berges dem guten Ebel den erhöhten Genuß schulden, den ihnen das kleine Schänzchen gewährt.

zweiten Vaterlandes verdiente, — an Andreas Wanger von Aarau[46]), Klaßhelfer und Lehrer der Naturgeschichte daselbst, der in Schmetterlingskunde, Baumzucht und ganz besonders in Oryktognosie und Geognosie vorzügliche Kenntnisse besaß, und theils durch persönliche Anregung, theils durch werthvolle Mittheilungen in Leonhards Jahrbuch die Naturwissenschaften erheblich förderte, — an Jean-François Berger von Genf[47]), der in Paris Medizin studirte und dieselbe später in seiner Vaterstadt glücklich practicirte, daneben aber mit großem Eifer Hypsometrie und Geologie betrieb, und namentlich in frühern Jahren in dem Journal de Physique und den Transactions der Englischen Geologischen Gesellschaft werthvolle Beiträge zur Hypsometrie Savoyens und zur Geologie Englands publicirte, — an Charles Lardy von Lausanne[48]), der als Bergrath und Generalforstinspector der Waadt große Dienste leistete, ein vorzügliches Mineraliencabinet besaß, und durch viele werthvolle geologische Abhandlungen in Renggers Beiträgen, den Denkschriften der Schweizerischen Naturforschenden Gesellschaft, den Annales des Mines, dem Taschenbuche und Jahrbuche von Leonhard, ꝛc. sich ein ehrenvolles Denkmal gesetzt hat, — an Joh. Ludwig Burckhardt von Basel[49]), der in Leipzig und Göttingen das Recht studirte, dann um eine diplomatische Anstellung zu suchen nach England ging, dort in die Dienste der afrikanischen Gesellschaft trat, in ihrem Auftrag 1809 nach dem Orient schiffte, etwa 3 Jahre in Aleppo und Damask zubrachte um sich mit Sprache und Sitte vertraut zu machen, und dann (unter dem Namen Scheik Ibrahim) Egypten, Nubien, ꝛc. bereiste, wo er mit seltener Gründlichkeit die interessantesten Nachrichten sammelte, die nach seinem frühen Tode in London publicirt wurden[50]), — an Karl Franz Lusser von Al-

---

46) Für Andreas Wanger (1774 IX. 9—1836 IV. 27) vergl. die Verhandl. der Schweiz. Naturf. Ges. von 1836.

47) Vergl. für Berger (1779 VI. 22—1833 VI. 5) den 10. Bd. der «Mémoires de la Société de Physique et d'histoire naturelle de Genève.»

48) Er lebte zu Lausanne von 1780 bis 1858 III. 15.

49) Vergl. für Burckhardt (Lausanne 1784 XI. 24 — Cairo 1817 X. 17) das Bull. de la Soc. géogr. X. 1828, die Neujahrstücke von Basel, ꝛc.

50) «Travels in Nubia, London 1819 in 4 (Weimar 1820).» — «Travels

torf[51]), der seinem Heimathkanton als Arzt und Landammann diente, viele geologische und botanische Excursionen im Urnergebirge machte, und in Leonhards Taschenbuch, den Denkschriften der Schweiz. Naturf. Gesellschaft, 2c, werthvolle betreffende Mittheilungen gab, — an Franz Joseph Hugi von Grenchen im Kanton Solothurn[52]), der erst Director des Waisenhauses in Solothurn, dann, bis zu seinem Uebertritte zum Protestantismus, Professor der Physik und Naturgeschichte am dortigen Lyceum war, die naturforschende Kantonalgesellschaft und das naturhistorische Museum daselbst gründete, von 1821 hinweg viele Reisen in die Alpen, nach Deutschland, Ungarn, Italien und Nordafrika machte, und durch zahlreiche betreffende Schriften und Abhandlungen[53]) sich, trotz einzelner gewagter Behauptungen, reelles Verdienst erwarb, — an Frédéric Dubois von Motiers-Travers im Kanton Neuenburg[54]), der 1819 eine Hauslehrerstelle bei einem Herrn Ropp in Lithauen übernahm, dort während zehn Jahren seine freie Zeit auf das Studium der Archäologie und Architektur verwandte, nach einigen kleinen Reisen in Podolien und Volhynien als Gouverneur einen Polen nach Berlin begleitete, wo er seine «Conchiliologie fossile ou aperçu géognostique du plateau Volhynien-Podolien»[55]) ausarbeitete, nachher die Jahre 1832 bis 1834 zu der großen Reise verwandte, welcher man sein berühmtes Hauptwerk «Voyage autour du Caucase chez les Tscherkesses et les Abkhasses, en Col-

in Syria and the Holy Land, London 1822 in 4 (Weimar 1823—24, 2. Bd. 8).» — «Travels in Arabia, London 1829 in 4 (Weimar 1830).»

51) Er lebte von 1790 bis 1859, und präsidirte 1842 die Schweiz. Naturf. Gesellschaft bei ihrer Versammlung in Altorf.

52) Er lebte von 1796 I. 23 bis 1855 III. 25.

53) Naturhistorische Alpenreisen, Solothurn 1830 in 8. — Die Erde als Organismus, Sol. 1841 in 8. — Die Gletscher und die erratischen Blöcke, Sol. 1843 in 8. — Winterreise in das Eismeer und über das Wesen der Gletscher, Stuttgart 1842 in 8. — Abhandlungen in den Denkschriften der Schweiz. Naturf. Ges., in Leonhards Taschenbuch und Jahrbuch, 2c.

54) Vergleiche für Dubois (Motiers 1798 V. 28 — Neuchâtel 1850 V. 7) den von Louis Coulon in die Verh. der Schweiz. Naturf. Ges. von 1850 eingerückten Nekrolog und das Neujahrstück der Stadtbibl. auf 1852.

55) Berlin 1831 in 4.

chide, en Géorgie, en Arménie et en Crimée»[56]) verdankt, 1836 in die Heimath zurückkehrte, und von 1843 hinweg als Professor der Archäologie in Neuenburg lebte, — an Adolf Otth von Bern[57]), der sich zum Arzte, Naturforscher und Landschaftmaler ausbildete, nach mehreren kleinern Reisen in der Schweiz und Italien eine größere Reise nach Algier unternahm, welcher das Museum seiner Vaterstadt manche Bereicherung und die Literatur die «Esquisses africaines»[58]) verdankte, dann eine weitere Reise nach Egypten und Syrien antrat, aber schon in Jerusalem der Pest erlag, — an Georg Hoffmann von Basel[59]), einen schlichten Handelsmann, der durch seine „Wanderungen in der Gletscherwelt"[60]), so viel zur Kenntniß unserer Hochalpen beigetragen hat, — denen sich vielleicht noch Andere mir unbekannt Gebliebene anschließen dürften[61]). Ich glaube jedoch nicht, daß einer der Genannten unserm Escher den letzten Platz, welcher mir für einen Reisenden und Geologen übrig blieb, streitig machen dürfte; denn, wenn irgend Einer die Schweiz annähernd so gut kannte, wie seine Rocktasche, und diese Kenntniß zu verwerthen wußte, so war es Escher.

---

56) Paris 1839—1843, 6 Vol. in 8 und Atlas in fol. Deutsch von Külb in Darmstadt.

57) Vergl. für Otth (1803—1839) die Verh. der Schweiz. Naturf. Gesellschaft von 1839.

58) Berne 1839 in fol.

59) Vergleiche für Hoffmann (1808 VI. 1 — 1858 I. 21) das von Joh. Pestalozzi für die „Berg- und Gletscherfahrten in den Hochalpen der Schweiz. Von G. Studer, M. Ulrich, J. J. Weilenmann. Zürich 1859 in 8° entworfene Lebensbild desselben.

60) Zürich 1843 in 12. — Auch die Note 59 citirte Schrift bringt Berichte über vier Bergbesteigungen Hoffmanns.

61) Gerne hätte ich hier auch den vortrefflichen Johannes von Charpentier (Freiberg 1786 XII. 7 — Bex 1855 IX. 12), der von 1813 bis an seinen Tod Director der Salinen in Bex war, und durch seinen «Essai sur les glaciers et sur le terrain erratique du bassin du Rhone, Lausanne 1841 in 8» und viele Abhandlungen sich große Verdienste um die Schweiz erwarb, etwas einläßlich behandelt. Da ich aber auf meine Anfrage in Lausanne die bestimmte Antwort erhielt, Charpentier habe sich nie in der Schweiz eingebürgert, so kann ich ihn nicht unter den Schweizern aufzählen, ohne gegen den bis jetzt consequent eingehaltenen Grundsatz zu verstoßen, und verweise daher für ihn auf das von Lebert in dem letzten Hefte der Zürcher-Mittheilungen gegebene Lebensbild.

Von 1791 hinweg bis an seinen Tod unternahm Escher jedes Jahr größere oder kleinere Gebirgsreisen. Mit dem ersten Erwachen der Natur im Frühling trieb es ihn unaufhaltsam in die Berge, bald allein, bald mit Gruner, Steinmüller, Horner, Salis, &c., oder in spätern Jahren mit seinem Tochtermann Hirzel und seinem lieben Arnold. Die viele Uebung machte ihn zu einem starken Läufer; so verreiste er z. B., wie Rengger erzählt, „am 17. August 1793 nach einem bedeutenden Marsche des vorhergehenden Tages von Riva am Comersee, ging über Cleven und den Splügen nach Hinterrhein (wenigstens 13 Stunden), besuchte am 18. Morgens den Rheinwald-Gletscher, sammelte dort eine Menge Gebirgsarten, kehrte nach Hinterrhein zurück und ging am nämlichen Tage über den Valserberg nach Ilanz (ungefähr 15 Stunden), um am 19. in Schwanden einzutreffen," — ja einmal soll er den bei 22 Stunden betragenden Weg von Bern nach Zürich über Sursee in einem Tag zurückgelegt haben. Es war somit keine Kleinigkeit mit Escher zu reisen; aber dafür war er ein so heiterer Gesellschafter, daß man doch gerne einige Strapazen mit ihm theilte. Schon der bloße Gedanke an eine Reise weckte seinen Humor auf, und so schrieb er z. B. im März 1803, als er Steinmüller anzeigte, er werde ihn mit Gruner zu einer (zwar dann schließlich auf Pragel, Hohgant, Napf und Pilatus führenden) Wanderung an den Tödi[62]) abholen: „Den Detail des Planes zu unserer Entdeckungsreise wollen wir im fidelen Commers bei Dir ins Reine bringen. Halte eine tüchtige Suppenschüssel bereit und wenn auch ein paar Hähne in die Pfanne gerathen sollten, so wisse, daß ich nicht so exact bin, und die Vögel zugleich mitnehme. Unterdessen begrabe zuvor Deine Todten, segne ein und predige recht fleißig, damit Du Muße erhältst, mit uns so lange als möglich zu lustwandeln," — und am 16. August 1819 an Ebendenselben: „Gottes und Herren Gewalt vorbehalten werden wir Montag

62) Die Reise an den Tödi-Gletscher wurde 1807 ausgeführt, und wäre für Escher bald zu der Letzten geworden, da er zuerst durch ein niederstürzendes Felsstück fast erschlagen wurde, und nachher sich nur mit knapper Noth aus einer Eisspalte retten konnte.

Abends den 23. in Chur im Graubündnerland an der Herberge beim weißen Kreuz eintreffen, und Tag's darauf nüchtern und mit ehrbarer Enthaltsamkeit von dannen ins Thal der Albula hinüberziehen über Lenz und Tiefenkasten, dann weiters ins Oberhalbstein-Thal, wo wir in Bivio Halt machen und allfällig die Nachkommenden in edler Fidelität erwarten werden. Sollte Gottes oder Menschen Gewalt diesem Wanderungs-Entwurf etwas Hinderniß entgegensetzen, so würde ich dich noch auf Rheineck oder auf Chur zum weißen Kreuz berichten, — doch hoffe ich der Himmel wird mir diesen frohen Ausflug gönnen, der der Wissenschaft, dem frohen Genuß schöner vaterländischer Natur und der Freundschaft gewidmet sein soll. Für Reisekarten sorge ich, und einen bescheiden zu belastenden Träger nehme ich mit, — Wegweiser werde ich meist selbst sein. Ueber Gletscher wollen wir nicht wandern, also bedarfst du kein Seil mitzunehmen; aber vergiß ein gut Stück Brod nicht, damit dir die Fidelität nicht abgehe, wann wir nicht in allen Herbergen einkehren oder gar keine Herberge finden, sondern etwann unter Gottes Sternen-Himmel bei leerem Magen mit Lavater singen: Tragen wir in kühlen Keller — Mutten voll von Nidelmilch. Es lebe die edle Fidelität! Das weitere dann mündlich, — so besonders auch von den frommen Leuten in Schännis, von unsern weisen Landesvätern in Luzern, unter deren Flügeln ich letzte Woche wandelte, kurz wenn du einmal recht Hunger und Durst hast, so will ich dir von diesen Sachen so viel erzählen, daß dir gewiß das Wasser ins Maul kommt." — Der Veranlassung zu Reisen gab es gar manche: Bald war es eine Einladung oder ein Besuch eines lieben Freundes, oder eine Ausführung eines längst verabredeten Planes, — bald gab eine in einer andern Schweizerstadt abgehaltene Sitzung oder eine nothwendige Badecur Gelegenheit auf dem Hin- und Rückwege Abstecher zu machen, — bald nöthigte eine Expertise sich da oder dorthin zu verfügen um die betreffende Lokalität in Augenschein zu nehmen[63]). Früher gab so z. B. die Helvetische Gesellschaft,

63) So z. B. die Expertise über den Giétroz-Gletscher im Bagne-Thal, s. II. 432. — Escher besuchte denselben schon im Sommer 1818, und hielt darüber an

später die Schweizerische Naturforschende durch die jährliche Einladung zur Versammlung manchen Anstoß zur Reise. Letztere Gesellschaft hatte er zwar Anfangs nicht mit großem Enthusiasmus begrüßt, und noch am 28. September 1816 an Freund Wyttenbach in Bern geschrieben: „Nächstens wird sich die Central Naturforschende Gesellschaft versammeln, — aber ich habe nicht Zeit hinzugehen, und die neuen Bekanntschaften ausgenommen scheint mir könne wenig von solchen Zusammenkünften im Verhältniß der Zeit und Geldaufwands herauskommen, — Correspondenz ist für Naturforscher unter einander besser.“ Als dann aber im folgenden Jahre sich die Naturforschende Gesellschaft unter dem Präsidium von Freund Usteri in Zürich versammeln sollte, konnte er natürlich nicht anders als ebenfalls Theil nehmen, und lud nun verschiedene Freunde ein bei ihm ihr Absteigequartier zu nehmen, — unter Andern auch Wyttenbach. Als dieser die Einladung dankend angenommen, antwortete ihm Escher am 22. September 1817: „Schon lange hätte ich Ihnen geschrieben und Sie an Ihr mir angenehmes Versprechen erinnert, einige Tage bei mir unter meinem Dache zu weilen, wann ich mehr Meister meiner selbst wäre, — aber erst machte ich einen kleinen Spaziergang mit Freund Gruner von Zimmerwald an die Linth, durch's Klönthal und Muotenthal — dann machte ich eine ächt geognostische Bergreise aus dem Hintergrund

---

der Versammlung der Schweiz. Naturf. Gesellschaft in Lausanne einen Vortrag. „Pfarrer Bridel las eine Reisebeschreibung ins Val de Bagne," schrieb Escher am 19. August 1818 an seinen Bruder, „drang aber nicht bis an den Gletscher hinein, — dieß gab Anlaß mich hervorzurufen um die Fortsetzung zu liefern, — denn außer dem Walliser-Ingenieur, der die Eisgallerie ausgeführt, einem Deutschen, einem Franzosen und mir war keiner der Anwesenden hineingedrungen, — auf allgemeine Aufforderung machte ich mit dem Walliser aus Leim (Lehm) beim Lampenschimmer ein Relief der Gletschergegend, das ungeachtet seiner Unvollkommenheiten mit Jubel aufgenommen wurde, und mir besonders diente um die wohlthätigen Folgen der Eisgallerie zu beweisen, welche vorher bezweifelt worden war." Der von Escher angeführte Walliser-Ingenieur war ohne allen Zweifel der originelle Ignace Venetz von Sitten (1788—1859), der nicht nur ein guter Ingenieur war, sondern auch als Geologe und Botaniker viele Verdienste besaß, und von dem die Denkschriften der Schweiz. Naturf. Gesellschaft mehrere interessante Abhandlungen aufbewahren, so noch der eben erschienene 18. Band ein von ihm hinterlassenes «Mémoire sur l'extension des anciens glaciers.»

des Glarnerlandes über den rauhen Kistenberg nach Brigels in den Vorder-Rhein hinüber — von da durch das fast unbekannte Sommwixerthal und durch schroffe Felswände von Weißstein auf La Greina und über diese herab in's noch unbekanntere Munteraskathal, dem linkseitigen Hintergrund — Nebenthal des Polenserthals — dann über Olivone durch's Thal von Casacia auf St. Maria Scheideck im Hintergrund des Mittler-Rheins, wo Gyps zwischen Glimmerschiefer im Gneus vorkömmt, — von da durch's ebenso schöne als geognostisch merkwürdige Piorathal, das fast ganz in Gyps eingeschnitten ist, und wo wir bestimmt Gneus auf Gyps liegen sahen, so daß ich nun ganz, gegen Struve' sTheorie, überzeugt bin, daß der Gyps nicht bloß Becken ausfüllt, sondern eine zwischenliegende Formation ist, wie der Urkalk. Von Airolo kam ich über den schon so oft bereisten, aber immerfort interessanten Gotthard zurück. Kaum erholt von dieser Wanderung, zog ich an die Linth, um die Herstellung der durch den letzten unerhörten Wasserstand verursachten Beschädigungen zu veranstalten. Nun bin ich seit dem Bettag zurück, um meine eigenen Angelegenheiten wieder zu betreiben: nun aber ist der wackere Wurstemberger von Frutigen hier, wünscht die Linth zu sehen, und so werde ich nächsten Donnerstag wieder hinziehen und dann zugleich meine Geschäfte so anordnen, um diese meine Tochter wieder einige Zeit sich selbst überlassen zu können. Den ersten October werde ich in jedem Fall hier bereit sein, um Sie zu empfangen mit herzlicher achtungsvoller Freundschaft, — wie ein Sohn seinen lieben Vater empfangen würde."
Die Versammlung in Zürich fiel dann so nach Wunsch aus, daß auch Escher für die Gesellschaft gewonnen war, und die künftigen Versammlungen nicht nur besuchte, sondern sich auf denselben so verjüngte, daß er recht eigentlich der Mittelpunkt der Fröhlichkeit wurde. Namentlich war dieß 1820 in Genf geschehen, wo ihn das Zusammenleben mit der lieben Familie Vaucher noch besonders aufregte, und es kam ihm nachher fast vor, er habe des Guten etwas zu viel gethan. «En refléchissant sur mon séjour de Genève», schrieb er nachher am 19. August an Vaucher, «je me demandais avec quelque inquiétude, si

je n'avais pas occasionné un peu trop de tappage dans nos repas, pour une société de savans et de naturalistes. Mais je me tranquilisais assez vite: Si l'homme ne vit point seulement de pain, comme a très bien dit J. Christ, il ne doit point non plus vivre seulement de science! Nous étions des amis, des compatriotes, des confédérés, qui avions à mettre un peu de vivacité, d'enthousiasme dans notre nouvelle liaison. C'est sous ce point de vüe que je regardais la chose, et je vous avoue, que dès qu'il est question de patrie, je perds bien vite mon sang froid, — je me laisse entrainer et j'entraine à mon tour. C'est comme cela que j'ai pris votre cher vieux Mr. Picot par le bras pour commencer la procession bruyante que nous fîmes aux Paquis, — j'oubliai l'ancien des pasteurs, tout comme j'oubliais le conseiller d'état. Mais mon ami, sans de tels épanchemens de coeur, qui outrepassent quelquefois la raison, je n'aurais jamais entrepris la Linth, et Wesen et Wallenstadt etc. vegeteraient encore dans les marais!» — Auf seinen Reisen begnügte sich Escher nicht zu sammeln, und allfällig auf die Lagerungsverhältnisse und die mineralogische Beschaffenheit der Gesteine Obacht zu geben, — er verfolgte auch die Zerstörungs- und Verwitterungsweise der verschiedenen Steinarten und die daraus hervorgehenden Unterschiede der Bergformen und der Vegetationsdecke, die Enstehungsweise der Schutthalden und Schuttkegel, die Art und Weise der Abrollung der Gesteinsbruchstücke und Ablagerung in Strombetten und Seegründen, — er zeichnete zahlreiche Gebirgsansichten und Panoramen mit Angabe der Schichtenverhältnisse, um seine Studien zu Hause mit Muße fortsetzen zu können, — er widmete ferner den topographischen Verhältnissen der durchwanderten Gegenden volle Aufmerksamkeit, und bestimmte die Höhe der merkwürdigen Punkte mit dem Barometer. Wieder zu Hause angelangt, etiquettirte er sofort die gesammelten Stücke, arbeitete die aufgenommenen Zeichnungen und die Notizen des Tagebuches sorgfältig aus, und bildete so nach und nach eine Sammlung von circa 1430 Folioseiten Textes, von etwa 900 kleinern und größern Gebirgsansichten, und von ungefähr 10,000

Belegstücken von Gebirgsarten. Gestützt auf dieses reiche Material wurden dann gelegentlich zur Veröffentlichung bestimmte Abhandlungen und Briefe ausgearbeitet, wie sie vor Allem die verschiedenen Bände der Alpina[64]) zieren, aber auch in Leonhard's Taschenbuch für Mineralogie, in Gilbert's Annalen, in Höpfner's Magazin, 2c. zu finden sind, und in denen einerseits die Geologie der östlichen Schweiz ihre erste Entwicklung fand, und anderseits eine Reihe von Thatsachen festgestellt wurde, welche für alle Zeiten und alle Systeme Gültigkeit und Wichtigkeit behalten werden. Es würde hier zu weit führen diese Thatsachen aufzuzählen, und es mag dafür auf den betreffenden Anhang hingewiesen werden, den Arnold Escher unter dem Titel „Escher als Gebirgsforscher“ für Hottingers Biographie seines Vaters schrieb. Dagegen ist schließlich noch zu bemerken, daß Escher sich trotz vieler Aufforderungen nie dazu verstehen wollte eine größere Schrift auszuarbeiten, und noch gegen das Ende seines Lebens, als ihn Rengger und andere Freunde baten, wenigstens die 1796 für Andre's compendiöse Bibliothek geschriebene und dann mit Berichtigungen in Fäsi's Bibliothek der Schweizerischen Erdbeschreibung und der Alpina[65]) wiedergegebene „Geognostische Uebersicht der Alpen in Helvetien“ nach erweitertem Plane umzuarbeiten und eine Beschreibung der Alpen abzufassen, ihnen die von seiner großen Bescheidenheit zeugende Antwort gab: „Ich weiß nur so viel von den Alpen, um allenfalls irrige Vorstellungen, die man sich von ihrer Zusammensetzung machte, berichtigen zu können; sobald ich aber etwas Besseres aufstellen soll, sehe ich unübersteigliche Schwierigkeiten vor mir.“ Auch Steinmüller schrieb er, als ihn dieser drängte ihm für den 2. Band der Neuen Alpina weitere Nachrichten über die erratischen Blöcke mitzutheilen, am 27. October 1821: „Sehr gerne würde ich dir entsprechen, wenn ich nur könnte. Ich kenne sehr viel Angaben über die Felsblöckverbreitung, aber sowie ich sie zusammentragen, ordnen und niederschreiben will,

64) Vergl. pag. 300—304.
65) Siehe pag. 300.

so zeigen sich überall die größten Lücken, so daß ich mit diesem lückenhaften Bild unmöglich vor dem Publikum auftreten darf. In wenigen Jahren, so Gott Kraft dazu schenkt, hoffe ich ein nicht übles Bild liefern zu können; aber vorher würde ich mit Schande bestehen und also deiner Alpina dieselbe mittheilen. Dieß ist der Nachtheil der Zeitschriften: Die Herausgeber machen überallhin Jagd, und schießen ausgewachsenes und unausgewachsenes Wild, daher dann die Tafeln nicht immer gut besetzt sind."

Werfen wir zum Schlusse noch einige Blicke auf Escher's Verdienste um das Linthwerk, — Verdienste, die mit Recht seinen Namen so populär gemacht haben, als sich nicht leicht ein anderer Schweizer neuerer Zeit dessen rühmen darf: Aus der Biographie von Lanz[66]) ist uns bereits bekannt, zu welcher Höhe schon im vorigen Jahrhundert die Noth der Anwohner des Wallensee's gestiegen war, wie dieser Bernerische Geometer schon 1784 der Tagsatzung einen vortrefflichen Plan zur dauernden Abhülfe vorgelegt hatte, wie aber diese trotz neuer Anregung durch Vater Meyer immer auf sich warten ließ, und erst im Jahre 1804 durch die neue Tagsatzung beschlossen wurde nach dem Lanz'schen Projekte die Leitung der Linth von der Näfelser-Brücke bis in den Wallensee wirklich in Ausführung zu bringen. Escher hatte an dem Zustandekommen dieses Beschlusses großen Antheil, indem schon 1803 ein von ihm entworfener Plan zur Bildung eines Actienvereines für Aufbringung der nöthigen Mittel vorgelegen hatte, und er hierauf an die Spitze der Commission gestellt worden war, welche Landammann von Wattenwyl zu Anfang 1804 niedersetzte, um die ganze Sache noch einmal genau prüfen zu lassen. „Den Tag nach meiner Rückkehr erhielt ich," schrieb Escher am 4. Mai 1804 an Freund Steinmüller, dem er so eben einen Frühlingsbesuch abgestattet hatte, „eine Staffete vom Landammann, der mich zum Präsidenten der Wallenstadterseecommission ernannt und zugleich den Zusammentritt der Commission auf den 9. dieß in Wesen festsetzt. So ungelegen mir dieser Auftrag in

---

66) Siehe III. 357—372.

allen Hinsichten ist, so schlug ich ihn doch nicht aus, weil es nur eine momentane Stelle betrifft, und ich gerne jenen unglücklichen Gegenden helfen würde. Flugs warf ich also die mineralogischen Bücher bei Seite, und umringe mich mit hydrotechnischen, in denen ich aber so wenig neues finde, daß ich mir fast einbilden möchte ich sei schon ein Hydrotechniker." Und am 24. Mai schrieb Escher an Ebendenselben: „Vor zehn Tagen schon bin ich nach einem sechstägigen Aufenthalte wieder von Wesen zurückgekehrt. Des hohen Wassers wegen waren keine neuen Vermessungen möglich; dagegen nahm ich viele Sondirungen vor, und übersah die Gegend neuerdings mit möglichster Aufmerksamkeit. Ungemein lieb war es mir den biedern Rathsherr Schindler[67]) in der Commission neben mir zu haben; er ist klug, erfahren und interessirt sich sehr für die Sache. Auch Architekt Osterried von Bern ist erfahren im Wasserbau und wir sind ganz einig über die Hülfsmittel, die sich aber sehr ausdehnen müssen, theils wegen Erhöhung des Linthbettes, theils weil neben der Leitung der Linth in den See und Erweiterung und Vertiefung der Maag, der Linthlauf bis zur Spettlinth herab noch regulirt werden muß, wodurch dann erst die Schännisersümpfe trocken gelegt werden. Dieß ist unser Antrag, der auf 300,000 Franken zu stehen kommen wird[68]). Auch seither

---

67) Rathsherr Konrad Schindler von Mollis (1757—1841), der Eschers getreuer Mitarbeiter an der Linthcorrection blieb, und später mit seinem Bruder, dem Zeugherr Schindler, die Linthcolonie gründete. — An einem Oeconomiegebäude, das Rathsherr Schindler auf einem ihm zugehörigen Grundstücke in den frühern Sümpfen bei der Biäschenbrücke erbaute, brachte er die Inschrift an: „Die ganze Gegend war Sumpf. Hier fuhren Schiffe die Straße entlang. Der Jammer war groß und jedes Jahr größer. Da sah der erbarmende Vater vom Himmel herab auf die tausend jammernden Kinder und sprach: Es werde trocken! Ich habe schon ein Werkzeug gewählt. Es ward trocken. Danket Menschen dem rettenden Gotte. Danket dem rettenden Werkzeuge! Auch des Gütchens Name sei Dank: Es heiße die Escher sau."

68) Durch mehrere sich in der Folge als nothwendig erzeigende Ergänzungen des ursprünglichen Projektes, namentlich durch den 1808 von der Tagsatzung gefaßten Beschluß die Linth zwischen den beiden Seen nicht bloß zu corrigiren, sondern durch einen neuen Kanal zu leiten, wurden natürlich auch die Kosten sehr vermehrt, und bis zur Vollendung im Jahre 1822 eine Summe von 945,264 Franken ausgelegt, welche zunächst durch Actienübernahme wohlthätiger Privaten und Corporationen aufgebracht worden ist.

habe ich mich noch mit nichts als den Wallenkämpfen beschäftigen können. Sie stecken mir so im Kopf, daß ich selbst Steine und Berge darüber vergesse, und sollte gar die Hoffnung der Hülfe sich verwirklichen, so werde ich, wenn man mich anders dazu beruft, die Mineralogie für einige Zeit der Hydrotechnik aufopfern." Auch der Commission, die im Juni 1804 zur Vorlage eines Antrages an die Tagsatzung in Bern versammelt wurde, wohnte Escher als Berichterstatter bei, und hatte dann die Freude, daß am 28. Juli der oben erwähnte Beschluß gefaßt wurde. Dieser wurde auch im folgenden Jahre, nachdem die Ratificationen der einzelnen Kantone eingegangen waren, in Kraft erhoben, und Escher erhielt nun den Auftrag in Verbindung mit Dekan Ith von Bern den bekannten „Aufruf an die Schweizerische Nation"[69]) zu bearbeiten. Eine nothwendig gewordene Grenzbesetzung, der Bergfall von Goldau und andere Landescalamitäten schoben aber die Veröffentlichung des Aufrufes und die Anhandnahme der Arbeiten noch bis 1807 heraus, wo Landammann Reinhard die Angelegenheit kräftig zur Hand nahm, die frühere Linthcommission als permanent erklärte, und noch eine Schatzungscommission unter dem Präsidium des Escher befreundeten Oberst Stehelin von Basel aufstellte. Im Sommer 1807 machte Schanzenherr Feer[70]) mit Hülfe seines Schülers Pestalozzi[71]) die nöthigen Nivellements, und im September kam der von der Tagsatzung für die hydrotechnischen Vorarbeiten berufene Badische Ingenieur-Major Johann Gottfried Tulla mit seinem Gehülfen Obrecht, und bearbeitete die Kanalprojekte nach ihrer Längenrichtung, ihrem Gefälle und der ihnen zu gebenden Construction: „Escher nahm mit dem lebhaftesten Interesse Theil an den Messungen und Berechnungen," erzählt der eben erwähnte Pestalozzi in dem das Linthwerk betreffenden Anhange von Hottingers Biographie auf welchen für das eigentlich technische ver-

---

69) Vergl. III. 364. Hier mag auch das jenen Aufruf ergänzende Neujahrsstück auf 1809 citirt werden, welches Escher für die Hülfsgesellschaft schrieb.

70) Vergl. I. 423—440.

71) Vergl. I. 434—436.

wiesen werden muß. „Es lag ihm alles daran, gründliche Kenntnisse auf dem Gebiete der Hydrotechnik zu erwerben, weil Tulla nicht auf längere Zeit von seinen Amtsgeschäften in Baden entfernt bleiben durfte, und Escher voraussehen konnte, in dessen Abwesenheit selbstständig handeln zu müssen. Seine Auffassungsfähigkeit, verbunden mit großer Willenskraft, erleichterten ihm die Fortschritte auf diesem Gebiete der Wissenschaft. Nach kurzer Zeit erlangte er eine so richtige Ansicht der von Tulla eingeführten neuen Bauwerke an der Linth, daß er mit Leichtigkeit darüber sprechen, und dieselben in seinen offiziellen Berichten beschreiben konnte[72]). — Die Nothwendigkeit einer raschen Erledigung der meisten der durch Ingangsetzung und Betreibung der Bauten veranlaßten Geschäfte gestattete unmöglich eine kollegialische Behandlung durch die Aufsichtscommission; die ganze Last fiel daher auf ihren Präsidenten. Escher entwickelte nun eine bewundernswürdige Thätigkeit und eine Energie, die jedem aufmerksamen Beobachter die Gewißheit gab, daß das Unternehmen, aller Größe und aller Schwierigkeiten ungeachtet, unter seiner Leitung zu Stande kommen und gelingen müsse. Er übernahm die ganze Rechnungsführung, schloß persönlich alle Verträge mit den Materiallieferanten und den Arbeitsunternehmern ab, überwachte auf das genauste die Erfüllung der Vertragsbedingungen und besichtigte beinahe täglich alle Baustellen. Daneben führte er die weitläufige Korrespondenz mit den Kantonen über die Actiensammlung, mit der Linthschatzungscommission über die Landabtretungen und die Ausscheidung des Sumpf- und Mehrwerthsbodens, mit der Linthschiffahrtscommission über die Schiffahrtsverhältnisse und die Reckwege, und bearbeitete die ausführlichen Berichte an die Actienbesitzer und an die Tagsatzung über den Fortgang der Unternehmung. — *Diese Verwaltungsgeschäfte waren in den ersten zehn Jahren des Baues so außerordentlich zahlreich, daß ihre Besorgung die ganze Zeit eines sehr thätigen und ge-*

72) Offizielles Notizenblatt, die Linthunternehmung betreffend. Zürich 1807—1812, 21 Stücke in 8.

wandten Geschäftmannes in Anspruch nehmen mußte. Escher vermochte aber noch weit mehr zu leisten[73]). Er übernahm vom Jahr 1808 an auch alle und jede technischen Anordnungen, durch die Theilnahme an den Arbeiten von Tulla und Obrecht so gründlich in das technische Fach hineingearbeitet[74]), daß er auch diesen Theil des Unternehmens mit Sicherheit leiten konnte. Die Richtungen der Kanäle wurden von ihm selbst abgesteckt, das Gefäll der Kanalsohlen nach von ihm aufgenommenen Nivellements bestimmt und auf dem Terrain angegeben, die Kanal-Profile durch ihn bezeichnet und berechnet, die Kanalausgrabungen an Arbeitscompagnien accordirt, und die Faschinenbauten nach seiner Anordnung durch Arbeiter der Gegend ausgeführt. Escher hatte sich, um die übernommene große Aufgabe zu lösen, bei schon vorgerückten Jahren, in ein ihm fremd gewesenes Gebiet der Wissenschaft hineingearbeitet, und war ein tüchtiger Wasserbaumeister und Arbeitsführer geworden.“ Im Sommer 1822 konnte Escher sein großes Werk als vollendet und gelungen bezeichnen: Ein 17,640 Fuß langer Kanal leitete die Glarner-Linth in den Wallensee[75]), und von demselben ein 55,481 Fuß langer Kanal die geläuterten Fluthen nach dem Zürchersee, — über 20,000 Jucharten Landes waren durch die Entsumpfungsarbeiten für die Cultur gewonnen, — ein Gelände von 5 bis 6 Quadratmeilen, auf dem bei 16,000 Menschen wohnten, der Gefahr enthoben binnen Kurzem eine fürchterliche Wüste zu werden. Aber leider war auch Escher's Gesundheit durch die langjährigen unerhörten Anstrengungen untergraben worden, — zumal, da er wohl Sorgfalt für die

---

73) Und vernachläßigte darum nicht einmal seine wissenschaftlichen Arbeiten und Reisen, wie wir aus dem Frühern wissen.

74) Tulla war nur vom September bis November 1807 und während einigen Wochen von 1808 auf der Baustelle, — Obrecht im Ganzen während denselben zwei Jahren etwa 10 Monate lang.

75) Dieser Kanal, der sog. Molliser-Kanal, welcher später durch Beschluß der Tagsatzung den Namen Escher-Kanal erhielt, wurde schon am 8. Mai 1811 unter dem Jubel von vielen Tausend Zuschauern eröffnet.

Arbeiter, aber keine für sich kannte. Die beständigen Eilmärsche von Zürich an die Linth und zurück, — die Beaufsichtigung der Arbeiten bei allem Unwetter und das tagelange Herumwaten in Schlamm und Morast, — der vielfache Verdruß, den lässige Arbeiter, vorkommende Diebereien, Eigennutz und Undank der Anwohner, 2c. bereiteten[76]), — das sich Versagen aller Ruhe und die übertriebene Frugalität hätten auch einen eisernen Körper erschöpfen müssen. „Herr Präsident," sagte ihm einst ein Arbeiter, „warum bleibet Ihr doch so in allem Wetter draußen. Wenn ich so ein Herr wäre, wie Ihr, ich ließe mirs daheim wohl sein." Der wurde nun von Escher freilich verdienter Weise schön heimgeschickt. „Darum hat Euch," antwortete er ihm, „der liebe Herrgott kein Geld gegeben, weil Ihr, wenn Ihr reich wäret, nicht mehr arbeiten würdet!" Aber auch auf tiefsehende Freunde, wie z. B. auf Usteri, ja auf deutliche Vorzeichen in seinem eigenen Befinden, hörte er nicht, bis es zu spät war, und keine Hülfe mehr anschlagen wollte. Im Winter 1822 auf 1823 verschlimmerte sich sein Zustand aufallend. Trotz aller

---

76) Am 9. Juni 1809 schrieb Escher aus Schännis an Oberst Stehelin: „Sie waren bei Niederschreibung Ihres Briefes etwas mißstimmt gegen die Linththalbewohner, die so wenig erkennen was man für sie thut. Oft ärgern sie mich freilich auch; aber dann denke ich, der böse Dunstkreis habe sie verdorben, — und da sie doch eben nicht viel schlimmer sind als andre Menschen, so denke ich mir überhaupt, der Dunstkreis in dem wir leben sei der ächten Moralität und Humanität noch nicht ganz günstig. Da die übrigen Planeten viel dünnere Atmosphären haben, so hoffe ich geht's besser, wenn wir auf einen von jenen versetzt werden. — Jetzt schreien die Wesner- und Wallenstadter- und Molliser-Riedbesitzer wie Esel wider mich wegen großem Wasser, — die Schänniser sagen aber kein Wort, daß sie 4 Schuh weniger Wasser in ihrer Straße haben. Von solch elenden Cameraden werde ich mich aber keinen Augenblick abwendig machen lassen, meinen Vorsatz weiter zu verfolgen, — sie wider Willen trocken zu machen. Die Nieder-Urner lassen nun in ruhiger Behaglichkeit ihr Vieh in ihren sonst unter Wasser gestandenen Riedtern weiden, und wann ich dieses Blöken und Wichern höre, so thuts mir so wohl im Herzen wie wann mir ein Nieder-Urner-Rathsherr eine gravitetische Dankharangue hielte, — deren Wirkung auf mich ich freilich noch nie zu fühlen im Fall war. Etwas muß man doch thun in der Welt, und da ists ja besser Sumpf austrocknen, als Länder erobern und ruiniren." Immerhin ist jedoch beizufügen, daß Escher's Werk auch bei den Landleuten nach und nach immer mehr Anerkennung fand, daß z. B. Bilten schon 1816 einmüthig Escher und seinen Sohn in das Bürgerrecht aufnahm, und daß die Nachricht von seinem Tode in der ganzen Linthgegend die aufrichtigste Trauer hervorrief.

möglichen Sorgfalt der Aerzte, die sich sogar in Berlin und Paris consultirten, ging es immer abwärts. Am 1. März wohnte er zum letzten Male einer Rathssitzung bei, konnte nachher das Haus, und bald auch das Bett nicht mehr verlassen, und schlief am 9. März 1823 für immer ein. „Unser herrliche, unersetzliche, von allen Guten und Verständigen, vom Vaterland und den Wissenschaften zu beweinende Linth-Escher ist nicht mehr," schrieb Joh. Kaspar Horner am 10. März 1823 an Trechsel in Bern. „Gestern Morgens nach einer scheinbar leidlichen Nacht schlief er lange, und erwachte dann ohne Bewußtsein; der dumpfe Schlummer endigte mit einem letzten Aufblick um Ein Uhr. Seine Familie ist untröstlich, und sein Tod ist auch denen noch schmerzlich, die schon lange darauf sich verfaßt hatten." Wirklich trauerte die ganze Schweiz bei diesem Tode, wie nicht nur sein Leichenbegängniß und die zahlreichen ehrenvollen Nachrufe, sondern auch mehrere öffentliche Akte bezeugen. So beschloß die Zürcherische Regierung am 12. Juni 1823 dem Verewigten und seinen männlichen Nachkommen den Ehrennamen Escher von der Linth beizulegen, und die Tagsatzung ließ eine Denkmünze auf Escher prägen, am Biberli-Kopf aber die Inschrift anbringen: Dem Wohlthäter dieser Gegend, Johann Konrad Escher von der Linth, die Eidgenössische Tagsatzung. Ihm danken die Bewohner Gesundheit, der Fluß den geordneten Lauf. Natur und Vaterland hoben sein Gemüth. Eidgenossen! Euch sei er Vorbild!

Augustin-Pyramus de Candolle von Genf.

1778—1841.

Augustin-Pyramus de Candolle wurde am 4. Februar 1778 zu Genf von Louise-Eleonore Brière, der Frau des Syndic Augustin de Candolle, geboren[1]). Durch einen zarten Körperbau wenig geeignet, sich mit andern Knaben herumzutreiben, fand er schon frühe seine liebste Erholung beim Lesen, ja versuchte sich sogar in eigenen Productionen. «Dès l'âge de six à sept ans», erzählt Flourens, «il s'essayait à faire des comédies. Florian, ami de la famille, vint, à cette époque, passer un hiver à Genève. *Tu vois Monsieur*, dit un jour Madame de Candolle à son fils, *il est auteur de charmantes pièces de théâtre.* L'enfant, prenant aussitôt le ton de la confraternité, répondit: *Ah! vous faites des comédies; eh bien, moi aussi.* Le don des Oeuvres de Florian, fait par l'auteur, ne lui parut alors qu'un procédé convenable; il en comprit mieux plus tard la gracieuse pensée». Noch in den untern Schulen behielt De Candolle diese Vorliebe für belletristische Beschäftigung bei, ja er soll das Meiste, was er zu schreiben hatte, in Verse gebracht, und sowohl Lehrer als Mitschüler oft mit Epigrammen bedacht haben; außerdem sprach ihn besonders die Geschichte an, so daß er einige Zeit geglaubt haben soll, er sei zum Geschichtsforscher bestimmt. Kaum waren jedoch diese Schulen absolvirt, als der

1) Ich benutze für De Candolle zunächst die betreffenden Lobreden von Aug. de La Rive in der Bibliothèque universelle (Nouv. Série, Vol. 54), und von Flourens im 19. Bde. der Mém. de l'Acad. roy. des Sciences, sowie die ihn betreffenden Nekrologe in den Verh. der Schweiz. Nat. Ges. von 1842 und dem 10. Bande der Mémoires de Genève. Einige andere Quellen werden gelegentlich namhaft gemacht werden. — Der Vater De Candolle lebte von 1736 bis 1820, — seine Frau starb 1817.

Vater durch die Fortschritte der Revolution veranlaßt wurde, sich im Jahre 1792 mit seiner ganzen Familie auf ein Gut in der Nähe von Grandson zurückzuziehen, und hier wurde die Geistesrichtung De Candolle's eine ganz andere. Das häufige Verweilen in der freien Natur war nicht nur für seine körperliche, durch eine frühere heftige Kinderkrankheit verzögerte Entwicklung von hohem Werthe, — er machte auch in der Kunst zu sehen merkwürdige Fortschritte. Wenn er anfänglich zum bloßen Zeitvertreibe, oder um sie abzuzeichnen, eine Blume pflückte, so wurde ihm bald, ohne daß ihm eine Botanik in die Hände gefallen wäre, die genaue Betrachtung der Pflanzen zum förmlichen Bedürfniß, und er fing an Pflanzen zu beschreiben, statt andere Dinge, — ja machte immer größere Excursionen, um neue Pflanzen zu finden, und ordnete dieselben, wie Flourens sagt, «par leurs rapports naturels, comme l'esprit classe toujours, quand il n'est pas gâté par de faux systèmes». — Im Jahre 1794 nach Genf zurückgekehrt, hörte De Candolle bei Prevost Philosophie, bei Pictet Physik, vor Allem aber bei Vaucher Botanik, von der er sich so angezogen fühlte, daß er alsbald den Entschluß faßte, sich dieser letztern Wissenschaft ganz zu widmen, und nun damit begann die in der Organologie erworbenen Kenntnisse auf die ihm zugänglichen Pflanzen anzuwenden, sowie dieselben nach Lamarck's «Flore française» zu bestimmen und zu ordnen. Als 1795 Dolomieu auf einer Schweizerreise Genf berührte[2]), interessirte er sich für den eifrigen jungen Forscher, mit dem er zufällig bekannt wurde, und munterte ihn auf, seine Studien in Paris fortzusetzen. Wirklich ging De Candolle im Herbst 1796 für kürzere Zeit mit einigen Freunden dahin, wohnte bei Dolomieu, besuchte den Jardin des plantes, hörte Fourcroy, Vauquelin und Cuvier, wurde auch sonst theils mit Letzterem, theils mit Desfontaines, Lamarck ꝛc. persönlich bekannt, und kehrte im Frühjahr 1797 neu angeregt nach Genf zurück, wo er sein Bedürfniß nach wissenschaftlichem Umgange bei Vaucher und Senebier befriedigen konnte, — weniger bei Saussure, der sich

2) Vergl. II. 285.

wiederholt bemühte, das auch von ihm anerkannte Talent der Physik zuzuwenden[3]). Eine Frucht seiner damaligen Studien war ein «Essai sur la nutrition des Lichens»[4]), den er im Jahre 1797 der kurz zuvor in Genf gegründeten naturforschenden Gesellschaft vortrug.

Es sind im Vorhergehenden schon viele und zum Theil sehr bedeutende schweizerische Botaniker besprochen worden, — ich erinnere an die Basler Bauhin, König, La Chenal, Merian, Stähelin, Verzasca, Zwinger, die Berner Brunfels, Dick, Ehrhard[5]), Gagnebin, Graffenried, Haller[6]), Marti, Wyttenbach, die Bündner Gujan und Pool, die Genfer Bonnet, Senebier und Vaucher, die Luzerner Cappeler und Lang, die Waadtländer Plantin und Vicat, die Zürcher Geßner, Muralt, Scheuchzer, Schinz und Wagner etc.; aber noch sehr viele und zum Theil nicht minder verdiente Botaniker sind bis jetzt nicht erwähnt worden, — ich erinnere an Joh. Heinrich Stähelin von Basel[7]) (uns schon bekannt als Schüler Johannes Bernoulli's und Vater des Haller befreundeten Benedict Stähelin[8]), der nach vorzüglichen Studien bei Tournefort und Duvernoy in Paris, die Professur der Botanik und Anatomie in Basel bekleidete, und ersterer Wissenschaft, obschon er nur 1711 einige

---

3) Daß De Candolle auch als Physiker keine schlechte Figur gemacht haben würde, zeigt in der That die schöne Versuchsreihe, welche er mit Biot «Sur la conductibilité des différents gaz pour la chaleur» machte.

4) Er wurde 1798 im Journal de physique abgedruckt.

5) Nach Holzhalb war der 1764 als Pfarrer zu Holderbank verstorbene Johannes Ehrhard in Bern verbürgert, — also wohl auch sein Sohn Friedrich (II. 131—132).

6) In der freundl. Anzeige meines 2. Cyclus in Nr. 49 des Literar. Centralblattes vom Jahre 1860 wird gesagt: „Ein kleiner Beitrag zu Hallers Lebensgeschichte, der sich in Wunderlich's Archiv für physiologische Medicin (Jahrgg. 1858, S. 285, f.) findet, scheint dem Verfasser entgangen zu sein. Prof. Vierordt erzählt hier, an eine Notiz über Hallers Aufenthalt in Tübingen anknüpfend, nach den Senatsacten eine Disciplinaruntersuchung, bei welcher Haller betheiligt war, und zu einer Strafe von 3 Thlr. verurtheilt ward. Er war nämlich dabei als einige Studenten einen Nachtwächter mit gebrannten Wassern so betrunken machten, daß er daran starb." Diese Notiz dürfte das II. 110 nach Schuler Gegebene ergänzen, oder vielleicht sogar ersetzen.

7) Er lebte von 1668 V. 1. bis 1721 VII. 10.

8) Vergl. II. 96 und 111—112, — über sein Cabinet die Briefe von [illegible].

betreffende Thesen veröffentlichte, durch seinen literarischen und Tausch-Verkehr mit Scheuchzer und andern Naturforschern nicht unbedeutende Dienste leistete, — an Johannes Ammann von Schaffhausen[9]), der in Leyden studirte, von Boerhaave an Sloane empfohlen wurde um dessen Herbarium zu ordnen und Correspondenz zu führen, 1733 als Professor der Naturgeschichte nach Petersburg berufen wurde, und dort neben einem größern Werke[10]) eine Menge vorzüglicher Pflanzenmonographien herausgab, unter denen Sprengel besonders diejenige über die Farrenkräuter hervorhob, — an Joh. Ludwig Baptist Tschudi von Glarus[11]), der in Metz, wo sich ein Zweig seiner Familie schon vor längerer Zeit niedergelassen hatte, als Amtmann lebte[12]), verschiedene naturhistorische Artikel für die Encyclopädie und einige selbstständige Werke schrieb[13]), und von dem im 11. Bande des Conservateur Suisse folgende nette Anekdote erzählt wird: «Il avait à Metz un très-beau jardin botanique; une place de garçon jardinier étant vacante, un invalide Suisse vieux et manchot vint se présenter: Comment, lui dit Tschudi avec surprise, vous ne pouvez pas travailler! — Aussi Monsieur le Baron! ce n'est pas du travail, mais du pain que je demande. — Vous êtes un brave homme! j'aime les gens qui

---

9) Er lebte von 1707 bis 1740. Sprengel macht ihn fälschlich zu einem Sohn des 1691 verstorbenen Leipziger Professors Paul Ammann; sein Vater war Joh. Jakob Ammann (1679—1714), Arzt und Professor der Physik in Schaffhausen, ein Sohn und Bruder der Pag. 42 erwähnten Ammann.

10) Icones stirpium rariorum in Ruthenorum imperio sponte provenientium. Petrop. 1739 in 4.

11) Er starb zu Paris im März 1784. — Holzhalb erzählt, er sei 1765 persönlich nach Glarus gekommen, um sein Landrecht zu erneuern. „Er brachte sein Begehren vor der allgemeinen Landsgemeinde an; weil er aber der deutschen Sprache nicht genugsam kundig war, so ließ er seine Rede in Druck ausgehen, und den Landleuten austheilen, auch solcher eine Stammtafel mit beigefügten Gründen und Documenten seiner Abstammung beifügen; es kam jedoch nichts zu Stande." Ich zweifelte somit, ob ich Tschudi aufnehmen dürfe, — entschied mich aber schließlich, da jetzt wohl die Glarner auch nicht mehr so difficil wären, doch dafür.

12) Holzhalb nennt ihn Großprior, Leu Groß-Baillif des Adels in Metz, — die Biographie universelle dagegen schlechtweg «Bailli de Metz».

13) Namentlich eine Schrift «De la transplatation, de la naturalisation et du perfectionnement des végétaux, 1778 in 8.»

parlent franc et je vous donne la place, avec un adjoint pour la remplir», — an Joh. Rudolf Stähelin von Basel[14]), der erst Professor der Anatomie und Botanik, dann der Medicin daselbst war, mit Glück practicirte, und sowohl in den Basler-Acten als in verschiedenen Dissertationen Botanisches abhandelte, — an Hauptmann Louis Bénoit von Des Ponts im Kanton Neuenburg[15]), der ein Autodidact in der Botanik war, aber die Schweizerische Flora sehr genau kannte, und die Pflanzen seiner Gegend fast sämmtlich abbildete, — an Louis Secrétan von Lausanne[16]), der in Tübingen das Recht studirte, dann in Lausanne als Anwalt lebte, 1802 von Waadt in die Consulta abgeordnet wurde, lange Jahre Präsident des Großen Rathes und später des Appellationsgerichtes war, seine Muße aber der Botanik zuwandte, und sich in seiner «Mycographie Suisse ou description des champignons»[17]) ein ehrenvolles Denkmal seiner wissenschaftlichen Thätigkeit setzte, — an Samuel-Elisée Bridel von Moudon[18]), der schon im 19. Jahre als Erzieher der Prinzen August und Friedrich nach Gotha berufen wurde, mit ihnen einen Aufenthalt in Genf machte und dort sich mit Liebe der Botanik zuwandte, mit Hedwig, Wildenow, Jussieu rc. in Verkehr trat, viele Reisen in die Schweiz, das südliche Frankreich rc. machte, und in Gotha, wo er als Legationsrath und Bibliothecar des Herzogs weder an Auskommen noch Muße Mangel hatte, verschiedene geschätzte Werke schrieb[19]), — an Louis Reynier von

---

14) Er lebte von 1724 bis 1804, und war mit dem oben erwähnten Stähelin nur weitläufig verwandt.

15) Er lebte von 1755 IX. 16 bis 1830 III. 30, und war ein sehr eifriges Mitglied der Schweiz. Naturf. Gesellsch., welche in ihrer Bibliothek ein den Titel «Monstra plantarum» führendes Manuscript von ihm aufbewahrt.

16) Vergl. für Secrétan (1758 IX. 5—1839 V. 24) den 26. Band der Feuille du Canton de Vaud.

17) Genève 1833, 3 Vol. in 8.

18) Vergl. für Bridel (1761 XI. 28—1828 I. 7) die Acten der Schweiz. Naturf. Gesellsch. von 1828. — Er war ein Bruder des III. 228—229 und sonst noch oft von mir genannten Pfarrer Bridel, und mit ihm in Crassier geboren, wo ihr Vater Pfarrer war.

19) Namentlich seine «Muscologia recentiorum, seu Analysis, Historia et Descriptio methodica, omnium Muscorum frondosorum hucusque cognitorum ad normam Hedwigii. Gotha 1797—1819, 7 Vol. in 4.» Unter seinen

Lausanne[20]), der sich mit großem Eifer dem Studium der Botanik und ihrer Anwendung auf die Agricultur widmete und eines der thätigsten Mitglieder der in den 80ger Jahren in Lausanne gegründeten «Société des Sciences physiques» war[21]), von den Herausgebern der Encyclopädie bei der Redaction des «Dictionnaire d'agriculture» bethätigt wurde, dann zu «Garchy dans le Département de la Nièvre» auf einer angekauften Domäne Landbau trieb und die «Société Linnéenne» gründen half, der Expedition nach Egypten als «Directeur des revenus en nature et du mobilier national» beigegeben wurde[22]), und dort eine Menge von Studien machen konnte, welche er theils damals für einzelne Abhandlungen in der Décade egyptienne, der Décade philosophique, der Revue philosophique, der Collection des Mémoires sur l'Egypte ꝛc. verwendete, theils später für seine großen Werke «Sur l'économie publique et rurale»[23]) benutzte, später während der Occupation von Neapel als «Sur-intendant-général des postes», als «Directeur-général des forêts» ꝛc., jenem Lande große Dienste leistete, und schließlich als Postdirector der Waadt in seiner Heimath lebte, dort die Lesegesellschaft und die naturforschende Gesellschaft gründen half, das antiquarische Museum beaufsichtigte, und sein reiches Herbarium mit der größten Liberalität benutzen ließ, — an Joh. Jakob Römer von Zürich[24]), der, obschon er tüchtige Gymnasialstudien gemacht und schon

---

zahlreichen Manuscripten ist besonders seine «Flora helvetica» zu erwähnen, auf deren Publication er zu Gunsten des analogen Werkes von Gaudin verzichtete.

20) Vergl. für Reynier (1762—1824 XII. 17) die von General La Harpe geschriebene Notice nécrologique im 12. Bande der Feuille du Canton de Vaud.

21) In dem 1788 herausgegebenen ersten Bande der Memoiren dieser Gesellschaft finden sich acht botanische Abhandlungen von ihm.

22) Reynier verdankte diese Ernennung seinem ebenfalls nach Egypten beorderten Bruder, dem bekannten französischen Divisions-General Eben-Hezer Reynier (1770—1814), der dem Schweizernamen ebenfalls Ehre machte.

23) Des Celtes, des Germains et des autres peuples du Nord et du Centre de l'Europe, — Des Perses et des Phéniciens, — Des Arabes et des Juifs, — Des Egyptiens et des Carthaginois. Genève 1818—1823, 4 Vol. in 8.

24) Vergl. für Römer (1763 I. 8 — 1819 I. 15) den von Schinz geschriebenen Nekrolog im Jahrgange 1819 des Naturwissenschaftlichen Anzeigers, und den mit seinem Porträte gezierten Nachruf im Neujahrstück der Naturf. Ges. auf 1820.

frühe Vorliebe für Botanik und Entomologie gezeigt hatte, doch nach dem Wunsche seines Vaters Kaufmann wurde und drei Jahre in Bergamo zubrachte, dann aber schließlich auf Medicin übersprang, nach vorbereitenden Studien an dem damals neu errichteten medizinischen Institute zu Zürich, im Jahre 1784 zu Göttingen promovirte, von 1786 hinweg zu Zürich ein wenig practicirte, namentlich aber naturgeschichtliche Studien machte und besonders in der Botanik, welche er bis zu seinem Tode am medizinischen Institute vortrug, Ausgezeichnetes leistete, ein über 14000 Spezies haltendes Herbarium anlegte, den seiner Direction übergebenen botanischen Garten so zu sagen neu schuf, der naturforschenden Gesellschaft außerdem sowohl als Bibliothecar als durch Vorträge und Uebernahme der Bearbeitung der Neujahrstücke große Dienste leistete, und theils durch Sammelwerke[25]) und Uebersetzungen oder neue Ausgaben[26]), theils durch selbstständige Arbeiten[27]) sich auch auf litterarischem Felde schöne Verdienste um die Naturwissenschaften erwarb, — an Joh. Rudolf Suter von Zofingen[28]), der zuerst das Rechtswesen studiren sollte, aber in Göttingen, wo er 1785 Dr. phil. wurde, mehr Geschmack an griechischer Litteratur, Philosophie und Naturwissenschaften fand, sich später auf Heyne's Aufmunterung hin entschloß Medizin zu studiren, nun bei Sömmering in Mainz sich in die Anatomie hineinarbeitete und gleichzeitig mit Johannes Müller und Georg Forster litterarischen Arbeiten oblag, nach der Belagerung von Mainz als früherer Lobredner der Revolution

---

25) So gab er mit Usteri das „Magazin für die Botanik, Zürich 1787—1794 in 8." und allein das „Archiv der Botanik, Leipzig 1796—1805 in 8." heraus.

26) So gab er von De Candolle's «Théorie élémentaire de botanique» Zürich 1815 eine mit Anmerkungen und einem terminologischen Wörterbuch vermehrte deutsche Ausgabe, und begann mit Schultes eine neue Ausgabe von «Linné, Systema vegetabilium» zu bearbeiten, von der aber bis zu seinem Tode nur noch zwei Bände erschienen.

27) So gab er außer den pag. 240 und 301 erwähnten Werken, und außer medizinischen Arbeiten, z. B. 12 Fascikeln einer «Flora Europaea inchoata, Norimb. 1797—1810», eine «Collectanea ad omnem rem botanicam spectantia, Turici 1809 in 4.» heraus.

28) Vergl. für Suter (Zofingen 1766 III. 29 — Bern 1827 II. 24) den von seinem Freund Usteri mit großer Liebe für die Verhandl. der Naturf. Gesellsch. von 1827 geschriebenen Nekrolog.

flüchten mußte, später in Göttingen seine botanischen und medizinischen Studien soweit abschloß, um 1794 Dr. med. werden zu können, nun in Zofingen practicirte, während den ersten Zeiten der Helvetik Volksrepräsentant und feuriger Redner war, dann in Bern theils practicirte, theils seine «Flora helvetica»[29]) ausarbeitete und gleichzeitig antiquarische Studien machte, schließlich von 1820 an als sehr beliebter Professor der griechischen Litteratur an der Berner Academie lehrte, — an Jean-François-Aimé-Philippe Gaudin von Nyon[30]), der in Zürich Theologie studirte, dann Lehrer der Mathematik und später auch Vorstand eines Institutes in Nyon war, später Pfarrer daselbst wurde, alle seine freie Zeit aber der ihm schon bei Joh. Geßner liebgewordenen Botanik zuwandte, welche ihm mehrere sehr werthvolle Werke verdankt[31]), — an Paul Usteri von Zürich[32]), dem es schon als kleiner Knabe der größte Genuß war, sich in der Naturaliensammlung seines Pathen Johannes Geßner aufzuhalten, der bereits in seinem 13. Jahre den Entschluß faßte, dereinst Hal-

29) Turici 1802, 2 Vol. in 12. Eine zweite Ausgabe besorgte 1822 Hegetschweiler. — Am 16. Dez. 1801 schrieb Suter an seinen Freund Escher nach Zürich: „Endlich ist meine Flora fertig. Deine vortrefflichen Bemerkungen sind eine Zierde des Werkes, und sie haben mich ganz verliebt in die Mineralogie gemacht. Du würdest mir noch einen hübschen Gefallen thun, wenn Du die lateinische Vorrede noch durchsehen wolltest, — ich will Dich dafür einmal wieder in Schlaf hineinsingen. — Was treibst Du jetzt? Grabe Dich nur tief in Deine Steine ein, damit die Politik nicht zu Dir dringe, und vergiß mich dabei nicht. Ich würde unbeschreiblich glücklich sein, wenn ich durch Deine Güte zu einem so vollständigen oryctographischen Cabinet gelangen könnte, als es hinreichend wäre um mir wenigstens die Veränderungen unsers Erdballs daraus zu erklären, und die Stätte des Pflanzenreichs besser zu fixiren."

30) Er lebte von 1766 bis 1833 VII. 15, und wurde zu Longirod geboren, wo sein Vater Pfarrer war. Er heirathete die Tochter des Landvogt Escher von Sax. Eine ausführliche Biographie von ihm schrieb J. P. Monnard für Bd. 20 der Feuille du Canton de Vaud.

31) Namentlich eine «Agrostologia helvetica, Genevae 1811, 2 Vol. in 8.», und eine «Flora helvetica, Turici 1828—1833, 7 Vol. in 8.», deren letzter Band ein sehr brauchbares Verzeichniß der Standörter der wichtigern Pflanzen enthält, und von der seine «Synopsis florae helveticae. Opus posthumum ed. a Monnard, Turici 1836 in 8.» ein Auszug ist.

32) Vergl. für Usteri (1768 II. 14 — 1831 IV. 9) den von Locher-Balber für die Acten der Schweiz. Naturf. Ges. von 1832, und den von seinem Enkel Konrad Ott für die Verh. der Schweiz. gemeinnütz. Ges. von 1835 geschriebenen Nekrolog. Er war ein Sohn des II. 56 erwähnten Chorherr Usteri.

lers botanische Bibliothek fortzusetzen und von da an unermüdlich dafür sammelte, ja überhaupt so viel las und dabei in sich aufnahm, daß er sich in Göttingen in den Vorlesungen [33]) langweilte und meist auf der Bibliothek studirte, nach seiner 1788 erfolgten Promotion zum Dr. med. [34]) über Berlin und Wien nach Zürich zurückkehrte, dort 1790 ein medizinisches Repertorium [35]) und andere medizinische Schriften [36]) herauszugeben und am medizinischen Institute zu lehren begann, mit Römer „Hallers medizinisches Tagebuch" und das „Magazin der Botanik" [37]) und nach dessen Rücktritt die „Annalen der Botanik" [38]) publicirte, als die Revolution hereinbrach nach und nach der rein wissenschaftlichen Thätigkeit eine mehr politische und publicistische [39]) substituirte, eines der consequentesten und darum einflußreichsten Mitglieder des helvetischen Senates und der allgemeinen Tagsatzung war, auch an der Consulta Theil zu nehmen hatte, während der Mediation und Restauration zu Zürich im Kleinen Rathe und Staatsrathe saß, von 1812 hinweg der Zürcherischen Naturforschenden Gesellschaft und bei ihren Jahresversammlungen in Zürich auch der Schweizerischen naturforschenden und gemeinnützigen Gesellschaft auf ausgezeichnete Weise als Präsident vorstand, schließlich den nöthigen Staatsreformen mächtig vorarbeitete und nach dem Tage von Uster zum Präsidenten des Großen Rathes und ersten Bürgermeister gewählt wurde, — an Karl Friedrich Hagenbach von Basel [40]), einen Nachkommen des als

33) Namentlich in denjenigen des Botanikers Murray.

34) Er gab damals als Inauguraldissertation ein «Specimen bibliothecae criticae magnetismi sic dicti animalis, Gotting. 1788 in 8.»

35) Es erschien zu Zürich bis 1795.

36) Z. B. „Entwurf meiner medizin. Vorlesungen über die Natur des Menschen, Zürich 1790 in 8.", und „Grundlage medizinisch-anthropologischer Vorlesungen für Nichtärzte, Zürich 1791 in 8."

37) Siehe Note 25.

38) 24 Stücke, Zürich 1791—1800 in 8.

39) Namentlich ist hier „der Republikaner" und aus späterer Zeit die „Neue Zürcher-Zeitung" zu erwähnen. — Vieler andern Aufsätze in dem Morgenblatte, der Biographie universelle ꝛc., seiner Denkreden, seiner politischen und staatswissenschaftlichen Schriften kann ich nicht speziell gedenken.

40) Er lebte von 1771 VI. 20 — 1849 XI. 20 und war Vater des pag. 238 erwähnten Naturforschers Joh. Jakob Hagenbach und des bekannten Kirchenhistorikers Karl Rudolf Hagenbach. Vergl. Nekrolog der Deutschen von 1849.

vorzüglicher Botaniker und glücklicher Arzt ausgezeichneten Professor Joh. Jakob Hagenbach[41]), der sich ebenfalls in diesen beiden Fächern auszeichnete, lange Jahre als Professor der Anatomie und Botanik, dann der Medizin in Basel docirte, ein schönes Herbarium sammelte[42]) und eine Flora von Basel herausgab[43]), ja 1845 die seltene Freude hatte, das 50jährige Jubiläum glücklicher ärztlicher Wirksamkeit zu feiern, — an Ludwig Emanuel Schärer von Bern[44]), der in Bern, Halle und Berlin Theologie studirte, successive Klassen-Lehrer in Bern, Vorsteher des Waisenhauses, Pfarrer in Lauperswyl und Belp war, aber über Pädagogik und Theologie die Botanik nie vergaß, namentlich die Lichenen bearbeitete, zahlreiche Excursionen in die Alpen und bis in die Pyrenäen unternahm, mit Acharius, Swartz, Fries ꝛc. in regem Verkehr stand, und neben kleinern Arbeiten in Meisners naturwissenschaftlichem Anzeiger, in Séringe's «Musée d'histoire naturelle», in den Berner Mittheilungen ꝛc., mehrere selbstständige Werke herausgab[45]), — an Kaspar Trachsel von Rüggisberg im Kanton Bern[46]), der erst in vorgerücktem Alter an der Academie in Bern Medizin studirte, in seiner Heimath dieselbe mit ungewöhnlichem Erfolge ausübte, nebenbei aber mit großem Eifer der Botanik oblag, für welche ihn Meisner, Pfarrer Gruner und der jüngere Albrecht von Haller zu begeistern gewußt hatten, die Alpen und namentlich die Stockhornkette mit seltener Ausdauer ausbeutete, zahlreiche Correspondenten und Tauschfreunde hatte, und die Ergebnisse seiner Forschungen theils

41) Er lebte von 1595 II. 18 bis 1649 VI. 1, und war Professor der Logik, später der Ethik in Basel. Bei seinem Tode vermachte er der Universität Herbarium, Bibliothek und 2000 Pfd.

42) Es wurde von den Erben der botanischen Anstalt in Basel geschenkt.

43) Tentamen florae Basileensis, cum suppl., Basil. 1821—1843, 3 Vol. in 12.

44) Vergl. für Schärer (1785—1853) den von Ludw. Fischer für die Verh. der Schweiz. Nat. Ges. von 1853 geschriebenen Nekrolog.

45) Lichenum helveticorum Spicilegium, Bernae 1823—1842, 12 Fasc. in 4. — Lichenes Helvetici exsiccati, Bernae 1823—1854, 13 Vol. mit einem Bande Text. — Enumeratio Lichenum Europaeorum, Bernae 1850 in 4.

46) Vergl. für Trachsel (1788 X. 3 bis 1832 III. 29) die Acten der Schweiz. Nat. Ges. von 1832.

in Gaudin's Flora Helvetica, theils in der Regensburger botanischen Zeitung niederlegte, — an Johannes Hegetschweiler von Rifferschweil [47]), der an der Kantonsschule zu Aarau vorgebildet und von Bronner in die Botanik eingeführt wurde, dann in Zürich und Tübingen Medizin studirte, nach rühmlich abgelegtem Staatsexamen sich als Arzt in Stäfa setzte, aber neben bedeutender Praxis noch Zeit zu vielfachen botanischen Reisen und zur Fortführung eines nicht unbedeutenden Briefwechsels und Tauschverkehrs fand, ein schönes und nach seinem Tode von der Zürcher-Regierung angekauftes Herbarium sammelte, mehrere geschätzte Werke schrieb [48]), in den Dreißiger Jahren an der Regeneration des Kantons Zürich regen Antheil nahm und in den Regierungsrath trat, am 6. Sept. 1839 aber beim Versuche die bewaffnete Volksmenge zu beruhigen eine tödtliche Schußwunde erhielt, — an Jacques-Denis Choisy von Genf [49]), der mit dem Studium der Theologie philosophische, mathematische und naturwissenschaftliche Studien in so ausgezeichneter Weise zu verbinden wußte [50]), daß er bald nach seiner Aufnahme in das Ministerium wagen durfte von Paris aus, wo er Cauchy und Biot hörte und bei Jussieu und Delessert gern gesehen war, gleichzei-

---

47) Vergl. für Hegetschweiler (Rifferschweil 1789 XII. 14 — Zürich 1839 IX. 9) die Acten der Schweiz. Naturf. Ges. von 1840 und das Vorwort der „Flora der Schweiz von Joh. Hegetschweiler. Fortgesetzt und herausgegeben von Osw. Heer. Zürich 1840 in 8."

48) Außer den Note 29 und 47 erwähnten Schriften citire ich: «Dissert. inaug. botanica sistens descriptionem Scitaminum nonnullorum nec non Glycines heterocarpae, Turici 1812 in 4», — „Reisen in den Gebirgsstock zwischen Glarus und Bündten in den Jahren 1819, 1820 und 1822, nebst einem botanischen Anhang, Zürich 1825 in 8.", — mehrerer medizinischen Gelegenheitsschriften, einer Abhandlung in den Denkschr. der Schweiz. Nat. Ges., und der Texte zu mehreren botanischen Werken von Labram nicht spezieller zu gedenken.

49) Vergl. für Choisy (1799 IV. 5 bis 1859 XI. 26) die «Notice biographique par Alph. de Candolle, Genève 1860 in 8.» Er wurde zu Jussy geboren, wo sein Vater damals Pfarrer war.

50) Durch De Candolle in die Botanik eingeführt, debutirte Choisy mit einem «Prodromus d'une monographie de la famille des Hypericinées, Genève 1821 in 4.», — dem dann zwei Jahre später ein «Mémoire sur la famille des Sélaginées, Genève 1823 in 4.», und ein «Mémoire sur un nouveau genre de Guttifères et sur l'arrangement méthodique de cette famille, Paris 1823 in 4.» folgte.

tig für die in Genf ausgeschriebenen Professuren der Mathematik, Physik und Philosophie zu concurriren[51]), die letztere wirklich erhielt und von 1824 bis zu dem für die Genfer-Academie verhängnißvollen Jahre 1848 mit Auszeichnung bekleidete[52]), nebenbei als Secretär der «Compagnie des pasteurs» und als öffentlicher Prediger seinem ursprünglichen Berufe treu diente[53]), und doch noch Zeit fand für die Memoiren der naturforschenden Gesellschaft in Genf und einige andere Sammelwerke zahlreiche und werthvolle botanische Abhandlungen auszuarbeiten, — an Alexander Moritzi von Chur[54]), der nach gründlicher Vorbildung an der dasigen Kantonsschule und botanischen Studien auf verschiedenen deutschen und schweizerischen Universitäten zu De Candolle nach Genf ging, und von diesem, da die Stelle eines Conservators seines Herbariums schon besetzt war, zur Verfertigung eines «Dictionnaire des noms vulgaires de plantes»[55]) verwendet wurde, später eine Lehrstelle der Naturgeschichte in Solothurn erhielt, von der er nach mehrjährigen ausgezeichneten Leistungen auf ebenso unverdiente als sonderbare Weise entfernt wurde, schließlich in Chur lebte, und sich durch verschiedene, theils in den Schweizer. Denkschriften erschienene, theils selbstständig aufgelegte Arbeiten um die Botanik verdient machte[56]), — und an Heinrich Zollinger von Feuerthalen im Kanton Zü-

---

51) Von den für diese Concurse von Choisy geschriebenen Abhandlungen ist sein «Essai historique sur le problème des Maximums, Genève 1823 in 4.» und seine Abhandlung «De l'erreur en général et des sources principales de nos erreurs, Genève 1824 in 8.» zu erwähnen.

52) Von philosophischen Schriften erwähne ich diejenige «Des doctrines exclusives en philosophie rationelle, Genève 1828 in 8.»

53) Von theologischen Schriften erwähne ich die «Conférences ou discours sur les influences sociales du Christianisme, Paris 1848 in 8.»

54) Vergl. für Moritzi (1806–1850 IV. 13) die von Alph. de Candolle im Sept. 1850 den Archives des sciences physiques et naturelles eingerückte biographische Notiz.

55) De Candolle bezeichnet dieses Dictionnaire, das bei 60 Sprachen und Dialekte berücksichtige, als sehr werthvoll, und bedauert, daß man bei seiner Ausdehnung und Specialität keinen Verleger gefunden habe.

56) Ich erwähne „Die Pflanzen der Schweiz, Chur 1832 in 8.", — „Die Gefäßpflanzen Graubündens, Neuchatel 1839 in 4.", — „Die Flora der Schweiz, Zürich 1844 in 12."

rich[57]), der nach Besuch des Lehrerseminars in Küßnacht nach Genf ging um Naturwissenschaften zu studiren, dann als Sekundarlehrer in Horgen und Herzogenbuchsee wirkte, 1841 einer Aufforderung De Candolle's folgend nach Java reiste um Naturalien zu sammeln[58]), 1848 als ihm eben auch die Direction des botanischen Gartens in Buitengorg angetragen war einem Rufe als Seminardirector in die Heimath folgte, 1855 aber neuerdings nach Java reiste um eine Kokospflanzung anzulegen, und dort nebenbei mit Sammeln von Naturalien und meteorologischen Beobachtungen[59]) den Rest der ihm bestimmten Tage ausfüllte, — denen gewiß noch Manche beizufügen wären, über welche mir die nöthigen Notizen fehlen[60]). Daß ich aber trotz allen diesen verdienten Männern die letzte für einen Botaniker offene Stelle an De Candolle vergeben habe, wird Niemand wundern, auch wenn er die Bedeutung dieses großen Gelehrten, den Martius den Linné unserer Tage genannt hat, nur aus der kurzen Uebersicht seiner Arbeiten kennen lernen sollte, welche ich im Folgenden geben kann.

De Candolle kehrte im Jahre 1798 nach Paris zurück. «Ce n'est plus», sagt De la Rive, «comme à son premier voyage, un simple séjour d'agrément en société avec quelques amis, qu'il a en perspective; c'est seul, en vue de se faire une carrière, que le jeune homme de vingt ans se trouve fixé, pour longtemps peut-être, dans cette grande ville. Il retrouve Dolomieu prêt à partir pour l'Egypte, et refuse de

57) Vergl. für Zollinger (Feuerthalen 1818 III. 22 — Java 1859 V. 19) die Neue Zürcher Zeitung vom 25. bis 27. August 1859.

58) Verzeichniß der in den Jahren 1842–1844 auf Java gesammelten Pflanzen, Solothurn 1846 in 8. — Systematisches Verzeichniß der im indischen Archipel gesammelten Pflanzen, Zürich 1854 in 8.

59) Vergl. z. B. seine Abhandlung „Ueber die Gewitter und andere damit verwandte meteorologische Erscheinungen im indischen Archipel" im Jahrgange 1858 der von mir redigirten Vierteljahrsschrift der naturf. Gesellschaft in Zürich.

60) Ich denke hiebei z. B. an den 1824 zu Corbers im Freiburgischen verstorbenen Botaniker Dematra, — an den 1838 als Stud. med. zu Berlin verstorbenen Theodor Wägelin von St. Gallen, dem wir eine «Enumeratio stirpium sec. ord. nat. disp., Turici 1838 in 8.» verdanken, — an den um die Flora der Ostschweiz verdienten Pfarrer J. K. Rechsteiner (1797 XI. 9 bis 1858 XI. 9) zu Teufen in Außerrhoden, ꝛc.

l'y suivre par déférence pour ses parents. Il essaie quelques études de médecine, et dans ce but il fréquente les hôpitaux; mais la vue des malades lui inspire une profonde tristesse, et il sent bien vite qu'il n'est point propre à l'art médical. C'est vers le Jardin des Plantes que se dirigent ses pas; son assiduité y est remarquée, il n'y est bientôt plus désigné que sous le nom du *jeune homme à l'arrosoir*, à cause de l'habitude qu'il a contractée de s'asseoir des journées entières sur un arrosoir pour étudier des plantes et prendre des notes». Auch der Director des Gartens, Desfontaines, wurde auf den jungen Mann aufmerksam, und schenkte ihm seine Zuneigung. «Un jour il aborde notre *jeune homme à l'arrosoir*», erzählt Flourens, «*M. Redouté*, lui dit-il, *a fait une collection de dessins de plantes grasses; il cherche un botaniste pour les décrire; voulez-vous vous charger de ce travail?* A cette proposition, le jeune homme, surpris et presque effrayé, fait entendre quelques mots sur la difficulté du sujet, sur son peu de savoir. *Vous verrez*, lui dit le bon Desfontaines, *que ce n'est pas aussi difficile que vous le croyez; vous viendrez travailler chez moi; je vous guiderai*». De Candolle ging nun wirklich mit Muth hinter diese Arbeit, übertraf die Erwartungen, welche man von ihm gehegt hatte, und machte sich nicht nur durch das betreffende Werk[64]) im Allgemeinen bekannt, sondern erwarb sich im Speziellen die Freundschaft der Desfontaines, l'Héritier, Cuvier, Delessert, Lamarck rc., den Eintritt in die Société Philomatique und die Société d'Arcueil, wo er mit Biot, Lacroix, Berthollet, Laplace, Gay-Lussac, Humboldt, Arago rc. zusammenkam, rc., — kurz, er war in der Gelehrten-Welt eingeführt. Sogar mit Napoleon kam er zusammen, und zwar in etwas eigenthümlicher Weise: «Il s'agissait», erzählt De La Rive, «de faire connaître au Premier Consul les voeux de chaque département. Désigné à cet effet, avec Mr. Fabry de Gex et Mr. Bastian de Frangy, au nom

64) Histoire des plantes grasses, Paris 1799—1808, 28 livr. in 4., Atlas in 2.

du département du Léman, De Candolle n'ignorait pas ce qu'il-y avait de délicat à représenter, auprès du gouvernement français, Genève qui avait vu avec douleur sa réunion à la France, et dont Bonaparte disait: *On parle trop bien anglais à Genève.* Aussi, quand s'approchant de la députation du département du Léman, et s'adressant plus particulièrement au député de Genève, le Premier Consul demanda: *Eh bien, Genève est-elle contente de sa réunion à la France? — Non, général,* répondit De Candolle, *mais depuis le 18 brumaire elle est un peu moins mécontente,* cachant ainsi habilement, sous la fleur d'une flatterie personelle qui avait un fond de vérité, ce que cette réponse courageuse d'un véritable Genevois avait de hardi et de peu obligeant pour la France. Bonaparte ne parut point blessé de la franchise du député; il chercha seulement à lui démontrer les avantages pour Genève de sa réunion à la France, sous les rapports commerciels et industriels. S'aperçut-il qu'il n'avait pas produit une bien grande conviction sur l'esprit de son interlocuteur? On peut le croire, car De Candolle fut du petit nombre des savants de l'époque qui n'eurent jamais part aux faveurs impériales». — Im Jahre 1802 mit Anne-Francoise-Robertine Torras, einer mit ihren Eltern in Paris lebenden Genferin, verheirathet[62]), fühlte De Candolle, dessen Vater durch die Revolution einen großen Theil seines Vermögens verloren hatte und somit den Sohn nicht sehr reichlich unterstützen konnte, daß es nothwendig werde mit seinen Studien auch eine lukrative Arbeit zu verbinden, und übernahm die ihm von Lamarck angetragene neue Bearbeitung von dessen «Flore française». An Material dafür fehlte es ihm nicht, da er nicht nur Lamarck's eigenes bedeutendes Herbarium und das-

62) Sie gebar ihm zu Paris am 28. Oktober 1806 Alphonse-Louis-Pierre-Pyramus, der zwar das Recht studirte, aber daneben doch zunächst Botanik trieb, und auch nach dem Rücktritte seines Vaters die Professur der Botanik in Genf übernahm. Neben botanischen Abhandlungen und der Fortsetzung des Prodromus des Vaters, ist namentlich seine «Hypsométrie des environs de Genève, Genève 1839 in 4.» zu erwähnen. — Einen andern hoffnungsvollen Knaben von 13 Jahren verlor De Candolle 1825 mit schwerem Herzen.

jenige von Benjamin Delessert benutzen, und von seinen immer zahlreicher werdenden Correspondenten in der Schweiz, Frankreich und Italien viele Beiträge erwarten konnte, sondern auch selbst bereits eine schöne Sammlung besaß, die er sich zum Theil auf den unten noch zu besprechenden zahlreichen Excursionen erworben hatte, zum großen Theil aber von l'Héritier: Nach dem tragischen Tode dieses Mannes im Jahre 1800[63]) kauften nämlich De Candolle und sein für Botanik ebenfalls begeisterter Freund Paul-Louis-Auguste Coulon von Neuenburg[64]) das von ihm hinterlassene reiche Herbarium gemeinschaftlich, da keiner von ihnen allein Geld genug hatte, und theilten es in Minne, — De Candolle behielt die einheimischen, Coulon die exotischen Pflanzen[65]). Da es an Fleiß und Verständniß ebenso wenig fehlte, so wurde die beabsichtigte neue Ausgabe, abgesehen vom

---

63) L'Héritier wurde am Abend des 16. April 1800 in der Nähe seiner Wohnung, von Säbelhieben getödtet, aufgefunden, ohne daß man die geringste Spur von den Mördern oder ihren Motiven ausmitteln konnte.

64) Vergl. für Coulon (1777—1855) die Acten der Schweiz. Naturf. Ges. für 1855. — Er war Kaufmann, hatte seine Lehrzeit zu Manchester gemacht, und war dann in das Haus Pourtalès eingetreten, für das er wiederholt Lyon, Paris und London zu besuchen hatte. Er benutzte diese Reisen auch zur Erweiterung seiner naturhistorischen Kenntnisse, stand mit vielen der größten Gelehrten in persönlicher Bekanntschaft, und gehörte zu den Gründern der Schweizer. und der Neuenb. naturforschenden Gesellschaft.

65) Coulon schenkte seinen Antheil später dem Neuenburgischen Museum, für das er auch 1818 bei einem Aufenthalte in Nizza Muscheln, Crustaceen, Fische rc. sammelte und selbst präparirte. Ebenso beschenkte er Neuenburg mit einer reichen Sammlung von Medaillen, geographischen Karten und kostbaren Werken, — zeichnete sich überhaupt durch seltene Uneigennützigkeit und Gemeinnützigkeit aus, wovon noch dem Note 64 erwähnten Nekrologe folgendes Beispiel enthoben werden mag: «On sait qu'en 1847, Neuchâtel, ayant refusé de fournir son contingent à l'armée fédérale pour marcher contre le Sonderbund, fut, après la guerre, condamné par la Diète à une contribution de 300,000 Livres. Cette somme devait être payée le 20 décembre au plus tard. Le Conseil d'État de Neuchâtel envoya M. Coulon à Berne pour régler cette affaire. M. Coulon se présenta au jour fatal, et offrit de la part du gouvernement neuchâtelois de remettre au Directoire des créances hypothécaires d'une valeur égale à la somme demandée. Les créances ayant été examinées ne furent pas jugées acceptables par le caissier de la Confédération, et sur son rapport le Directoire refusa de les admettre. On pouvait en appeler à la Diète, mais la Diète pouvait refuser le délai que l'État de Neuchâtel demandait pour s'acquitter en espèces, et le Directoire menaçait de faire,

Titel[66]), zu einem nach Form, Inhalt und Umfang total neuen Werke. «Il suffit, pour s'en convaincre», sagt De La Rive, «de lire la dédicace à Mr. de Lamarck, qu'il mit en tête de cette nouvelle édition. En même temps qu'il rappelle, avec une scrupuleuse exactitude, ce qui appartient à Mr. de Lamarck dans cette oeuvre considérable, il se contente d'énumérer les additions et les modifications qu'il y a apportées, et cette simple énumération, qu'il a cherché à rendre aussi modeste que possible, ressort comme l'expression d'un esprit supérieur qui s'empare d'un ancien titre pour faire un ouvrage tout nouveau». Die neue Flora fand auch schon bei der Ausgabe der ersten Bände allgemeine Anerkennung, und da gerade damals durch den im Sommer 1806 erfolgten Tod von Adanson in der Academie eine Vacanz eintrat, so durfte De Candolle hoffen in diese gelehrte Körperschaft aufgenommen zu werden. Er durfte dieß um so mehr hoffen als die Academie schon im Jahre 1800 seine «Expériences relatives à l'influence de la lumière sur quelques végétaux», durch die er, wie Flourens sagt, nachwies, «que la vie des plantes est bien plus rapprochée de la vie des animaux qu'on ne l'avait soupçonné encore: elles ont leur action, leur repos, leur sommeil, leur veille, leurs habitudes», sehr günstig aufgenommen, und ihn damals schon als Candidaten für die Nachfolge von L'Héritier bezeichnet hatte, — als die Academie diese Abhandlung, so wie zwei kurz nachher folgende «Sur les pores de l'écorce des feuilles» und «Sur la végétation du Guy», der Aufnahme in die Mémoires des savants étrangers würdig erachtete, — als seine «Astragalogia»[67]) bei den Kundigen

---

en attendant, occuper militairement le canton. M. Coulon ne voulut pas laisser son pays exposé à cette humiliation, il n'hésita pas un instant, négocia des valeurs qui lui appartenaient, et remit le jour même au Directoire, en écus sonnants, la somme de L. 300,000 (fr. 435,000)».

66) «Flore française de J. B. de Lamarck, 3me. édit. publiée par A. P. de Candolle, Paris 1805—1815, 6 Vol. in 8.» — Ein Auszug aus dem ersten Bande wurde unter dem Titel «Principes élémentaires de Botanique, Paris 1805 in 8.» separat herausgegeben.

67) Paris 1803 in fol.

Beifall gefunden, — als ihn 1803 Cuvier zu seinem Suppleanten am Collège de France gewählt und er dort mit Erfolg über Pflanzenphysiologie vorgetragen, — und kurz darauf ein «Essai sur les propriétés médicales des plantes»[68]) ihm bei der medizinischen Facultät in Paris die Doctorwürde, und damit die Befähigung erworben hatte, an irgend einer medizinischen Facultät Frankreichs Botanik vorzutragen. Aber die Hoffnung wurde nicht erfüllt. «De Candolle, quoique appuyé par Cuvier, Desfontaines, Chaptal, Laplace, Berthollet, Biot et d'autres sommités de l'Institut, ne fut pas nommé», erzählt De La Rive; «Palissot de Beauvois l'emporta sur lui de deux ou trois voix. Les causes de cette injustice manifeste n'étaient pas difficiles à découvrir: De Candolle, quoique jeune, avait inspiré déjà des jalousies; De Candolle, quoique naturalisé par l'estime et l'affection de ses nombreux amis, avait une origine étrangère; De Candolle avait volé de succès en succès, et les succès fatiguent les esprits étroits, et malheureusement il y a des esprits étroits partout. L'Institut a noblement réparé plus tard[69]) son erreur en appelant le botaniste genevois à l'une des places réservées aux huit étrangers les plus éminents dans les sciences, hommage d'autant plus honorable que ce fut une démonstration toute spontanée de la haute estime qu'avait pour lui le premier corps savant de l'Europe»[70]).

Es kostete De Candolle etwas Mühe die erlittene Niederlage zu verwinden; da es ihm jedoch bei seiner Candidatur fast mehr darum zu thun gewesen war sich den Weg zu einer höhern Lehrstelle zu bahnen, als um den Sitz selbst, so konnte er sich am

---

68) Paris 1804 in 4. Zweite Ausgabe Paris 1816 in 8. — Die Dedication dieser Schrift lautet: «Aux botanistes fondateurs de la théorie des familles naturelles, Tournefort qui l'a pressentie, Bernard de Jussieu qui l'a prouvée, Adanson qui l'a développée, Antoine-Laurent de Jussieu qui l'a soumise à des lois fixes, Desfontaines qui l'a liée avec l'anatomie végétale».

69) Im Jahre 1814 nach Flourens Angabe.

70) Daß De Candolle vor und nach vielen, ja fast allen bedeutendern gelehrten Körperschaften associrt wurde, braucht kaum angemerkt zu werden. Er soll mehr als 100 solche Diplome besessen haben.

Ende trösten, als ihm die Professur der Botanik in Montpellier angetragen wurde, — nur wollte er erst Gewißheit haben, daß er dennoch die kurz zuvor von der französischen Regierung erhaltene Mission «de parcourir en six années toute la France, pour en étudier la botanique dans ses rapports avec la géographie et l'agriculture»[71]), welche ihm für seine Flora und die ihn speziell beschäftigende Pflanzengeographie[72]) von Interesse war, beibehalten könne. Als der darüber befragte Minister des Innern, M. Cretet, der einsah wie wohlthätig es für Frankreich wäre die Wissenschaft etwas zu decentralisiren und daher Montpellier gerne eine solche Kraft überließ, in seiner launigen Manier antwortete: «Que M. de Candolle choisisse: il aura les deux places, ou il n'aura ni l'une ni l'autre», war De Candolle sofort entschlossen, und reiste im Anfange des Jahres 1808 mit seiner Familie nach Montpellier, wo er bald die Freude hatte einen Besuch seines alten Vaters zu erhalten, und auch sonst angenehme gesellschaftliche Verhältnisse anzuknüpfen. — Seine Vorlesungen waren sehr besucht: Sein lebhafter und, was dazumal in Montpellier unerhört war, ganz freier Vortrag sprach allgemein an, — über Organographie, Pflanzenphysiologie und dergleichen war vor ihm gar noch nie gelesen worden[73]). Dem zu allen Zeiten berühmten botanischen Garten wußte De Candolle noch größere Ausdehnung und größern Reichthum zu verschaffen, — den botanischen Excursionen, welchen er wöchentlich einen ganzen Tag widmete, trotz der zwei bis dreihundert ihn begleitenden Studenten, den einen guten Erfolg sichernden Reiz. — Auf größern Excursionen, welche er abgesehen von den oben erwähnten officiellen Reisen damals, sowie früher und später, in den Jura und

71) Die Rapporte über diese in den Jahren 1806—1811 ausgeführten sechs Reisen erschienen in den «Mémoires de la Société d'Agriculture de Paris, Vol. 10—15» und dann 1813 gesammelt in einem Octavband.

72) Neben betreffenden Abhandlungen gab De Candolle 1820 einen «Essai élémentaire de géographie botanique», der theils als 18. Band des Dictionnaire des Sciences naturelles, theils separat erschien.

73) Von seinen damaligen Schülern sind besonders Dunal und Flourens zu nennen. Einige der Schüler, welche er später in Genf bildete, sind bereits oben genannt worden.

die Alpen, an das Meer und in die Pyrenäen ic. machte, sah er sich gerne von vorzüglichern Schülern oder ältern Freunden begleitet, — und umgekehrt begleitete man ihn gerne um seines Humors und um seiner interessanten Bemerkungen willen, wenn man auch zuweilen etwas gefährliche Abentheuer zu riskiren hatte, wie man z. B. aus folgender Erzählung von De La Rive entnehmen kann: «De Candolle était allé avec Biot et Bonpland visiter le Creux du Vent, escarpement demi-circulaire d'environ six cents pieds de hauteur, situé dans la partie du Jura la plus voisine de Neuchâtel. Pour retourner à la campagne de son père, où il demeurait, il se décida à gravir l'escarpement, entreprise très-difficile, mais qui épargnait un détour d'une journée et avait l'avantage de faire voir un très-beau pays. Distrait par le soin de recueillir les plantes remarquables que cette localité renferme, il manque la fissure qui, taillée dans le roc, sert de sentier; il en prend une autre, et bientôt ses deux compagnons et lui se trouvent devant une paroi verticale de rocher, ayant au-dessous d'eux un abîme de plusieurs centaines de pieds de profondeur où le moindre faux pas peut les précipiter. Dans cette position périlleuse, ils n'ont plus qu'un parti à prendre, celui de gravir le rocher escarpé. Ils s'y décident, et les voilà s'aidant des pieds, des mains, des saillies du roc et de quelques plantes qui croissaient çà et là. *Quel malheur de venir mourir sur cette taupinière du Jura, après avoir gravi le Chimborazo!* disait Bonpland, pendant que Biot se plaignait avec chaleur à De Candolle de ce qu'il l'avait conduit dans un si mauvais pas. Et De Candolle se reprochant en effet d'être la cause du danger dans lequel se trouvaient ses amis, s'efforçait de les encourager. Enfin nos voyageurs parvinrent au sommet dans un état pitoyable, leurs habits déchirés, l'un sans souliers, l'autre sans chapeau, mais tous trois sains et saufs, heureux et gais de la manière dont s'était terminée leur aventure». — Auch die literarischen Arbeiten De Candolle's hatten in Montpellier ihren erwünschten Fortgang. Es würde jedoch zu weit führen alle einzelnen Abhandlungen aufzuführen, welche der fleißige Mann daselbst ausarbeitete[74]), und ich muß mich darauf beschränken das eine Hauptwerk zu nennen, welches er dort schuf, und das allein schon hinreichen würde ihm einen ersten Rang unter den Botanikern seiner Zeit anzuweisen, — ich meine seine «Théorie élémentaire de la Botanique»[75]), von deren Hauptidee, so wie von ihrem Verhältnisse zu der von Göthe schon 1790 besprochenen Pflanzenmetamorphose Folgendes einen Begriff geben mag: «Selon M. de Candolle», sagt Flourens, «chaque classe d'êtres est soumise à un plan général; et ce plan général est toujours symétrique. Mais cette symétrie primitive est rarement le fait qui subsiste. Les *avortements*, les *soudures*, les *dégénérescences* des parties altèrent, presque partout, la *symétrie primitive*, ou la masquent. Il faut donc remonter sans cesse jusqu'à la *symétrie primitive* à travers toutes les *irrégularités subséquentes*. La *symétrie* est toujours le fait primitif; *l'irrégularité* n'est jamais que le fait secondaire. — La théorie de M. de Candolle révèle à l'observateur un monde nouveau. Que, dans un groupe de plantes à corolle *polypétale*, un naturaliste ordinaire trouve une plante à corolle *monopétale*, il constate le fait et s'arrête là. Où l'étude finit pour le naturaliste ordinaire, pour le naturaliste inspiré par la théorie l'étude commence. Il voit, dans ces espèces qu'il compare, la corolle unique occuper la même place que la corolle à plusieurs pétales; il voit les nervures de la corolle unique répondre aux divisions des corolles polypétales; il remonte enfin jusqu'au premier âge de la fleur; il cherche cette corolle unique dans le bouton; il l'y trouve composée de plusieurs pièces; et l'analogie profonde du groupe, mas-

---

74) Ich muß überhaupt darauf verzichten ein auch nur annähernd vollständiges Verzeichniß der gedruckten Arbeiten De Candolle's zu geben, sondern verweise dafür auf Flourens, wo es 40 Quartseiten füllt.

75) Montpellier 1813 in 8. — Sec. éd., Paris 1819 in 8. — Eine dritte, von De Candolle noch vorbereitete Ausgabe, besorgte sein Sohn 1844. — Für eine deutsche Bearbeitung der ersten Ausgabe vergl. Note 26.

quée par la *soudure* des pétales dans une espèce, paraît tout entière. — Ce que M. de Candolle nomme *dégénérescence*, est ce qui, pris dans un sens inverse, constitue la *métamorphose* de Goëthe. Goëthe, suivant une *échelle ascendante*, voit la feuille *se métamorphoser* en calice, le calice en corolle, les pétales en étamines, les étamines en pistils, en ovaires, en fruits. M. de Candolle, suivant une marche opposée, voit le fruit, l'ovaire, le pistil, *dégénérer* en étamine, l'étamine en pétale, la corolle en calice, les diverses parties du calice en feuilles. La *métamorphose*, prise au sens de Goëthe, tire, si l'on peut ainsi dire, de la feuille toutes les parties de la fleur; la *dégénérescence*, prise au sens de M. de Candolle, ramène toutes les parties de la fleur à la feuille; l'un de ces faits prouve l'autre; et *la théorie de Goëthe, bien vue, n'est qu'une partie, mais une partie admirable, de la théorie de M. de Candolle*». Von einer Prioritätsstreitigkeit kann somit natürlich keine Rede sein, und es mag nur der Vollständigkeit wegen angeführt werden, daß De Candolle erst lange Jahre nach der Publication seiner Theorie auf die kleine Schrift Göthe's aufmerksam gemacht wurde, sich dieselbe übersetzen ließ, und große Freude hatte mit dem berühmten Dichter so nahe zusammenzutreffen.

Als De Candolle die theoretischen Arbeiten, für welche ihm die größere Ruhe in Montpellier erwünscht gewesen war, vollendet hatte, sehnte er sich entweder nach Paris zurück, wo er neue Anregung und ein großartiges Feld der Thätigkeit vor sich sah, — oder nach Genf, wo er geringere Ressourcen, aber dafür um so herzlicheres Entgegenkommen zu erwarten hatte, und theuern Eltern den Rest ihrer Tage verschönern konnte. Die damaligen politischen Verhältnisse, die Genf wieder sich selbst, und Frankreich dagegen neuen Partheiungen übergeben hatten, kamen endlich der Stimme des Herzens zu Hülfe, — De Candolle verlangte seine Entlassung von Montpellier und reiste im August 1816 nach der Vaterstadt ab. «Un jour», erzählt De La Rive, «c'était à la fin de septembre 1816, les habitants de la Cour de Saint-Pierre, petite place où est située à Genève la maison de De Candolle, voient défiler sous leurs yeux quarante petits chars de roulage chargés de bagage. Ce jour-là, De Candolle était fixé à Genève, car ce bagage c'était son herbier, et l'herbier une fois installé, De Candolle l'était aussi». Wenn man bedenkt, daß De Candolle's Herbarium, welches 1835 nach De La Rive's Bericht «plus de 75 mille espèces et plus de 135 mille échantillons» zählte, schon damals sehr groß war, so kann man sich denken, welche Mühe es kostete dasselbe auf eine brauchbare Weise zu ordnen und aufzustellen, und doch sollte es gerade jetzt fortwährend gebraucht werden. De Candolle hatte nämlich noch in Montpellier den Entschluß gefaßt alle bekannten Pflanzen nach den in seiner Theorie festgesetzten Prinzipien zu beschreiben, und begann nun in Genf Hand an das große Werk zu legen, das unter dem Titel «Systema regni vegetabilis» in Paris erscheinen sollte. Seinem Vorsatze getreu «de ne terminer aucun article sans avoir vu par lui-même les sources de chaque espèce ou genre, ce qu'on appelle les *types*, c'est-à-dire les échantillons mêmes sur lesquels l'espèce a été établie», war er selbst nach England gereist um das in Besitz von Smith gelangte Linné'sche Herbarium zu sehen, und hatte sich von andern Orten her die betreffenden Stücke zusenden lassen; nachdem er aber 1818 und 1820 zwei erste Bände publicirt hatte, sah er, daß die gestellte Aufgabe die Kräfte eines Menschen übersteige, und entschloß sich dem «Systema» einen bloßen «Prodromus» zu substituiren, dessen erster Band dann auch 1824 wirklich in Paris erschien. Doch schon mit einer bloßen «énumération complète, sinon détaillée, de toutes les espèces connues, classées suivant la méthode naturelle» hatte er sich, da sich nach Eintritt der Friedensperiode die Anzahl der bekannten Pflanzen binnen wenigen Jahren verdoppelte und verdreifachte, noch beinahe eine zu große Aufgabe gestellt. Obschon er außer seinem Sohne noch zeitweilig verschiedene tüchtige jüngere Botaniker, die Séringe, Otth, de Gingins, Bentham &c. zur Hülfe verwenden konnte[76]), brachte er dennoch bis zu

76) Ebenso erfreute sich später sein Sohn der Hülfe der Decaisne, Choisy, Duby, &c.

seinem Tode nur 7 Bände fertig, und wenn er auch unmittelbar vor demselben mit Beruhigung sagen konnte: «Je meurs sans inquiétude, mon fils achèvera mon ouvrage», so ist doch noch gegenwärtig trotz aller Anstrengung des Sohnes das große Werk unvollständig[77]), und zudem sind die erstern Bände durch die seitherigen Entdeckungen bereits etwas veraltet. «Néanmoins le Prodromus renferme», sagt De La Rive, «une énumération à peu près complète des deux tiers des familles du règne végétal. Cette énumération est fondée sur les principes de la méthode naturelle; elle présente un grand nombre de genres et d'espèces décrites pour la première fois, sur la vue même des échantillons contenus dans plusieurs herbiers de Genève, de Paris, de Munich etc.; elle rectifie plusieurs erreurs de synonymie et de description dans les espèces ou dans des genres anciens. Tous ces mérites expliquent pourquoi le Prodromus est devenu un point d'appui pour tous les auteurs qui, avant de publier un genre ou une espèce, veulent s'assurer qu'ils sont nouveaux; pourquoi il est indispensable à tous ceux qui s'occupent sérieusement de botanique; pourquoi la publication de chaque volume, toujours attendue avec impatience, était, chaque fois qu'elle avait lieu, un évènement scientifique».

Der Raum erlaubt nicht, auch der übrigen zahlreichen literarischen Arbeiten De Candolle's zu gedenken, von denen noch manche einzelne für sich allein einen Mann berühmt gemacht hätte[78]), — eben so wenig einläßlich die Erfolge zu besprechen, welche er sich auch in Genf von seiner Rückkehr im Jahre 1816

77) Im Jahre 1857 erschien der 14. Band, und es sollen nun noch zwei Bände folgen.

78) Ich erinnere z. B. an seine «Collection des mémoires pour servir à l'histoire du règne végétal, Paris 1828—1838, 10 livr. in 4.» — an seine «Organographie végétale, Paris 1827, 2 Vol. in 8.», und seine von der Royal Society mit ihrem großen Preise bedachte «Physiologie végétale, Paris 1832, 3 Vol. in 8.» — Die zahlreichen einzelnen und oft sehr wichtigen Memoiren kann ich (vergl. Note 74) hier nicht aufzählen, und erwähne nur noch die biographischen Arbeiten, welche er über Balbis, Huber, Cuvier und Desfontaines in die von ihm überhaupt vielfach mit Artikeln bedachte Bibliothèque universelle einrückte.

bis zu seiner Demission im Jahre 1835 als Professor der Botanik und Zoologie theils bei den Studirenden, theils bei öffentlichen Vorträgen vor gemischtem Publikum zu erfreuen hatte[79]), — oder die Verdienste, welche er sich um Gründung, Aeuffnung und Beaufsichtigung eines botanischen Gartens und eines naturhistorischen Museums für seine Vaterstadt erwarb[80]), — oder das wissenschaftliche Leben, das er in die Société des arts und die Société de physique et d'histoire naturelle, ja durch Belebung der öffentlichen Bibliothek, Gründung einer Lesegesellschaft, rc. in das Publikum überhaupt zu bringen wußte[81]), — oder die geschickte Weise, wie er seinen, zunächst durch seine wissenschaftliche Stellung erworbenen Einfluß auch auf öffentliche Fragen überzutragen, und zu ihrer zweckmäßigen Erledigung zu benutzen verstand[82]), — rc. Dagegen kann ich mir nicht versagen zum Schlusse wenigstens noch auszugsweise mitzutheilen, was uns De La Rive über das letzte Lebensjahr des großen Naturforschers aufbewahrt hat. «J'eus le plaisir», erzählt er, «de l'accompagner au congrès scientifique de l'Italie qui avait lieu à Turin le 12 Septembre 1840. De Candolle était déjà bien souffrant[83]); néanmoins sa patience et sa bonne humeur ne l'abandonnèrent pas un instant. — Son arrivée à Turin

79) Als Beweis hiefür mag folgende Erzählung von De La Rive gelten: «L'enthousiasme pour l'étude de la botanique devint bientôt si général, que De Candolle ayant été subitement appelé à restituer les dessins d'une Flore du Mexique qui lui avaient été confiés, les dames de Genève conçurent le projet d'en exécuter pour lui la copie. Grâce à ce zèle, mille dessins furent copiés en huit jours par cent dix personnes, et De Candolle put renvoyer les originaux sans être privé de cette collection importante pour ses travaux».

80) Für die Bedeutung des botanischen Gartens in Genf zeugen die von De Candolle und seinem Sohn von 1822—1841 in den Genfer-Memoiren publicirten acht «Rapports et notices sur les plantes rares ou nouvelles qui ont fleuri dans le jardin botanique de Genève».

81) De Candolle war auch ein eifriges Mitglied der Schweizer. Naturf. Ges., besuchte häufig ihre jährlichen Zusammenkünfte, und präsidirte sie 1832 bei ihrer Versammlung in Genf.

82) So hatte er im Großen Rathe namentlich bei Aufstellung der das Unterrichtswesen beschlagenden Gesetze eingreifenden Antheil genommen.

83) Schon 1836 hatte er eine schwere Krankheit bestanden, und sich nie mehr ganz von derselben erholt.

fut une véritable ovation; tous les botanistes du congrès l'attendaient à l'hôtel où il devait descendre, et il ne put se soustraire à la brillante réception qui lui avait été préparée. Pendant la durée de son séjour il fut l'objet de véritables honneurs, et le jour où il partit, la section de botanique se transporta de bonne heure à Rivoli, qui est le premier relai de Turin, et où, à sa grande surprise, il la trouva réunie pour le recevoir une dernière fois. Un jeune enfant lui récita une pièce de vers composée en son honneur; tous les assistants lui exprimèrent, de la manière la plus cordiale, leur joie de pouvoir lui dire encore adieu; et cette fête improvisée le toucha si profondément, qu'il ne pouvait en parler sans être ému jusqu'aux larmes. — Notre retour à Genève fut passablement mélancolique. De Candolle s'était fatigué à Turin. L'hiver qui suivit fut bien pénible; après quelques essais infructueux, il se vit obligé de renoncer complètement à toute espèce de travail, mais il conservait jusqu'à ses derniers jours sa parfaite présence d'esprit. Il mourut le 9 Septembre 1841. — La mort de De Candolle fut un vrai deuil pour Genève; les citoyens de tous les rangs, de tous les âges vinrent se joindre à ses parents, aux membres de l'Académie et des autres Corps dont il faisait partie, pour accompagner sa dépouille mortelle jusqu'à sa dernière demeure. Chacun suivait tristement ce convoi funèbre, dans le sentiment que Genève venait de perdre un des plus brillants rayons de sa gloire, et l'un de ses enfants les plus dévoués».

Charles-François Sturm von Genf.

1803 — 1855.

Charles-François Sturm wurde am 29. September 1803 zu Genf geboren, wo sich sein Großvater Jean-Daniel, ein schlichter Handwerker aus Straßburg, niedergelassen hatte, und sein Vater Jean-Henri erst als Handlungsgehülfe, dann als Lehrer der Arithmetik lebte[1]). Vater Sturm war ein strenger Lehrer, und forderte namentlich von seinen Schülern, daß sie ihre Rechnungen sauber ausführten, und gut anordneten. Diesen Anforderungen mußte natürlich auch der Sohn im vollsten Maße genügen, und man darf somit wohl annehmen, daß die methodische Anlage der Rechnungen und die schöne Anordnung der Formeln, welche Sturm während seines ganzen Lebens auszeichneten, zunächst eine Folge des Unterrichtes waren, welchen er von seinem Vater erhalten hatte. Auch der vorzügliche Erfolg, den Sturm während seinem Gange durch die öffentlichen Schulen im arithmetischen Unterrichte hatte, dürfte nicht nur seinem Fleiß und Talent, sondern zum Theil noch jener vorzüglichen Vorbereitung zu gut zu schreiben sein: Jedes Jahr, ohne Ausnahme, erhielt er, obschon er sehr tüchtige Mitschüler hatte[2]), den Arithmetik-Preis. Freilich ist nicht zu vergessen, daß sich Sturm in allen Fächern des Unterrichtes auszeichnete, bei den verschiedenen Concursen

1) Ich benutze für Sturm zunächst die von E. Prouhet im 15. Bande der «Nouvelles Annales de Mathématiques» veröffentlichte Notiz, und eine mir von meinem verehrten Freunde Herrn Elie Ritter in Genf, gütigst mitgetheilte Notiz über seine Jugendgeschichte. — Vater Sturm war 1778 geboren und starb 1819.

2) Ich brauche nur an seinen Freund Jean-Daniel Colladon von Genf (geb. 1802 XII. 15) zu erinnern, den ich im Folgenden noch wiederholt zu nennen haben werde.

sein Name sehr oft ehrenvoll erwähnt wurde, und ihm später mehrmals auch der Preis in der lateinischen Uebersetzung oder Composition zufiel. Ueberdieß machte ihn sein liebenswürdiger Charakter bei Lehrern und Schülern allgemein beliebt. — Im Jahre 1818 wurde Sturm an die Academie befördert, wo er bei Schaub[3]) die Elemente, bei Lhuilier[4]) und seinen Stellvertretern[5]) die höhern Parthien der Mathematik, bei Prevost Philosophie, bei Pictet Physik, bei De Candolle Naturgeschichte, &c., hörte. Schon der erste streng wissenschaftliche Unterricht in der Mathematik, den ihm Schaub ertheilte, fesselte ihn so, daß er die andern Vorlesungen zwar nicht gerade vernachläßigte, aber doch seine eigentliche Kraft ausschließlich der Größenlehre zuwandte. Und wie Sturm mit Liebe an Schaub hing, in welchem für ihn damals die Mathematik gewissermaßen personificirt war, so wandte auch dieser dem strebsamen und talentvollen Jünglinge eine väterliche Liebe zu, leitete auch noch, als er nicht mehr sein direkter Schüler war, seine Privatstudien, und erlaubte ihm die reiche mathematische Bibliothek zu benutzen, welche er sich gesammelt hatte. In dieser Letztern fand Sturm unter Anderm die von Gergonne herausgegebenen Annales de Mathématiques, ein Journal, das nicht nur durch reichhaltige Mittheilungen aus allen Gebieten der Mathematik sehr anregend war, sondern auch

---

3) Für Jean-Jacques Schaub von Genf (1773—1825 V. 19) ist die mir früher (s. I. 415) unbekannte Notiz in dem «Procès-verbal de la Séance publique de la Société des arts de Genève de 1825» zu vergleichen. Er war Schüler von Bertrand und theilweise noch von Lhuilier, wurde 1809 Professeur adjoint und 1820 Professeur titulaire de Mathématiques, und galt als ausgezeichneter Lehrer. Zum Drucke soll er nichts befördert, dagegen ein nahe vollendetes Werk über die Kegelschnitte hinterlassen haben. Sein Hauptverdienst wird aber immer bleiben der Lehrer und Beschützer von Sturm gewesen zu sein.

4) Für Lhuilier vergl. I. 401—422. Als Sturm bei ihm hörte, war er schon nahe emeritirt, und wenn auch nicht anzunehmen ist, daß Sturm (wie es schon etwas früher nach der Erzählung eines Lieblingsschülers Lhuilier's, des verehrten Rathsherr Peter Merian, einzelne Genfer-Academiker machten) seine an Schwäche grenzende Güte mißbrauchte, so scheint doch immerhin Lhuilier keinen so hervorragenden Einfluß auf Sturm gehabt zu haben, wie er Schaub zuzuschreiben ist.

5) Als Lhuilier 1821 (wie Ritter schreibt, während ich I. 422 hiefür 1823 annahm) seine Stelle niederlegte, besorgten während des folgenden Jahres drei Aspiranten für dieselbe (Dufour, Choisy, Pascalis) den Unterricht.

dadurch, daß es in jeder Nummer einige hübsche Nüsse zum Knacken vorlegte, und, durch Aufnahme guter Antworten auf die gestellten Fragen, junge Mathematiker auf die zweckmäßigste Weise zur Selbstthätigkeit anspornte. Auch bei unserm Sturm verfing das Mittel: Schon Ende 1822 sandte er Gergonne eine gelungene Arbeit über eine dem seit langem berühmten «Problème des courbes de poursuite»[6]) verwandte Aufgabe ein[7]), und von da an folgten sich ziemlich rasch[8]) eine ganze Reihe von Mittheilungen über verschiedene, zumeist der analytischen Geometrie entnommene Aufgaben, durch die der Name von Sturm, der damals kaum erst den Schulbänken entronnen war, den Mathematikern bereits in rühmlicher Weise bekannt wurde.

Ich habe in dem Vorhergehenden sehr viele Schweizerische Mathematiker aufführen können, viele Männer von Europäischem Rufe und dann freilich auch wieder andere von mehr localer oder wenigstens ephemerer Bedeutung, — ich erinnere an die Aargauer Bronner und Haßler, die Basler Bernoulli, Euler, Fatio, Fuß, Grynäus, Hermann, Huber, Münster, Ryff, Wenz und Wursteisen, die Berner Béguelin, Blauner, Graffenried, König und Trechsel, die Bündner Ardüser und Planta, die Genfer Abauzit, Achard, Bertrand, Calandrini, Cramer, Lesage, Lhuilier, Maurice, Necker, Prevost, Schaub und Trembley, die Glarner Loriti und Zingg, die Mühlhauser Lambert und Witz, den Neuenburger Moula, die St. Galler Bürgi, Girtanner und Guldin, die Schaffhauser Jetzler und Spleiß, den Thurgauer Dasypodius, die Waadtländer Crousaz, Loys de Cheseaux, Reverdil und Treytorrens, und die Zürcher

---

6) Vergl. I. 347—348.

7) Siehe Gergonne, Tom. XIII., wo die gleichzeitig eingegangenen und nur «par de très légères nuances» verschiedenen Lösungen von Sturm und St. Laurent zusammen verarbeitet sind.

8) Siehe Gergonne, Tom. XIII.—XVII. In der Note 4 erwähnten Arbeit von Prouhet, und in der davon im 2. Bande von Schlömilch's Zeitschrift für Mathematik und Physik gegebenen Uebersetzung werden diese Aufsätze einzeln aufgeführt, sowie auch alle spätern Noten und Abhandlungen. Ich bemerke von Specialitäten bloß, daß Sturm in Band XVI. und XVII. zwei erste Abschnitte von einem «Mémoire sur les lignes du second ordre» gab, das sich dann unter seinen Manuscripten vollständig und druckbereit vorfand.

Geßner, Gyger, Horner, Pestalozzi, Raabe, Rahn, Reinhard, Strübi, Sulzer, Waser und Wiesendanger, &c.; aber nichts destoweniger sind noch nicht Alle behandelt worden, die darauf Anspruch machen könnten, — ich erinnere an Pierre Senebier von Genf, der daselbst als Lehrer der kaufmännischen Arithmetik sehr geschätzt war, und einige betreffende Werke publicirte[9]), — an Carlo Francesco Gianella von Leontica im Blegno-Thale[10]), der in den Jesuitenorden trat und zunächst Mathematik studirte, dieselbe längere Zeit als Freund und Amtsgenosse von Lagrange in Turin lehrte, dann entsprechende Stellungen in Mailand und Pavia bekleidete, mehrere analytische Abhandlungen in die Turiner-Memoiren und Miscellaneen einrückte, und 1778 zu Pavia Elemente der Algebra herausgab, — an Johann Jakob und Samuel Imhof von Zofingen, von denen der Erstere[11]) Kaufmann und Lehrer der Mathematik in Vivis war, und dort mehrere betreffende Werke herausgab[12]), später in Bern und Aarau gelebt, und unter dem Namen „Viviser-Imhof“ als sehr gelehrter Mann gegolten haben soll, der Zweite[13]) in Bern Theologie studiren sollte, bei Tralles aber die Mathematik lieb gewann und sich ihr zu widmen entschloß, durch die Revolution aus der gelehrten Laufbahn herausgeworfen wurde, die Handlung erlernte, im Schweizerischen Militär bis zum Artilleriehauptmann avancirte, später als holländischer Werbe-Offizier in Zürich lebte, und zuletzt sein Leben in Zofingen beschloß, wo er ein „Lehrbuch der Arithmetik“[14]) schrieb, — an Isaac-Emmanuel-Louis Develey

---

9) Er lebte von 1715 bis 1778, und gab einen «Traité des changes et des arbitrages, Genève 1753 in 4», so wie einen «Traité d'Arithmétique, Lausanne 1774 in 4» heraus.

10) Er wurde 1740 I. 13 (nach Franscini's Gemälde des Tessins zu Leontica, nach Poggendorf zu Mailand) geboren, und starb 1810 VII. 15 zu Mailand.

11) Trotz den gefälligen Nachforschungen von Dr. Imhof in Aarau und Rektor Frikart in Zofingen habe ich keine sichern Daten über J. J. Imhof auftreiben können. Muthmaßlich starb er 1820 in Aarau.

12) L'art de tenir les livres en parties doubles, Vevey 1786, 2 Vol. in 4. — Arithmétique élémentaire, Vevey 1792 in 8.

13) S. Imhof wurde am 13. Juli 1764 zu Zofingen geboren, und starb ebendaselbst etwa im März 1829.

14) Basel 1828 in 8.

von Payerne[15]), der zuerst Kaufmann werden mußte, dann aber seinem eigenen Triebe folgend in Genf und Paris Mathematik und Naturwissenschaften studirte, 1791 nach Lausanne berufen wurde um vicariatsweise für Traytorrens Mathematik und Philosophie vorzutragen, trotz ausgezeichneter Befähigung und sehr gutem Vortrage 1794 dessen Nachfolge nicht erhielt[16]), dagegen vor und nach mit Hülfe des aus dem Nachlasse von Socin in Basel erworbenen physicalischen Cabinets[17]) und großer Gewandtheit im Experimentiren sehr besuchte physicalische Vorlesungen für ein gemischtes Publikum hielt, 1798 nach Kräften zur Gestaltung der waadtländischen Republik mithalf[18]) und Honorar-Professor der Mathematik wurde, 1804 provisorisch noch für Struve die Physik, 1807 dagegen an der reorganisirten Academie definitiv und nach eigner Wahl den Lehrstuhl der Mathematik und Astronomie[19]) übernahm, ihn bis nahe an sein Lebensende mit ungetheiltem Beifall und bestem Erfolge versah, und nebenbei sich den Ruhm eines der vorzüglichsten mathematischen Elementarschriftsteller erwarb[20]), — an Joh. Kaspar Häfeli von

---

15) Vergl. für Develey (Payerne 1764 V. 27 — Lausanne 1839 V. 22) die im 3. Bande der Revue Suisse gegebene Biographie. Er heirathete 1789 eine Tochter des Professor Felice in Yverdon.

16) Sein «Traité analytique de la méthode, Lausanne 1794 in 8», und seine von Legendre belobte und in Frankreich unter die Lehrmittel eingeschriebene «Arithmétique d'Emile, Paris 1795 in 8» (4. Ausg., Lausanne 1839) zeigen, welche Lehrkraft man damals in ihm vernachläßigte.

17) Es ging später an Struve über, und durch ihn an den Staat.

18) Er diente namentlich auch mit seiner gewandten Feder, und es mag hier ein von ihm 1798 herausgegebenes «Mémoire pour servir à l'histoire de la révolution du Pays de Vaud» citirt werden.

19) Sein «Cours élémentaire d'Astronomie, Lausanne 1833 in 8» zählt zu den besten populären Schriften, und wurde noch 1835 und 1836 neu aufgelegt. Sein Wunsch eine Sternwarte zu erhalten, ging dagegen nicht in Erfüllung, obschon einige Instrumente angeschafft wurden.

20) Außer den Note 16 und 19 angeführten Schriften erwähne ich noch von Develey seine «Algèbre d'Emile, Lausanne 1805, 2 Vol. in 8», von der 1828 eine zweite Auflage auf Staatskosten erschien, — seine «Eléments de Géometrie, Paris 1812 in 8», in welche er die von Gaudin vereinfachte Bertrand'sche Parallelen-Theorie aufnahm, deren 2. Auflage von 1816 ins Deutsche übersetzt wurde, und deren 3. Auflage 1830 auf Staatskosten erschien, — seine ebenfalls auf Staatskosten gedruckte «Application de l'Algèbre à la Géométrie, Lausanne 1816 in 4», — rc.

Zürich[21]), einen Sohn des berühmten Kanzelredners Johann Kaspar Häfeli in Bremen, der, nach guten Studien in Bremen und Göttingen, 1804 erster Lehrer an der Stadtschule in Frauenfeld sowie Actuar des Kirchenrathes wurde, und neben theologischem ein zur Zeit geschätztes Lehrbuch der Geometrie herausgab[22]), — und an Christian Tester aus dem Safien-Thal in Bündten[23]), den Sohn eines wohlhabenden Bauern, dem, nach guter Vorbildung an der Churer-Kantonsschule, Prof. Ammann in Erlangen die Theologie so zu erleiden wußte, daß er sich nachträglich auf Mathematik warf, dieselbe in Heidelberg bei Langsdorf studirte, dann einige Zeit bei Pestalozzi zubrachte um dessen Methode kennen zu lernen, 1810 Professor der Mathematik in Chur wurde, bis gegen das Ende seines Lebens (wo er fast erblindete) ein beliebter Lehrer war, und neben Belletristischem (namentlich seinem „Junker Hans") einige gute mathematische Schulbücher schrieb[24]) — denen sich muthmaßlich noch manche Andere anschließen würden[25]). Immerhin würde es wohl keinem der Letztgenannten auch nur von ferne beifallen mit Sturm um den letzten offenen Platz für einen Mathematiker zu concurriren, — ja es wird uns die Folge zeigen, daß überhaupt nicht leicht unter den Schweizerischen Gelehrten neuerer Zeit Jemand gefunden werden könnte, welcher den von mir der Schweiz gewundenen Kranz würdiger schließen würde.

---

21) Er lebte von 1779 bis 1842 X. 31.

22) Zürich 1806 und 1820 in 8.

23) Von Tester (1784—1855) findet sich im Bündnerischen Monatsblatt von 1856 ein ziemlich einläßlicher Nekrolog.

24) Elemente der Buchstabenrechnung, Zürich 1826 in 8. — Leitfaden zum zweckmäßigen Verfahren beim Rechnungsunterrichte in den Bündner'schen Volksschulen, Chur 1832 in 8.

25) So erwähnt Schuler neben Gianella einen mathematischen Schriftsteller Joseph Anton Albertini von Lugano, — Balthasar in seinem «Museum virorum Lucernatum fama et meritis illustrium, Lucernae 1777 in 4» einen «Joannes Ludovicus de Rusca sive Rusconi» von Luzern, der in den Jesuitenorden getreten und als Professor der Mathematik in Italien verwendet worden sei, mehrere Schriften herausgegeben habe, und noch mehrere herausgegeben haben würde, wenn er nicht schon im 40sten Jahre gestorben wäre. Ueber Albertini habe ich aber gar nichts weiteres, und über Rusca nur bei Holzhalb finden können, daß er ein jüngerer Bruder des 1748 zu Luzern verstorbenen Rathsherr Franz Karl von Rusca war.

Als Vater Sturm ohne Hinterlassung eines auch nur für die nothwendigsten Bedürfnisse der Familie zureichenden Vermögens starb, machte der damals 16jährige Karl, das älteste der vier Kinder[26]), die nobelsten Anstrengungen um der Mutter beizustehen, und Dank dem bereits erworbenen Rufe und der Empfehlung seines väterlichen Freundes Schaub gelang es ihm durch Privatunterricht weit über Erwarten. Wohl fühlte er sich durch denselben bisweilen in seinen Studien etwas beeinträchtigt; aber diese gingen, wie wir schon oben gesehen haben, dennoch ganz gut vorwärts, und die Nothwendigkeit, in die er sich in der Jugend versetzt sah, Minder-Begabten Dinge klar zu machen, welche ihm als selbstverständlich erschienen, trug noch in späterer Zeit gute Früchte. — Unmittelbar nachdem Sturm die Academie in Genf absolvirt hatte, nämlich im Mai 1823, erhielt er durch die Freundschaft Colladon's eine ursprünglich diesem zugedachte Informatorstelle bei dem jungen Alphonse Rocca, dem jüngsten Sohne der berühmten Frau von Staël[27]), welche bekanntlich noch in spätern Lebensjahren, ohne den Namen ihres ersten Gatten abzulegen, einen jungen französischen Officier dieses Namens geheirathet hatte. Rocca wurde, nach dem 1817 erfolgten Tode der Mutter, von seinem Schwager, dem Herzog von Broglie, erzogen, und lebte damals mit diesem auf dem Schlosse zu Coppet, wo sich nun also auch Sturm einzuquartiren hatte. Da ihm Herr und Frau von Broglie sehr freundlich entgegen kamen, so wurde es Sturm bald wohl in seinem Wirkungskreise. «Consacrant quelques heures réglées aux leçons proprement dites, Sturm en réservait d'autres», lautet Ritter's Mittheilung, «qu'il passait avec son élève en promenades et en récréations. Jeune, vigoureux, adroit, d'une taille élancée, agile dans tous les exercices du corps, il aimait à faire diversion au travail de cabinet par des jeux en plein air, et par son exemple, il en inspirait le goût à son élève.

---

26) Eine Schwester, Anna, überlebte den Bruder, und pflegte denselben, der nie verheirathet war, bis zu seinem Tode.

27) Vergl. I. 446 und IV. 284.

Celui-ci de son coté s'attachait à son précepteur et lui témoignait son affection par son application et ses progrès. *Tout en occupant bien son temps*, écrivait Sturm à son ami Colladon, *je crois qu'il ne s'ennuie pas avec moi.*» — Ende November 1823 reiste Herr von Broglie nach Paris, und Sturm hatte nun die Freude seinen Zögling auch in diese Weltstadt begleiten zu können, wo er hoffen konnte durch die ihm von Schaub, Lhuillier und Maurice mitgegebenen Empfehlungen wissenschaftliche Bekanntschaften zu machen. «Depuis Dijon», erzählt Ritter bei Anlaß dieser Reise, «Sturm eut pour compagnon de voyage dans la diligence le Bibliothécaire de cette ville, qui conduisait à Paris son fils récemment reçu élève de l'Ecole Polytechnique. Le père et le fils amateurs tous deux de géométrie étudiaient avec intérêt et régulièrement les Annales de Gergonne; ils y avaient lû les différentes notes de Sturm et lui témoignèrent le plaisir qu'ils avaient à faire la connaissance d'un savant dont ils avaient apprécié les travaux. On comprend l'émotion de profonde joie que dut lui faire éprouver cette rencontre inopinée, ce premier écho qui venait lui révéler un renom naissant.» — Mit Hülfe der erwähnten Empfehlungen und überdieß durch Madame de Broglie dem berühmten Humboldt vorgestellt, wurde Sturm mit Arago, Laplace, Poisson, Fourier, Gay-Lussac, Ampère, rc. bekannt, und fühlte sich durch sie mächtig angeregt, so daß er an seine Mutter schrieb: «Je suis actuellement en relation avec des hommes très-savants et très distingués. Il faut tâcher de m'élever à peu près à leur niveau.» Sturm besuchte auch die Sitzungen der Academie häufig, erfreute sich der Italienischen Oper, sah in dem Broglie'schen Salon die Villemain, Guizot, Cousin, rc., kurz genoß Paris in so ausgesuchter Weise, daß ihm der Winter 1823 auf 1824 nur zu schnell verfloß, und er froh war ein Jahr später, wenn auch in bescheidenern Verhältnissen, mit seinem Freunde Colladon dahin zurückkehren zu können, um seine Studien in dieser mit der höchsten Wissenschaft geschwängerten Atmosphäre fortzusetzen. Die beiden Freunde studirten in Paris von 1825 bis 1829 gemeinschaftlich, sich unter Protektion von Arago durch Privatunterricht ihr Auskommen größtentheils sebst verschaffend, — theilten Freude und Leid mit einander, ja sogar ihre Ideen, — und hatten 1827 das Glück für ihr ebenfalls gemeinschaftlich ausgearbeitetes «Mémoire sur la compression des liquides»[28]) den großen mathematischen Preis der Academie zu erhalten.

Da mir jeder Anhaltspunkt fehlt, um den Antheil etwas genauer zu bezeichnen, welchen Sturm an den Grundlagen der mit Colladon ausgeführten Arbeiten, an den Versuchen über die Zusammendrückbarkeit des Wassers, an den Beobachtungen über die Fortpflanzung des Schalles im Wasser, rc. hatte, so ziehe ich vor, statt auf dieselben noch näher einzutreten, die mathematischen Arbeiten Sturm's etwas genauer zu charakterisiren. Diese schließen sich zunächst an die glänzenden Leistungen an, welche man dem genialen Fourier auf den Gebieten der Algebra und der mathematischen Physik verdankt. — Fourier hatte sich in der Algebra die Aufgabe gestellt eine exegetische Methode zu der praktischen Auflösung der numerischen Gleichungen zu geben, da die von Lagrange herrührende, obwohl im Princip vollkommen richtig, wegen ihrer großen Complication für praktische Zwecke geradezu unbrauchbar war. Die eigentliche Berechnung der reellen Wurzeln einer Gleichung höhern Grades kann, sowohl nach der Newton'schen als nach der Lagrange'schen Methode, nicht eher mit Erfolg begonnen werden, als bis eine vorgängige Arbeit, die sogenannte Trennung der Wurzeln, vollbracht ist, welche darin besteht, daß für jede zu berechnende Wurzel zwei Zahlwerthe als Grenzen aufgestellt werden, zwischen welchen diese und keine andere Wurzel der Gleichung enthalten ist. Das zu diesem Zweck von Lagrange ersonnene Verfahren geht darauf aus, den kleinsten Unterschied zwischen den Wurzeln der Gleichung zu bestimmen; wie schon bemerkt wurde, genügt dasselbe aber wohl den theoretischen, dagegen nicht den praktischen Anforderungen. Fourier schlug nun einen neuen Weg ein, der sich auf die Betrachtung der Zeichenänderungen stützt, welche die linke Seite der

---

28) Siehe Tome V. der Mémoires des Savants étrangers.

Gleichung und ihre sämmtlichen Differentialquotienten erleiden, wenn die als veränderlich angesehene Unbekannte das Gebiet der reellen Zahlen durchläuft. Der Hauptsatz, zu welchem er so gelangte, entspricht indessen, wenigstens unmittelbar, nicht allen Anforderungen, indem er zunächst nur kennen lehrt, wie viele reelle Wurzeln höchstens zwischen zwei beliebig gewählten Grenzen liegen, während die Ermittlung der genauen Anzahl derselben eine weitere, bisweilen mühselige Arbeit erfordert. Das Ganze dieser algebraischen Untersuchungen war noch nicht publicirt; nur das Manuscript zu den beiden ersten Büchern war druckfertig, als es von Fourier mehreren Mathematikern, unter anderm auch Sturm, mitgetheilt wurde[29]). Dies gab die Veranlassung zu Sturm's bedeutendster Entdeckung: Durch eine wesentliche und glückliche Modification der Fourier'schen Betrachtungen gelang es ihm einen Satz zu finden, durch welchen die genaue Anzahl der reellen Wurzeln einer Gleichung bestimmt wird, welche zwischen zwei beliebig gewählten Grenzen liegen; diese Entdeckung überraschte um so mehr, da das Sturm'sche Verfahren wesentlich mit dem längst bekannten Algorithmus übereinstimmt, der dazu dient, sogenannte gleiche oder vielfache Wurzeln der Gleichung aufzusuchen; in der That beruht das von Sturm angegebene Criterium auf der Betrachtung der Zeichenänderungen, welche die bei diesem Algorithmus auftretenden Divisionsreste erleiden, wenn wieder die als veränderlich angesehene Unbekannte das Gebiet der reellen Zahlen durchläuft. Durch die Einfachheit des Resultats sowohl wie durch die Wichtigkeit der Frage, die er vollständig beantwortet, gehört dieser Satz, der Sturm'sche Satz, zu der Classe jener ausgezeichneten, die den Namen ihres Entdeckers für alle Zeiten der Nachwelt überliefern, und er ist es, der den Namen Sturm's in der mathematischen Welt so populär gemacht hat[30]). «Prenez au

---

29) Fourier's «Analyse des équations déterminées, Paris 1831 in 4» wurde erst nach seinem Tode durch Navier herausgegeben.

30) Sturm gab diesen Satz zunächst nur als Hülfssatz in einem «Mémoire sur la résolution des équations numériques», das er am 13. Mai 1829 der Academie las, und von dem er in dem von ihm redigirten mathematischen Theile

hasard un des candidats à notre Ecole Polytechnique», rief Liouville am 20. Dezember 1855 an Sturm's Grabe aus, «et demandez-lui ce que c'est que le théorème de M. Sturm: vous verrez s'il répondra! La question pourtant n'a jamais été exigée par aucun programme: elle est entrée d'elle-même dans l'enseignement, elle s'est imposée comme autrefois la théorie des couples.» Unter den übrigen rein algebraischen Arbeiten Sturm's mag noch eine hervorgehoben werden, welche in naher Beziehung zu der eben angeführten steht. Der große Mathematiker Cauchy wurde durch seine Untersuchungen über die Integrale von Functionen einer complexen Variabeln auf Sätze geführt, durch welche die Anzahl derjenigen Wurzeln einer Gleichung bestimmt wird, die innerhalb eines beliebig vorgeschriebenen Gebietes von complexen Werthen enthalten sind. Sturm hat diese Sätze auf ganz elementarem Wege auf's Neue bewiesen, und die Beziehungen derselben zu seinem berühmten Satz angegeben[31]). — Die mathematische Physik war durch Fourier's classisches Werk, die im Jahre 1822 erschienene «Théorie analytique de la chaleur», um Methoden bereichert worden, welche der mathematischen Behandlung physikalischer Probleme, auch solcher, welche sich nicht ausschließlich auf die Theorie der Wärme beziehen, ganz neue Bahnen eröffneten. Unter den unendlich mannichfaltigen speciellen Problemen, auf welche Fourier's allgemeine Theorie anwendbar ist, giebt es eine Classe von solchen, deren vollständige Lösung die Integration einer sogenannten linea-

---

des «Bulletin des sciences de Férussac» einen Auszug gab. Der Beweis des Satzes erschien erst 1832 in der ersten Ausgabe der Algebra von Choquet und Mayer, wo der Satz in folgender Fassung mitgetheilt wird: «Lorsqu'on substitue à la place de x, dans la suite des fonctions $V, V_1, V_2, \ldots V_r$, deux nombres quelconques α et β positifs ou négatifs, si α est plus petit que β, le nombre des variations de la suite des signes de ces fonctions pour $x = \beta$ sera au plus égal au nombre des variations de la suite des signes de ces mêmes fonctions pour $x = \alpha$; et s'il est moindre, la différence sera égale au nombre des racines réelles de l'équation $V = o$ comprises entre α et β.» Zur Erläuterung ist zu bemerken, daß V_1 die erste Ableitung von V bezeichnet, V_2 aber den Gegensatz des Restes bei der Division von V durch V_1, V_3 den Gegensatz des Restes bei der Division von V_1 durch V_2, rc.

31) Siehe Band I. von Liouville's Journal der Mathematik.

ren Differentialgleichung zweiter Ordnung erfordert. Aber abgesehen von einer verhältnißmäßig kleinen Anzahl besonders einfacher Fälle giebt es keine allgemeine Methode für die Ausführung dieser Integration, und selbst wenn sie gelingt, ist es häufig doch sehr schwer, aus den verwickelten Ausdrücken der hier auftretenden Functionen ihre wichtigsten Eigenschaften zu erkennen. Sturm hat nun eine in den meisten Fällen anwendbare Methode angegeben, um diese Eigenschaften durch unmittelbare Discussion der Differentialgleichung selbst zu erkennen, ohne ihre Integration auszuführen, und so ein Mittel geschaffen, um die wichtigsten Eigenheiten der entsprechenden physikalischen Phänomene mit Sicherheit beurtheilen zu können[32]). Die Natur des Gegenstandes erlaubt hier nicht auf den von Sturm eingeschlagenen Weg näher einzugehen; dagegen darf nicht unterlassen werden anzuführen, daß Liouville, der zwar Sturm's treuer Freund, aber beim Tode von Ampère doch immerhin auch sein Concurrent um die erledigte Stelle in der Academie war, gerade zur Zeit der Bewerbung über diese Untersuchungen Sturm's vor der Academie mit den Worten urtheilte: «La postérité impartiale les placera à côté des plus beaux Mémoires de Lagrange», — und daß die Academie selbst schon zwei Jahre früher, nämlich am 4. Dezember 1834, Sturm für seine Abhandlung den großen mathematischen Preis zusprach, der, nach dem Wortlaute des Programmes, «devait être décerné à l'auteur de la découverte la plus importante publiée dans les trois dernières années.»

Die Natur und Bedeutung der wissenschaftlichen Leistungen Sturms geht aus dem bereits Mitgetheilten so klar hervor, daß es unnöthig sein dürfte noch alle übrigen Noten und Abhandlungen aufzuzählen, welche er in dem Bulletin de Férussac, dem Journal de Liouville, den Comptes rendus, &c. publicirte[33]). Dagegen bleibt noch Einiges über seine äußern Verhältnisse, seine Lehrthätigkeit, &c. nachzutragen. Im Jahre 1830

---

32) Siehe Band I. von Liouville's Journal der Mathematik. Sturm las das betreffende Memoire der Academie am 30. September 1833.

33) Ich hebe hier einzig noch das im 43. Bande der Comptes rendus enthaltene «Mémoire sur quelques propositions de mécanique rationelle» speziell

wurde Sturm auf Empfehlung von Arago hin zum Professor der Mathematik am Collège Rollin ernannt, 1836 erhielt er Ampère's Nachfolge in der Academie[34]), 1838 wurde er zum Répétiteur d'Analyse à l'Ecole polytechnique, 1840 zum Professor der Mathematik an derselben Anstalt und zugleich zum Nachfolger von Poisson auf dem Lehrstuhle der Mechanik an der Sorbonne erwählt. «Comme professeur, M. Sturm se distinguait par la clarté et la rigueur», sagt sein Schüler Prouhet. «On lui doit beaucoup de démonstrations ingénieuses qui, répandues par ses élèves, ont ensuite passé dans des livres dont les auteurs ont presque toujours *oublié* de le citer. Mais il était riche, point avare et ne réclamait jamais. *En ai-je assez perdu*, disait-il en riant, *de ces petits objets! et combien peu m'ont été rapportés par d'honnêtes ouvriers! A la longue, cependant, le total peut faire, comme on dit, une perte conséquente*. Les qualités de M. Sturm étaient bien appréciées par la jeunesse intelligente qui suivait ses leçons. *On admirait*, dit l'un de ses élèves, et j'ajouterai: l'on aimait *cet homme supérieur s'étudiant à s'effacer, pénétrant dans l'amphithéâtre avec une timidité excessive, osant à peine regarder son auditoire. Aussi le plus religieux silence régnait-il pendant ses leçons, et on pouvait dire de lui comme d'Andrieux, qu'il se faisait entendre à force de se faire écouter, tant est grande l'influence du génie!* In der Kunst der Darstellung war Sturm ein Meister; seine Schriften sind ausgezeichnet durch die lichtvolle Klarheit, mit welcher die Hauptgedanken stets in den Vordergrund gestellt sind, so daß der Leser jeden neuen Schritt natürlich, und deßhalb die ganze Entwicklung leicht und übersichtlich findet. Durch dieselbe Klarheit empfehlen sich auch die von Prouhet aus seinem Nachlasse herausgegebenen Vorträge über Differential-

---

hervor, auf das Liouville wegen einem darin enthaltenen «Théorème sur la variation que la force vive éprouve lors d'un changement brusque dans les liaisons d'un système en mouvement» besondern Werth legt.

34) Er war auch Mitglied der Academien in Berlin und Petersburg, und der Royal Society. Die letztere Gesellschaft hatte ihm schon früher für seine Arbeiten über die Gleichungen die Copley-Medaille zugesprochen.

rechnung und Mechanik[26]), welche sich unstreitig den besten Lehrbüchern über diese Disciplinen anreihen. — Die mathematischen Wissenschaften schätzte Sturm über Alles, — weniger gewisse Parthien der Philosophie. «Quant à la métaphysique», schrieb er einmal an Colladon, «tout ce que j'en ai vu me porte à croire que les métaphysiciens sont bien loin d'être en état de résoudre les grandes questions que quelques-uns d'entre eux agitent témérairement. Qu'ils soient de l'Ecole de Kant ou de celle de Condillac, on trouve, chez eux tous, des sophismes grossiers, des raisonnements faux et ridicules revêtus d'un inutile verbiage.» Dagegen war er ein großer Freund der Musik, und legte sich zu der Zeit, wo seine Kasse noch schwache Zuflüsse hatte, oft die größten Entbehrungen auf, um ein Meisterwerk von Rossini oder Meyerbeer hören zu können. In größern Gesellschaften oder gegenüber Fremden war er sehr wortarm, während sich dagegen in der Familie, oder im Kreise seiner zahlreichen Freunde theils seine Herzlichkeit, theils seine Feinheit und Originalität auf das Schönste zeigte. Seiner Wohlthäter vergaß er nie, und suchte seine Schuld gegen sie abzutragen, indem er hinwieder junge Leute auf die delicateste Weise in ihren Bestrebungen unterstützte. — «Doué d'une constitution naturellement forte, M. Sturm pouvait compter sur une longue carrière», erzählt uns Prouhet: «Malheureusement, vers 1851, sa santé subit une altération profonde par suite d'une trop forte application à des recherches difficiles, et il fut obligé de se faire remplacer à la Sorbonne et à l'Ecole Polytechnique. Il reprit ces cours à la fin de 1852, mais il ne se rétablit jamais complètement. Malgré les soins de sa famille qui retardèrent, mais ne purent arrêter les progrès du mal, il succomba le 18 décembre 1855, à l'âge de cinquante et un ans.» Die Trauer der Freunde und Verehrer von Sturm über seinen frühen Tod war sehr groß,

---

26) Cours d'Analyse et Cours de Mécanique de l'école polytechnique par M. Sturm, publiés d'après le voeu de l'auteur par M. E. Prouhet. Paris 1857—1861, 4 Vol. in 8.

und Liouville gab ihren Gefühlen Worte, als er am Grabe des verstorbenen Freundes die Bedeutung seines Verlurstes durch eine Darstellung seiner Vorzüge als Mensch und Gelehrter gab. «La mort est venue nous l'enlever dans la fleur de l'âge», schloß er mit bewegter Stimme. «Il est allé rejoindre Abel et Gallois, Göpel, Eisenstein, Jacobi. — Ah! cher ami, ce n'est pas toi qu'il faut plaindre. Echappée aux angoisses de cette vie terrestre, ton âme immortelle et pure habite en paix dans le sein de Dieu, et ton nom vivra autant que la science. — Adieu, Sturm, adieu.»

Generalregister.

NB. Die römischen Zahlen beziehen sich auf die Bände, die arabischen auf die Seiten, und zwar, wenn fett, auf Biographien oder biographische Notizen. Die * bezeichnen Schweizer.

A.

B.

E.

J.

K.

L.

M.

N.

O.

P.

Q.

R.

S.

U.

X.

Y.

Z.

FSC
www.fsc.org
MIX
Papier aus verantwortungsvollen Quellen
Paper from responsible sources
FSC® C141904

Druck:
Customized Business Services GmbH
im Auftrag der KNV-Gruppe
Ferdinand-Jühlke-Str. 7
99095 Erfurt